Юрий Поляков

Юрий Поляков

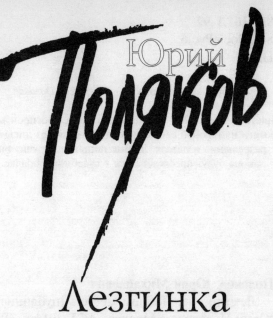

Лезгинка на Лобном месте

АСТ
МОСКВА

УДК 821.161.1-92
ББК 84(2Рос=Рус)6
П54

Оформление обложки – *Анастасия Орлова*

Поляков, Юрий Михайлович

П54 Лезгинка на Лобном месте : [публицистика] / Юрий Поляков. – Москва : АСТ, 2014. – 605, [3] с.

ISBN 978-5-17-081861-7

Публицистика Юрия Полякова, так же как и его художественная проза, всегда вызывала бурный отклик читателей и явное недовольство властей.

Прочтя эту книгу, вы сможете не только приобщиться к острой, неординарной мысли писателя, оценить его афористично-иронический стиль, но и убедиться в том, насколько в своих прогнозах и предвидениях автор опережает текущий момент. Кстати, используя в наших политических спорах некоторые словечки и выражения, мы даже не подозреваем, что попали они в современный язык из статей Юрия Полякова.

УДК 821.161.1-92
ББК 84(2Рос=Рус)6

ISBN 978-5-17-081861-7

Предисловие автора

Когда я был начинающим читателем, меня огорчало, что в собраниях сочинений классиков следом за любимыми произведениями идут зачем-то тома с публицистикой. «Не могу молчать!» Эх, Лев Николаевич, лучше бы помалкивал и сочинял продолжение «Войны и мира», а то ведь так и не рассказал, как Безухов стал декабристом, а Наташа поехала за ним в Сибирь. Или — Пушкин! Сколько наш гений потратил сил на газетные перепалки с Булгариным, а «Египетские ночи», отраду отроческого эротизма, так и не закончил. Жаль... Только с годами я понял, какое это увлекательное чтение — публицистика былых времен. Она доносит до нас бури и страсти минувшего, нравственные искания и политические сшибки, сотрясавшие людей, давно умерших, и страны, давно исчезнувшие с карт! Нет, это не прошлогодний снег, скорее, некогда раскаленная, а теперь застывшая лава. И ее прихотливые нагромождения странно напоминают ландшафт нашей нынешней жизни. Впрочем, ничего удивительного: проклятые вопросы и бездонные проблемы мы получили в наследство вместе с нашей землей, историей, верой, вместе с супостатами — внутренними и внешними. Прочтешь порой какое-нибудь место из «Дневника писателя», глянешь в телевизор, послушаешь очередного вольнонаемного охмурялу и ахнешь: «Ну, Федор Михайлович, ну, пророчище!»

И все же: почему поэты, прозаики, драматурги пишут статьи? Неужели они не могут свести счеты со Временем при помощи, скажем, могучей эпопеи, разительной поэмы или комедии, которую современники тут же растащат на цитаты, как олигархи растащили общенародную собственность? А ведь есть еще эпиграммы, памфлеты и антиутопии, позволяющие от души поквитаться с неудовлетворительной действительностью. Но литераторы, в том числе автор этих строк, продолжают писать статьи. Почему? А потому, что процесс художественного творчества долог, сложен, противоречив и непредсказуем. Да и само влияние художественного текста на общество неочевидно и ненадежно, напоминает скорее поддерживающую терапию или даже гомеопатию. А что делать, если требуется молниеносное врачебное вмешательство — тот же прямой массаж сердца? Ведь случаются события, от которых, как пелось в революционной песне, «кипит наш разум возмущенный», когда хочется отхлестать гнусную рожу действительности наотмашь, вывалить политикам, соотечественникам, самому себе все и сразу, пока не остыл, не забыл, не перекипел, ведь отходчив русский человек, непростительно отходчив...

Кстати, реакция общества и власти на актуальные публицистические высказывания гораздо острее и болезненнее, нежели на художественно упакованные инвективы. Иные начальники государства даже испытывают пикантное возбуждение, узнавая себя в цветистых сарказмах романиста. Но не дай бог заикнуться о том же самом в газете: старуха Цензура тут же заточит свой синий карандаш. 6 октября 1993 года «Комсомольская правда» опубликовала мою статью «Оппозиция умерла. Да здравствует оппозиция!», осуждавшую расстрел Белого дома. Все антиельцинские издания были к тому времени запрещены, и моя статья оказалась единственным в открытой прессе протестом против утверждения демократии с помощью танковой пальбы по парламенту. Между прочим, стократ проклятые за жестокость большевики Учредительное собрание всего-навсего распустили. Почувствуйте разницу!

В итоге «Комсомольскую правду» тоже закрыли. Правда, на один день. Потом одумались и открыли. А меня занесли в какой-то черный список, из которого вычеркнули только при Путине. Не могу сказать, что это сильно омрачило мне жизнь, хотя, скажем, из школьной программы разом вылетели мои повести, из энциклопедий исчезла всякая информация обо мне. А «Литературная газета», где я прежде был любимым автором, закрыла передо мной редакционные двери до скончания века, точнее, до 2001 года, когда меня призвали туда главным редактором. Нет, я не жалуюсь, а хочу обратить внимание на то, что любая власть борется с инакомыслием одинаково: начинает с замалчивания, а заканчивает замачиванием.

В мае 94-го в той же «Комсомольской правде» было напечатано мое эссе «Россия накануне патриотического бума». Друзья и недруги решили, что я повредился в уме от политических треволнений. В самом деле, в то время слово «патриот» стало почти бранным, а тележикторы, если и произносили его, то с непременной брезгливой судорогой на лице. Не знаю, откуда взялась уверенность, что строить новую Россию нужно на фундаменте стойкой неприязни к Отечеству, но могу предположить: идея исходила от тех политических персонажей, которые видели в «новой России» лишь факторию для снабжения цивилизованного Запада дешевым туземным сырьем. С патриотизмом боролись так же истово и затейливо, как прежние воинствующие безбожники с религией. И так же безуспешно. Мой прогноз оказался верен: сегодня патриотизм опять в чести, государство финансирует дорогостоящие программы по воспитанию отчизнолюбия, на автомобилях развеваются георгиевские ленточки, кудрявые эстрадные попрыгунчики снова запели о русском раздолье, а те же самые теледикторы артикулируют трудное слово «патриотизм» с тяжким благоговеньем. Но почему, почему же у меня никак не исчезнет ощущение, что живу я все-таки в фактории, занимающей одну седьмую часть суши?

Когда в 97-м я впервые собрал воедино статьи, написанные в течение десяти лет и разбросанные по газетам-журналам, у меня получился своего рода невольный дневник. Именно дневник. Во-первых, я живо откликался на все значительные события и происшествия, во-вторых (это главное!), всегда был искренним в своих суждениях. А искренность в писательской публицистике встречается не так уж часто, хотя, казалось бы, именно откровенностью интересен литератор. Лукавство — это, скорее, трудовой навык политика. Впрочем, по моим наблюдениям, число профессионально неискренних писателей неуклонно растет, это, наверное, какая-то мутация, вроде клопов с запахом «Шанели». И нынче редкий столп общества или вечнолояльный деятель культуры отваживается свести в книгу и представить на суд читателя свои статьи именно в том виде, в каком они увидели свет двадцать, десять или пять лет назад. Для этого надо верить в то, что твоя деятельность не была противоречива до идиотизма или изменчива до подлости.

Я же не боюсь предстать перед читателем в изменчивом развитии, ибо заблуждался не в поисках выгоды, а если обольщался, то от бескорыстной веры в торжество справедливости и здравого смысла, который побеждает обычно в тот момент, когда башня, сложенная из нелепостей, падает на головы строителям. За минувшие два десятилетия я выпустил несколько сборников публицистики, и по названиям можно проследить, как менялись настроения, симпатии и устремления автора. Судите сами: «От империи лжи — к республике вранья», «Порнократия», «Россия в откате», «Зачем вы, мастера культуры?»... И вот теперь — «Лезгинка на лобном месте». Готовя тексты к печати, я лишь исправил ошибки, неточности и погрешности стиля, объяснимые жгучей торопливостью, но оставил в первозданном виде все прочее, хотя мне и неловко за иные тонкоголосые пророчества и наивные суждения. Зато некоторыми моими прогнозами и оценками я горжусь, как поэт гордится метафорой, такой яркой и внезапной, что соперникам по джигитовке на Пегасе остается лишь завистливо цокать языками.

И последнее замечание. Публицистика необходима писателю еще по одной причине. Статьи, точно предохранительные клапаны, позволяют литератору выпустить лишний пар — социальный гнев, ярость оскорбленной нравственности, мимолетную обиду на подлость эпохи, тоску бытовых неурядиц. Это важно, ибо настоящий художник не должен валить в свое произведение шелуху сиюминутности, он обязан отбирать осмысленные зерна жизни. Ныне появились многочисленные литераторы, которые с помощью сочинительства лечат себя от ночных кошмаров и социального уныния, но, увы, чтение их текстов мало чем отличается от визита к дантисту, подрабатывающему проктологом. Да, художник имеет право на пристрастие, но без гнева. Он должен попытаться понять всех, ведь у самого последнего негодяя есть своя правота перед Богом, а у самого нравственного человека — свои помрачения сердца. Но об этом — в моих романах, повестях, пьесах...

Август 2013 г., Переделкино

Десовестизация

Тонкий дух
Десовествания

«Я ворвался в плохое время» — это как раз про мое [illegible]
и моих поколения. Мне [illegible] тридцать три, а теперь, [illegible]
говоря, цитатами [illegible] позиции [illegible] лет [illegible]
на первой розовощекой детской [illegible]. При [illegible]
[illegible] Перестройкой. [illegible] о [illegible]
[illegible] в эпоху застоя. [illegible]
[illegible] строчке из [illegible]
[illegible] Было оно [illegible]
[illegible] только [illegible] и [illegible]
[illegible]

[illegible]

себя из-за Перестройки ... историю ... свои [illegible]
[illegible] оправдывать и [illegible]

[illegible] чаша [illegible] террора [illegible]
[illegible] Мы не видели [illegible]
[illegible], но мы видели другое [illegible]
[illegible] на свою [illegible]
[illegible] «Товарищ [illegible]
Но это не [illegible] всю [illegible]
[illegible] жизнь. А вот если [illegible]

Томление духа

«Я вырастал в глухое время...» — это сказано обо мне и моем поколении. Мне — тридцать три. Разберем, как говорят аппаратчики, по позициям. Десяток лет спишем на период розовощекой детской невинности. Три года совпали с перестройкой. Двадцать точнехонько укладываются в эпоху застоя. К ним, этим двум десятилетиям, очень подходит строчка из Писания «Суета и томление духа». Томление духа. Было оно, было томление духа. Была бы одна только суета — и говорить что-либо нынче посовестился бы!

Очевидно, нельзя зачеркивать целые поколения только лишь потому, что жили они в кровавые, несправедливые или вымороченные годы. Человека можно обречь на бессмысленную суету, но заставить считать свою единственную, неповторимую жизнь бессмысленной, к счастью, невозможно. Увы, именно на эту особенность людских душ всегда рассчитывают разного рода пакостники, выдающие себя за творцов истории: мол, будут людишки свои прожитые годы оправдывать и нас заодно оправдают...

Смертная чаша сталинского террора миновала мое поколение. Мы не видели физического уничтожения инакомыслящих, но мы видели другое. Вот могучий столоначальник взглянул на своего ершистого молодого подчиненного и, покачав головой, промолвил: «Товарищ не понимает...» Но это еще полбеды, хотя и ее иным хватало на всю оставшуюся жизнь. А вот если о твоих мыслях и разговорах сказано: «С душком!» — это уже настоящая беда. О, эти деятели с чуткими политическими носами! Скольким моим ровесникам они сломали хребты!

Это в моем поколении появились бичи с высшим философским образованием и со своим собственным, никому не нужным взглядом на мироздание. Это в моем поколении появились воины-интернационалисты, которые сегодня вынуждены оправдываться, что недаром проливали кровь на чужой земле, хотя оправдываться должны не они, а те, кто их посылал. Это в моем поколении появились рабочие парни, проникающиеся чувством пролетарской солидарности только в очередях за водкой. Это в моем поколении начался исход творческой молодежи в дворники и сторожа. Это в моем поколении явились миру инженеры-шабашники, которые, перекуривая на кирпичах возле недостроенной фермы, спорили о вполне реалистических, но совершенно нереальных тогда планах перестройки экономики. Это в моем поколении завелись преуспевающие функционеры, те, что, отдремав в очередном президиуме и воротившись домой, любили перед сном перечитать избранные места из ксерокопированного Оруэлла, приговаривая: «Во дает, вражина! Один к одному...»

Тем временем социализм становился все более развитым, а единственный привилегированный класс — дети — все более заторможенным. Все эти годы бессмысленно расходовались не только природные богатства страны, но и духовные ресурсы нации. Хочется верить, что второе, в отличие от первого, восстановимо.

А. Блок писал некогда о «тайной свободе». Применительно к моему поколению я бы говорил о «кухонной свободе». Ведь сознаемся: многое из того, о чем пишут сегодня газеты и журналы, было нам известно и служило издавна предметом горячих кухонных споров. Генералиссимус никогда не был для нас великим стратегом, Раскольников и Чаянов никогда не были преступниками, Жданов никогда не был выдающимся «организатором культурной жизни страны», коллективизация никогда не была «героической страницей истории социалистического строительства». Если б мы ничего этого не ведали, то у нас сейчас была бы не Гласность, а, например, Осведомленность.

Некоторые товарищи опасаются, что «чрезмерная» гласность приведет молодежь к непочтительности и даже нигилизму. Не волнуйтесь, дорогие товарищи! Гласность воспитывает именно уважение к устоям, а непочтительность происходит от той закамуфлированной под передовую идеологию белиберды, которой с лихвой хлебнуло мое поколение. Поэтому, наверное, отличительная черта моего ровесника — ирония. А что вы хотите, если любой доклад тогдашнего пятизвездочного лидера по содержанию и исполнению был смешнее всякого Жванецкого?!

Блистательный щит иронии! Мы закрывались им, когда на нас обрушивались грязепады выспренного вранья, и, может быть, поэтому не окаменели.

Со временем, думаю, выйдут в свет сборники анекдотов и черного юмора — свидетельства горького народного оптимизма. Надеюсь, что они собраны, по крайней мере, компетентными органами, и мы убедимся, с каким мужеством и блеском люди отстаивали свое право не верить в директивную ложь, не любить придуманных героев, не восхищаться несуществующими победами... Я даже вижу будущую монографию о том, почему трилогию «Малая Земля» — «Возрождение» — «Целина» народ гениально окрестил «Майн кайф»...

Еще со школы помню: загнивавшей дворянской молодежи была свойственна «вселенская скорбь». Мое поколение страдает «вселенской иронией». Но ведь энергия духа, ушедшая на разрушение миражей, могла пойти на созидание! Ирония вполне может быть мировоззрением отдельных граждан, деятелей культуры, даже ответработников (кстати, среди них я чаще всего встречал ироничных людей). Но ирония не может быть мировоззрением народа! Она не созидательна. Не потому ли у нас сталкиваются или горят пароходы, сходят с рельсов поезда, заливаются недавно принятые комиссией дома, что живем точно невсерьез? Хирург не должен с инфернальной улыбочкой залезать к нам во внутренности, учитель не имеет права с двусмысленной усмешкой внушать идеалы, в которые сам не верит, офицеру негоже, видя, как бессильно извивается на перекладине доходяга-призывник, цедить с ухмылкой: «Вот ЧМО, что от него ждать»... ЧМО — это человек Московской области. Научно выражаясь, аббревиатура.

Общество жалуется, что выросло поколение с несерьезным отношением к труду, к окружающим людям, к прошлому... А если вознаграждение за труд дает человеку лишь бескрайние возможности вставать в любую очередь за любым выброшенным в торговую сеть дефицитом? А если ближний твой воспринимается прежде всего как конкурент в трудном деле обретения этого самого дефицита, и, может быть, именно поэтому люди разучились улыбаться друг другу? А если в системе сервиса на одну условную единицу услуг мы получаем десять единиц безусловного хамства? А если диалектический закон отрицания состоит прежде всего в том, что каждый вновь назначенный столоначальник полностью отрицает своего предшественника, снятого с должности и строго наказанного персональной пенсией всесоюзного значения? Откуда взяться серьезному отношению?!

Вы когда-нибудь видели, скажем, в обкоме партии портреты первых секретарей, допустим, за последние пятьдесят лет? Чтобы висели в хронологическом порядке, с указанием заслуг и промахов. Если снят — за что? Если повышен — почему? Лично я таких галерей ни в обкомах, ни в горкомах, ни в райкомах не видел. Может быть, боимся: вывесим их всех рядком-ладком и получится что-то вроде истории города Глупова...

Впрочем, если говорить без иронии, корни этой безликой истории уходят гораздо глубже. Сколько десятилетий вся предшествующая философия толковалась только как постамент под скульптурную группу — «Маркс и Энгельс читают первый номер “Новой рейнской газеты”», вся предшествующая литература — как пробы пера в поисках метода социалистического реализма, вся предшествующая история — как учебные стрельбы перед залпом «Авроры». Гуманитарное образование, полученное моими сверстниками в вузе, можно назвать образованием, лишь не выезжая за пределы Отчизны. Та же ситуация, что и с рублем.

Ладно, бог с ними, с этими излишествами! Но уж историю нашей революции, которая потрясла мир, мы учили как следует! Три этапа освободительного движения в России знаем как «Отче наш». Впрочем, кто ныне знает «Отче наш»...

Да, нам смутно ведомо, что в третьем этапе освободительного движения, ради которого, собственно, декабристы и будили Герцена, кроме большевиков, участвовали еще какие-то партии. Что знает о них мой ровесник, не занимавшийся этим вопросом специально? Знает примерно следующее. Анархисты — заговорщики. Лохматые, бородатые, с тягой к уголовщине. Черное знамя с черепушкой. Требовали, дураки, отменить государство, совершенно не соображая, кто же будет присылать конную милицию, когда народ после матча прет со стадиона. Эсеры (правые) — заговорщики. Косой пробор, рука засунута за борт френча. У их лидера были «глаза бонапартьи», и он бежал от гнева народных масс, переодевшись в женское платье. Не поняли исторических слов знаменитого матроса: «Господа, расходитесь, караул устал!» — и почему-то не могли смириться с роспуском Учредительного собрания, где имели большинство. Меньшевики — заговорщики. Вот он, маленький, суетливый меньшевик выступает на митинге и поначалу даже несколько сбивает отдельных рабочих с толку, но потом на грузовик влезает большевик, передает массам привет от товарища Ленина и под свист и улюлюканье выгоняет оппортуниста с митинга. Эсеры (левые) — заговорщики. Сначала дружили с большевиками. Потом послали некоего Блюмкина убивать посла Мирбаха, а сами тем временем подняли мятеж. Посол убит, мятеж подавлен, партия левых эсеров распущена, а Блюмкин продолжал служить победившему народу на приличных должностях (вплоть до расстрела).

Мой ровесник с высшим образованием, знающий о политической жизни России больше, может с чистой совестью бросить в меня идейно выверенный камень!

А ведь я даже не говорю о каких-то там кадетах, которые, повязавшись салфетками, неопрятно жрут цыплят, пьют шампанское, заглядывают под юбки танцоркам кордебалета и рассуждают исключительно про Босфор и Дарданеллы. А их лидера так и прозвали — Милюков-Дарданелльский. Разумеется, заговорщики...

Велика ли честь переиграть в политической борьбе таких дебилов? Кого в конце концов дурачим? Кого унижаем — их, бывших, или нас, настоящих? Почему ярлыки, приклеенные тогда, в запале борьбы за власть, до сих пор приводятся как бездонные в своей историко-философской глубине оценки? Наконец признали, что сокрытие фактов и реалий нашего прошлого нанесло серьезный урон историческому сознанию народа. Но еще больший урон, по-моему, нанесло одурачивание истории или, если хотите, одурачивание историей.

Нынче любят говорить: у истории не бывает сослагательного наклонения. Не знаю, возможно, оно и так, но это никоим образом не должно мешать разбираться в давних аргументах наших соотечественников, придерживавшихся иных взглядов на будущее России и исповедовавших иные социальные теории. Это необходимо сделать, даже если бы наш путь в последние семьдесят лет был усыпан лепестками роз. В этом — вежливость потомков. Но путь-то был усеян не лепестками...

Конечно, проще и легче списать все наши послереволюционные неприятности на ужасный характер генералиссимуса, но поверьте, «задумчивые внуки», восстанавливая старательно порванную нами связь времен, однажды полюбопытствуют: а нет ли какой-нибудь связи между героическим матросом, заботящимся об уставшем карауле, и генсеком, прицеливающимся в делегатов XVII партсъезда из подаренной винтовочки?

Может быть, полезно задать себе вопрос: почему Гражданская война, отгороженная от нас бедами и победами Великой Отечественной, до сих пор не изглаживается из народной памяти? Не потому ли, что от той братоубийственной войны повелось беспощадное разделение на «чужих» и «своих»? На своих, ради которых можно, не задумываясь, отдать жизнь, и на чужих, которых, не задумываясь, нужно лишить жизни. И не это ли разделение стало впоследствии нравственной основой сталинских преступлений и изумительного народного единодушия: «Убить, как бешеных собак!».

Мог ли вчерашний южноуральский партизан поверить, что Блюхер — враг и японский шпион? Мог ли вчерашний делегат III съезда комсомола, где блестяще выступал и Н. И. Бухарин, поверить, что он — враг и бог знает чей шпион? Отвечу: мог! Мог, если отец двумя десятилетиями раньше мог убить сына, пошедшего с красными. Мог, если женщина могла застрелить своего единственного синеглазого за то, что он остался верен Белому делу. Перечитайте «Родинку» М. Шолохова и «Сорок первый» Б. Лавренева. Эти книги не запрещались, из библиотек не изымались. Человек переводился в разряд классовых врагов и сразу переставал быть человеком. Сначала врагом объявляется тот, кто против нас, потом тот, кто не с нами, потом тот, кто не поспевает за нами, потом тот, кто справа или слева... и так до бесконечности. Нетерпение всегда идет рука об руку с нетерпимостью. Именно это испугало в революции многих русских писателей, но еще совсем недавно их точка зрения квалифицировалась как «мелкобуржуазный гуманизм».

Из террора, какого бы цвета он ни был, народ не выходит обновленным, а только — ожесточенным. Жестокость, какой бы социальной демагогией она ни оправдывалась, остается жестокостью. И еще неизвестно, что от чего больше зависит — средства от цели или цель от средств, с помощью которых она достигается. Нет, я не клоню снова к сослагательному «бы» в истории. Я просто-напросто думаю о том, что даже единственно правильное в конкретно исторической ситуации решение порой может быть причиной будущих бед и трудностей.

Возьмем тот же комсомол. Уже на одном из первых съездов делегаты постановили распустить организации бойскаутов и юных коммунистов как чуждые истинному пролетарскому движению, считая, что комсомол один справится с молодежью. Возможно, тогда это было верным тактическим решением, но в результате сегодня семидесятилетний ВЛКСМ только учится общаться с неформальными объединениями молодежи, только разворачивается к конкретному молодому человеку, скрипя всеми своими структурами и сочленениями. И это понятно: трудно из министерства по делам молодежи, каковым комсомол обязывали быть многие десятилетия, взять и превратиться в боевую, живую, ищущую (ну и так далее) организацию. Тем более что нынешние партийные кураторы суть лучшие представители и воспитанники этого самого министерского комсомола.

Кстати, занимаясь историей комсомола, я совсем недавно смог на своем опыте убедиться, насколько широко распахнуты двери архивов и документохранилищ. Захотел почитать стенограмму того печально знаменитого пленума Цекамола, на котором решалась судьба А. Косарева и его сотоварищей. Выправил бумагу в ЦК ВЛКСМ, пришел в Центральный архив ЦК ВЛКСМ и как кандидат в члены ЦК ВЛКСМ попросил: дайте почитать. А один архивный руководитель мне и говорит: «Вы бы лучше почитали мой материал в “Комсомольской правде”. Что можно — там все есть...» Это называется, попил из реки по имени «факт». Что ж, продавца универмага мы узнаем по импортно-разымпортной упаковке, а архивариуса, видимо, по имеющимся у него в распоряжении дефицитным историческим сведениям. А ведь доступность информации — необходимое условие раскрепощения личности.

Есть у нас и еще одна беда, препятствующая раскрепощению личности. Это заштампованность сознания. Вот я, сравнительно молодой человек, садясь за доклад, допустим к профсоюзному собранию, волей-неволей начинаю его материалами съезда, в середочку вставляю цитату из В. И. Ленина, а заканчиваю документами недавнего пленума. Словами уважаемых основоположников мы перебрасываемся, как мячиками.

Захожу на почту и читаю огромный плакат: «Без почты, телеграфа и машин социализм — пустейшая фраза. Ленин». Про «плюс электрификацию», каковой увешаны все наши ГЭС, ГРЭС и АЭС, я просто не говорю. Вывелся целый вид деятелей, которые, составив обширную картотеку из цитат классиков, могут с их помощью доказать что угодно.

Не верите? Хорошо, допустим, завтра кому-то пришла в голову сумасшедшая идея закрыть все театры. Ликвидировать. Та-ак, смотрим на «Т»: Табак... Талейран... Театры... Вот, пожалуйста, из телефонограммы В. И. Ленина А. В. Луначарскому: «Все театры советую положить в гроб»...

Другой пример. Общеизвестно, что из всех искусств важнейшим для нас является кино. Хотите, я, опираясь на авторитет основателя нашей партии и государства, докажу, что прогулки на свежем воздухе лучше кино. Пожалуйста. Н. К. Крупская пишет М. А. Ульяновой из Кракова в декабре 1913 года: «...у нас есть тут партии "синемистов" (любителей ходить в синема), "антисинемистов"... и партия "прогулистов", ладящих всегда убежать на прогулку. Володя решительный антисинемист и отчаянный прогулист...» Не правда ли, довольно убедительно? И пусть потом историки разъясняют, что в телефонограмме сказалось вполне конкретное раздражение Ленина по вполне конкретному поводу. В той же телефонограмме далее следует: «Наркому просвещения надлежит заниматься не театром, а обучением грамоте»... Что же касается партии «прогулистов», то это просто шутка, о чем Н. К. Крупская сама и пишет: «Мы тут шутим, что у нас есть тут партии "синемистов"».

Шутка. А сколько неоправданных и непоправимых поступков было совершено в догматическом раже под прикрытием цитат, надерганных только что описанным способом? Этой неизменной ссылкой на классиков как бы демонстрируется такая изумительная преданность идее, что она — преданность — изумила бы даже самих отцов идеи, явись они к нам сегодня. В их округлившихся глазах мы были бы похожи на людей, передвигающихся по суше в лодках только потому, что некогда здесь было море...

У меня вообще сложилось впечатление, что стремление всякий раз подкрепить свой поступок цитатой — удобная форма освободиться от личной ответственности. Что-то вроде коллективной безответственности. Мол, если виноват, то не один, вместе с основоположником и наказывайте. Но ведь, совершая Октябрьский, как выражались в те годы, переворот, вся партия большевиков, каждый член

РСДРП(б) сознательно или бессознательно брали на себя именно персональную ответственность за судьбу огромной державы, уже отпраздновавшей к тому времени свое тысячелетие. Правда, объективности ради нужно отметить: Россия в ту пору была в кризисе. А вот совсем недавно мы были в предкризисном состоянии. Значит, все-таки прогресс...

Я не насмешничаю, какие тут насмешки, если душа болит и ноет, болит, потому что видишь, как народ выставляется нерадивым исполнителем мудрых решений и указаний. Даже приходится слышать сетования: мол, люди совсем разболтались, совсем вкалывать разучились, надо, мол, усилить воспитательную работу среди трудящихся. Знаете, такой трехсотмиллионный детский сад с корпусом строгих воспитателей! Нынче эпоха узкой специализации. Физик знает физику. Искусствовед — искусство. Инженер — производство. Политик, естественно, должен знать, чего хотят его сограждане. Должен? Как бы не так! У нас выработался особый тип общественного деятеля, который знает, что люди обязаны хотеть. Замечали, наверное, как обыкновенный паренек Вася, выросший у нас на глазах, придя, скажем, на партийную работу, очень скоро начинает снисходительно поучать всех и вся. Стоит ему достичь степеней известных, он автоматически начинает «рубить» во всем, но особенно в сельском хозяйстве и искусстве. Ох, сидит, сидит еще во многих товарищ Жданов, учивший Шостаковича играть на фортепьянах!

Первый секретарь райкома все еще отвечает не перед народом, а перед первым секретарем горкома. Понаблюдайте за собой: в присутствии представителя власти лично я, например, испытываю генетическую робость, к которой еще Иоанн и Петр десницы приложили. И это вместо того, чтобы хлопнуть руководителя по плечу и спросить: «Ну, как дела, Вася? Как ты там отстаиваешь мои трудовые интересы?» Разве можно хлопнуть по плечу государство? Затопчет, как Медный всадник несчастного Евгения...

Однажды я оказался в обществе довольно крупного ответработника. Мы беседовали. Вдруг к нему сквозь частокол инструкторов и референтов прорвалась заплаканная женщина. Как выяснилось потом, у нее серьезно заболел ребенок, а положить его в специализированную клинику нельзя: очередь, как и везде. Женщина, задыхаясь, проговорила: «Помогите...» Потом встретила строгий взгляд, осеклась и забормотала что-то об отставании здравоохранительного комплекса в городе, о нехватке человеко-коек...

Увы, сформировался особый язык, на котором велись да и ведутся разговоры на совещаниях и заседаниях, пишутся статьи и документы. Расскажи на этой «аппаратной латыни», например, про «поворот части стока северных рек» — и вроде бы ничего особенного: наука на переднем крае созидания. А если объяснить это людям человеческим языком — волосы от ужаса встанут, точно черта повидал. И странная же получается вещь: в обычной жизни мы обсуждаем окружающую безалаберщину на общедоступном русском языке, охотно используя самые рискованные выражения, а поднявшись на трибуну или встав на собрании своего родного трудового коллектива, сразу сбиваемся на «номенклатурную латынь», которая нам-то как раз и ни к чему. А что делать, если приучились?

Но аппаратная «латынь» — это лишь отражение заржавевшего мышления огромного управленческого слоя нашего общества. Грустно, что важные мероприятия планируются и обсуждаются на этой самой пресловутой «латыни», в результате очень трудно понять, чем же обернется планов наших громадье в конкретной человеческой жизни. Вот порешили искоренять пагубу «зеленого змия». Очень правильно! Сказали много перестроечных слов, правда в основном на «аппаратной латыни». В итоге: народ отучают пить, точно котенка гадить в домашние тапочки.

Два года назад в соавторстве с классиком нашей кинодраматургии Е. И. Габриловичем я написал сценарий о партийных функционерах районного уровня. Всего-навсего! Сюжет вкратце таков: молодая, энергичная, искренняя женщина, как говорится, замечена и выдвинута на партийную работу, о чем она даже и не помышляла. И вот эта обыкновенная женщина, с трудностями в семейной жизни, решает обновить, встряхнуть райком, десятилетиями играющий в одну и ту же аппаратную игру. Надо ли объяснять, что эта попытка для нашей героини закончилась печально? Печально закончилась и наша с Е. И. Габриловичем попытка: движение принятого и одобренного сценария прекратилось, началось странное торможение, продолжающееся и по сей день. Не знаю, может быть, это наша с мэтром творческая неудача. Ну а может быть, и наоборот: как раз удача тех, кому не хочется, чтобы искусство совало свой нос в таинство механизмов торможения.

Если кто-нибудь вообразил, что для независимо мыслящих деятелей культуры наступила совершенно безоблачная пора, он заблуждается. Искусство одновременно взламывает стереотипы общественного сознания и заменяет их другими стереотипами. Одновременно. Сокрушение рекомендованных и согласованных стереотипов осуществляется коллективными усилиями, индивидуальная трудовая деятельность тут нежелательна. А настоящий художник (извините за трюизм) — это прежде всего индивидуальность. Вот и получается, что только законопослушный автор, написавший некогда монументальное полотно «Нарком Клим Ворошилов на лыжной прогулке», может по команде, с ходу создать триптих «Смерть и бессмертие Николая Бухарина». Для иных деятелей, к сожалению, искусство — это не особая форма постижения бытия, а просто-напросто удобный способ проинформировать власти о своей полной благонадежности.

И еще одна горестная, возможно субъективная заметка: если в застойный период искусству обычно мешала личная тупость того или иного руководителя, то сегодня чаще всего мешает доведенная до абсурда коллегиальность, расцветающая под видом демократизации творческого процесса. Это напоминает решение интимных проблем супружеской пары путем открытого голосования на общем собрании трудового коллектива.

Кстати, раз уж я коснулся сей пикантной проблемы, выскажусь шире. Не хочу, конечно, утверждать, что советское искусство бесполо. Но то, что у него чрезвычайно ослаблено либидо, — это факт. Когда любовь героев переходит от товарищеских рукопожатий и долгих взглядов к совсем не противоправным действиям, от которых получаются дети, автор вдруг как-то сразу тушуется, ставит многоточие... Потом героиня в халатике варит кофе и они обсуждают производственные проблемы.

Это ханжество принимается как данность, а ведь у него тоже своя история. Старшие поколения, возможно, еще и помнят, как некогда хорошему писателю М. Арцыбашеву прилепили ярлык порнографа, вычеркнули из истории литературы соответствующие книги С. Малашкина, П. Романова и других. Ну и чего добились? Мой ровесник вынужден изъяснять свои интимные переживания или высоким штилем прошлого века («Я ему отдалась до последнего дня...»), или совсем уж нехорошими словами. Иногда мне думается, что, объявив некогда человека «винтиком», порешили: раз «винтики», то пусть и размножаются штамповкой. Нечего прятаться от революционной действительности в разную там эротику. Формула «Любовь — это страсть роковая» сменилась соображением, что «Любовь — не вздохи на скамейке...». Но это тема отдельной статьи, которую я намереваюсь написать... Хотя почему отдельной?

Разве можно томление духа разложить на темы, пункты, параграфы? Суета и томление духа. Восторг первых лет перестройки миновал. Настало время конкретных дел. Если бы нашли способ превращать смелейшие публикации в высококачественные продукты питания и предметы быта, один И. Васильев кормил бы пол-России, а Н. Шмелев — вторую половину, и мы вели бы уже речь о том, что перестройка в основном завершена. Но такого способа нет и едва ли будет. Есть только один путь: от раскрепощения духа — к раскрепощению созидательной мощи народа, на которой долгие годы висел заржавевший амбарный замок нелепого жизнеустройства.

Да, мы хотим выговориться, нащупать под слоем ила твердое дно, до конца высказать все свои обиды и сомнения, воздать по заслугам (хотя бы словесно!) всем виновникам нашего неуклонного прозябания, хотим, нравится это кому-то или не нравится. Только не уподобиться бы сказочной лисичке, которая, обо всем позабыв, начала с остервенением выяснять, кто помогал, а кто мешал ей удирать от собак: глазки, ушки, ножки или хвостик... Известно, что лисичка эта кончила плохо!

Сегодня главное, по-моему, — перестать наконец суетиться и начать созидать, не пугаясь того, что предполагаемое в перспективе «богачество» трудолюбивых граждан пошатнет устои народного государства. Но томление духа пусть обязательно останется, иначе созидание в любой миг может снова обернуться суетой, новым застоем.

Хочу повторить, и совершенно сознательно, то, что говорилось не раз и оттого, может быть, немного стерлось.

Мы — продолжатели героической многовековой истории, насельники необъятной территории, обладатели огромных природных богатств, мы совершили невиданную революцию, выдержали страшную войну, повлекли за собой к светлому будущему другие племена... Именно поэтому мы просто не имеем права влачить существование, мы обязаны жить полноценной духовной и материальной жизнью! Это наша дань прошлому, это долг перед будущим. Не знаю, будут ли, «косясь, посторониваться и давать нам дорогу другие народы и государства», но я точно знаю: это горько и нелепо, когда другие народы и государства со снисходительной усмешечкой обгоняют нас, точно новенький «Мерседес» обгоняет разваливающийся дедушкин ЗИС.

У П. Я. Чаадаева есть вопрос, обращенный, полагаю, не только к его современникам, но и к потомкам. Вот он: «Думаете ли вы, что такая страна, которая в ту самую минуту, когда она призвана взять в свои руки принадлежащее ей по праву будущее, сбивается с истинного пути настолько, что выпускает это будущее из своих неумелых рук, достойна этого будущего?» Думаю об этом. Думаю неотвязно...

«Литературная газета», октябрь 1998 г.

И СОВА КРИЧАЛА, И САМОВАР ГУДЕЛ...

Представьте себе, что вы живете на леднике, медленно и невозвратно сползающем в пропасть. Правда, шаманы, неся какую-то диалектическую чушь, доказывают, будто родной ледник не сползает, а, наоборот, неуклонно движется вперед и выше, но аборигены-то примечают, как с каждым годом жить становится все хуже и грустнее. Они-то слышали, что где-то там, в долинах, у людей жизнь совсем другая... Но вот выдвинут новый вождь, он решительно открывает своему народу глаза на гибельное сползание и призывает, уничтожив ледник, зажить, как и весь цивилизованный мир, на естественной почве, а она — старожилы еще помнят — сказочно плодородна. Итак, диалектические шаманы изгнаны, аборигены долбят лед, а потревоженный глетчер вдруг ускоряет свое скольжение вниз. Плодородной земли пока не видно, а в ушах — свист ветра и слова вождя: «Не волнуйтесь — процесс пошел!» Остается добавить, что ошалевшие аборигены начинают яростно делить свой раскалывающийся ледник, разбиваются по кланам и родам, полагая, будто порознь падать лучше, а может, еще удастся и зацепиться...

Вот такая прозрачная аллегория. Конечно, читатель может спросить: «Выходит, по-вашему, вообще не надо было трогать ледник, занимавший шестую часть суши и лежавший “касаясь трех великих океанов”?» Я этого не говорил и не скажу никогда, но я считаю, что, разрушив миф о плодородном леднике заодно с самим ледником, не следует тут же творить новый миф — о счастье падения и распада.

Жертвам компрачикосов (я и себя считаю таковым) больно, когда им начинают выправлять изуродованные кости, возможно, даже еще больнее, чем раньше, когда их тела медленно, год за годом гнули в бараний рог. Поэтому, отважившись на такую операцию, вряд ли стоит ожидать слез восторга. Но к социальной хирургии я еще вернусь.

Когда сегодня иной выросший на кафедре марксизма-ленинизма реформатор начинает раздражаться косностью и неразворотливостью народной массы, не понимающей своих грядущих выгод, мне хочется в свою очередь спросить: «А что же, вы не знали, в какой парадоксальной стране начинаете реформы? Вы что же, Бердяева или Чехова не читали? “Вишневый сад”, например:

Ф и р с: Перед несчастьем тоже было: и сова кричала, и самовар гудел бесперечь.

Г а е в: Перед каким несчастьем?

Ф и р с: Перед волей».

Вот и спорь тут с почвенниками про наш особый путь, если мы умудрились предложить миру даже свой особенный вид военного путча, являющегося составной частью демократического процесса: черные начинают и сразу проигрывают.

Вспомните, весь минувший год о предстоящем перевороте кругом говорили с той усталой уверенностью, с какой обычно говорят о недалеком очередном отпуске. Перебирались имена предполагаемых диктаторов, предугадывались сроки, спорили: отменит хунта талоны на водку или, наоборот, введет сухой закон... А слово «ОМОН» стало означать в русском языке примерно то же самое, что «OMEN» в английском. К этому настолько привыкли, что, когда министр иностранных дел отошел от дел, ссылаясь на грядущий путч, многие отнеслись к его словам как к не очень удачной шутке, с которой один из гостей покидает поднадоевшее застолье.

При всем моем скорбном сочувствии к участи трех погибших парней не могу не заметить, что и Великая Октябрьская социалистическая революция, и Великая Августовская капиталистическая революция имеют одну общую черту: они почти бескровны. Как известно, во время штурма Зимнего поруганных дам из женского батальона было чуть ли не больше, чем убитых штурмовиков. А бескровность — верный признак того, что интересы людей пока еще не столкнулись по-настоящему. Предприниматель, несущий на баррикаду мешок денег, и владелец кооперативного кафе, доставляющий туда же бутерброды, пока еще не воспринимаются обывателями как классовые противники, да простится мне этот «застоизм», от которого мы, впрочем, никуда не денемся, ведь вместо бесклассового общества будем строить классовое. Я не подстрекаю, я-то как раз отчетливо сознаю: история доказала, что эксплуатация человека человеком эффективнее, нежели эксплуатация человека государством. Но, возвращаясь в лоно цивилизации, хорошо бы предвидеть, что малоимущие, ненавидевшие партократов, вряд ли как родных полюбят тот новый слой общества, который в старину называли скоробогатыми. Маркс тут ни при чем, это — психология.

Я вообще полагаю, что социализм и капитализм — это не столько экономические системы, сколько типы мироотношения, гнездящиеся в глубинах человеческого подсознания. На Западе я встречал немало людей с чисто социалистическим типом сознания, предпочитающих непыльную — разумеется, в их понимании — службу в госсекторе круговерти и надрыву частного бизнеса. «По статистике, среди бизнесменов очень высокая смертность!» — так объяснил мне свое нежелание открывать собственное дело один знакомый британец. А теперь помножьте в уме этот подкорковый социализм на годы насильственной социализации человеческого сознания у нас в стране, и вы получите в уме то, что мы имеем наяву. Нет, я не против рынка, я просто за то, чтобы, отправляясь с сумой на рынок, заранее прикинуть, сколько там будет трудяг, сколько торговцев, сколько праздношатающихся, сколько карманников... Хотя бы приблизительно!

На мой взгляд, настоящая социальная драма начинается не там, где разгулявшиеся, а то и подгулявшие сограждане рушат обветшалые исторические декорации, а там, где возводятся новенькие, пахнущие свежей краской кущи и начинается распределение ролей. Лепетать «кушать подано», сами понимаете, не хочется никому. Но проблема даже не в том, что две «звезды» из основного состава повздорят из-за главной роли, а в том, что рабочие сцены посреди спектакля вдруг выбегут на сцену и закричат: «А нам — кушать?!»

И вот еще — чтоб закончить про военный путч. Сам для себя я называю его военный пуф. «Пуф», по Далю, — надувательство, нелепая выдумка. Так вот, нынче много пишут о загадочности, даже инфернальности этого события. Скажу больше: это настоящая тайна, и разгадать ее удастся, может быть, только в следующем веке, когда участники действа сойдут с политической сцены. Да, это тайна, ибо есть секреты, которые большие политики не вещают даже на смертном одре и даже в мемуарах. Именно поэтому они — большие, они сидят в общих камерах одетые во все казенное... Секреты эти тщатся разгадать историки и журналисты по обмолвкам и обрывкам. Но помимо тайн политиков есть еще тайны истории, непонятные до конца даже самим участникам и творцам рассматриваемых событий. И здесь они — творцы — похожи чем-то на фокусника, торжественно достающего из шляпы заранее определенных туда голубей и вдруг обнаруживающего там еще и птеродактиля. А ведь он его в шляпу-то не клал, да и никто вообще не мог положить его туда...

О чем это я? Да все о том же — об ответственности: есть такое почти выпавшее из нашей речи слово. Ныне часто и с гневным удовольствием пишут про самонадеянных, невежественных ребят, выгнанных за неуспешность из гимназий и решивших до основания разрушить не устраивавший их мир. Как говорится, дурацкое дело нехитрое: в обломках этого мира, наскоро оборудованных под жилье, мы с вами обитаем и по сей день. Ведь и перемены начинались для того, чтобы поскорей выкарабкаться из-под этих коммунальных руин. Ведь радовались, что на смену усатым и бровастым сторожам этой исторической свалки пришли новые люди! Почему же сегодня, когда я — уже вполглаза — смотрю по телевизору очередное прение на внеочередной сессии, я опять вижу перед собой все тех же неуспешных гимназистов. Искренних и лживых, умных и глупых, но — неуспешных! Неужели, влетая в большую политику на волне людской ненависти к подлой жизни, они не понимают, какую ответственность на себя взяли?! Неужели забыли, что выбирают за слова, а убирают за дела!

Знаете, меня очень задел уход из «Огонька» В. Коротича. Не по каким-то личным соображениям — я сотрудничаю с другим популярным журналом. Коротич в данном случае для меня всего лишь символ, знак... Мне за перестройку обидно! Когда ты просто писатель, просто кустарь-одиночка, ты можешь творить и жить где угодно — хоть в Париже, хоть в Марбурге. Твое личное дело. Но если ты стал деятелем, стал одним из тех хирургов, которые вскрыли обескровленное тело больного общества, тогда разговор другой. В конце концов никто в большую политику — а от нее зависят судьбы миллионов — винтовочными прикладами не заталкивает. Оттуда — да, а туда — нет. Так что же это, извиняюсь, за хирург? Мол, вы, мужики, тут без меня дорезывайте, а мне там за СКВ работенку подбросили! Не хочется об этом, а надо: пусть лучше я скажу, чем те «силы», которыми отъезжающие родители стращают в Шереметьево-2 расшумевшихся детей. Меня это задевает еще и потому, что и я сам, смею думать, своими книжками в какой-то мере вострил тот самый скальпель, каковым сделан исторический надрез... А теперь мы стоим над разверстой плотью в недоумении и готовы, как в том анекдоте, замахать руками и закричать: «Ничего не получается, ничего не получается!» И больше всего на свете я боюсь, что какой-нибудь сегодняшний Фирс — миллионы фирсов скажут: «Перед несчастьем тоже было: и сова кричала, и самовар гудел...»

Журнал «Столица», октябрь 1991 г.

От империи лжи — к республике вранья

Человек, сегодня толкующий об упадке общественных нравов, в лучшем случае может вызвать снисходительную усмешку: мол, не учи других жить, а помоги сам себе материально! Выходит, раньше, когда мы влачили существование, у нас оставалось достаточно сил и времени, чтобы поразмышлять о пороках общества. Сегодня, когда за существование приходится бороться, на это нет ни сил, ни времени. И все же...

Если без ностальгических прикрас, то давайте сознаемся: до перестройки и гласности наше Отечество было империей лжи. Сразу оговорюсь: это совершенно не значит, будто все остальные страны были эдакими «правда-легендами», но это пусть пишут их журналисты и литераторы. Итак, мы были империей лжи, но заметьте: это была ложь во спасение... Во спасение сомнительного эксперимента, предпринятого прадедушками многих нынешних демократов и бизнесменов, во спасение «всесильной Марксовой теории», оказавшейся неспособной накормить народ, во спасение той коммунальной времянки, которую наскоро сколотили на развалинах исторической России. Нужно или не нужно было спасать — вопрос сложный и запутанный. Полагаю, сидящий в президиуме научного симпозиума и сидящий в приднестровском окопе ответят на него по-разному...

Впрочем, все еще хорошо помнят двойную мораль минувшей эпохи: пафос трибун и хохот курилок, потрясающее несовпадение слова, мысли и дела. Однако это была норма жизни, и сегодня корить какого-нибудь нынешнего лидера за то, что он говорил или даже писал до перестройки, равносильно тому, как если б, женившись на разведенной даме, вы стали бы укорять ее за былые интимные отношения.

Задайтесь вопросом: с какой целью лгали с трибуны, с газетной полосы, с экрана директор завода, ученый, журналист, партийный функционер, писатель, офицер, рабочий или колхозница? Ради выгоды? Но какая тут выгода, если почти все вокруг делали то же самое! В массовом забеге важна не победа, а участие. Да и сама ложь эта скорее напоминала заклинания. Нет, я не имею в виду откровения приспособленцев, которые прежде с гаденькой усмешечкой интересовались: «А вы, случайно, не против партии?» — а сегодня с такой же усмешечкой спрашивают: «А вы, случайно, не против реформ?»

«Но ведь были же еще диссиденты!» Были. Их роль в судьбе России на протяжении нескольких столетий — один из сложнейших вопросов отечественной истории. Трудно ведь давать однозначные оценки, когда историческая личность одной ногой стоит на бронемашине, а другой — на опломбированном вагоне. Поэтому надо бы отказаться от восторженного придыхания, навязанного нам сначала авторами серии «Пламенные революционеры», а потом серии «Пламенные диссиденты», и предоставить делать выводы и переименовывать улицы нашим детям. А поспешность приводит обычно к тому, что, например, в Москве исчезла улица Чкалова, но зато осталось метро «Войковская», названное так в честь одного из организаторов убийства царской семьи.

Нет, я не против реформ и не горюю о рухнувшей империи лжи, я просто констатирую факт, что на ее развалинах возникло не царство правды, а обыкновенная республика вранья. Если огрубить ситуацию и выделить тенденцию, то люди решительно прекратили лгать ради «государственных устоев», взапуски начав врать в корыстных интересах, ради преуспевания клана, команды, политической партии, родного этноса... Собственно, ложь стала первой и пока единственной по-настоящему успешно приватизированной государственной собственностью...

Сегодня уже вдосталь осмеяно поколение людей, менявших свои убеждения согласно очередной передовой статье. В самом деле, эта готовность искренне разделить с государством его очередное заблуждение у кого-то вызывает презрительное недоумение, у кого-то горькое сочувствие, а у кого-то даже мазохистскую гордость. Но ирония истории заключается в том, что люди, осмеивающие тех, кто поверил, «будто уже нынешнее поколение будет жить при коммунизме», сами поверили, что уже нынешнее поколение будет жить при капитализме. Как сказал поэт: «Ах, обмануть меня нетрудно!.. Я сам обманываться рад!»

Стоит ли удивляться, как почти все наши более или менее крупные политики меняют убеждения в зависимости от «погоды». На первый взгляд вообще может показаться, что нас с вами держат за слабоумных. Но на самом-то деле все гораздо тоньше: тотальная опека коммунистической власти привела общественное сознание к инфантилизму, привычке все принимать на веру. А зачем, на самом деле, было анализировать и сравнивать, если от тебя все равно ничего не зависело? Но теперь-то зависит, и многое, а инерция доверчивости осталась. Ею-то очень умело пользуются сегодняшние не совсем честные и совсем нечестные политики. Но иногда они явно перебирают, путая инфантилизм с идиотизмом. Так, например, можно ли себе вообразить, чтобы большевики в пылу борьбы за власть вдруг заявили, что в окружении государя императора затаились монархисты? Нонсенс! Но мы с вами постоянно слышим заявления о том, что в окружении президента полным-полно бывших партократов...

Однако самые яркие образцы индивидуально-утилитарного вранья, пришедшего на смену государственной лжи, мы имеем на телевидении, которое из коммунистического превратилось в демократическое, но, увы, не в смысле долгожданной объективности, а в узкопартийном (опять!) смысле. Честное слово, даже не знаю, что хуже: камнелицый, говорящий без запинки диктор застойного времени или нынешний комментатор, вечно путающийся, но при этом гражданственно морщащий лоб, интимно подмигивающий или инфернально ухмыляющийся?! Но у первого по крайней мере не было выбора: ты говорящий солдат партии и будешь лгать, что прикажут. А новое поколение, такое самостоятельно мыслящее, такое раскованное, даже «Москву — Петушки» промеж правительственных сообщений цитирующее, что же оно? А оно вчера ликовало по поводу шахтеров, бастующих в поддержку демократии, а сегодня так же искренне сокрушается на предмет неразумных авиадиспетчеров, мучающих народ своими нелепыми стачками...

Поймите меня верно: я не наивный романтик и хорошо сознаю, что есть законы политической борьбы, тактика и стратегия, даже разные хитрости... Но уж если мы открестились от большевиков, главным принципом которых была политическая выгода любой ценой и вопреки всяким моральным нормам, то стоит ли в нынешней борьбе за власть пользоваться их «старым, но грозным оружием»? Оно ведь обоюдоострое!

Мне становится очень неуютно, когда я вижу, как пресловутое черно-белое мышление, еще недавно активно использовавшееся в смертельной схватке с мировым империализмом, сегодня просто-напросто переносится во внутриполитическую жизнь. Кстати, не потому ли так легко нашли свое место в новом раскладе именно журналисты-международники? Все ведь, как и раньше, очень просто: правительство поддерживается цветом нации, оппозиция — красно-коричневыми люмпенами. А вот, кстати, и жуткая ущербная рожа, выхваченная камерой из толпы. И эти недочеловеки еще смеют бороться за власть?! Но, во-первых, неадекватных граждан достаточно на любом массовом мероприятии, только проправительственных шизоидов телевизор нам по возможности не показывает. А во-вторых, за что же тогда должна бороться оппозиция — за право делать педикюр членам правящей команды?

Только, ради бога, не надо мне про конструктивную оппозицию! Конструктивная оппозиция — это когда инструктор райкома, сочиняя выступление ударнику труда, вставляет туда парочку критических замечаний, согласованных с обкомом.

Ну а если с высот большой политики спуститься, скажем, в мелкий и средний бизнес, то мы увидим, как эта «тактическая непорядочность» политиков трансформируется в откровенное жульничество в наших свежезеленых рыночных кущах. Я, конечно, читал и знаю, что период первоначального накопления всегда связан с криминальными явлениями, поэтому большое спасибо, если предприниматель придет приватизировать фабрику с мешком ваучеров, а не с мешком скальпов! Да и почему, собственно, деловой человек не должен по дешевке гнать за границу нашу медь, если главная власть этой самой загранице в рот смотрит и давно уже превратила Страну Советов в страну советов Международного валютного фонда? А почему бы мелкому чиновнику за определенное вознаграждение не закрыть глаза на сдаваемый за границу целый полуостров Крым — и хоть бы что!

Человек, сегодня толкующий об упадке общественных нравов, в лучшем случае может вызвать снисходительную усмешку... Но ведь без нравственных устоев, без отказа как от государственной лжи, так и от индивидуально-утилитарного вранья ничего путного у нас не получится. Вместо рынка и процветания слепим грязную барахолку, в центре которой будет стоять игорный дом с теми же черными «персоналками» у подъезда и большим лозунгом на фронтоне: «Верным курсом идете, господа!».

Газета «Комсомольская правда», декабрь 1992 г.

«Готтентотская мораль»

Перед вами — новенький «Мерседес». Будучи плюралистически мыслящей личностью, вы можете оценить это чудо западного автомобилестроения по-разному. Например — в долларах. Или — в лошадиных силах. Или — в количестве нервной энергии, потраченной деловым человеком, чтобы заработать эту валюту. Не исключена оценка в тоннах — в том смысле, сколько понадобилось сплавить за рубеж цветных металлов, дабы мечта о «Мерседесе» материализовалась. Наконец, можно оценивать и по количеству пенсионеров, роющихся в помойках вследствие «преобразований», которые позволили предприимчивому человеку сменить одну иномарку на другую.

Что ж, о «цветущей сложности» жизни писал еще классик. Но если из всего многообразия точек зрения вы облюбовываете и абсолютизируете только одну и только потому, что она вам выгодна, то знайте: такое отношение к миру и живущим рядом называется «готтентотской моралью». Это — этическая система, точнее, антисистема, обладающая колоссальной разрушительной силой, хотя происхождение самого термина — «готтентотская мораль» — даже забавно.

Однажды миссионер спросил готтентота: «Что такое зло?» — «Это когда сосед украл у меня барана», — ответил тот. «Ну хорошо, а что же такое добро?» — «Это когда я украл у соседа барана...» Несмотря на первобытную незатейливость этого миропонимания, а может быть, именно благодаря ей, «готтентотская мораль» все шире овладевает нашим обществом, все глубже проникает в него.

Возьмем, к примеру, самое страшное из всего, что происходит сейчас на нашей земле, — межнациональные войны и конфликты. Если вы попытаетесь уловить логику в предъявлении территориальных претензий, то просто голова закружится. В ход идет все: и затерявшаяся в веках история вхождения того или иного народа в Российскую империю, и нелепые административные границы, нагроможденные неуспешными гимназистами, с горя пошедшими в революцию, и пакт «Молотова — Риббентропа», толкуемый как кому вздумается, и хрущевские щедроты, и автографы, которые в пылу борьбы за власть раздавали уже ныне действующие руководители... Впрочем, логика все же есть — «готтентотская».

С особой грустью смотрю я на экран телевизора. Ведь как нам грезилось: лишь падет большевистская цензура — получим мы объективную информацию о времени и о себе. Увы, ленинский принцип партийности (разновидность «готтентотской морали») продолжает торжествовать на ТВ, правда, с обратным политическим знаком. Ну в самом деле, почему я должен узнавать последние новости в версии искромечущего Гурнова или трепетного Флярковского? Я просто-напросто хочу получать информацию, изложенную по возможности телегеничным и обладающим четкой артикуляцией диктором. А выводы я могу сделать сам.

Не знаю, как другим, но мне кажется подозрительным, когда про необходимость референдума о земле на телеэкране говорят, поют и даже пляшут, а противоположная точка зрения дается впроброс, да еще со словами комментатора, точно извиняющегося за «дауна», испортившего гостям ужин. Лично я за реформы и за демократическую Россию в широком смысле этого словосочетания. Но я не понимаю, что такое «враги реформ». Враги народа, что ли? Лично я сторонник рыночной экономики. Но меня берет оторопь, когда симпатичная дикторша вдруг злющим-презлющим голосом начинает говорить о «красно-коричневых люмпенах». Допустим, эти люди не хотят расставаться со своими коммунистическими убеждениями так же быстро, как расстались с ними многие из тех, кто вбивал всем нам в головы эти убеждения, в частности телевизионщики. А может быть, они вообще не хотят расставаться со своими убеждениями? Это — их право. История рассудит. Не будем забывать, что подобное уже было: красные профессора убедительно доказывали, а красные корреспонденты убедительно показывали неспособность крестьянина своим умом понять всю жуткую выгоду колхозов. «Готтентотская мораль» в мире информации — страшное дело!

Другой разговор — авторские программы. Если меня утомит пронзительный взгляд А. Политковского, словно бы подозревающего каждого своего собеседника в тяжком уголовном прошлом, я не стану смотреть « Политбюро», а буду оставаться с «Красным квадратом». Когда же я пресыщусь геополитическим конферансом А. Любимова, то переключусь на «Тему», где и без В. Листьева много достойных и умных людей. Но и в авторских программах хотелось бы более широкого спектра мнений. Например, по-моему, очевиден недостаток передач, сориентированных на формирование патриотических чувств. Нет, не советского патриотизма и не национал-патриотизма, а просто патриотических чувств. Ведь сегодня мы переживаем взрыв национального самосознания, некогда затоптанного силовым интернационализмом. Если этот взрыв оформится в цивилизованное патриотическое сознание — мы обретем колоссальный источник творческой энергии для возрождения Отечества, да и для умиротворения конфликтов. Патриот с патриотом договорится. Националист с националистом — никогда.

Поэтому, когда я вижу на экране эдаких саркастических небожителей, рассуждающих об «этой стране», точно речь идет не об их Родине, а о неведомой территории, заселенной недоумками, мне хочется им по-спикеровски сказать: «Эх, ребята, что-то вы все-таки недопонимаете, несмотря на ваши умные усмешки и тщательную английскую интонацию. (Кстати, хотел бы посмотреть на английского теледиктора, говорящего с русской интонацией!) Именно недопонимаете, ибо человек, не желающий быть патриотом, обречен однажды проснуться в стране, где к власти пришли фашисты...»

Однако вернемся к рассматриваемому нами феномену «готтентотской морали» и посмотрим теперь, что происходит в искусстве, в частности в литературе. Сегодня, когда меняется идеология, идет и переоценка ценностей эстетических. Причем исподволь людям навязывается мнение: раз социально-политические принципы минувшей эпохи обанкротились, то изящную словесность этого времени тоже нужно выбросить в мусоропровод истории. Появился даже тип литературного предпринимателя — организатор поминок по советской литературе. Может быть, эти образованные и неглупые люди просто не понимают, что советская литература не исчерпывается беллетризованными комментариями к партийным постановлениям? Может быть, они не сознают, что место написания романа — Переделкино, Париж или котельная — далеко еще не определяет его художественный уровень? Понимают и сознают, просто тут мы как раз и вступаем в сферу «готтентотской морали».

Я искренне сочувствую иным нашим критикам и литературным активистам: им не терпится освободить ниши в старом «пантеоне», чтобы заставить их своими, собственноручно отформованными кумирами. Во-первых, льстит самолюбию, а во-вторых, обдувать пыль намного проще, чем пристально следить за сложными извивами художественного процесса и давать им честное профессиональное объяснение. Вчитайтесь в критические разборы, публикуемые как в левой, так и в правой печати, и вы заметите характерную «готтентотскую» закономерность: создание новых, посткоммунистических литературных авторитетов часто идет по старому, соцреалистическому принципу. Наш, по-нашему думает, по-нашему сочиняет — «подсажу на пьедестал». Ну а если из чужой команды или вообще какой-нибудь литератор, пишущий сам по себе, — не то что понимания, пощады не жди!

Говоря об этом, не могу не остановиться на одном примечательном факте нашей литературной жизни. Состоялось вручение британской премии Букера за лучший российский роман этого года, и лучшим романистом оказался Марк Харитонов, запомнившийся читателям своей повестью про Гоголя, опубликованной в середине семидесятых в «Новом мире». А в шестерку сильнейших кроме него вошли Л. Петрушевская, В. Маканин, Ф. Горенштейн, А. Иванченко, В. Сорокин. Все эти имена у меня сомнений не вызывают, а вызывают только уважение, за исключением, пожалуй, В. Сорокина, работы которого мне представляются подзатянувшимся и не очень талантливым розыгрышем как российской, так и зарубежной читающей публики. Хотя, быть может, я и ошибаюсь...

Но какое отношение к «готтентотской морали» имеет премия Букера, спросите вы? Имеет. И дело не в том, кто именно получил премию, хотя я бы на месте высокого жюри, коль уж выбирать из шестерых, поделил бы ее между Л. Петрушевской и В. Маканиным. А дело в том, что все шестеро принадлежат к одному, пусть уважаемому, достойному, но все-таки одному течению отечественной словесности. Конечно же, как люди одаренные, они не похожи друг на друга, но эта непохожесть, по-моему, укладывается в рамки общего эстетического и духовного направления. Только ведь, как я понимаю, наши британские доброжелатели намеревались в трудную годину поддержать всю российскую словесность, а не одно, пусть даже очень перспективное ее направление. Полагаю, учредители премии сами будут огорчены, когда поймут, что эта благотворительная акция вызвала в литературном мире больше недоуменных вопросов, чем слов благодарности. Впрочем, заграничным благодетелям не привыкать: они часто видят свою гуманитарную помощь на кооперативных прилавках и втридорога...

Однако вернемся к нашим отечественным деятелям и госмужам, которые с родной словесностью поступают совершенно «по-готтентотски». Пока они боролись за власть, они охотно пользовались ее извечной тягой к переустройству мира. Но, усевшись в кресла, как-то сразу про нее и позабыли. А может быть, наоборот, — очень хорошо запомнили, на что способна российская литература, возжаждавшая перемен! Во всяком случае, прежде стоял вопрос, может ли писатель на свои заработки содержать семью. Сегодня стоит вопрос, может ли семья на свои заработки содержать писателя. Тоталитарный режим гноил юные таланты в котельных и сторожках — это общеизвестно. Но мало кто знает, что нынче и молодым, и пожилым литераторам гораздо чаще приходится идти в дворники, чем лет десять назад.

«Все сегодня трудно живут!» — воскликнете вы и будете правы. Поэтому не кормления хочет творческий работник, а возможности заработать на прокорм. Как? Нереализованных возможностей много. Вот хотя бы одна. Скажите, пожалуйста, неужели деньги, потраченные на покупку несчетно-серийных рыданий-страданий, после которых чувствуешь себя абсолютным латиноамериканцем, нельзя было пустить на развитие отечественной теледраматургии? Да что там говорить, если о собственных ученых-атомщиках вспомнили лишь после того, как старшие американские товарищи обеспокоились расползанием ядерного оружия по планете! Об отечественной культуре вспомним, наверное, только в том случае, если атомная бомба бездуховности рванет так, что вылетят стекла и в Кремле, и в обоих Белых домах.

И спросит миссионер русского: «Что такое зло?» — «Это когда сосед украл у меня барана...»

Газета «Комсомольская правда», декабрь 1992 г.

Смена всех

Стыдно. Пожалуй, именно это слово наиболее полно передает то состояние, в котором нынче пребывает любой здравомыслящий человек, если он воспринимает Россию как Отечество, как свой дом, а не дешевую меблирашку, откуда можно в любое время съехать, прихватив с собой казенный табурет с жестяной биркой на боку.

Мне стыдно, что уже второй раз за одно столетие, ничему не научившись на своих ошибках, мы, борясь против обветшалого политического и экономического устройства, нанесли сокрушительный удар по собственной державе. Это, знаете, как если б человека, страдающего общей слабостью, отлупили до полусмерти, чтобы включить защитные силы организма. Они могут включиться тогда, когда защищать будет уже, увы, нечего.

А минувший год? Стыдно было слушать эти бесконечные «страшилки» про надвигающийся переворот — о чем плели сатирики с эстрады, пели поседелые рок-певцы, зловеще предупреждали массовики-геополитики, предостерегали наиболее чуткие депутаты, многие из которых сегодня деловито перепрыгнули с одной ветки власти на другую. Это, право слово, очень напоминало ситуацию, когда все энергично ищут любовника в доме, забывая только заглянуть в постель к молоденькой хозяйке.

Мне стыдно, что президент устал. Во всех смыслах. Достаточно, даже не обладая специальными знаниями, вглядеться в его лицо, появляющееся на телеэкране. Но особенно мне стыдно, что он устал на манер знаменитого матроса Железняка с его приснопамятным караулом. В те годы тоже, насколько мне известно, не все симпатизировали Учредительному собранию, и его состав многим не нравился. Даже А. Блок, если помните, в «Двенадцати» иронизировал над «учредилкой». Но знаете, бывают такие родинки на коже, некрасивые, даже уродливые, а сковырнешь — и кровь потом ни за что не остановишь.

Мне стыдно за наш разогнанный парламент. Нет, не за его состав, который не более нелеп, чем президентская команда, в значительной степени из этого самого парламента и рекрутированная. Качественный состав и первого и второго органов отражает то помутнение народного сознания, каковое всегда происходит, если из затхлого помещения выбежать на свежий воздух. Мне стыдно, что эти люди, так громко спорившие «о будущих видах России», оказались в критическую минуту абсолютно беспомощны и беззащитны. В их кобуре, которую они так многозначительно оглаживали, пикируясь с исполнительными своими противниками, оказался огурец. А ведь это фактически те самые люди, что в 91-м активно участвовали в августовских игрищах. Они же отлично знают, как это делается. Они же знают, как подвыпившую массовку можно объявить героическими защитниками, а можно — обнаглевшей чернью и люмпенами. Все зависит от того, кто владеет «Останкином». Да, большую часть парламента нужно было давно выгнать из политики за профнепригодность без выходного пособия! Но разгонять парламент — это совсем другое...

Мне стыдно за нашу отечественную интеллигенцию — она так и осталась советской в самом неизъяснимом и неисчерпаемом смысле этого слова. Как ретиво она начала озвучивать и расцвечивать идею большого скачка в рынок и демократию, даже не озаботившись, чем такая поспешность может обернуться для людей, да и для нее самой! С нравственной точки зрения ухватистые пропагандисты умного рынка и просвещенного фермерства ничем не отличаются от воспевал стальной индустрии и поголовной коллективизации. И для тех, и для этих цена, заплаченная народом, значения не имеет. Более того, будь человеческий век подольше, это вообще были б одни и те же люди! А ведь на самом-то деле главная задача интеллигенции быть нравственным арбитражем властей перестраивающих. Ее задача — помочь правильно установить парусную систему государственного корабля, а не дуть в паруса, лиловея от натуги и стараясь, чтобы их усердие заметил если не капитан, то хотя бы старпом.

Мне стыдно, что в России усиленно раздувается национализм. В России, многонациональной, мешаной-перемешаной революцией, войнами, депортациями, массовыми перебросками молодежи, ехавшей «за запахом тайги»... В России, где население всегда отличалось небывалой широтой положительной комплиментарности, если пользоваться терминологией гениального Л. Гумилева! А попросту говоря, в России никогда не встречали и не провожали по форме носа или цвету волос, а только — по уму и верной службе Отечеству. У меня просто уши от стыда теплятся, когда я слышу по телевизору разные заявления о том, что тот же Хасбулатов чужд русскому народу не в силу политических взглядов, а по причине своего врожденного чеченства. Руслан Имранович никогда не был героем моих политических грез, но когда я слышу такое, у меня возникает вопрос: вы там, в пресс-секретариатах, когда-нибудь думаете? Этого нельзя было заявлять даже в том случае, если б в России было только две национальности — русские и чеченцы. Стоит только начать оценивать политиков с точки зрения национальной принадлежности — и сами не заметите, как политический Олимп превратится в Лысую гору!

Мне стыдно думать о судьбе русских людей, оказавшихся за границей или в горячих точках. В отношении к ним мы ведем себя, как древние римляне периода упадка — «А говорят, на рубежах бои...» Ну и что предпринимает власть российская по поводу попрания их духовных и политических прав? Безмолвствует или витиевато уходит от трагедии. А на самом деле это только кажется, что Жуковка или Барвиха ближе к Москве, чем Нарва или Приднестровье.

Мне стыдно смотреть в глаза пожилым людям, которые подходят на улице к тем, кто побогаче одет, и просят на хлеб. Омерседесить полпроцента населения и завалить города дорогими западными неликвидами — еще совсем не значит влиться в не очень-то дружную семью цивилизованных народов. Страна, где профессор медицины получает меньше, чем подросток, подторговывающий анальгином, обречена. Порядочный политик застрелился бы, узнав, что научную элиту его страны взял, спасая от голода, на содержание зарубежный фонд. Но вместо выстрелов слышны только хлопки шампанского на бесконечных раутах. А когда снова станут актуальными строчки Маяковского «Ешь ананасы, рябчиков жуй...», — те, кто успеет отступить на заранее подготовленные калифорнийские виллы, будут жалостливо объяснять доверчивой западной общественности, что-де дикий русский народ не понял своего счастья и погубил нетерпеливостью замечательные реформы. А доверчивый западный обыватель будет кивать, не догадываясь, что сам бы не выдержал не только нескольких лет, нескольких недель таких реформ!

Мне стыдно смотреть на наших сегодняшних политиков. Начнем с того, что у хорошего политика должно быть лицо семейного доктора, которому вы с легким сердцем разрешите осмотреть вашу жену по самому сокровенному вопросу. А теперь мысленно переберите галерею наших нынешних вершителей. Вопросы есть? Вопросов нет. Впрочем, один все-таки есть: где были наши глаза и мозги?! Я прежде думал, что не бывает ничего более удручающего, чем президиум съезда компартии. Я ошибался... Отличительная черта большинства тех, кто был прежде, — бездарность. Отличительная черта большинства тех, кто сейчас, — бессовестность. Не знаю, право, что и хуже!

Когда на экране появляется политик имярек, уже поработавший на конкретной должности и заваливший все, даже то, что по своей природной особенности и заваливаться-то неспособно, когда он начинает наставлять, как нужно жить и каким курсом вести страну, мне хочется сделать то, чего я никогда не делал: позвонить по контактному телефону и сложносочиненно выругаться! Очень интересно наблюдать, как госдеятель, попавшийся на коррумпционерских штучках, подвижнически глядя в телеобъектив, учит меня, грешного, нравственным ценностям! Еще очень хорош внешнеполитический деятель, который с вялым миротворчеством объясняет соотечественникам, что утрата той или иной страной территории — дело житейское и особенно огорчаться тут нечего: ведь планета — наш общий дом и так ли важно, где проходит граница. Французский госмуж, сказанувший что-нибудь подобное, например, о Корсике, на следующий день исчез бы из политики, как плевок с раскаленной каминной решетки. А мы терпим — и первого, и второго, и третьего...

Мне стыдно за себя. Потому что многие из нынешних верховодов, особенно мои ровесники, начинали на моих глазах, и, наблюдая их первые робкие шажки и отлично зная цену этим людям, я только иронически хмыкал, я и представить себе не мог, в какую силу они войдут и в какой беспорядок ввергнут страну, лишь только бы у них все было в порядке, лишь бы зажить поцивилизованнее в своей новой, отобранной у кого-нибудь из «бывших» московской квартире. Подумаешь, что страна сжимается, как шагреневая кожа, главное, что своя жилплощадь увеличивается... Впрочем, что я мог сделать даже тогда, вначале? Ничего. Но все равно стыдно.

Если б я обладал социальной энергетикой настоящего политика, я бы сегодня организовал новую партию с лозунгом «Смена всех!». К руководству страной должны, разумеется, в результате выборов прийти новые люди — порядочные, умные, государственно и патриотично мыслящие, не причастные к «машкерадным» переворотам, обкомовским номенклатурам, гэбэшно-диссидентским играм. Да, лично мне не нужен парламент, который живет с президентом, как кошка с собакой, но мне не нужен и президент, который разгоняет парламент.

А новые люди есть, и если то же телевидение вдруг перестанет быть развязно-однопартийным, то через несколько дней мы убедимся в том, что Россия не оскудела талантливыми и преданными Отечеству политиками, состоявшимися или только готовящимися вступить на это поприще. И если кто-нибудь, прочитав эти строки, захочет воплотить в жизнь мои литературно-политические мечтания и создаст партию с лозунгом «Смена всех!» — я тут же вступлю в эту партию, стану «сменовсеховцем» и начну активную работу на низовом, как говорится, уровне — буду ходить по квартирам своего микрорайона и объяснять людям, что, когда тебе стыдно за свое Отечество, дальше ехать уже некуда. Ради такого дела я, не задумываясь, отложу в сторону рукопись новой повести: она подождет до того времени, когда можно будет наконец «не краснеть удушливой волной» за творящееся в России. Пока — стыдно...

Газета «Век», октябрь 1993 г.

Оппозиция умерла. Да здравствует оппозиция!

...Под выстрелами толпа любопытствующих дружно приседала. Потом кто-то начинал показывать пальцем на бликующий в опаленном окне снайперский прицел. Били пушки — словно кто-то вколачивал огромные гвозди в Белый дом, напоминавший подгоревший бабушкин комод. А около моста, абсолютно никому не нужный в эти часы, работал в своем автоматическом режиме светофор: зеленый, желтый, красный...

Вечером торжествующая теледикторша рассказывала мне об этом событии с такой священной радостью, точно взяли рейхстаг. Что это было на самом деле — взятие или поджог рейхстага, — покажет будущее Однако кровавая политическая разборка произошла. В отличие от разборок мафиозных в нее оказались втянуты простые люди, по сути, не имевшие к этому никакого отношения. Я — не политик, я — литератор и обыватель. Мне по-христиански жаль всех погибших. Нынешним деятелям СМИ и тому, что осталось от нашей культуры, когда-нибудь будет стыдно за свои слова о «нелюдях, которых нужно уничтожать». А если им никогда не будет стыдно, то и говорить про них не стоит.

Профессиональное воображение подсказывает мне, какой ад сейчас в душах арестованных. У одних потому, что осознали кровавую цену политического противостояния? У других потому, что хотели большего, а лишились всего. У третьих потому, что представляют себе, как недруги празднуют победу на какой-нибудь правительственной даче. Бог им судья: они сами виноваты, ибо пошли или дали себя повести на крайность, на кровь. Что толкало или подтолкнуло их на это — мы когда-нибудь узнаем. Думаю, произойдет это гораздо раньше, чем полагают многие. Уверяю вас, правда будет отличаться от того мифа, который срочно лепится прямо на наших глазах, как подлинник Ренуара отличается от тех подмалевок, какие продают на художественных толкучках. Не это сейчас главное. Я слушал и участвовал в разговорах людей, толпившихся у Белого дома, на Смоленке, у Моссовета. Правда, в последнем месте от разговоров спорящих часто отвлекала обильная гуманитарная помощь, раздававшаяся прямо с грузовиков. Так вот: того единодушия, которым отличаются комментаторы ТВ, там не было. Большинство склонялось к тому, что виноваты и те и другие.

Противостояния президента и парламента, двоевластия больше нет, но то неоднозначное отношение к происходящему в стране, которое это противостояние символизировало, осталось. От того, что Мстислав зарезал Редедю пред полками касожскими, ничего не изменилось. Как, впрочем, ничего не изменилось бы, если б Редедя зарезал Мстислава... Поляризация в обществе осталась. Поэтому сейчас нужна не сильная рука, а мудрая голова!

Как справедливо заметил Сен-Жон Перс, плохому президенту всегда парламент мешает. Кстати, на улицах об этом тоже немало говорили. В одной группе спорщиков можно было схлопотать за хулу в адрес президента, в другой — за хвалу. Но все сходились на том, что указы, после которых следует кровь, совсем не то, что нужно стране, уже однажды потерявшей в братоубийственной войне лучших своих людей. И кого сейчас волнует, кто из них был белым, а кто красным?

Итак, оппозиция, пошедшая в штыковую контратаку, уничтожена. Закрыты оппозиционные газеты, передачи, возможно, будут «закрывать» неудобно мыслящих политиков и деятелей культуры... Создатели политических мифов не любят оттенков: у врага в жилах должна течь не кровь, а серная кислота — желательно поконцентрированнее. Но, надеюсь, даже активист «Демроссии» не будет спорить, что демократия без оппозиции невозможна. Без оппозиции, действующей, конечно, в рамках закона, выражающей свои политические цели, критикующей находящихся у власти. В противном случае можно и ГУЛАГ объявить оппозицией Сталину, да и считать впредь, что его режим был не тоталитарным, а демократическим.

Оппозиция умерла. Да здравствует оппозиция!

Конечно, инакомыслящим политикам сейчас трудно высказывать свою точку зрения. Ситуация, когда, говоря словами классика, «где стол был яств — там гроб стоит», — деморализует. И потом, новая оппозиция еще должна оформиться. Не исключаю, что ее будущие лидеры сегодня вместе с Б. Ельциным принимают поздравления, как два года назад вместе с ним же принимали поздравления А. Руцкой и Р. Хасбулатов. Посмотрим.

Я не политик, никогда этим не занимался и, надеюсь, не буду. Я, повторяю, литератор и обыватель, поэтому мне проще говорить об оппозиции. Не о той, что в президиумах, а о той, что в душе. Я хочу воспользоваться неподходящим случаем и сказать о том, что я — в оппозиции к тому, что сейчас происходит в нашей стране. По многим причинам.

Во-первых, потому, что как воздух необходимые стране реформы начались и идут очень странно. Представьте, вы пришли к дантисту с больным зубом, а он, предъявив диплом выпускника Кембриджа, начал сверлить вам этот самый зуб отбойным молотком. Я за рынок и за частную собственность. Но почему за это нужно платить такую же несусветную цену, какую мы заплатили семьдесят лет назад, чтобы избавиться от рынка и частной собственности?

Во-вторых, меня совершенно не устраивают те территориальные и геополитические утраты, которые понесла Россия на пути к общечеловеческим ценностям. Я очень уважаю исторический и экономический опыт США, но я уверен: вас бы подняли на смех, предложи вы американцам решить их социальные проблемы (а их и там немало) в обмен на хотя бы квадратный километр флоридских пляжей. Я уже не говорю о россиянах, оказавшихся заложниками этнократических игр в странах ближнего Зазеркалья. Они-то теперь прекрасно разбираются в общечеловеческих ценностях.

В-третьих, мне совсем не нравится пятисотметровая дубина с бесполым названием «Останкино», которая снова изо дня в день вбивает в голову единомыслие. Ее просто переложили из правой руки в левую, но голове-то от этого не легче. Да и толку-то! Уж как коммунисты гордились «небывалым единением советского народа», а что получилось...

В-четвертых, меня берет оторопь, когда я вижу, в каком положении оказалась отечественная культура, как мы теперь догадались, не самая слабая в мире. Гэкачеписты во время путча хоть «Лебединое озеро» крутили. А нынче в перерывах между разъяснительной работой ничего не нашлось, кроме сникерсов, сладких парочек да идиотского американского фильма, по сравнению с которым наш «Экипаж» — Феллини...

В-пятых, я не понимаю, почему учитель или врач должен влачить нищенское существование, когда предприниматель, детей которого он учит и которого лечит, может строить виллы и менять «мерсы», как велосипеды. Я с большим уважением отношусь к предпринимателям, на износ работающим сегодня в своем сумасшедшем и опасном бизнесе. Я никогда не назову такого человека торгашом или спекулянтом. Это особый и трудный талант. Но ведь человек приходит на землю не только для того, чтобы купить дешевле, а продать дороже! И талантливый ученый или квалифицированный рабочий, бросившие все и пошедшие в палатку торговать «жвачкой», — это знак страшной социально-нравственной деградации народа.

В-шестых... Впрочем, думаю, и сказанного довольно.

Не знаю, возможно, преодолеть все эти «ужасы», как выражается моя знакомая, президентской команде действительно мешал парламент. Поживем — увидим. Если так, я честно признаюсь, что был не прав, и встану под знамена победителей, хотя, думаю, там уже и сейчас нет ни одного свободного места... Но скорее всего дело в ином: наше нынешнее руководство просто не соответствует тем сложнейшим задачам, которые стоят сегодня перед Россией. А плоскостопие лечить посредством ампутации ног любой сможет. Поэтому, как справедливо говорит президент, нужны новые выборы. А выборы без оппозиции, имеющей доступ к средствам массовой информации, никакие не выборы, а голосование, каковое мы и имели семьдесят лет. Не будете же вы просить девушку выйти за вас замуж, приставив ей пистолет ко лбу?! Конечно, выйдет, если жить хочет. А потом — спать в разных комнатах, бить посуду и подсыпать друг другу тараканьи порошки...

...От Белого дома гнали кого-то с поднятыми руками. Мимо проносили очередного убитого или раненого. Мальчишки втихаря вывинчивали золотники из колес брошенных машин. А светофор все так же работал в автоматическом режиме: красный, желтый, зеленый...

Газета «Комсомольская правда», октябрь 1993 г.

Россия накануне патриотического бума

Со словом «патриот» за последние годы произошли странные вещи. Уважаемые деятели культуры уверяли нас, будто патриотизм чуть ли не зоологическое чувство, характерное более для кошки, нежели для человека. В газетных шапках различные производные от этого слова появлялись, как правило, в тех случаях, когда речь заходила о каком-нибудь политическом дебоше. Если в просвещенной компании человек лепетал, что социализм, конечно, не мед, но зачем же всю нашу новейшую историю мазать дегтем, как ворота не соблюдшей себя девицы, — его, морща нос, тут же спрашивали: а не патриот ли он, часом? Наконец, меня просто добил эпизод, когда теледикторша с чувством глубочайшего, доперестроечного удовлетворения сообщила, что, по последним социологическим опросам, патриотов поддерживает всего один процент населения.

Никогда не поверю, что у нас в стране столь ничтожное число людей, обладающих патриотическим сознанием. В таком случае России давно бы уже не было, а была бы огромная провинция «недвижного» Китая или незалежной Украины. Тут налицо явная подмена понятий. В минуты семантических сомнений я всегда обращаюсь к словарю Даля. Открываем и находим: «Патриот — любитель Отечества, ревнитель о благе его, отчизнолюб, отечественник или отчизник...» Как будто все ясно, и слово-то хорошее, чистое, а тем не менее превратилось в политическое, да и в бытовое ругательство. «За что, Герасим? — спросила Муму» — так написано в одном школьном сочинении.

Было за что. Напомню, в прежние времена это слово употреблялось в устойчивом сочетании — «советский патриотизм». Дело тут не в эпитете, который в те годы лепился ко всему: советская литература, советская женщина, советский цирк... Тут проблема гораздо сложнее и тоньше. Но сначала сделаю небольшое отступление. Когда я впервые попал в США и пообщался с тамошними рядовыми налогоплательщиками, то обратил внимание на их своеобразный патриотизм — яркий, демонстративный, напористый — с непременным звездно-полосатым флагом перед домом. Но мне показалось, это была не «любовь к родному пепелищу, любовь к отеческим гробам», а, скорее, любовь к социально-политическому устройству своей страны. Это патриотизм эмигрантов, которые на новом месте зажили лучше, чем на прежнем.

А теперь я хочу предложить читателю одну гипотезу. Мы помним, что Ленина, большевиков всегда грел американский опыт. Обратились они к нему и тогда, когда, говоря по-нынешнему, обдумывали концепцию нового патриотизма без самодержавия, без православия, без народности в стране победившего пролетариата. Поначалу, правда, пытались обойтись одной классовой солидарностью, но мировая революция как на грех запаздывала. А лозунг «Штык в землю!» хорош, пока ты борешься за власть, а когда ты ее взял и хочешь удержать, необходим совсем другой лозунг, например: «Социалистическое Отечество в опасности!».

Итак, обдумывая эту новую концепцию, большевики, предполагаю, вспомнили об опыте американского, назовем его условно «эмигрантского», патриотизма. Ведь, по сути, 150 миллионов подданных исчезнувшей Российской империи в результате революционных преобразований, оставаясь на своей отеческой земле, на родном пепелище, стали переселенцами, эмигрантами, ибо очень скоро очутились в совершенно новой стране, с совершенно иным устройством и принципами жизни. И если «передовому» россиянину начала XX века полагалось не любить Отечество из-за его реакционной сущности и даже желать ему поражения в войне, то теперь он, напротив, был обязан горячо любить Советскую Россию за новое, передовое устройство. Очень хорошо это прослеживается у Маяковского. «Я не твой, снеговая уродина» — до Октября. «Читайте, завидуйте...» — после Октября. А ведь речь-то шла о той же самой стране — с той же историей, культурой, ландшафтом, населением, правда, сильно поистребленным. Этот новый «эмигрантский», то бишь советский, патриотизм был внедрен в умы и души настойчиво, талантливо, стремительно. И не надо сегодня, задним числом, преуменьшать привлекательность тогдашних коммунистических лозунгов, идей, символов. На них купились не только в России. Вспомните, ведь и Есенин совершенно искренне писал: «За знамя вольности и светлого труда готов идти хоть до Ла-Манша». Любопытно, что не до Босфора и Дарданелл... Правда, в другом месте великий поэт уточнял: «Отдам всю душу октябрю и маю, но только лиры милой не отдам». За это и поплатился, как и тысячи других, надеявшихся совместить новый советско-«эмигрантский» патриотизм с прежним — назовем его также условно «отеческим». И не могли не поплатиться: у выпученных рачьих глазок агитпропа всегда были безжалостные чекистские клешни.

Но совмещение, взаимопроникновение этих двух патриотизмов все равно произошло, ибо новое, как всегда, возводилось на старом фундаменте, подобно тому как заводские клубы строились на фундаментах снесенных церквей. В конце концов этот подспудно шедший процесс совмещения возглавила и подстегнула сама новая власть. Когда? Когда подступила Великая Отечественная. Заметьте, Отечественная, а не пролетарская или социалистическая. Поднять и повести в бой нужно было всех до единого, даже пострадавших, униженных новой властью. Заградотряд может остановить отступающего, но на смерть ведет любовь к Отечеству. В последней фразе есть, конечно, пафосная условность, но есть и неоспоренная истина. И вот тогда-то до зарезу понадобились такие, например, строчки сотрудника газеты «Сокол Родины» Дмитрия Кедрина:

Стойбище осеннего тумана,
Вотчина ночного соловья —
Тихая царевна Несмеяна —
Родина неяркая моя!

Несмеяна? Да за такое еще год-два назад отрывали голову. Но теперь голову могли оторвать сидевшим в Кремле — и это меняло ситуацию!

Разумеется, все было не так просто и однозначно. После войны были чудовищная кампания против космополитов и не менее чудовищное «ленинградское дело», преследовавшие как раз противоположные цели, но процесс, как говорится, пошел... Кстати, можно вообще нашу культурную жизнь последних трех-четырех десятилетий проанализировать с точки зрения «единства и борьбы двух патриотизмов». Тогда гораздо понятнее станут и приснопамятная статья А. Н. Яковлева против антиисторизма в 70-е, и пресловутое письмо группы литераторов, направленное против «Нового мира», возглавляемого А. Твардовским, и многое, многое другое. Но это тема серьезного исследования, которое по плечу не мне, дилетанту, а специалисту-культурологу.

Одно можно сказать с уверенностью: каким бы гремучим синтез этих двух патриотизмов ни был, режим он обслуживал. Хотя, конечно, на плацу клялись в верности социалистической Родине, а любили все-таки «стойбище осеннего тумана».

Сегодня даже политическому младенцу ясно: когда наметилось принципиальное изменение политического и экономического устройства нашей страны, этот патриотизм был обречен, ибо являлся немаловажной частью всего каркаса, державшего систему. Конечно, поначалу говорили о социальной справедливости и социализме с человеческим лицом, но исподволь, а потом все откровеннее стала внушаться мысль, что эту страну любить нельзя. Эту страну — с кровавым усатым деспотом на партийном троне, с гулаговскими бараками, с тупыми людьми, стоящими в драчливых очередях за водкой, с вечным дефицитом всего элементарного, с искусством, осуществляющим непрерывный аннилингус власти... И ведь с точки зрения прагматичного «эмигрантского» патриотизма это было абсолютно верно: обещали рай земной, а что нагородили! В общем, как семьдесят лет назад людей напористо выучили любить свою советскую Родину, так теперь столь же стремительно отучили. Эта взлелеянная нелюбовь стала идейно-эмоциональной основой для таких грандиозных процессов, как распад Союза, отстранение от власти компартии, изменение геополитического положения нашей страны в мире...

И когда упоенная теледикторша сообщает, что всего один процент населения поддерживает патриотов, она имеет в виду, что подавляющая часть граждан (тут сделаем поправку на непредсказуемость наших социологических методик) разочаровалась в советском патриотизме, то есть разлюбила былое социально-политическое устройство своей страны. Но ведь это совершенно не значит, что 99 процентов населения разлюбили свою страну, что они не переживают распад державы, что их радует утрата исконных земель и 25 миллионов россиян, оказавшихся за границей. Это совсем не значит, будто их устраивает наша страусино-аллигаторская экономическая политика, наше вялое «чего изволите» на мировой арене, упадок российской культуры, без всякой поддержки оставленной один на один с обильно финансируемой западной массовой культурой, от которой сами западники не знают, куда спрятаться. А если вести речь об оборонной доктрине, то, извините, чего стоит присяга Отечеству, если его «передовому» человеку и любить-то неловко? Генералы рыдают, что срываются призывы, — я вообще удивляюсь, что хоть кто-то в такой атмосфере надевает на себя военную форму! Зачем? Разве для того, чтобы за большие деньги пострелять из пушки по собственному парламенту!

Но шутки — в сторону! Я берусь утверждать, что, несмотря на жесточайшую спецобработку общественного сознания, патриотизм никуда не делся, а просто временно перешел (даже в душах) на нелегальное положение — ситуация постыдная и чрезвычайно вредная для государства.

Кто в этом виноват, мы вроде худо-бедно разобрались. Теперь самое главное: что делать? На первый взгляд проще всего — спешно приучать людей любить наше новое социально-политическое устройство. Но ведь его пока попросту нет —

руины. А те реформы, что успели наколбасить, подавляющей части населения тоже любить не за что — нищаем. Вот и наши записные рыночники, которые три года назад уверяли, что хватит-де жить верой в светлое завтра, горбатиться на потомков, теперь, решив свои личные проблемы, с той же аввакумистостью запели про то, что рынок построить — не фунт изюму съесть, что процесс этот длительный, а ради счастья детей и внуков можно потерпеть и подзатянуть пояса, стоически проходя мимо обильных витрин. (На «Березках» хоть глухие шторы висели.) Лично я ради свежеотпущенной бородки Г. Попова и тимуровского оптимизма Е. Гайдара терпеть не собираюсь. Ради будущего моего Отечества — дело другое!

А теперь, догадливый читатель, надо ли объяснять, что без новой концепции патриотизма не обойтись, особенно теперь, когда двоевластие закончилось, когда завершена, кажется, битва за гаечный ключ и теперь уже совершенно ясно, кто персонально будет затягивать гайки разболтавшейся государственной конструкции. Да, время лозунга «Баллистическую ракету — в землю!» закончилось. Наступает эпоха лозунга «Демократическое Отечество в опасности!». Не пугайтесь, наши дорогие зарубежные благожелатели, думаю, поисков внешнего врага не предвидится — не до жиру. Обойдемся врагом внутренним. Но суть от этого не меняется: укрепившейся новой власти теперь до зарезу понадобится возрождение патриотического чувства, которое, собственно, и делает население народом и заставляет людей терпеть то, чего без любви никто терпеть не станет.

Каким он будет, этот новый патриотизм? «Отеческим», новой разновидностью «эмигрантского» или, скорее всего, синтетическим? Не знаю. Будет ли отмыто загаженное прекрасное слово «патриот» (месяц активной работы ТВ) или возьмут что-нибудь новенькое, вроде далевского «отчизнолюба»? Не знаю. Кто будет разрабатывать и внедрять новую концепцию — те же люди, что изничтожили старую, или посовестятся и призовут новых людей, незапятнанных? Не знаю, хотя, увы, догадываюсь... Одно я знаю твердо. Мы с вами, соотечественники, живем в канун патриотического бума.

Газета «Комсомольская правда», декабрь 1993 г.

Зрелище

Когда с дубовым веником под мышкой я подошел к Краснопресненским баням, там бегали люди в бронежилетах с рациями и автоматами в руках На вопрос, что случилось, свежепопарившийся гражданин со смехом ответил, что какой-то мужик не поделил с кем-то шайку и его застрелили. Наутро из газет я узнал, что застрелили знаменитого Отари Квантришвили. Бог судья покойному. Его убийце, полагаю, судьей будет тоже Бог. Но меня поразило иронически-равнодушное отношение к чужой смерти. Раньше такого не было! Разбомбили сербов — возмутилась, по-моему, только кучка чудаков, прибежавшая с плакатами к американскому посольству, да Б. Ельцин, которого забыли поставить в известность. А если б не забыли? Студенты, которые хотят учиться, а не заниматься мелким бизнесом или рэкетом, демонстрируют возле Дома правительства и требуют своих нищенских стипендий. Ну и что? Да ничего: вчера шахтеры касками стучали, сегодня студенты глотки дерут, завтра еще кто-нибудь притащится за социальной справедливостью. Взглянул прохожий — и мимо. И власть тоже — мимо.

«Каждый народ имеет такое правительство, которое заслуживает» — эта фраза стала уже банальностью. Среди государственных мужей поругивать человеческий материал, выпавший на их долю, стало навязчивой традицией. Ну а если перевернуть формулу — каждое правительство имеет такой народ, который заслуживает? И в самом деле, давайте порассуждаем о том, какое влияние моральный облик властей предержащих (да простится мне сей старорежимный оборот!) оказывает на общественную мораль, а следовательно, и на всю жизнь общества.

Что и говорить, политический театр минувшей эпохи был крайне скуп на выразительные средства. Хотя, конечно, мы догадывались, что за внешним единодушием президиума съезда, напоминающего в этом своем единодушии большой академический хор, скрываются подлинно шекспировские страсти. Но что мы знали? Вот пошли слухи, что у члена Политбюро имярек сынок что-то там выкинул за границей. Ну, стал не сумевший достойно воспитать сына имярек реже появляться в телевизоре, потом строчка в газете «освобожден в связи...». Дальше — работяги в телогрейках изымают его канонический портрет из длинного ряда портретов где-нибудь на Ленинском проспекте, бросают в грузовик и увозят. А ведь в 37-м в грузовике увезли бы труп! Конечно, мы не были наивными и понимали: сын тут ни при чем или почти ни при чем — идет политическая борьба, а это всегда — торжище и игрище. Но в застойный период она не была зрелищем, и поэтому тогдашние деятели своим личным моральным примером не оказывали прямого воздействия на общественную нравственность. Еще памятная всем формула «Партия — ум, честь и совесть нашей эпохи» оказалась роковой, ведь отсутствие вышеперечисленных качеств связывалось в общественном сознании не с конкретными деятелями коммунистического и международного рабочего движения, а с партией как с политической силой. Именно поэтому она так вдруг потеряла власть. Именно поэтому неотвратимое народное возмездие тоталитаризму закончилось ритуальной посадкой Чурбанова. Именно поэтому большинство президентов в подразделениях СНГ — это бывшие крупные партийные функционеры Да, политические спектакли прошлой эпохи шли при опущенном занавесе. И вдруг занавес поднялся — оставаясь торжищем и игрищем, политика в нашей стране стала еще и зрелищем!

Помните бесконечные трансляции съездов, которые поначалу смотрелись как «Просто Мария»? Вот Горбачев запросто переругивается с депутатом, запросто лезущим на трибуну. А вот самого Сахарова сгоняют с трибуны за общегуманистическую неуместность! А вот Ельцин публично объясняется по поводу своего исторического падения с моста! А вот Оболенский самовыдвигается в президенты! А вот Бондарев произносит свою пророческую метафору про самолет, который взлетел, не ведая, куда будет садиться! А вот уже и чета Горбачевых, точно погорельцы, спускается по самолетному трапу... Одним словом, большая политика из тайной стала у нас настолько явной, что закончилось все пушечной пальбой по парламенту на глазах у потрясенной отечественной и мировой общественности.

Эта зрелищность большой политики повлекла появление на сцене совершенно нового типа деятеля, разительно не похожего на тех, что мы видели прежде. Вспомните хотя бы Громыко, который во время своих редких телевизионных выступлений говорил так медленно, будто за каждым новым словом ему приходилось отлучаться в соседнее помещение. А ведь то был золотой интеллектуальный фонд тогдашнего Политбюро! Как же нас всех тогда поразил новый генсек, говоривший быстро-быстро и без бумажки! К общеизвестным неправильностям его речи мы относились снисходительно, хотя месяца работы со специалистом хватило бы, чтобы наш первый президент заговорил на хорошем мхатовском уровне. Думаю, тут сказалась та нетребовательность к себе, которая и привела к преждевременному уходу Горбачева из большой политики.

А потом вдруг выяснилось, что можно быстро-быстро и без бумажки говорить не только на родном, но даже и иностранном языке, ибо если прежде для успешной карьеры требовалось поработать на комбайне или помесить раствор, то теперь — окончить спецшколу и пройти стажировку за границей. Впрочем, если бы отцы не месили раствор, то вряд ли их дети стажировались бы за границей. Как заметил классик, каждое новое поколение стоит на плечах предыдущего. Не надо только вытирать о предшественников ноги... Как мы гордились Гайдаром, когда он где-то в европах говорил по-английски без переводчика, хотя, полагаю, по протоколу надо бы как раз с переводчиком, но, как известно, понты дороже денег! Впрочем, Гайдар принадлежал уже к новому поколению и отлично сознавал, что является персонажем зрелищной политики. Лично я просто восхищен тем, как оперативно избавился он от своего пресловутого причмокиванья. Оставалось еще стремительно похудеть в соответствии с резким обнищанием народа, но не будем отчаиваться — его политическая карьера еще не закончена!

О том, что за власть держатся до последнего, общеизвестно. Но как именно за нее держались в застойные годы, можно было только догадываться, взирая на задыхающегося Черненко. Теперь мы это увидели ясно и четко — вплоть до побелевших от напряжения пальцев, намертво вцепившихся в государственное кресло. А помните, что они говаривали нам в сладкую пору обольщения: мол, власть для них не самоцель, а тяжкая ноша, что, мол, если что-нибудь не получится, они тут же куда-нибудь уедут за рубеж преподавать и т. д. А теперь вспомните, как всем им не хотелось расставаться с тяжелой ношей, и, даже выпихнутые из тронной залы, никуда они не уехали, а толпятся в комнате ожидания, надеясь снова вернуться, хотя, насколько я понимаю, мы с вами уже давно их об этом не просим.

Однако и у прежнего, и у нынешнего поколения политиков есть одна общая, неискоренимая, чисто большевистская черта — неумение и нежелание признавать свои ошибки. То, что реформы не вышли, а если и вышли, то только боком, сейчас признано всеми, включая и тех, кто эти реформы затевал. Вы слышали хоть слово извинения, хоть лепет раскаянья: «Мол, простите, люди русские и нерусские, бес попутал!» Лично я не слышал. Наоборот, те самые парни, что учудили нынешний развал и оскудение, не вылезая из телевизора, учат нас, как жить, говоря сегодня обратное тому, что провозглашали еще недавно. Говорят, все сказанное не исчезает, но витает где-то в околоземном пространстве. Представляете, каково словам Собчака-91 встречаться там со словами Собчака-94?

А теперь призадумаемся: может ли такое поведение на самом верху не отразиться на нравах в обществе? О каком патриотизме и государственном подходе к делу «новых русских» может идти речь, если они, еще сидя в своих первых палатках где-нибудь возле Курского вокзала, усвоили, что эти ребята там, на Олимпе, занимаются тем же самым, но только в особо крупных размерах? Трудно осуждать мелкого или среднего предпринимателя, перегоняющего свои капиталы на Запад, если он постоянно слышит неопровергаемые (или неопровержимые?) факты о гигантских счетах за границей, о каких-то странных лицензиях, о родственниках, перебравшихся за рубеж и там прекрасно натурализовавшихся. Весь год, предшествовавший октябрьским событиям, высокопоставленные бойцы противоборствующих станов обливали друг друга тщательно аргументированными помоями. Когда схватка закончилась, никто не стал отмываться, а все сделали вид, что ходить с повисшей на вороту бранью — просто новый стиль одежды. О том, как этот новый стиль отразится на миропонимании рядового налогоплательщика, никто не позаботился.

Но, конечно, самое губительное воздействие на общественную мораль оказали уже поминавшиеся нами октябрьские события прошлого года в Москве. Ведь суть этих событий, давайте сознаемся, заключается в том, что одним махом было зачеркнуто то, что Бердяев очень точно назвал «преодолением большевизма». А ведь это был длительный, мучительный процесс, вобравший в себя и государственническую переориентацию режима в 30-е годы, и возвращение к патриотическому сознанию во время войны, и хрущевскую «оттепель», и неуклюжую либерализацию при Брежневе, и горбачевский апрель... Как холостой выстрел «Авроры» вверг страну в Гражданскую войну, так нехолостые залпы на Краснопресненской набережной ввергли, а точнее вернули, нас в ту страшную эпоху, когда господствовал принцип, сформулированный писателем-гуманистом: «Если враг не сдается, его уничтожают». Любопытно, что среди тех, кто подталкивал исполнительную власть к крутым мерам, было немало писателей, считавших, а может быть, и продолжающих считать себя гуманистами. А теперь попробуйте упрекнуть преступника, на заказ застрелившего строптивого банкира. «Эге, — скажет он, — заказное убийство из пистолета — плохо, а из пушек — хорошо?» И будет, как ни стыдно признаться, по-своему прав!

Вот к чему приводит зрелищность в политике, когда персонажи забывают, что их пример заразителен. И мне почему-то вспомнился рассказ мемуариста о том, как в первые годы советской власти какой-то красноармеец, сидя в театре, так вознегодовал на шиллеровского негодяя, что вскинул винтовку и застрелил актера наповал. Но наши нынешние политики не актеры, а мы не зрители. Вот о чем хорошо бы помнить, составляя меморандумы о гражданском мире, иначе все это окажется очередным никого ни к чему не обязывающим зрелищем. Впрочем, у В. И. Даля можно найти синоним слову «зрелище» — «позорище», но в этом своем забытом значении оно сегодня в русском языке не употребляется. А жаль...

Газета «Комсомольская правда», май 1994 г.

Паруса несвободы

Нынешнее наше отношение к собственной недавней истории иногда напоминает мне запоздалую и неумную мстительность разведенной жены, которая, вернув свою полузабытую девичью фамилию, принялась бегать по соседям и всем рассказывать о том, какой ее бывший муж был хам, сквалыга и скотина. А соседи, вежливо кивая, только подсмеиваются, ибо новый, поселившийся у разведенки мужик от прежнего отличается разве лишь тем, что брюхо имеет поболее да шею полиловее и погрязнее...

Редкий нынешний деятель культуры, добравшись до эфира, не заведет речь о монстре тоталитаризма и вампире социализма, изначально враждебных творческой личности и погубивших талантливых людей без числа. Сказав об этом, как в прошлые времена поблагодарив партию о заботе, можно начинать разговор и по существу: о духовном оскудении общества, о воцарении духа бессовестной и безоглядной наживы, об утрате нравственных ориентиров, о нищенской жизни нынешней интеллигенции, вероятно именно таким образом наказанной за свой безответственный поводыризм, за который не «Вехами» надо бы и не «Глыбами», а оглоблей...

Любопытно, что мысли о несовместимости таланта с социализмом, о невозможности самореализации незаурядной личности в совковой действительности впервые, на заре гласности, начали высказывать не какие-нибудь творческие заморыши или воинствующие графоманы, а худруки знаменитых театральных коллективов, всемирно известные наши музыканты, выдающиеся кинематографисты, литераторы, выпускавшие прижизненные собрания сочинений. При этом они как-то забывали объяснить тот странный факт, что сами встретили перестройку не в психушке, не в бойлерной, не в нищей эмиграции, а в ореоле славы, тогда именовавшейся всесоюзной.

Развитой тоталитаризм не столько утеснял деятелей культуры, сколько их ублажал, правда, при условии соблюдения определенных правил поведения. Во-первых, нужно было верить или делать вид, что веришь в прогресс в рамках существующего порядка, во-вторых, если и критиковать систему, то в терминах господствующей идеологии (замечательный образчик — слова одного известного поэта с трибуны: «Красный карандаш цензора и красное знамя — не одно и то же!»), в-третьих, нельзя было выносить сор из избы. Помню, когда моя повесть «Сто дней до приказа» начала ходить по Москве в рукописи, меня пригласили и очень серьезно предупредили, что в общем-то разделяют пафос моего сочинения, но лишь до тех пор, пока его не опубликовали какой-нибудь «Посев» или «Метрополь».

«Ага, — воскликнете вы, — ведь был еще и андеграунд, подлинное искусство, не склонившее гордой выи перед режимом!» «Был», — отвечу я. И историкам литературы еще предстоит разобраться, кто обязан больше тоталитаризму, — соцреализм или андеграунд!

Думаю, в равной степени. Дело в том, что и социализм, и андеграунд отличаются эстетической самонедостаточностью. Поясню на простом примере: бывают стихотворные тексты, оставляющие нас совершенно равнодушными, пока их не положат на музыку. Тот, кому приходилось читать стихи В. Высоцкого, которые он никогда не пел, понимает, о чем идет речь. Так вот, для книг соцреализма такой музыкой были шумная пропаганда и реклама, хвалебные статьи, экранизации, инсценировки, включения в школьную программу. А для андеграунда такой же музыкой были разгромные статьи, бульдозерные атаки режима, слепые машинописные копии, глушение по радиоголосам... И в первом, и во втором случаях сам текст играл роль второстепенную.

Да простит меня лауреат Нобелевской премии Иосиф Бродский, но, собственно, его стихи, при всем моем к ним академическом уважении, оказали на общественное сознание советского общества влияние гораздо меньшее, чем, скажем, творчество известного художника-ленинописца Исаака Бродского. Другое дело конфликт Бродского-поэта с режимом, отъезд за рубеж и последующий мировой триумф. Трудно сказать, как сложилась бы его судьба, если б вместо того, чтобы оказаться под судом за тунеядство он, как Александр Кушнер (поэт, на мой взгляд, не менее талантливый), выпустил бы книжку в «Советском писателе»...

С падением режима, обеспечивавшего самонедостаточные тексты «музыкой», последовал крах как соцреализма, так и андеграунда. Испытания на самоценность не выдержали ни тот, ни другой. Испытание выдержали хорошие писатели, крупные художники, которые в катакомбы не спускались, но, печатая то, что можно было «пробить», «непроходимое» хранили в своих письменных столах до лучших времен. Я очень хорошо помню этот «парадокс гласности», когда вчерашние лауреаты доставали из своих финских письменных столов, купленных по литфондовскому ордеру, самый крутой непроходняк. А подвижники андеграунда выходили навстречу заре общечеловеческих ценностей с приветственно воздетыми вверх пустыми руками (литература русского зарубежья — отдельная тема). Думаю, сегодня сыновнюю тоску по тоталитаризму в одинаковой степени испытывают как отставные деятели соцреализма, так и былые труженики андеграунда. Как ударники-метростроевцы, они встретились в тоннеле, который рыли с двух сторон...

Чтобы понять свое прошлое, нужно прежде всего усвоить: историческая публицистика, а тем паче историческая наука — это не конкурс на самый меткий плевок! А застой, давайте сознаемся хоть сегодня, был не только результатом одряхления системы, он был и результатом вполне понятного стремления избежать «великих потрясений», каковых в текущем веке на Россию навалилось сверх всякой меры. Люди, руководившие в ту пору государством (я имею в виду не тех, что кемарили по президиумам), очень хорошо знали, что горные обвалы иной раз начинаются с оброненного спичечного коробка и что реформы легко только «начать». Во всяком случае, когда теперь полночь за полночь я спускаюсь, чтобы возле подъезда в палатке купить банку американского пива, я почему-то всегда вспоминаю, что Крым и Байконур — нынче заграница, а в переходах не протолкнешься от нищих. Но пиво пью...

Понимали те прежние руководители и другое: в стране, где в силу укорененной однопартийности нет оппозиции политической, ее нужно придумать. Такой придуманной оппозицией и стала советская культура, а также ее подземные коммуникации — андеграунд. Кто в те годы бывал в писательском Переделкине и видел мирное сосуществование под сенью Литфонда инакомыслящих и как-надо-мыслящих, полагаю, не станет спорить со мной по этому поводу, конечно, если его сильно об этом не попросят. В общем и целом интересы «придумавших» и «придуманных» совпадали. Власти, как организму гормоны, необходима относительно безопасная критика, а настоящего художника всегда распирает от претензий к современной ему эпохе, будь это феодализм, капитализм или социализм. Неудовлетворенность существующим порядком вещей — главная особенность, да и обязанность любого творца.

Вот строчки:

Довольно: не жди,
Не надейся —
Рассейся, мой бедный народ!
В пространство поди
И разбейся,
За годом мучительный год!
Века нищеты и безволья.
Позволь же, о родина-мать,
В сырое, пустое раздолье,
В раздолье твое прорыдать:
...Туда, — где смертей
И болезней
Лихая прошла колея, —
Исчезни в пространство,
Исчезни, Россия, Россия моя!

Интеллектуалы и мужья-ревнивцы схожи: и те, и другие так и норовят крикнуть в критической ситуации: «Так не доставайся ты никому!» Но я о другом. Вдумчивый читатель, даже не узнав стихов, сообразит: принадлежат они не нашему современнику, ибо сразу бросаются в глаза такие анахронизмы, как «мой бедный народ», «родина-мать», «Россия моя...». У современного поэта было бы «народ-рогоносец», «эта страна». Но пафос, согласитесь, близок нынешним настроениям передовой части отечественной интеллигенции. А ведь приведенные строки — это знаменитое стихотворение Андрея Белого «Отчаянье», написанное в 1906 году, то есть в эпоху, которую мы сегодня называем Серебряным веком, в ту эпоху, когда Россия на всех парусах двинулась к своему баснословному 1913 году. Андрей Белый умер в 1934 году, как сказано в некрологе, «советским писателем» и, полагаю, видел в последние годы жизни много такого, что может повергнуть душу в беспросветное отчаянье. Но своеобразие психологии творчества заключается и в том, что для полноценного художественного отчаянья творцу требуются известная бытовая устроенность и определенная личная безопасность. И наоборот, писатель, живущий впроголодь и каждую ночь ожидающий ареста, совершенно неожиданно начинает создавать образцы художественного оптимизма:

Ветер воется дующий
В паруса несвободы.
Чепуха Я войду еще
Под победные своды.

Николай Глазков, 1939

Агрессивно-жизнеутверждающий пафос искусства сталинского периода — это не только прихоть безжалостного социального заказчика, в чем нас сегодня стараются убедить ястребы партийной публицистики, сделавшиеся в одночасье кенарами общечеловеческих ценностей. Это еще и чисто художническое стремление — поймать ветер светлого искусства, пусть даже в паруса несвободы! Характерно, что по мере предсказанного Бердяевым преодоления большевизма, по мере оттаивания режима, вплоть до того момента, когда каждый народ в нашей многонациональной стране получил право избирать и быть избранным, советское искусство становилось все пессимистичнее, угрюмее. С чего бы? Ведь за то, за что раньше превращали в лагерную пыль, теперь всего-навсего приглашали на беседу в ЦК. Любопытная деталь: с перебравшим в своей оппозиционности деятелем культуры разговаривали гораздо мягче, нежели с проштрафившимся хозяйственником или нашкодившим номенклатурным главначпупсом. Оно и понятно: оппозицию нужно уважать, тем более что это не оппозиция режиму, а оппозиция режима. Разница существеннейшая: оппозиция режима сидела в президиумах, а оппозиция режиму — в лагерях или в эмиграции. Но я, молодой литератор, написавший нечто супротив комсомола под названием «ЧП районного масштаба» и вызванный в этой связи на заоблачный ковер, в ответ на вопрос хозяина кабинета: не повредит ли моя повесть будущим видам России, горячился и доказывал, что у писателя одна цель — правда, которая должна восторжествовать, пусть даже рухнет мир... И вот мир, прежний советский мир, рухнул. Кстати, тот деликатный функционер нынче в отставке без мундира. При мундирах и его соседи по цековскому этажу, те, что на меня орали...

Тоталитаризм рухнул, о чем я уже не раз писал, в результате восстания партноменклатуры против партмаксимума, ограничивавшего ее аппетиты. До 1861 года в России были крепостные-миллионеры, которых помещики ни за что не отпускали на волю. Примерно в том же положении оказалась к началу 80-х и номенклатура, вместе со своей безграничной властью она безраздельно принадлежала партии, заглядывавшей в кастрюли и постели. Надо ли объяснять, что в этих обстоятельствах 6-я статья Конституции СССР была обречена.

Пикантность ситуации заключается в том, что реальная оппозиция режиму (номенклатура) выражала свои интересы через оппозицию «придуманную», оппозицию режима (интеллигенцию). Традиционное недовольство интеллектуальной элиты временем умело ретранслировалось в общественное сознание, где, концентрируясь и накапливаясь, рождало революционные настроения.

Человеку всегда поначалу кажется, что проще взорвать старый дом и выстроить на том же месте новый, краше прежнего. Это потом, горюя на обломках, мы задним умом понимаем, что худая эволюция лучше хорошей революции. Но во время эволюции завлабы не становятся министрами, лейтенанты запаса — генералами, а мелкие жулики — миллиардерами. Это происходит во время революций. Может, Господь Бог и замыслил интеллигенцию в основном для того, чтобы объяснять народам преимущество эволюционного пути перед революционным, но с этой задачей российская интеллигенция в который раз уже не справилась, ибо уж слишком упоительным оказалось ощущение, что твое слово, твоя правда становятся движущей силой творящейся прямо на глазах истории. У порядочных людей отрезвление наступило довольно быстро: выяснилось, что «твоя правда» — это лишь набор заблуждений, которые прежняя, свергнутая идеология запрещала высказывать вслух. Более того, даже правдивое слово честного человека может привести в движение «мильонов сердца» лишь в том случае, если это выгодно нечестным людям, борющимся за власть. Когда это им невыгодно, ты можешь обораться — никто ухом не поведет. Думаю, те, кто следит за нынешней оппозиционной прессой, да и вообще за прессой, со мной согласятся.

Однако жалующийся на нынешнюю жизнь деятель отечественной культуры вслух никогда не сознается в том, что своим теперешним ничтожным состоянием он, как ни странно, обязан своей гигантской роли в деле сокрушения прежнего режима. Ведь даже самому либеральному владыке закрадывается опасная мысль: если смогли тогда, то смогут и сейчас, коль разонравлюсь!

Именно поэтому, полагаю, решено было, выражаясь языком зоны, «опустить» властителей дум, которые укоренившимся, обсидевшим глубокие кресла и обжившим госдачи новым властителям страны теперь уже без надобности и даже опасны. И сразу как-то не стало средств на отечественный театр и кинематограф, творческие союзы, серьезное книгоиздание, воспитание творческой молодежи... «Дак, рынок, елы-палы!» — скажет кто-нибудь.

Извините! Кому рынок — а кому мать родная. Нынешним демчиновникам уже не хватает помещений бывших райкомов и исполкомов, зато средств на содержание этой втрое по сравнению с застоем возросшей оравы дармоедов хватает. Хватает и на многократно возросшую охрану демократических лидеров. Выходит, коммунисты боялись народа меньше.

Хватает на все присущие власти излишества, а на отечественную культуру не хватает. Недавно бывший узник ГУЛАГа, автор знаменитых «Черных камней» Анатолий Жигулин позвонил моему товарищу и пожаловался, что у него просто нет денег на хлеб! Кто сыт его, Анатолия Жигулина, хлебом? В самом деле, зачем нынешнему режиму честно, а значит, оппозиционно мыслящие писатели? Ему хватает оппозиции в лице сидящих без зарплаты работяг да акционеров разных АО, рухнувших потому, что правительство очень хочет, как я подозреваю, регулировать рынок с помощью большевистской «вертушки». Находят, правда, деньги на тех, кто по первой команде сверху готов по примеру великого пролетарского писателя кричать: «Если враг не сдается, его уничтожают!» Так было в дни «черного октября». А потом по команде они же принялись кричать о гражданском согласии, очень напоминающем перерыв между раундами, когда тренеры объясняют вымотанным боксерам, как лучше нокаутировать противника. И в этой новой политической ситуации невоплотившийся принцип буревестника революции заменен другим: «Если враг не сдается, его унижают!» Собственно, это и есть краеугольный камень нынешней информационной политики. Заметьте, официальные и официозные СМИ не полемизируют с противниками курса, они над ними иронизируют. Глумятся, короче говоря. Чем закончилось глумление над «хваленой американской демократией» наших прежних идеологов, мы знаем. Чем закончится нынешнее глумление над оппозицией, можно догадаться.

Что же делать? Куда писателю податься? Снова ловить ветер в паруса нынешней, более высоко организованной несвободы?

То, что я хочу сказать сейчас, возможно, будет воспринято как явное противоречие с тем, что сказано выше. Возможно, и так... Душа ведь не прибор для демонстрации незыблемости законов школьной физики. Сегодня, по-моему, уже всем очевидно, что маятник отечественной истории отклонился до отказа и даже начал свое движение в обратную сторону. Движение это будет стремительно нарастать, в сущности, независимо от того, физиономия какого политического лидера красуется на маятнике. Этот со свистом летящий в обратном направлении маятник можно очень легко использовать вместо ножа гильотины. Вжи-и-к! Пополам...

Если это случится, мы потеряем все, что приобрели за минувшее десятилетие. Да, приобрели, потому что наряду с чудовищными утратами были и приобретения. Ибо даже неудавшиеся реформы — это приобретенный экономический опыт, своего рода «знаю, как не надо». Геополитические потери — тяжкие, обидные, но необходимые уроки на будущее. Номенклатурная демократия, хоть она и осуществляется вчерашними партократами, — все-таки не партократия.

Несущийся со страшной силой в обратную сторону маятник может все срезать под корень. Некоторые публицисты, с языками, липкими от наклеивания ярлыков, называют это угрозой фашизма. Обозвать страшным — особенно в нашей стране — словом неугодные общественно-политические процессы проще всего. Но в конце концов важно другое: метание из огня да в полымя никогда не идет на пользу стране, хотя тому, кто изучает макропроцессы, это может показаться интересным. Я не изучаю Россию, я живу в ней... Что же делать? Не знаю... Знаю лишь, что сегодня нужен весь гуманистический опыт российской культуры, весь авторитет отечественной интеллигенции, точнее, его остатки, напряжение всех сил, чтобы вернуть утраченное и не утратить при этом приобретенное. Готовы ли мы к этому? Или опять все повторится по горестной схеме Блока:

И падают светлые мысли,
Сожженные темным огнем.

Газета «Правда», октябрь 1994 г.

Гайка — оружие демократа

Сегодня, когда мы пытаемся понять, отчего пошла вразнос Русская земля и почему в ней начали княжить люди, которых и на пушечный выстрел подпускать к власти нельзя, особенно гневные упреки бросаются в адрес интеллигенции — творческой в первую очередь. Именно она, обладая мощными средствами эмоционального воздействия на общественное сознание, создала тот образ внутреннего врага, какового и сокрушил очнувшийся от тоталитарной летаргии народ. Скажу больше; на мой взгляд, народ был умело поднят на борьбу с талантливо выполненным художественным гротеском, с мифом о режиме, пожирающем своих граждан, а сам конкретный режим и — шире — строй свалены были попутно, впопыхах, на скаку к зловещей мельничной голограмме.

Я совсем не хочу сказать, будто у предшествовавшего мироустройства не было недостатков, вопиющих, унижающих, маразматических, но, по моему глубокому убеждению, это были недостатки изживаемые, устранимые эволюционным путем. Думаю, для большинства рядовых налогоплательщиков и по сей день социализм с человеческим лицом ближе, нежели дикий капитализм даже с лицом Ростроповича. И главная вина отечественной интеллигенции, по-моему, в том, что она снова помогла навязать обществу революционный путь, путь потрясений под видом преобразований, приведший к колоссальным геополитическим, экономическим и культурным утратам. Чуть перефразируя

А. Зиновьева, можно сказать, целили в ритуальное чучело коммунизма, а попали в реальную Россию.

Мне уже приходилось писать, что советская интеллигенция — и в этом ее главная особенность — была не оппозицией режиму, а оппозицией режима, который сознательно культивировал эту оппозиционность отчасти для демонстрации своей широты Западу, отчасти для того, чтобы восполнить отсутствие настоящих политических оппонентов. Была, как показали события, и еще одна причина. Когда партноменклатура (в широком смысле этого слова, ибо завкафедрой политэкономии и главный режиссер театра более «номенклатурны», чем, скажем, инструктор райкома) открыто взбунтовалась против партмаксимума, на штурм «старого мира» побежали не матросы, перепоясанные пулеметными лентами, а именно отечественные интеллигенты, размахивая томиками «тамиздата». Что же касается выступлений нашей интеллектуальной элиты в прессе и на телевидении, то их можно смело сравнить с залпом из всех корабельных орудий «Авроры», и совсем даже не холостым...

Поговорите с любым честным западным интеллектуалом, и он порасскажет вам о своем родном обществе такого, что вам тут же захочется в Москву, в Москву... Мыслящий человек всегда оппозиционен существующему порядку вещей. Но скептическое отношение многих американских интеллектуалов к капиталистическим ценностям и внешнему экспансионизму Штатов не привело там к социалистической революции, расстрелу Белого дома из танков, а южные штаты не оказались унесенными ветром в Мексику. Зато мы, разрушив Берлинскую стену между немцами, возвели беловежскую стену между русскими. Лично мне не очень-то нужны такие общечеловеческие ценности, которые можно получить только в обмен на наши национальные интересы. Хотел добавить «дураков нет», но понял, что это выражение в данном случае не подходит.

Сегодня мало кто может повторить вслед за Чаадаевым: «Слава Богу, я ни стихами, ни прозой не содействовал совращению своего Отечества с верного пути... Слава Богу, я не произнес ни одного слова, которое могло бы ввести в заблуждение общественное мнение...» Лично я — не могу. Нет, речь не о тех холуях умственного труда, кому все равно, какой режим обслуживать и что говорить, лишь бы давали чаевые, а чаевые по сравнению с советским периодом возросли на порядок. Весь вклад этих людей в сокровищницу отечественной политической мысли свелся к тому, что формулу «С Лениным в башке, с наганом в руке» они трансформировали в нечто вроде «С Сахаровым в башке, с “калашниковым” в руке».

Речь о других, о тех, что, совершенно искренне и публично предавшись упоительному российскому самоедству, принимая его за покаяние, сами не заметили, как внушили чувство исторической неполноценности целому народу, позволили нанести сокрушительный удар по патриотическому сознанию, которое выплеснули заодно вместе с коммунистической идеологией. Вспомните, еще совсем недавно патриотизм был просто бранным словом и «зоологическим» чувством. А Великую Отечественную войну сначала сократили до аббревиатуры ВОВ, а потом и вовсе стали выдавливать из нашей истории, представляя маршала Жукова истребителем собственных солдат, которые к тому же не умели воевать. Сейчас вроде одумались, но тем не менее к 50-летию Победы готовимся как-то с оглядкой, словно извиняясь за славу собственного оружия.

Ныне много говорят о безнравственности политики и низких моральных качествах самих политиков. Президент в каком-то телевизионном интервью признался, что отец его порол... Возможно, это и осталось бы фактом его трудного детства, а не отечественной истории, если бы деятели культуры толпами не бегали к нему в Кремль и не призывали выпороть сначала компартию, потом непримиримую оппозицию, затем парламент и т. д. Теперь они очень удивляются, что для очередной порки заголиться предложили им самим. А дело уже идет к тому, чтобы широкий ремень очередного «отца народов» стал основным способом решения всех проблем. Успевшие убежать от порки за рубеж, облокотясь о кафедры западных университетов, будут хаять русский народ, не выдержавший испытания демократией. Дурной интеллигенции, знаете, всегда народ мешает...

Но я-то веду речь о тех, кто не собирается менять место проживания, кто независимо от этнической принадлежности хотел бы, как сказал поэт:

> ...долгие годы
> На родине милой прожить,
> Любить ее светлые воды
> И темные воды любить...

Что могут они? Что можем мы? Очень немногое. Можем не подавать руки нашему коллеге, совершившему интеллектуальную подлость. Редко, но помогает. Можем в тех нечастых случаях, когда власть интересуется нашим мнением, а не мнением будущих преподавателей Кембриджа и Гарварда, говорить то, что думаем, а не то, что от нас хотят услышать. Редко, но прислушиваются.

Можем, а точнее, обязаны помочь людям на следующих выборах (если состоятся) отличить серьезного, совестливого политика от очередного телевизионного позера с уровнем мышления кафедрального интригана. Уж и не знаю, что хуже: былой партократ, путающий управление государством с аппаратными играми, или былой завлаб, путающий управление страной с компьютерными играми. Как сказано, оба хуже...

Увы, от слоя населения, который принято именовать у нас в стране «интеллигенцией», сегодня зависит очень мало: слишком низок нравственный, да и социальный авторитет. Сами виноваты: нельзя в одних случаях целовать броню танков, а в других — плевать на ту же броню в зависимости от того, какую политическую задачу эти танки выполняют. За танки в Чечне пусть вольнолюбивый Кавказ благодарит тех, кто призывал «добить гадину» на набережной Москвы-реки.

Но есть и еще один аспект: «опустить», как выражаются в местах не столь отдаленных, интеллигенцию независимо от ее взглядов, уверен, решили совершенно сознательно. Укрепившейся власти не нужны властители дум, ей нужна идеологическая обслуга. И обратите внимание — в самом беспомощном положении люди умственного труда оказывались при самых интеллигентных правительствах. Самоуверенный образованец, дорвавшийся до рычагов, — это та еще штучка! Для Горбачева и Ельцина, например, Солженицын — это все-таки Солженицын, а для писучего Гайдара, сына и внука писателей, он всего лишь старый ворчун, проспавший свой выход в грандиозном шоу под названием «Возрождение России». Это, кстати, и было продемонстрировано во время выступления автора «Архипелага» в Думе.

Реализм сегодня не в чести не только в политике, но и в искусстве. Вспомните, чем больше лютовала цензура, тем выше в прежние годы мы ценили произведения, которые несли в себе помимо чисто художественных моментов и честный анализ происходящих в обществе процессов. Любопытно, что реализм был пасынком и после Октябрьской революции. Это понятно: реализм дает оценку мироустройству на языке, понятном всему обществу, а не узкому слою посвященных, в тех редких случаях, когда есть во что посвящать. Недавно я беседовал с одним «новым русским» и сослался на книгу Юрия Трифонова. «А кто это?» — спросил он...

Совершенно не случайно оставленное государством без призора воспитание творческой молодежи сегодня взяли на себя различные, в основном зарубежные, фонды, отмечающие своей благосклонностью и премиями, как правило, наименее сориентированных на социальную проблематику и на национальные ценности авторов. Идеал — текст, чье влияние на умы ограничивается участниками семинара при кафедре русистики.

В том же ряду и оскудение мощнейшей прежде традиции журнальной литературы в России. Лишившись государственной поддержки, стремительно дорожая, журналы независимо от направления теряют своих столь же стремительно нищающих подписчиков. Одновременно рынок заваливается ярко изданным и сравнительно недорогим западным чтивом. Лет семь назад я спросил у британского филолога, известен ли ему Дж. Олдридж, любимец советских издательств. После длительного раздумья он все же вспомнил это имя. Когда недавно я назвал тому же профессору несколько наиболее часто встречаемых на наших прилавках имен его соотечественников, он ответил, что таких писателей просто нет в природе, во всяком случае он, специалист, о них никогда не слышал... Традиция серьезного чтения — это национальное достояние, вырабатываемое веками, но теряется оно очень быстро. От чтения, которое учит думать, мы стремительно скатываемся к чтению, которое отучивает думать. Между прочим, гоголевский Петрушка тоже много читал!

Полагаю, все эти явления вписываются в тот процесс угрожающего разгосударствления страны, каковой последнее время стал беспокоить и саму правящую верхушку, сообразившую: править-то скоро будет нечем. Правда, они пока еще не возрождают Отечество, о чем без устали твердят, а всего-навсего пытаются вернуть на место те гайки, которые свинтили из стыков государственных рельсов, но не для того, чтобы, подобно чеховскому злоумышленнику, удить рыбу, а для того, чтобы, пользуясь гайками, как кистенями бить по головам своих политических противников. Сейчас гайки прикручивают. Скоро, думаю, начнут закручивать. Это естественно: ведь и вся предшествовавшая политическая борьба была всего лишь битвой за гаечный ключ. Лично для меня важнее другое: имя поезда, который, угрожающе громыхая, мчится по полуразобранным рельсам, — Россия...

Газета «Правда», январь 1995 г.

Дурное предчувствие

Меня давно уже волнует один вопрос: кто заплатит, а точнее, кто будет персонально отвечать за все случившееся в государстве Российском в минувшее десятилетие? Конечно, можно убеждать себя и других в том, что история не знает сослагательного наклонения, или даже ссылаться на Льва Толстого, сравнившего историческую личность с мальчиком, который держится за тесемочки в карете и воображает, будто правит этой самой каретой. А можно вообще развести руками и с выражением продекламировать стихи Георгия Иванова, написанные им в минуту отчаяния:

Теперь тебя не уничтожат,
Как тот безумный вождь мечтал.
Судьба поможет, Бог поможет.
Но — русский человек устал...

Устал страдать, устал гордиться,
Валя куда-то напролом.
Пора забвеньем насладиться,
А может быть, — пора на слом...

...И ничему не возродиться
Ни под серпом, ни под орлом!

Итак, никто не виноват, виноват лишь подлый рок событий в том, что страна по живому разодрана на куски и тридцать миллионов наших соотечественников превращены в «унтерменшей» за прозрачными — лишь с одной стороны, как стекло в дорогой иномарке, — границами. Никто не виноват в том, что немалая часть населения ищет хлеб свой насущный по мусорным бакам, а рядовому налогоплательщику, выходящему из дома на вечернюю прогулку, не мешает составить завещание. Абсолютно никто не виноват в том, что останавливаются заводы, рабочие сидят месяцами без зарплаты, а отечественная наука в буквальном смысле пущена по миру. Никто не виноват в том, что здравоохранение стало неподъемной финансовой ношей для государства, а власти Лондона всерьез озабочены «новыми русскими», скупившими целые престижные кварталы. Наконец, нет виноватых в том, что бульдозерные формы решения эстетических споров эпохи всевластия коммунистов сменились танковыми способами разрешения споров внутриполитических при демократах, а главным фактором внешней политики сделалась нахмуренная бровь старшего заокеанского брата...

Никто ни в чем не виноват. Рок-с! Но тогда получается, делать историю, руководить страной, определять судьбы миллионов людей — дело гораздо менее рискованное, чем игра по маленькой в три листика после воскресного обеда с близкими родственниками! Кстати, во втором случае еще можно проиграть какую-то мелочь, а политики, даже и сходя со сцены, всегда при своих — при своих фондах, фирмах, банках и прочих украшающих жизнь пустяках. Проклятые коммуняки в ригористические времена могли за несоответствие занимаемой должности и головой поплатиться, в более мягкие, застойные, — партбилетом. Самое ужасное, что может случиться с нынешним деятелем: кресло министра он сменит на кресло председателя правления банка. И все? И все...

Любопытно, что такую изысканную форму ответственности за возможную неуспешность своей государственной деятельности они определили себе сами. Я помню, как поразили меня первые интервью «мордастых мальчиков великой криминальной революции».

— А если не получится? — благоговейно спрашивал корреспондент.

— А если не получится, за кресло держаться не будем. Нам любой западный университет кафедру даст... — откровенничали они.

Конечно, пытливому западному студенту интереснее слушать об экономическом эксперименте, проведенном не на компьютерном дисплее, а на многомиллионном народе. Но я хотел бы посмотреть на засыпающего под наркозом реформатора, которому натягивающий резиновые перчатки хирург сказал бы, улыбаясь: «А не получится — снова вернусь на свою родную кафедру патологоанатомии». Не получилось... Кто-то сдержал слово и уехал учить пытливых западных студентов тому, как нельзя проводить реформы. А кто-то до сих пор с телевизионного экрана жалуется, что ему сломали весь кайф буквально за мгновенье до реформаторского оргазма. Таким людям по всем фрейдистским законам теперь до конца жизни будет сниться кремлевская вертушка.

А теперь — о прошлом. Еще несколько лет назад, знакомясь с нашей недавней историей в версии журнала «Огонек», мы возмущались тупостью населения, со святой наивностью требовавшего раздавить, как гадов, блестящего маршала Тухачевского, любимца партии Бухарина, газетного гения Радека и т. д. Но так ли был наивен хлебнувший лиха обыватель? Не зная всех извивов политических битв, приведших этих людей в подвалы Лубянки, он воспринимал их смерть как заслуженную кару за весь кошмар, неизменно сопутствующий революционным преобразованиям. Думаете, ошметки питерской интеллигенции, запершись в комнатушках, доставшихся им после уплотнения, плакали по убиенному Зиновьеву? Полагаю, не плакали, а даже тихо выпили на радостях за то, что хоть в таком чудовищном виде, но справедливость иногда посещает эту грешную землю. Думаете, хитроумный Сталин не учитывал это, открывая свою генсекскую охоту? Учитывал — и еще как учитывал! Вспомнил я об этих мрачных страницах отечественной истории не случайно. Подозреваю, нас ждут впереди процессы и над политиками-вредителями, и над генералами, метившими в демократические бонапарты, и над руководителями СМИ, решительно внедрявшими в умы идеологию государства, но, как внезапно выяснится, не российского... Будут процессы и над агентами влияния, и над агентами возлияния и т. д. и т. п. Процесс, кстати, уже пошел, и сигнал к нему дали, между прочим, не крепкие стриженые мальчики с древними солярными символами на руках, но высокогуманные и высокообразованные граждане, возродившие в октябре 93-го лозунг в духе незабвенного Вышинского — «Добей гадину!», а во время чеченского кризиса вдруг вспомнившие об уголовной ответственности политиков за принимаемые решения. Ответственность так ответственность! Но если можно «по уголовке» спросить за Чечню, то можно и за Белый дом, и за последствия непродуманных экономических реформ, и за ущерб, нанесенный геополитическим интересам страны в результате странно понятых общечеловеческих ценностей... Улавливаете?

Мрачная фантазия литератора уже подсказывает мне разные картины. Ну, например, собирается наш новый наркоминдел что-то там за рубежами подписывать, а жена в ночь накануне отъезда шепчет ему в теплое родное ухо: «Ты уж, дроля, смотри, что попадя там не подписывай... Лучше сразу в отставку подавай... Помнишь, как Козырева-то?..» Сгущаю? Возможно. Но это — как и откуда посмотреть на ситуацию. В начале двадцатых можно было взглянуть на нее и из наркомовского кабинета, а можно и из охваченной восстанием Тамбовщины. И сегодня тоже можно посмотреть из окна отреставрированного турками Белого дома, а можно из испепеленного Грозного, восхотевшего согласно ценным указаниям заглотить суверенитета как можно больше. Можно взглянуть и глазами оболганных военных, которые сражаются и гибнут под улюлюканье правозащитников и миротворцев, вспоминающих о правах человека только по большой политической нужде... Кто знает, какой взгляд будет определять судьбу страны и людские судьбы через некоторое время. Но замиренные тамбовские крестьяне тоже, думаю, выпили самогону за упокой души красного маршала, травившего их химическими снарядами...

Идущие в политику, чтобы — по их словам — сберечь слезинку ребенка, потом льют потоки крови, чтобы в этой самой политике остаться. Но политика — игра на вылет, а для всех вылетевших, полагаю, скоро не только западных кафедр, но и мест операторов посудомоечных машин в студенческих столовых этих самых университетов не хватит... Не просто и с размещением вылетевших здесь, на родине, ибо по мере охлаждения Запада к нашим заморочкам — там своих проблем навалом — все актуальнее будет поговорка: где родился, там и сгодился. А тут будут подтягиваться все новые политические команды, у них появятся свои вылетевшие и выбывшие по ранению. Кого-то будут, как Гайдара, любовно, исключительно в три четверти, продолжать показывать по ТВ, а кому-то, как Авену, придется довольствоваться благоустроенным забвением. Но места-то будут заняты предыдущими «вылетантами»... А трех послов в Ватикан не пошлешь. Улавливаете?

И вот тогда, думаю, не раньше, встанут во весь свой богатырский рост известные российские вопросы: «Кто виноват?» и «Что с ними, виноватыми, делать?». А старушка, потерявшая в 92-м то, что копила всю жизнь, читая в «Известиях» отчет о процессе над очередным, до боли знакомым вредителем, уронит в восторге от творимой справедливости свою вставную челюсть в трехсуточные щи. Ей ведь, как, впрочем, и забаррикадировавшемуся в забое шахтеру, как и приторговывающей косметикой, чтобы выжить, учительнице русского языка, не важно, каким именно образом и какими кривыми дорожками добралось возмездие до их обидчиков и супостатов. Вы возразите: мол, общественное мнение не допустит! Полноте, общественное мнение зависит всего лишь от текста телекомментатора, когда, бледнея от профессионального негодования, он призывает «раздавить гадину». А кто платит, тот, как говорится, и заказывает «гадину»...

Вероятно, метод проб и ошибок возможен и в политике, но пробы на нас, рядовых налогоплательщиках, ставить уже негде. А ошибкам конца не видно. Но платить и отвечать все-таки придется. Только не потому, что восторжествует справедливость, а потому, что рано или поздно восторжествует одна из команд, борющихся сегодня за право рулить заблудившимся трамваем по имени «Россия». Не исключено и другое: те, что примутся карать, будут, возможно, даже виноватее тех, кого заставят отвечать за все, в том числе и чужие ошибки. И я отчетливо вижу на политической карте нашего расчлененного Отечества, напоминающей схему разделки говяжьих туш (помните, в гастрономах такие висели?), огромную кроваво-красную печать: «УПЛАЧЕНО».

Хотелось бы ошибиться...

«Независимая газета», январь 1995 г.

Грешно плевать в Чудское озеро

Давайте порассуждаем на уровне «ты меня уважаешь?». Если вы думаете, будто это сакраментальное словосочетание означает лишь то, что застолье плавно переходит в заурядную пьянку, вы глубоко ошибаетесь. «Ты меня уважаешь?» — главный, я бы сказал, краеугольный вопрос человеческих взаимоотношений, взаимоотношений государства и народа, а также взаимоотношений между народами и государствами.

Социализм с доперестроечным лицом рухнул потому, что он человека не уважал, а только учитывал как фактор. Собственно, исключительно на обещании уважать конкретного человека и пришли к власти люди, именующие себя демократами. Обманули, конечно. Более того, человека перестают учитывать даже как фактор. Межнациональные конфликты, а точнее — бойня... Опаснейшая, скрытая, но все более открывающаяся безработица... Тропический рост цен, когда стоимость гипотетической потребительской корзины в несколько раз выше символической средней заработной платы... Взрыв преступности: идешь по улице и чувствуешь себя жестяным зайцем из тира... А «новые русские»? В своем большинстве они просто-напросто заняли место номенклатуры у госкормушки, только влезли туда с ногами, и не столько едят — сколько «за бугор» утаскивают, подальше от остальных! Но довольно об этом. Очень многим сегодня хочется снова почувствовать себя хотя бы «человеческим фактором».

Сила государства — в уважении народа. Мысль не новая, но тем не менее. Может народ уважать государство, где выяснение отношений между ветвями власти заканчивается танковой пальбой по парламенту? И В. Листьев, мне представляется, погиб не от пули наемного убийцы, а от осколков тех октябрьских снарядов, рвавшихся в окнах черного от копоти Белого дома... Организованная преступность резонно оправдывается: «А мы-то что? Мы — как они там, наверху. Но пользуемся, заметьте, только стрелковым оружием, разве что в особых случаях подкладываем бомбы под автомобили!»

А теперь об уважении на международном уровне. Можно уважать государство, которое, решив выводить свой народ из застоя, ввело его в прострацию? Государство, которое дернуло со своих геополитических рубежей чуть не нагишом, как застуканный суровым супругом любовник? Хоть бы вещички собрали. А ведь в ту же Европу мы пришли буквально по костям миллионов собственных сограждан, что бы там сегодня ни говорили. Да, конечно, Сталин не Черчилль. Но ведь и Черчилль не Джавахарлал Неру! А можно ли уважать государство, которое собственную армию довело до такого состояния, что солдаты и офицеры боятся журналистов больше, чем вооруженного противника? Можно нас уважать, если мы ядерное оружие, как при Левше, скоро начнем кирпичом чистить? Могут американцы, поднимающие международный хай, когда их соотечественнику наступят на ногу в панамском трамвае, уважать Россию, которая с какой-то дебильной фригидностью наблюдает, как подвергаются утеснениям и унижениям 25 миллионов русских, оказавшихся вдруг за границами, прозрачными, точно старческая катаракта?

А как насчет уважения к политикам, если они, чуть что у них не ладится, бегут жаловаться на оппозицию к зарубежным коллегам, как раньше бегали жаловаться в партком на неверного супруга? Те, конечно, и посочувствуют, и поддержат, и финансовую помощь пообещают, может, и отстегнут под — немалые, разумеется! — проценты... Но ведь это — даже не жалость, это — плохо скрываемое презрение.

Думаете, наши политики не понимают? Отлично понимают, но поступают в точности по рецепту своих пламенных предшественников. Те пугали нас империалистической агрессией, а нынешние — финансовым охлаждением Запада. Собственно, это единственное отличие автора книги «Государство и революция» от автора книги «Государство и эволюция», если не сопоставлять масштабы личностей.

Народ, не уважающий собственных прошлых побед, обречен на будущие поражения. Даже в самые мрачные годы наша Победа в Великой Отечественной войне была свята. И дело не в том, что никто не знал о заградотрядах и подлом отношении к собственным солдатам, попавшим в плен. Не в том, что могли-де малой кровью, а положили миллионы. Разговор о малой крови — это вообще из области гематологии, и события в Чечне это страшно подтвердили. Наконец, дело даже не в том, что хуже — свастика или звезда? А именно такая дискуссия навязывается нам ныне. Звезду придумал, кстати, не тамбовский крестьянин... Но какая, в сущности, разница, при каком режиме народ борется за свое существование, спасая к тому же от истребления десятки народов, — при тоталитарном или демократическом? Предают-то в случае чего не режим, а Родину.

Это, кстати, относится и к многочисленным книгам В. Суворова-Резуна, которые изданы у нас тиражом едва ли не большим, чем Карамзин, Соловьев и Костомаров, вместе взятые. Кстати, я хотел бы посмотреть, каким тиражом издавались бы в США написанные успевшим перебежать к нам тем же Эймсом книги про то, что-де все американское благополучие зиждется на костях десятков миллионов несчастных негров, в течение столетий вывозимых из Африки и зачастую отправлявшихся на тот свет еще по пути в Новый Свет? Даже если бы каждое слово в книгах В. Суворова-Резуна было правдой (а это совсем не так), я бы все равно спросил: «Ну и что?» Святой Александр Невский разбил немцев и шведов вообще будучи под оккупацией Золотой Орды и пользуясь ее золотым ярлыком, как аусвайсом... что ж теперь из-за этого всенародно плевать в Чудское озеро?

А ведь плевали! Чего только стоила эта одно время поселившаяся в средствах массовой информации, особенно на ТВ, извиняющаяся интонация по поводу нашей Победы в Великой Отечественной войне... Мол, нет, чтобы ширпотребом прилавки заваливать да сельское хозяйство поднимать, — развоевались, аж до Берлина доперли! Да еще пол-Европы ядовитыми клыками социализма, как вампиры, перекусали! Совершенно забывая при этом напомнить, что тогда, перед войной, не пол-Европы, а вся Европа социализмом прихварывала и ради сталинского антифашизма закрывала просвещенные очи на его тоталитарные художества. Перечитайте Фейхтвангера... Вы никогда не задумывались, почему вождь своим опальным соратникам неизменно связь то с Германией, то с Японией присобачивал с тем же упорством, с каким сегодня любую оппозицию стараются в красно-коричневые записать?.. Ну конечно, чтобы просвещенную Европу порадовать!

А где было наше жаждущее международного уважения государство, когда за границами стали валить памятники советским солдатам? Очень хорошо помню эти сюжеты в информационных выпусках, когда наши, между прочим, а не их комментаторы с плохо скрываемым злорадством поучали: вот что бывает с памятниками тем, кто принес свой чудовищный строй на штыках другим народам! Давно нет уже там ни наших памятников, ни наших штыков, а коммунисты, слегка переназвавшись, то там, то тут к власти с помощью демократических выборов приходят. А нет ли в этой самой идее, как, впрочем, и в буржуазной, судя по многолетнему опыту, неких извечных, неуничтожимых исторических вирусов? Поэтому нечего из нашего народа эдакого бациллоносителя делать! Пусть время разбирается, кто кого заразил...

Результаты неуважаемости ждать себя не заставили: нас вдруг продинамили с торжествами по поводу открытия второго фронта. А некоторое время спустя случайно подзабыли, кто из союзников освобождал чудовищный Освенцим: вроде как его совместными усилиями Польши, Америки, Германии и Израиля освободили... А тут еще одна любопытная вещь выяснилась: немцы, получается, перед всеми народами за свой фашизм виноваты, но только не перед нами: оказывается, мы, по мнению Суворова-Резуна, первыми напасть хотели: танки на шинном ходу для езды по европейским автострадам перед войной строили... Да если бы даже тогдашнее Политбюро открытки с Эйфелевой башней и словами «Привет от Васи из Парижа!» печатало, — какое это имеет отношение к миллионам погибших на той войне?! Если мы такими уж историческими поганцами в ту пору были, что ж западные демократии с нами против Гитлера объединялись, а не с Гитлером против нас? Конечно, в истории все было сложнее, но ведь даже сложность элементарной нравственности не отменяет!

Кстати сказать, многоуважаемых г-д Клинтона и Коля на Красную площадь 9 Мая мы приглашаем не бюсту «вождя народов» кланяться, а склонить головы перед памятью этих несчитаных миллионов. Вот ведь в чем дело. Но эти господа затрудняются даже пообещать, что приедут на наш главный праздник: не уважают! Одного война в Чечне смущает. Не буря, понимаете ли, это в пустыне! Другому в качестве командировочных подавай художественные ценности, вывезенные из размолоченной Германии в качестве компенсации за неисчислимые культурные утраты, понесенные нашей страной в годы войны! Реституцией это, извините за выражение, называется.

Но давайте встанем на их место! Трудно — но попытаемся. Мы бы, например, на их месте поехали? Поехали бы в страну, куда посылаются списанная с их военных складов тушенка и недоношенная их гражданами одежонка? В страну, которая к своим недавним союзникам и в Европе, и в Азии, и в Африке относится с переменчивостью склеротической кокетки? В страну, где один журналист в связи с убийством другого журналиста заявляет многомиллионной телеаудитории: «Теперь в этой стране делать нечего. Надо уезжать!»?

Человек может жить, где хочет. Но для подобных заявлений существует ОВИР. При чем тут национальное телевидение? Поехали бы мы с вами на праздник в страну, которая наряду с нефтью экспортирует за рубеж тонны боевых наград, принадлежащих умершим и живым ветеранам, ибо живым, как ни странно, нужно есть? В страну, еще до сих пор не захоронившую прах тысяч воинов, лежащих в сырой земле там, где их и застала гибель?! В страну, где страшным словом «фашист» политики в своих шкурных интересах пользуются, как продавцы клейкими ценниками в универсаме?! Вы любите ходить на юбилеи к неуважаемым людям? Я не хожу. Поэтому на их месте я бы тоже не приехал. Поэтому-то и звать-надрываться не след...

Впрочем, зачем нам ставить себя на их место? У нас есть свое место — и оно в России. А слово «уважать» подходит к взаимоотношениям между людьми, между народом и государством, между государствами, но только — не между человеком и его Родиной. Родину, простите за подзабытую банальность, можно только любить. По-всякому — с нежностью, с восхищением, с уважением, с горечью, с досадой, — но только любить... Поэтому нас-то на праздник Победы звать не надо. Мы придем — со слезами на глазах, как поется в песне. Будем праздновать эту святую дату с уважением к прошлому Отечества и с надеждой, что уж следующий юбилей Победы отметим с уважением к настоящему Державы. А это, поверьте, немало для нашего неуважительного времени...

Газета «Труд», март 1995 г.

Наши гостомыслы

Эпоха перемен — это всегда время авантюристов и подвижников, ворюг и работяг, гостомыслов и патриотов. Первые начинают, процесс идет, а когда страна превращается в груду обломков, за дело берутся вторые и спасают государство. Почему вторые никогда не начинают первыми — одна из загадок российской истории.

Кто такие гостомыслы?

Великий Лев Гумилев считал, что слово «гостомысл» только со временем превратилось в имя собственное, обозначив полумифического старейшину Гостомысла, призвавшего Рюрика владеть нами, беспорядочными. А первоначально «гостомыслами» на Руси называли тех, кто благоволил иноземцам — «мыслил гостям». Люди, определяющие сегодня судьбу страны, не только зачастую «мыслят гостям», но и мыслят как гости...

Гостомыслы есть в любом народе. Проще всего, конечно, объяснить дело кровью, генами, и всех людей, в ком течет хоть капля «нетитульной» крови, объявить потенциальными гостомыслами и строго за ними приглядывать (так, кстати, и поступают на государственном уровне во многих местах ближнего зарубежья). Но что тогда делать с русским лингвистом Иваном Бодуэном де Куртене, героем Севастополя инженер-генералом Эдуардом Тотлебеном, мастером русского стиха Борисом Пастернаком и тысячами других известных и миллионами безвестных людей, верно служивших государству Российскому, которое никогда бы не достигло своих размеров и мощи, если б занималось выяснением, откуда приехал Аристотель Фьораванти, почему Пушкин смахивает на эфиопа и зачем такая странная фамилия у летчика Гастелло. Гостомысльство — мировоззрение. Оно формируется иногда семьей, иногда обстоятельствами, чаще идеологией, порой это просто характер, а характер нынче принято объяснять исключительно астрологией. Я знал одного гостомысла, буквально ненавидевшего страну, где родился, за то, что вместо коммуналки он никак не мог получить отдельную квартиру. Он говорил, что в Европе каждый работающий имеет коттедж. Мысль о том, что он мог родиться в Африке, где попросту умирают с голода, ему в голову не приходила. Сейчас он в Америке, и эта страна ему тоже не нравится, потому что в районе, где он живет, много негров, а на более приятное окружение у него не хватает денег.

Но это — примитивное, потребительское гостомысльство. Бывает и другое — интеллектуальное. Вот литератор Л. Бежин, именующий себя «русским православным европейцем», с презрением пишет в «Новом мире» про мордастого лавочника в картузе и поддевке, сдувающего пену с пивной кружки, сплевывающего на мостовую шелуху подсолнечников и призывающего к еврейским погромам... А буквально через несколько абзацев наш русский православный европеец с восторгом живописует «почтенных немецких пивоваров, наполняющих пенистой струей тяжелые кружки» и с партитурой в руках слушающих оперы Вагнера и симфонии Брамса... Я даже не буду останавливаться на том общеизвестном факте, что чудовищный многомиллионный погром, в том числе и еврейский, вылился не из российских трактиров, но как раз из музыкальных немецких пивных, а только напомню, что «мордастый лавочник» вместе с чадами и домочадцами сгинул после революции в подвалах ЧК или в ГУЛАГе и, вполне возможно, по приговору какого-нибудь «русского европейца»...

И еще я хочу отметить это безотчетное и в то же время умозрительное (ведь поддевку-то автор только на старых карикатурах или в музеях видел) пренебрежение к собственному народу: и пену-то он не так сдувает, и картуз-то носит, и семечками мусорит. Эх, да европейские или американские зрительные залы к концу дня просто завалены бумажками от жевательных резинок и чипсов — этих семечек конца XX века. Ну и что с того?

Кстати, именно эта разновидность гостомыслов-интеллектуалов постоянно говорит о народе как об источнике повышенной опасности. Сейчас вот достали всех пресловутым «русским фашизмом», которым, конечно же, легче себе самим и миру объяснить грозное недовольство ограбленного и согнанного с родных мест населения (обобранные крестьяне, кстати, тоже гостомыслам-переломщикам в свое время очень не нравились: «запечный разврат» и все такое прочее!). Но фашизм-то тут при чем? Такой терпимый к иным племенам и незлопамятный народ, как наш, еще поискать! Если б не так, то во время буденновской бойни чеченскую диаспору на российских просторах на куски разорвали бы. Но не было такого и не будет, что бы там ни накликивали заполошные чибисы «русского фашизма»!

Без порток, но в джинсах

Объективности ради надо сказать, что советская власть немало потрудилась над формированием довольно обширной колонны гостомыслов в стране. Это были гостомыслы-романтики, и такой тип мировоззрения мог сформироваться только за железным занавесом в условиях господства моноидеологии. Если человека насильно заставляют верить в Бога, он верит в черта, если заставляют верить в коммунизм, он верит в антикоммунизм.

Мы проиграли третью мировую войну, потому что мы проиграли войну идеологий, а войну идеологий мы проиграли, потому что проиграли войну жизненных стандартов. О том, почему это произошло, написано уже много —

и о неповоротливости нашей экономики, и о скованности людской инициативы, и о зловещем преобладании группы А над группой Б... Сейчас, правда, стали писать, что в результате реформ А упало, Б пропало, но это — тема отдельного разговора...

Застой у нас, конечно, был, но это был, если так можно выразиться, проточный застой... Мы хотели большей социальной справедливости, а огребли большую социальную несправедливость. Вместо того чтобы расчистить протоки, второй раз за столетие решили рыть новое русло. За то и расплачиваемся! Расплачиваемся за главный принцип гостомыслов: или так, как там, или никак! Неважно, где «там» — в капиталистической Европе или в «Капитале» Карла Маркса. Правда, острое недовольство своим уровнем жизни было в основном у элиты, не случайно несгибаемые большевики, до старости довольствовавшиеся регулярным продуктовым заказом и бесплатной путевкой в барвихинский санаторий, своих детей и внуков старались пристроить поближе к той небольшой скрипучей дверце в железном занавесе, которая помогала приобщаться к жизненным стандартам идеологического противника. Окончив спецшколу и хороший вуз, потомки старых большевиков, привозя из-за границы джинсы и запретный том Генри Миллера, говаривали, что мы так не умеем ни шить, ни писать. При этом они как-то не задумывались, что если б не преобразовательный зуд их дедов, то наши Саввы Морозовы и другие работяги в картузах и поддевках завалили бы джинсами с романтическим названием «портки» полмира, а что касается Генри Миллеров, то они у нас перед революцией косяками ходили, как карпы в правительственном пруду. Кстати, по одной из легенд, Гостомысл был внуком Вандала. Улавливаете? Впрочем, скрипучей дверью пользовался авангард гостомыслов, большинство же ограничивали свой кругозор щелями и дырочками в проржавевшем железном занавесе. Это многое объясняет в наших нынешних заморочках и в наших нынешних лидерах. Чего только стоит один московский префект, принимавший население, надев форму американского шерифа... Пустячок, а символ!

Обозначился и главный политический постулат гостомыслов-романтиков. «Заграница нам поможет...» Такая, понимаете, разновидность идеи мировой революции, только теперь идущей в обратном направлении. Но загляните в любой учебник истории: если в чем и может одна великая геополитическая общность помочь другой, так только в максимально быстром и бесшумном исчезновении с арены мировой истории. Можно дружить семьями, народами, даже государствами. Геополитическими интересами, зачастую противоположными, дружить невозможно. Новое мышление — это когда любители отбивных, опасаясь, что мяса на всех не хватит, начиняют пропагандировать вегетарианство. Смешно, но окруженная убежденными мясоедами Россия на эту диету села и сразу катастрофически потеряла в весе. Нынче ее просто качает атлантическим ветром. А немалую часть населения качает от недоедания...

«А права человека?!» — воскликнете вы. Вот ведь совсем из головы вылетело! Тут, конечно, неоспоримая заслуга гостомыслов, настолько неоспоримая, что впору ставить памятник. Я бы предложил поставить танк. На площади Свободы, возле Белого дома. Вот ведь парадокс: люди, не простившие советской власти танки на Вацлавской площади, бурно приветствовали танки на Краснопресненской набережной. Большевики начали с холостого залпа «Авроры», а закончили ГУЛАГом. Чем могут закончить гостомыслы, предпочитающие кумулятивные снаряды, одному Богу ведомо. Впрочем, о Чечне, сначала старательно вооруженной, а теперь кровавой ценой замиряемой, ведаем и мы... «Но свобода слова?!» — еще раз воскликнете вы. Да, конечно... Только наша нынешняя свобода слова напоминает мне родовой послед, стремительно пожираемый самой же сукой...

Портрет Дориана Грея

Но мало кто предвидел это в 1985-м, когда гостомыслы взяли власть в стране одной рукой, и понимал в 1991-м, когда они взяли власть обеими руками. Чтобы понять, понадобилось время.

Понадобились чудовищные внешнеполитические провалы Горбачева — этого лучшего немца всех времен и народов; крах реформ Гайдара — этого классического гостомысла, чьим именем еще долго будут пугать студентов экономических факультетов во всем мире; понадобился развал СССР, на который Б. Ельцин, борясь за власть, пошел сознательно, но и не без влияния советчиков-гостомыслов, говоривших примерно следующее: «Да куда они, Борис Николаевич, денутся — все равно прибегут к нам со своими кринками, казанами и бурдюками за нашей расейской нефтьюшкой!» Прибежали... А что толку? За такие советы Иван Грозный смолу в глотку заливал. Понадобилась череда геополитических унижений, когда нам мягко, но твердо объяснили, что сфера интересов Запада везде, а сфера интересов России ограничивается восстановленным Красным кремлевским крыльцом. В ответ на запоздалые упреки советники, как и положено людям с гостевым мышлением, отвечают теперь, что, если ими недовольны, они готовы хоть сейчас уехать преподавать куда-нибудь в Гарвард. Но не едут... Только один на моей памяти, сброшенный в буквальном смысле слова с теплохода современности, отбыл послом в Ватикан. Но их время кончается, это понимают все — и острее других, между прочим, сам Б. Ельцин, человек с выдающимся инстинктом самосохранения.

Полагаю, он осознал, а может быть, понимал всегда, исходя из той же истории КПСС: с помощью гостомыслов можно взять власть. Но направить эту власть на созидание, а не на разрушение, опираясь на гостомыслов, невозможно. И они, легко прощавшие Б. Ельцину многие ошибки и несуразицы, этого понимания своей политической неуместности никогда ему не простят. Неуклонная сатиризация образа президента в средствах массовой информации — самое верное тому свидетельство... Иногда этот образ напоминает мне своего рода портрет Дориана Грея, зловеще запечатлевающий всю безнравственность и бестолковость гостомысльского периода нашей истории. Вероятно, гостомыслы-романтики полагают, что таким образом сами они в глазах общества останутся чистыми и непорочными, как нецелованный и непьющий юноша Дориан... Напрасно.

Приходит время других людей. Они, кстати, все чаще, к неудовольствию гостомыслов с подпольным стажем, появляются в коридорах власти. Наша верхушка уже сегодня напоминает диковатую пару времен Гражданской войны: кожаный комиссар из германского вагона и красный военспец из окопов германской... Но сначала несколько слов о сформировавшейся за последние годы новой разновидности гостомыслов — прагматиках.

Насчет клубнички

Они — плод маниакального стремления боевитых внуков создать класс собственников в такие же сжатые сроки, в какие их деды в пыльных шлемах этот класс уничтожили. В идеале формирование нового класса собственников мыслилось наподобие того, как в последние годы «застоя» работали некоторые колхозы-клубниководы: заходишь в поле, шесть туесков собираешь колхозу, седьмой — себе. Кто быстрей собирает, тот больше домой клубники и уносит. Но то ли в результате неумных законов, то ли в целях быстрейшего создания нового класса — опоры реформ — уносить с колхозного поля стали все, что собрали, а тем, кто сажал, полол, поливал, травил садовых вредителей, ничего не доставалось, кроме нищенской зарплаты с полугодовым опозданием. Но это еще не все. Поскольку желающих попользоваться насчет клубнички оказалось слишком много, самые сообразительные и крутые стали действовать методом кнута и пряника. Пряник с большим количеством нулей — председателю колхоза, чтобы других в поле не допускал. Кнут — наивным гражданам, вообразившим, будто в садовом бизнесе все дело в усердии и умении быстро рвать ягоды... Вот вам исток нашей чудовищной коррупции и преступности.

И это еще не все: совершенно не беспокоясь о том, как отразятся их действия на будущих видах России, гостомыслы-прагматики нашу с вами «ягоду» гонят по дешевке за рубеж, а выручку складывают в тамошних банках, улучшая и без того некислую зарубежную жизнь и ухудшая нашу и без того несладкую. Но гостомыслам-романтикам дела до этого безобразия нет, они обещали, что уже наше поколение будет жить при капитализме, и в отличие от коммунистов, не дотянувших по многим причинам до социализма с человеческим лицом, свое слово сдержали, ввергнув нас в капитализм с неандертальской мордой.

Но шутки — в сторону. Итак, что мы имеем в результате? А имеем мы страну, отброшенную в своей геополитике в XVII век. Хотел бы я узнать, что сказали бы американцы, вдруг в результате реформ проснувшиеся в деревянном форте, обложенном гикающими индейцами? Мы имеем такое удручающее расслоение общества, что осталось только ввести закон, по которому 95 процентов населения должны падать ниц перед приближающимся «Мерседесом» и под страхом отсечения головы не подниматься с колен до тех пор, пока не рассеется пыль. Мы имеем войны и предвоенное напряжение на рубежах — верный признак развала страны. Алмазная республика Якутия, Амурско-китайская автономия или Прикаспийский черноикорный каганат — не такая уж нелепая фантазия. Мы имеем неслыханный упадок национальной науки и культуры, неведомый даже в те времена, когда гостомыслы в кожанках пароходами сплавляли философов за границу. Мы имеем мощнейший, чисто колониальный натиск западной массовой культуры и идеологии. Реформа гуманитарных наук в школе и вузах движется в таком направлении, что для следующих поколений солнце будет всходить с Запада, а сама Россия с замороченным населением будет восприниматься как несчастная часть Аляски, которую царь-освободитель не успел вовремя продать в цивилизованные руки, так как был убит арабскими террористами, а потом началась черносотенная реакция — и стало не до этого...

Последнее прибежище

Что мы можем? Единственное: отправить самых неугомонных гостомыслов-романтиков преподавать на Запад. Если их не будут брать, сброситься всем миром и дать взятку, чтобы взяли... Если они и там примутся за реформы, баланс мировых сил может резко измениться в нашу пользу. К власти должны прийти патриоты — не те люди с ущербно-озлобленными лицами и бредовыми лозунгами, не те недотыкомки, которых старательные операторы выискивают на каждом оппозиционном митинге и которых, по теории вероятности, можно обнаружить при любом большом скоплении людей, даже на встречах либерально настроенной интеллигенции с президентом. К власти, разумеется, в результате выборов должны прийти патриоты в первоначальном смысле этого слова, не замутненном лукавыми толкованиями, люди, готовые на жертвы, лишения, даже унижения, — чтобы вытащить страну из грязи и вернуть основной части населения для начала хотя бы тот уровень жизни и безопасности, с какого стартанули пресловутые реформы. И прежде всего нужно прямо сказать: да, у России, как у любой другой страны, — свой собственный путь. Возможно, все семьи счастливы одинаково, а несчастны по-разному, но с народами дело обстоит как раз наоборот: все народы несчастны одинаково, а счастливы по-разному.

Ради реального, а не фуршетного возрождения страны стоит потерпеть и затянуть потуже пояса, хоть туже вроде уже и некуда. Кстати, и гостомыслы уже не обещают нам скорого благоденствия, но тоже предлагают потерпеть. И если уж терпеть, то ради восстановления державы, а не ради дальнейшего ее растаскивания. Да, нас ждет пора самоограничений и ригоризма. Это неизбежно после такого разгрома государства и экономики. Но самоограничения надо начинать сверху, а не снизу, как сейчас. В свое время был введен партийный максимум, то есть строгое ограничение доходов нового красного чиновничества. Может быть, именно с этого и началось то «преодоление большевизма», о котором писал в свое время Н. Бердяев. Партмаксимум, увы, впоследствии сменился номенклатурным злоупотреблением. Сегодня мы живем в обстановке «демократической» обираловки. Выход — патриотический максимум, самоограничение ради будущего наших детей. Способ — личный пример власть имущих. Политики, начинающие строительство светлого будущего со своей четырехэтажной виллы, нам не нужны. Впрочем, они не нужны нигде...

А что же делать, спросите вы, с гостомыслами-прагматиками? Ничего. Они на то и прагматики, что как только им будет выгодно зарабатывать на усилении собственной державы и обогащении народа, а не на ее ослаблении и грабеже, они сразу станут патриотами, пусть патриотами-прагматиками. Отлично! Одни будут «умом Россию понимать», а другие будут в нее «просто верить». Так и сработаемся. Так и победим. Останутся, конечно, и те, что будут упорно проповедовать гостомыслъство, эдакие гостомыслы-фундаменталисты. Тоже хорошо! В небольших количествах (и не у власти) гостомыслы нужны каждому обществу; чтобы голова от успехов не кружилась и чувство национальной исключительности под ногами не путалось. Но уверяю вас, большинство гостомыслов-романтиков, как это уже и бывало в нашей истории, дело себе отыщут. Став истошными патриотами и обнаружив в сдувании пивной пены символ исконной народной удали, они будут ездить по городам и весям с лекциями «Россия на стрежне прогресса», писать книги «Смердящие штаты Америки», а в телевизионных репортажах возмущаться ленью и филистерством западного общества. Их даже урезонивать придется: мол, что вы такое несете? Америка — прекрасная страна, а народ там просто замечательный... Но вряд ли они послушают, может, даже начнут обвинять нас в антироссийских настроениях. Но это будет завтра, а сегодня они еще любят, словно заглядывая в будущее, повторять вслед за британцем С. Джансоном слова, которые почему-то приписываются Льву Толстому: «Патриотизм — последнее прибежище негодяя...» Я бы, правда, перефразировал помягче: «Патриотизм — последнее прибежище гостомысла...»

Газета «Труд», август 1995 г.

Человек перед урной

Двадцать один совет другу-избирателю

Скоро выборы в Думу. Многие средства массовой информации с деликатностью агрегата для забивания свай убеждают нас, что ничего путного из этих выборов не получится, что список кандидатов напоминает по толщине «телефонную книгу» и что нормальные граждане на выборы вообще не придут. А для тех, кто плохо поддается внушению и все-таки собирается прийти к урнам, постоянно публикуются различные рейтинги, которые так же соответствуют действительности, как членораздельная надпись на сарае его реальному содержимому.

Идти на выборы, конечно, надо, хотя бы для того, чтобы по заслугам отблагодарить тех, кто руководил нами в последние годы и явно отсидел свое, по крайней мере в Думе. Но как снова не ошибиться, как сделать такой выбор, чтобы не было мучительно стыдно последующие пять лет, а возможно, и всю оставшуюся жизнь? Вот несколько советов. Надеюсь, они помогут вам избежать досадных промахов и выбрать таких депутатов, которые будут видеть в нас людей, а не электорат.

Совет первый. Человек, который достоин заседать в Думе, должен прежде всего выглядеть абсолютно нормальным и вызывать положительные эмоции. Орущие, хамящие, дерущиеся, плюющиеся, плескающиеся и пр., а также вызывающие вольные или невольные ассоциации со знаменитой лечебницей имени П. П. Кащенко отметаются сразу и навсегда.

Совет второй. Будущий член Думы, понятное дело, должен уметь думать и выражать свои мысли в адекватной форме. Те, кому и первое, и второе дается с таким же трудом, как теннис адвокату Макарову, пусть лучше возвращаются туда, откуда пришли, — в бизнес, на производство, в поля, в армию, на театральную сцену, в мафию, в коридоры власти.

Совет третий. Кандидат, о котором ходят упорные слухи, — то ли он у кого-то шубу украл, то ли у него украли, — тоже нам не подходит. Пусть сначала разберется с этими шубами, а потом уж лезет в политику. Если он утверждает, что гнусно оклеветан прессой, сообщившей о наличии у него роскошной виллы в Пальма-де-Мальорка, не спешите ему верить, хотя не исключено, и он говорит чистую правду: просто его вилла находится в Пальма-де-Соль.

Совет четвертый. Кандидат, носящий на шее золотую цепь величиной с национальный доход суверенной Эстонии, тоже не годится. Богатство, как и красота, требует ежедневных забот: ему будет просто не до своих избирателей. Не нужен нам и соискатель, одетый в засаленный костюм довоенного покроя. Одно из двух: или он чудовищно беден, что очень портит характер и отвлекает от законотворчества, или он чудовищно богат и подло скрывает это. Если в прежнюю Думу он баллотировался все в том же засаленном костюме и прошел, значит, он уже богат и не подходит нам по причинам, изложенным выше. Бизнесмен, конечно, может быть депутатом, но депутат не может быть бизнесменом.

Совет пятый. Кандидат не должен появляться на людях в окружении более чем четырех охранников. В противном случае в его биографии есть какие-то темные криминальные пятна, и он опасается возмездия. Если вы не хотите пулеметных разборок и в Думе тоже, решительно игнорируйте этого подозрительного искателя вашей избирательской благосклонности.

Совет шестой. Если кандидат томился за свои убеждения в местах лишения свободы, полюбопытствуйте, в чем именно заключались его убеждения. Вполне возможно, они сводились к убежденности в том, что свободный человек имеет полное право растрачивать казенные деньги или посвящать несовершеннолетних в восхитительные тайны секса.

Совет седьмой. Соискатель думского мандата должен быть женат и иметь детей, иначе проблемы рядовой российской семьи будут ему непонятны и даже чужды. Его дети, по крайней мере, на период предвыборного марафона должны посещать одно из отечественных учебных заведений или трудиться на одном из отечественных предприятий, предпочтительно бюджетном. Если у кандидата есть внебрачная связь, то убедитесь с помощью молодежной прессы, что его партнер не одного с ним пола, а сам политик не транссексуал. Я не против сексуальных меньшинств, упаси бог. Но будет нелепо, если эти меньшинства составят в новой Думе большинство. История Отечества может тронуться в самом неожиданном направлении.

Совет восьмой. Грядущий парламентарий не должен менять свои принципы больше одного раза за весь период политической деятельности. Единожды это допустимо, ибо порой видение, скажем, под древом или голос из космоса круто меняли взгляды и жизнь разных .людей. Возьмем того же принца Гаутаму, ставшего Буддой, или Андрея Козырева, ставшего русским империалистом. Но если судьбоносные видения приходят к человеку регулярно в зависимости от направления кремлевских сквозняков, то ему лучше пойти работать политическим обозревателем на ТВ.

Совет девятый. Человек, уже однажды получавший в руки рычаги власти и, как выражаются музыканты, облажавшийся, пусть занимается не политикой, а чем-то другим, например, разводит розы или разводит руками перед телекамерами. Утверждения, что на ошибках учатся, верны не только в отношении ошибшегося политика, но и в отношении избирателей, от этих ошибок пострадавших.

Совет десятый. Если кандидат обещает вам взрыв изобилия и разгул правопорядка через 100 или 500 дней после избрания в Думу, не выбирайте его! Скорое благоденствие бывает только в телевикторинах с их лукавыми ведущими да еще, возможно, в рекомендациях Международного валютного фонда.

Совет одиннадцатый. Избегайте кандидатов, тратящих на предвыборную кампанию слишком большие средства. Главный признак: соискатель появляется на телеэкране так же часто, как реклама женских гигиенических прокладок. Помните, возвращать эти деньги кредиторам будущего думца придется нам с вами!

Совет двенадцатый. Произнося такие слова, как «Россия», «патриотизм», «народ», «государственность», «возрождение Отечества», кандидат не должен кривиться, словно от зубной боли, но и не должен бить себя в грудь, будто Кинг-Конг. Я бы отдал предпочтение тем политикам, из чьих лексиконов эти слова не исчезали все последние пять лет, ведь нынче каждый рвущийся в Думу в графе «профессия» норовит написать «патриот».

Совет тринадцатый. Все непосредственно причастные к показательным парламентским стрельбам осенью 93-го и к «странной чеченской войне» исключаются. Не ровен час, им снова захочется раздавить гадину, и, очень может быть, «гадиной» на сей раз окажемся мы с вами.

Совет четырнадцатый. Если кандидат призывает вас на баррикады, голосовать за него не стоит. Один раз баррикаду из парламента уже сделали, и ничем, кроме дорогостоящего ремонта и скоропортящейся конституции, это не кончилось. Обратите внимание на «классовый накал» выступлений соискателя думского мандата. Если он, накал, измеряется в «зюганах», это, по-моему, нормально, но если достигает одного «анпила», хорошенько подумайте!

Совет пятнадцатый. Если есть возможность, полюбопытствуйте, каких высот достиг будущий парламентарий в своей профессиональной деятельности. Вполне возможно, он хочет стать депутатом Думы, чтобы отомстить своему оппоненту, задробившему на ученом совете его кандидатскую диссертацию. Пусть уж набьет оппоненту морду и успокоится. Нам же с вами будет лучше.

Совет шестнадцатый. Слушая прелестные речи кандидата, обратите внимание, не предлагает ли он (и не предлагал ли в прошлом) для укрепления международного авторитета России передать иностранным государствам некоторые наши территории, спецслужбы перенацелить на охрану муниципальных рынков, а накопленное «империей зла» оружие ссыпать куда-нибудь в Марианскую впадину от греха подальше. Если — да, то голосовать за него не стоит. Пусть лучше баллотируется во французский парламент и борется там за прекращение ядерных испытаний на атолле Муруроа и возвращение острова Корсика Италии.

Совет семнадцатый. Если кандидат при коммунистах занимал приличный пост, послушайте, ругает ли он советскую власть. Помните: порядочные люди о бывших хозяевах говорят или хорошо, или ничего.

Совет восемнадцатый. Если кандидат представляет уважаемое правозащитное движение, вспомните, говорил ли он о правах человека, когда нас с вами лишали законного права на трехразовое сбалансированное питание, или же он вспоминает о правах человека, только если государство пытается навести в стране хоть маломальский порядок.

Совет девятнадцатый. Если будущий парламентарий зовет вас в социализм, присмотритесь, с человеческим ли он лицом, а если кандидат кличет вас, наоборот, в капитализм, убедитесь, не дикий ли он.

Совет двадцатый. После того как вы последуете предыдущим рекомендациям, в пресловутой «телефонной книге» останутся в лучшем случае два-три кандидата. Теперь можно прочитать их программы. Но и это необязательно. В сущности, все предлагают одно из двух: рынок с элементами распределителя или распределитель с элементами рынка. Тут уж я вам не советчик — на вкус и цвет товарища нет.

Совет двадцать первый, последний. Опуская избирательный бюллетень в урну, помните, что опускаете его в урну Истории!

Газета «Труд», октябрь 1995 г.

Зачем человеку одна голова, а орлу две?

В последнее время я часто вспоминаю популярный анекдот времен застоя. Одного гражданина, нахально подчеркивающего свое сходство с Лениным, вызвали в КГБ и потребовали прекратить безобразие. В ответ он заявил: «Допустим, я сбрею бороду и усы, перестану картавить и щуриться, галстук в горошек заменю на какой-нибудь другой... Но мысли! Куда я дену мысли?» Мне мысли тоже девать некуда, поэтому по профессиональной привычке спешу поделиться ими с читателями.

Первая мысль, которая приходит в голову, когда смотришь сегодня телевизор или читаешь большинство газет, такова: меня считают за полного идиота, страдающего к тому же и склерозом. С раннего утра до глубокой ночи меня с чисто агитпроповской навязчивостью пугают возвратом коммунистов, а следовательно, и всего социалистического кошмара. Пугают, а мне не страшно. Я, как и большинство нынешних россиян, жил при социализме и, хотя не достиг в ту пору таких высот, как, скажем, нынешний наш президент и его ближайшие сподвижники, сохранил от той эпохи не самые худшие воспоминания. Нет, я прекрасно ориентируюсь во всех пороках того строя и даже (в отличие от многих нынешних неистовых рыночников) посвятил этим порокам некоторые свои книги: «Сто дней до приказа», «ЧП районного масштаба», «Апофегей» и др. Но я не понимаю, зачем же человека, пожившего в бедноватой, с достаточно строгим режимом профсоюзной здравнице, убеждать, будто он был в Бухенвальде? Кто-нибудь, отдыхающий ныне во Флориде, гневно возразит против слова «здравница». Я его понимаю, но худо-бедно в те времена население страны увеличивалось, а теперь стремительно уменьшается, количество же самоубийц в СНГ в 5 (пять?) раз превосходит общемировую норму, если слово «норма» вообще применимо к трагедии человека, лишающего себя жизни. Так что все-таки плохонькая, но здравница.

Меня изо дня в день пугают возвратом в прошлое, а в самый канун выборов, слыхал, даже покажут новый художественный фильм «Если завтра будет вчера», где продемонстрируют все прелести социализма: от совершенно пустых прилавков до массовых убийств инакомыслящих инородцев. Сначала о пустых, а точнее, пустоватых прилавках. Да, действительно, при советской власти слово «дефицит» было одним из наиболее употребимых, и дефицитами в разное время являлись и туалетная бумага, и гречка, и импортная мебель, и автомобили. Хорошо ли это? Ясное дело — плохо.

Если когда-нибудь решат поставить памятник разрушителям социализма, то слева надо будет изваять диссидента с приемником, настроенным на волну радио «Свобода», справа — партократа с газетой «Правда» в руке, а посередине — большой шар с надписью «дефицит». Ныне это слово из языка, кстати, ушло, ибо дефицит — это когда не хватает товаров, а когда при полных прилавках не хватает денег на хлеб, потому что полгода не выдают зарплату, — это уже нищета. Решайте сами, что лучше...

А теперь — о кровопролитиях. Я не понимаю тех поглупевших от избытка патриотизма людей, которые уверяют, будто страшные человеческие жертвы в советский период нашей истории — клевета русофобов. Нет, к сожалению, это правда. XX век был кровав во многих странах, а Россия вообще чуть не захлебнулась кровью, причем коренных россиян погибло во много раз больше, чем «инородцев». Впрочем, в нашем многонациональном Отечестве это словечко вообще употреблять не стоит. Но пролитая кровь — трагедия России, а не повод для презрения и ненависти.

Вы не задумывались, почему католики, прекрасно зная о кошмарах инквизиции, продолжают исправно молиться Деве Марии? А почему американцы с неизменным уважением относятся к седовласому миллиардеру-филантропу, хотя хорошо осведомлены, что в основании его фамильного состояния — сотни тысяч негров, скормленных акулам по пути из Африки к берегам Нового Света? А почему латыши обожают свою довоенную буржуазную республику, хотя именно тогда в Латвии появился первый концлагерь и количество репрессированных по отношению ко всему населению было вполне сопоставимо с размахом террора в СССР? Отвечу: потому что о любом народе надо судить по его вершинам, а не провалам, в противном случае вся мировая история и все народы без исключения будут напоминать заспиртованных монстров из Кунсткамеры. А из темных вод своей истории нужно черпать не ненависть, а этническую мудрость — и делать практические выводы.

Кстати, те, кто называет себя ныне коммунистами (хотя, по-моему, они классические социал-демократы), этот вывод сделали в 91-м — ради сохранения власти на кровопролитие не пошли. А вот люди, именующие себя демократами (хотя, по-моему, они классические большевики), в 93-м кровь пролили, вернув нас в состояние гражданской войны. Так что про кровь после Белого дома лучше бы помалкивать! Между прочим, о необольшевистских замашках нынешней власти теперь пишут многие, поэтому, чтобы не выглядеть, как говаривали в детстве, «повторюшкой», я позволю себе самоцитирование, а читатель сам пусть решает, кто «повторюшка».

Итак, «Московская правда», декабрь 91-го: «Я боюсь, что мы опять получим не возникшую естественным образом общественно-экономическую структуру, а нечто спешно сколоченное, как раньше, — социализм. Прежде говорили: построим социализм за 2–3 пятилетки! Сейчас призываем построить капитализм за 500 дней... Та же штурмовщина, тот же чисто большевистский подход к истории, которую пытаются перекроить по законам, кажущимся в настоящий момент наиболее перспективными».

Это было сказано пять лет назад. А сегодня меня каждый божий день спрашивают, неужели я хочу вернуться в прошлое. Отвечаю: «Не хочу! Ни в 75-й, ни 85-й, ни в 91-й! Я хочу в будущее, в котором не будет ни глупостей прошлого, ни мерзостей настоящего!» Но ведь, по сути, вопреки нашей воле нас уже вернули в гораздо более отдаленное прошлое! Положите рядом карту России XVI века и карту РФ. Сравните. Вопросы есть? Вопросов нет. Бойня в Чечне отбросила нас на 150 лет — во времена кавказских войн. А по количеству беспризорных и неграмотных подростков мы скоро выйдем на показатели периода Гражданской войны. Сифилис лютует, как в Средние века. Что же касается свободы слова, главного, так сказать, завоевания, то се, конечно, больше, чем при Брежневе, а тем более при Сталине. Но даже такая весталка демократии, как Белла Куркова, вынуждена была сознаться: в конце 80-х свободы слова на ТВ было больше. А в конце 80-х (сообщаю исключительно для тех, кто появился на свет в начале 90-х) у власти была КПСС, еще окончательно не разделившаяся на партократов и демократов. Ну в самом деле, чем предвыборные встречи Б. Ельцина, показываемые по телевизору, отличаются от читательских конференций по бессмертной книге Л. Брежнева «Малая Земля»? Одним: на встречах с нынешним президентом охраны больше. А чем телевизионные разоблачения козней оппозиции сегодня отличаются от разоблачения козней мирового империализма в застойные годы? Одним: в передачах того же Н. Сванидзе ненависти к внутреннему супостату, к «красно-коричневым» (попросту говоря, голодным), гораздо больше, чем у достопамятного В. Зорина к врагу внешнему... И вообще нынешняя предвыборная кампания напоминает групповое идеологическое изнасилование народа!

Мне говорят, что при социализме жили бедно. Да — небогато. Я вырос в заводском общежитии, и, когда в начале 60-х пошел в школу, в нашем Балакиревском переулке была одна-единственная личная машина — «Победа». Я даже помню имя владельца — Фомин. Если у него садился аккумулятор, это было событие общепереулкового значения.

Когда я заканчивал школу, автомобилей стало гораздо больше, а в начале 80-х, когда я, повинуясь внезапному ностальгическому чувству, как-то заехал в мой Балакиревский переулок, то просто не смог припарковать свои «Жигули»: вдоль тротуара бампер к бамперу стояли личные автомобили. Рост благосостояния, как ни противно заездил это словосочетание тогдашний агитпроп, у нас наличествовал на самом деле. Конечно, рост этот был медленным и скромным, но касался основной массы населения. Вспомните, подавляющая часть тех же садовых участков была получена и застроена, несмотря на всяческие дефициты, до 91-го, а основная часть роскошных особняков, напоминающих баронские замки, — уже после 91-го. Может, подумаете вы, я против богатства? Нет, я против бедности. Богатый, живущий среди обеспеченных, — это первый среди равных. Богатый, живущий среди нищих, — это объект ненависти, которая заканчивается обычно очень печально и для «баронов», и для их замков.

Считая, вероятно, что голову я использую исключительно для ношения кепок, газеты и ТВ с утра до ночи доказывают мне, что сегодня богатым может стать каждый, — нужны лишь ум и предприимчивость. Об уме не будем: это как раз главная тема анекдотов о «новых русских». Слава богу, наш народ после нескольких лет шокового молчания снова вернулся к анекдотному творчеству, и это говорит о нравственной мощи нации. А что касается второго качества, то это уже полный бред, ибо не может каждый зарабатывать себе на жизнь предпринимательством, открывая свое дело. Это как если бы газета «Правда» в году 75-м заявила: все, кто хочет хорошо жить, должны пойти работать в райком. Но до такой дури даже застойная печать не додумалась! В самом деле, а кто будет пахать, варить металл и борщ, учить, лечить, творить (не только уличный террор), выдумывать (не только очередные «пирамиды») и пробовать (не только продавать технический спирт под видом «Абсолюта»)?! Лично для меня символом эпохи стал мой знакомый врач, доктор наук, уникальный специалист, которого несколько лет содержал сын, сменивший университет на уличный ларек.

Естественно, многие уезжают за границу. В свое время всеобщими усилиями удалось отменить чудовищный проект переброски северных рек в места, которые теперь стали ближним зарубежьем. Но другой проект — переброски отечественных мозгов в дальнее зарубежье — работает вовсю!

Мне объясняют: нет денег! Я, конечно, в экономике дилетант, но меня давно волнует один вопрос. Вот был СССР, который расходовал огромные средства на Варшавский договор, на СЭВ, на поддержку дружественных режимов по всему миру, на содержание гигантских армий и ВПК, немало денег уходило и на пропаганду тогдашней идеологии, но худо-бедно оставалось на культуру, науку, здравоохранение, образование, библиотеки, пионерские лагеря... Теперь этих расходов нет, более того, Россия стала гораздо меньше давать осуверенившимся республикам, а газа и нефти добывает даже больше, чем прежде... А денег нет не только на перечисленные выше «гуманитарные» нужды, но даже на армию, на зарплаты. Куда же все делось? Мне, непрофессионалу, представляется, что эти немыслимые средства пошли на очень дорогостоящее дело — срочное создание класса собственников. Кстати, примеры таких авральных созиданий у нас в Отечестве имеются: строительство Северной столицы Петром Великим, сталинская индустриализация и т. д. Тогда народ тоже заставляли затягивать пояс, а то и петлю на его шее затягивали. Но Петербург-Ленинград — вот он! Заводы-гиганты спасли нас во время Великой Отечественной...

А что мы имеем от класса, созданного ценой общенациональных лишений и страшных территориальных утрат? Имеем горы западного, не очень качественного ширпотреба и еды, ввезенных в страну при умирающих собственной промышленности и сельском хозяйстве, а еще имеем 400 млрд. долларов, вывезенных из страны. Имеем 25 млн. русских, проживающих зачастую на исконных российских землях, но оказавшихся при этом за границей. Имеем дикую, обнаглевшую преступность. Имеем запредельную коррупцию среди чиновничества, включая самый высший эшелон. Имеем островки сверхбогатых и океан бедствующих. Поэтому социализмом сегодня можно напугать только тех, кому телевизор заменяет или желудок, или голову. Но если первые встречаются крайне редко, то вторых, увы, немало! На них, собственно, и рассчитана предвыборная кампания нынешнего президента.

Кстати, во время выборов в Думу мне попалась памятка, разработанная одним из демократических блоков сугубо для своих кандидатов в депутаты. Так вот, в ней рекомендовалось во время встреч с избирателями как можно чаще употреблять слово «справедливость» и как можно реже — слово «капитализм». Надо заметить, этой рекомендации ныне прилежно следуют практически все кандидаты в президенты, начиная с Б. Ельцина. Что это — предвыборная уловка? Нет, скорее признание пока на словесном, как говорят ученые, вербальном, уровне очевидного факта: сплошной капитализации ни в экономике, ни в общественном сознании не получилось. Но ведь и сплошной социализации тоже не вышло — в этом мы с вами убедились еще раньше. Наверное, не зря все-таки у российского орла две головы: одна смотрит в социализм, другая — в рынок. Как примирить эту разнонаправленность, которая таится прежде всего в человеческой природе? Как сделать, чтобы богатство немногих не оборачивалось нищетой для большинства?

Как сделать, чтобы справедливость не превращалась в мертвящую уравниловку? Ответ на этот вопрос я и хочу услышать от кандидатов в президенты и голосовать буду за того, кто ответит мне честнее и внятнее остальных. А для того, чтоб сделать правильный выбор, и дана человеку голова. Одна, но смотрящая в будущее...

Газета «Мир новостей», май 1996 г.

Десовестизация

Приснопамятный процесс десоветизации в нашем Отечестве проходил громко — под рев тысячеглоточных митингов, требовавших больше социализма, под залпы показательных парламентских стрельб, под плач беженцев, потерявших кров в кровавой суматохе суверенитетов, под обиженный клекот слетавшихся в страну диссидентов. Зарубежная общественность наблюдала за происходящим в России с чисто спортивным интересом, делала ставки и выигрывала. Оно и понятно — десоветизация на первый взгляд шла успешно: вместо серпа с молотом — двуглавый имперский орел, вместо советской империи — геополитический оглодок с гордым именем Свободная Россия, вместо мелких расхитителей социалистической собственности — крупные банкиры и предприниматели, вместо советов народных депутатов — мэрии и префектуры...

Впрочем, по поводу успешности этой десоветизации у меня есть свои соображения. Скажем, после окончательного развала Золотой Орды, полагаю, на Руси тоже проводилась своего рода «детатаризация», однако не мной сказано: поскреби русского — найдешь татарина. Да, попытка создать нового, советского, человека в целом потерпела крах, но, в частности, все мы немножко советские люди. Навсегда. И дети наши будут таковыми, и внуки, и правнуки. Иногда это будет почти незаметно, иногда будет поражать своей внезапной очевидностью: так в вызывающе славянской семье порой рождается маленький очаровательный чингисханчик... Но я о другом!

Дело в том, что одновременно с десоветизацией шел и другой процесс, тихий, неприметный, почти невнятный нам самим, не говоря уже о наших заморских болельщиках, переживающих как личную победу каждый гол, забитый нами в собственные ворота. Процесс этот, понимая всю его неоднозначность и сознавая условность любого термина, я решил назвать *десовестизацией.* О ней и пойдет речь.

Поверьте, я далек от того, чтобы представить доперестроечную Россию в виде заповедника, где обитали показательно нравственные и примерно совестливые жители и где верхи с заботливостью опытного любовника все время спрашивали у низов, хорошо ли им... Кабы так — советской власти сносу бы не было! Помнится, в начале семидесятых, будучи семейным студентом, я подрабатывал на стройке, почти как Шурик из «Операции "Ы"». Мы возводили дом по спецпроекту: так в те относительно совестливые времена именовалось жилье, которое в нынешнее откровенное время именуют попросту «элитным». Наша бригада состояла в основном из лимитчиков и очередников, работавших, как в ту пору выражались, «за жилье». И вот один каменщик, многолетний, надо сказать, очередник, поинтересовался, что это за странное помещение — без окон, без дверей — наблюдается в каждой возводимой квартире. «Комната для собаки», — заглянув в спецпроект, простодушно ответил прораб. Что же тут началось! «У вас совесть есть? Мне с тремя детьми жить негде, а вы комнаты для собак строите!..» — кричал каменщик. Был он хоть и не в фартуке белом, но весьма революционно настроенный. Началась стихийная забастовка, понаехало страшное количество начальства на черных «Волгах». И вот что любопытно: начальники не ругались, не возмущались, а, наоборот, чувствовали себя как-то неловко, уверяя, что в их собственных квартирах никаких комнат для собак и в помине нет. Думаю, кое-кто из них лукавил. В общем, пролетариев успокоили и вернули к общественно полезному труду, а зачинщика, бесквартирного многодетного каменщика, потом вызвали куда следует и потихоньку дали жилье из какого-то райкомовского фонда...

Но нечасто в те годы бунты против «комнат для собак» заканчивались столь удачно. Кстати, в том самом спецдоме получил квартиру мой знакомый, а вся его заслуга перед Отечеством заключалась в том, что женат он был на дочке кандидата в члены Политбюро. Именно жажда социальной справедливости погнала наш народ из чахлого оазиса социализма в барханы демократии и зыбучие пески рыночных отношений!

Я недавно перелистал прессу первых лет перестройки. Так и есть: среди самых употребимых слов — «совесть» и «справедливость». А потом сравнил с текущей периодикой: эти два слова в ней почти не встречаются, а если и попадаются, то исключительно в каком-то постмодернистско-ироническом смысле. Эта заурядная лексическая подробность на самом деле — свидетельство огромных и страшных по своим последствиям сдвигов в общественном сознании. Вспомните, как нетерпимы мы были к любым проявлениям несправедливости! В багажнике у партийного босса обнаружили связку копченой колбасы... Позор! У маршала Ахромеева на даче два холодильника... Срам! Опять полуговорящего Брежнева на трибуну вынесли... Они что там, наверху, нас за идиотов считают? Увы, считали и считать продолжают до тех пор, пока не оказываются внизу или на кладбище...

Помнится, в школе нас заставляли наизусть учить признаки гипотетической революционной ситуации. Но судьба удружила наблюдать революционную ситуацию воочию. И теперь, на основании личных впечатлений, я хотел бы добавить еще один пункт к хрестоматийным признакам. А именно: резкое обострение у граждан чувства социальной справедливости в формах, неадекватных конкретной политико-экономической ситуации. Грубо говоря, это такая общественная ситуация, когда слезинка ребенка может непоправимо переполнить чашу народного терпения. И пусть потом историки выясняют, что это, оказывается, были слезы радости по поводу покупки внепланового мороженого.

Шучу? Только наполовину. Вспомните сарказмы и анекдоты в связи с жилищной программой, обещавшей каждой семье отдельную квартиру до 2000 года. Только идиоту было не ясно, что полностью ее выполнить невозможно. Но, с другой стороны, только идиот мог не заметить, что в ходе попытки выполнить эту неосуществимую программу миллионы семей улучшили свои жилищные условия. Не заметили... Вспомните взвинтивший общество страшный рассказ академика Сахарова о том, как наши солдаты в Афганистане расстреляли своих раненых товарищей, чтобы те не попали в плен к душманам! И не важно, что вся эта история впоследствии оказалась вымыслом. Любой ценой народная совесть должна быть воспалена — иначе серьезные социальные взрывы невозможны... Хотели разбудить совесть. А разбудили лихо! Теперь власть и на самом деле попросту бросила своих солдат сначала в огне, а потом в чеченском плену. Кого это волнует, кроме обезумевших от горя матерей?

А помните, как радовались мы тому, что посадили Чурбанова — и таким образом справедливость настигла генсековскую семейку?! Это теперь мы поняли: если за то, что сделал Чурбанов, сажать в тюрьму, значит, за то, что творят иные сегодняшние политики, чиновники и бизнесмены, нужно вешать на фонарях вдоль Москвы-реки, предварительно обжарив в подсолнечном масле! Это я, разумеется, в гиперболическом смысле. Но публицистические гиперболы довольно скоро становятся рутинной очевидностью истории.

Однако вернемся к обнаруженному мной новому признаку революционной ситуации. В 91-м целенаправленно перевозбужденное народное чувство справедливости содрогнулось в пароксизме удовлетворенной страсти и задремало, восстанавливая силы для новых битв за социальную гармонию. Тут-то и начались реформы. Кто знает, может быть, с этим естественным после многолетнего перенапряжения ослаблением социальной бдительности и связан тот известный факт, что всякое послереволюционное устройство общества поначалу менее справедливо, нежели дореволюционное?

Ведь нынешний бесквартирный строитель не только о комнате для собак шуметь не станет, а будет с умилением возводить четырехэтажный особняк с зимним садом, тихо радуясь, что зарплату хоть раз в три месяца, но дают...

Справедливости ради надо отметить, люди довольно скоро поняли, что происходящее в стране совсем не то, чего ждали они от реформ, но борьба за выживание уже не давала им возможности сконцентрироваться на жажде социальной справедливости. Так в 18-м году приват-доцент, которого вели расстреливать по приговору рев-тройки, вряд ли вспоминал про то, как волновал его в 13-м году вопрос: имеет ли право надзиратель обращаться к политическому заключенному на «ты»? Почему так произошло? Почему такое могло произойти? Объяснюсь метафорически. Представьте себе, что на ваших глазах пьяный мужик бьет женщину. Реакция очевидна. Смелый человек бросается в драку. Рассудительный вызывает милицию или кличет общественность. А теперь вообразите: на ваших глазах тысяча пьяных мужиков бьет тысячу женщин. «А может, это и есть шоковая терапия?» — подумают как смелый, так и рассудительный.

Советское общество было, как выражаются ученые, традиционным, и очень многие отношения в нем регулировались не законами, а издавна сложившимися, порой даже нигде не зафиксированными представлениями о том, что делать можно, а что делать нельзя. Совестью, иначе говоря. Мое детство прошло в общежитии маргаринового завода. Понятное дело: рабочие выносили то пачку маргарина, то пару банок майонеза, к празднику, случалось, вытаскивали и поболее. Но вот выяснилось, что новый наладчик в специальных мешочках под телогрейкой выносит столько, что даже приторговывать стал. «Совсем совесть потерял!» — был общий приговор, после чего мужики вызвали зарвавшегося несуна на лестницу покурить. Отбюллетенив две недели, наладчик стал как все. Собственно, даже история директора Елисеевского гастронома укладывается в эту традиционную схему. Просто вызвавшие его «на лестницу покурить» мужики оказались посуровее наших, маргариновых...

А теперь представьте себе, что в результате реформ с «территории» социализма предстояло вынести заводы, газеты, пароходы и т. д. Ведь для того, чтобы стать собственником в стране, где все общее, нужно было взять чужое, украсть, причем в особо крупных размерах. О том, как это делалось, какими разнообразными способами, включая ваучеры, осуществлялось, написано много. Я хочу обратить ваше внимание на другой аспект — нравственный. Ведь через закон переступить никто уже не боялся, ибо призыв обогащаться любыми средствами был прочмокан тем же Гайдаром достаточно отчетливо, а Гавриил Попов вообще объявил взятку, получаемую чиновником, чем-то вроде «прогрессивки» (если помните, была при социализме такая премия за рост производительности труда).

Но оставалась совесть. Один «новый русский» рассказывал мне: когда он из скромного инженера превратился в предпринимателя (старшие товарищи доверили ему прокрутить госбюджетные средства) и стал носить домой деньги чемоданами, жена на полном серьезе уговаривала его оставить себе немножко, а остальное перевести в детские дома. А то, мол, перед людьми неловко... Понятно, что с таким человеческим материалом далеко в капитализм не уедешь. Богатый должен быть абсолютно уверен: он богат, потому что умнее, а не безнравственнее бедного! А как же быть, если еще руки — после того, как взял чужое, — трясутся?

Тут-то десовестизация и приняла размах государственной программы. Осуществлялась она разными путями. Например, почти исчезла из средств массовой информации нравственная оценка представителей нарождающегося класса и способов их обогащения. Рыцари пера и микрофона сделали все возможное и невозможное, чтобы убедить общество, будто одновременный рост числа богатых и нищих — два абсолютно не зависящих друг от друга процесса. На мой взгляд, журналистика стала повивальной бабкой ублюдочного российского капитализма.

Хороший пример бессовестности подали и политики. Они меняли свои убеждения с такой же частотой, с какой топ-модели меняют на подиуме наряды. Они никогда не сознавались в совершенных ошибках, даже в тех случаях, когда в результате этих ошибок приходилось заново перерисовывать политическую карту мира, и явно не в пользу России. За иными из них тянется такой хвост компроматов, что не только суровый капитан Жеглов, но даже гуманный Шарапов забрал бы их на Петровку не задумываясь. Нынешний политический серпентарий сделал невозможное: самим фактом своего существования он полностью реабилитировал советский режим со всеми его немалыми, надо заметить, пороками!

Посильный вклад в десовестизацию общества внесла и интеллигенция, особенно ее гуманитарный подвид. Оговорюсь сразу, я имею в виду ту часть интеллигенции, которая в эти годы вела себя не как национальная элита, радетельница Отечества, а как особое сословие, даже каста, озабоченная исключительно своими узкими корпоративными интересами. И тут гораздо уместнее слово *«интеллигентство»* — по аналогии с мещанством или купечеством. Трагикомизм ситуации заключается еще и в том, что именно представителей интеллигентства время от времени объявляют «совестью народа», о чем извещают этот самый народ через средства массовой информации.

Именно интеллигентство прилепило к пострадавшей, основной, части общества ярлык «красно-коричневые» и старательно при всяком удобном случае натравливало власть на народ. А ведь помимо чисто политического маневра тут крылся глубокий нравственный, точнее — безнравственный смысл: если это действительно отребье (или ублюдки, как любил выражаться бывший министр иностранных дел интеллигентнейший Андрей В. Козырев), то и нечего мучиться совестью по поводу их обнищания и вымирания. Произошла довольно тонкая подмена понятий: неумение зарабатывать деньги было приравнено к неумению работать. Таким образом, Эйнштейн со всей своей не приносящей доходов теорией относительности был бы у нас сегодня бездельником, а человек, укравший у него в трамвае часы, был бы тружеником, ибо сумел-таки заработать детишкам на молочишко! Кстати, та сердобольная новорусская женщина, о которой я рассказал выше, очень быстро сообразила, что переводить деньги на свой счет в швейцарский банк гораздо выгоднее, чем на счет детского дома.

Бескорыстие и энтузиазм стали главными мишенями интеллигентства. Например, один актер в телешоу очень весело изображал уморительного Павку Корчагина, нелепо вкалывающего на строительстве узкоколейки. А ведь ее строили, напомню, не для бронепоезда Льва Троцкого, а чтобы привезти дрова и спасти замерзающий город. Неужели человеку нужно окоченеть в нетопленой зимней квартире, чтобы понять: есть вещи, над которыми смеяться нельзя? Но, увы, в последнее время мы часто принимаем скудоумие за остроумие. А по поводу актеров и вообще существует мнение: чем они глупее, тем легче вживаются в сценический образ.

Между прочим, причины разгула преступности скрыты не только в экономике, но и в той деформации общественного сознания, которое я называю десовестизацией. Ну на самом деле, в чем сегодня смысл предпринимательства? За большие деньги купить деньги очень большие, то есть дать взятку чиновнику и получить доступ к госбюджету. В чем сегодня смысл политики? Опустить соседнюю ветвь власти как можно ниже, а если не получается, выстрелить первым, лучше всего из танковых орудий. Скажите, может уголовный авторитет в такой обстановке чувствовать хоть какой-то нравственный дискомфорт? Может в нем, как писал Некрасов, «совесть Господь пробудить»? Нет, он чувствует себя полноправным членом такого общества. Вспомните, какими частыми гостями телеэфира стали уголовные авторитеты в начале 90-х! О сращении криминалитета, чиновничества и политиков сегодня говорят так, словно речь идет о нормальном социальном партнерстве, о чем-то наподобие нерушимого союза рабочих, крестьян и трудовой интеллигенции. А это уже пропасть...

Почему же мы в нее не падаем? Лишь по одной причине: процесс десоветизации не зашел столь далеко, как процесс десовестизации! Мы с постсоветской обреченностью уже не верим в социальную справедливость, но мы пока еще с советским угрюмством, уходящим корнями во времена Бусовы, верим в спасительную силу государства. Это и держит. Пока... А то ведь какую отличную тачанку можно сварганить из пулемета, купленного у нищего комбата, и джипа, угнанного у банкира!

Но и эта реликтовая державность иссякает. Молодые люди не хотят служить в армии, ибо защищать бессовестное государство никто не желает. Вот и ходит полуанекдот-полубыль про то, как солдат пишет домой: «Дорогая мама, когда ты получишь это письмо, со мной уже будет все в порядке, я буду в плену...» А какой Жеглов станет по-настоящему бороться с преступниками, если у тех все наверху схвачено? Вот и получается, за подделанный проездной билет тебя посадят, а за жульнически приватизированный металлургический гигант, который вся страна громоздила аж три пятилетки, назовут современным Саввой Морозовым. Если пользоваться хрестоматийным сравнением, то государство — сторож, охраняющий наши покой и имущество. Следовательно, налоги, которые мы должны платить, — это как бы его, сторожа, зарплата. Но какой же дурак будет платить жалованье сторожу, когда тот постоянно приворовывает у охраняемых обывателей? Вспомните историю ваших денежных вкладов в сберкассах! Вспомните, как благосклонно взирало государство на бесчисленных пирамидостроителей, обокравших миллионы людей! Вспомните, когда вы в последний раз получали зарплату или пенсию!

А теперь давайте вспомним, что сказал Борис Ельцин после операции на сердце! Он сказал, что не платить пенсии — безнравственно. Прошу отметить, он не сказал, что это антиконституционно, противозаконно, политически вредно... Он сказал — безнравственно. То, что такой несентиментальный и философски относящийся к страданиям сограждан политик, как Ельцин, вдруг заговорил о нравственности, свидетельствует лишь об одном: процесс десовестизации, как, впрочем, и десоветизации общества достиг нижней точки — и граждане относятся теперь к государству почти с таким же презрительным равнодушием, с каким государство относится к ним. От социального энтузиазма, которым даже в самые глухие годы славился наш народ, осталось лишь шоссе Энтузиастов в Москве.

За счет чего же мы будем выходить из глубочайшего кризиса? Заграница нам не поможет, это понятно уже даже клиническим западникам. Маленький, но сплоченный класс нуворишей и обслуживающее его интеллигентство не поделятся, они твердо объявили: «Никто пути пройденного у нас не отберет!» Значит, по традиции возрождение России будет происходить за счет, как говаривали прежде, широких народных масс. У ста пятидесяти миллионов проще отобрать по одному рублю, чем у одного отобрать сто пятьдесят миллионов. Но для того чтобы навязать этот мобилизационный курс, нужно воззвать к гражданской совести и социальному мужеству, более того — к жертвенности. Сегодня не издеваться надо над Павками Корчагиными, а трепетно надеяться, что не перевелись они еще в Отечестве. Но для того чтобы призвать народ к жертвенности, власть как минимум должна иметь нравственный авторитет. Кто же станет приносить жертвы на загаженный алтарь! И едва ли стоит надеяться на столь восхищавший Канта нравственный закон внутри нас, когда снаружи царят безнравственность и беззаконие! Единственный выход — неотложная *совестизация* общества. Лучше, конечно, если начнется она сверху. Лучше, если сопутствовать ей будет частичная советизация — я имею в виду местное самоуправление. Лучше, конечно, если осуществлять ее будет энергичный, но умный лидер... А пока народ безмолвствует и усмехается, глядя в телевизор. Смех, конечно, дело хорошее... Хотя, смеясь, можно расстаться не только с прошлым, но и с будущим!

Газета «Труд», февраль 1997 г.

Невольный дневник

От автора

Я никогда в жизни не вел по-настоящему дневник. Несколько раз начинал и бросал через неделю. Когда осенью 1997 года я по приглашению главного редактора еженедельника «Собеседник» Юрия Пилипенко взялся вести колонку «Наблюдатель», мне и в голову не приходило, что по сути я начал вести дневник, в основном — политический. Впрочем, не только политический... Потом я вел колонку «Апофегей» в «Московском комсомольце», редактируемом моим давним другом Павлом Гусевым. Наконец, почти полгода я состоял колумнистом газеты «Труд».

Писатель в газете — явление традиционное для русской литературы. Вспомним Достоевского, Меньшикова, Булгакова... Эта работа учит самому главному — соединять сиюминутную отзывчивость с верностью себе, своим духовным принципам А это непросто... Многие нынешние литераторы выступают в периодике со статьями, но почти никто не решается спустя некоторое время собрать эти статьи в книгу. Увы, в наше время пером или компьютерным курсором зачастую движет не жажда истины и справедливости, как завещали классики, а желание заработать или высказать корыстную преданность тенденции. Поэтому порой авторская позиция напоминает замызганное свадебное платье, которое дама, в десятый раз выходящая замуж, берет напрокат...

Но я вот рискнул и собрал вместе мои «колонки», печатавшиеся на протяжении нескольких лет, в этот «Невольный дневник». Мне скрывать нечего, я всегда писал то, что думал и чувствовал. Если я ошибался в своих оценках и прогнозах — то совершенно искренне. А искренность в наше подловатое время писатель может позволить себе только за свой счет...

1997

Право на незнание

Обещанное осеннее наступление оппозиции заменили показом по НТВ кинофильма «Последнее искушение Христа» Мартина Скорсезе. А ведь и церковные иерархи упрашивали, и православная общественность возмущалась, и народ с хоругвями да с проклятьями у телецентра топтался — бесполезно. Все равно показали, потому что так суд решил. Какой суд? Телевизионный...

Это смешно. Во-первых, суд напоминал знаменитые литературные трибуналы двадцатых годов, когда Онегина в любом случае ждал суровый приговор по той простой причине, что он лишний человек и не участвовал во взятии Зимнего. Во-вторых, рассматривать иск Православной церкви к НТВ в телесуде, организованном НТВ, — это примерно то же самое, как если иск зайца, жалующегося на лисий произвол, рассматривать во глубине лисьей норы при участии всего рыжего семейства. И в-третьих, чрезвычайно смешны были сами участники этого юриспрудентского действа: судья г-н Ворошилов, сменивший профессиональную загадочность на нюрнбергский прищур, присяжная заседательница г-жа Памфилова, по обыкновению моловшая какую-то амбивалентную чушь, и, наконец, ответчик г-н Парфенов, просто потевший от гордости за свой отважный мятеж против церковных ортодоксов. Что ж, православные — народ мягкий, не то что мусульмане, затравившие богохула Рушди с его «Сатанинскими стихами».

Я смотрел на все эти телевизионные странности и не мог понять, почему свобода слова у нас в Отечестве может проявляться исключительно в виде плевка кому-нибудь в лицо. Ведь если одна часть общества не хочет, чтобы фильм, оскорбляющий ее чувства и веру, показывали в общедоступном эфире, — зачем же устраивать шоу в виде суда с заранее известным вердиктом? Не проще ли, увидав, что сама постановка проблемы снова разделяет наше и без того разодранное общество, — уступить. Ведь никто же не предлагал побить Скорсезе камнями, сжечь мастер-кассету «Последнего искушения», никто не запрещал показывать фильм по кабельному ТВ, распространять через видеошопы. Речь не идет о запрете на информацию. Речь идет о том, что бывает такая информация, вляпываться в которую значительная часть общества не желает. Да, у нас свобода слова, но у каждого человека есть и право на незнание.

Но ведь можно, возразите вы, просто выключить телевизор. Можно... Кто-то из выступавших на телесуде заметил, что талант имеет право и на ошибку. Имеет. Знаете, в фашистской Германии было немало режиссеров-расистов, талантливо наошибавшихся в своих лентах на несколько миллионов человеческих жизней. Что ж, и такие фильмы давайте теперь крутить по общедоступному телевидению?! Не нравится — просто выключи телевизор... Не крутим — и правильно делаем. Есть информация, достойная хранения, но недостойная распространения. По крайней мере, широкого...

Вообще весь этот телесуд, сделанный на уровне телемаркета, заставил меня усомниться в умственных способностях руководителей НТВ. Ведь гораздо тоньше — удовлетворить иск Православной церкви, а для этого достаточно было заменить, допустим, присяжного Голембиовского на, скажем, присяжного Илью Глазунова. И всего делов-то... Тогда можно было бы с благородным гневом сказать: вот видите, что творят проклятые клерикалы! И выйти из этой неприличной, даже провокационной ситуации с высоко поднятой головой. Но, как говорится, чего нет за кожей — к коже не пришьешь...

Тут у читателя, конечно, возникает вопрос: а сам-то автор этих строк воспользовался результатами телесуда? Нет... В буквальном смысле Бог уберег: за пять минут до начала во всем моем микрорайоне, на Хорошевке, вырубилось электричество и включилось только после окончания фильма. Если думаете, я шучу, — можете справиться в Мосэнерго...

Писарчуки

Население России убывает со скоростью миллион человек в год. Производство упало почти как в ноябре 41-го, когда немец стоял у Москвы. В некоторых регионах до четверти детей школьного возраста не умеют читать. В стране разгул инфекционных и особенно венерических заболеваний, будто в годы Гражданской войны. Улицы городов напоминают тиры, только вместо жестяных зайцев — банкиры и предприниматели, иногда, правда, по ошибке могут замочить и прохожего слесаря. Зарплата стала чем-то вроде выигрыша в новогоднюю лотерею. Число самоубийц у нас в пять раз выше, чем в Европе. До трети призывников имеют дефицит веса — и чтобы они не падали под выкладкой, их для начала просто откармливают. Что это? Если это не национальная катастрофа, то в таком случае последний день Помпеи — всего лишь пикник с шумовыми эффектами...

Что же делают крупнейшие правительственные чиновники? Сочиняют книги. Представьте себе наркома, который приезжает на развалины Сталинградского тракторного завода с заданием его восстановить, оглядывает дымящиеся груды, выбирает местечко поудобнее, садится, кладет на колени планшет, слюнявит карандашик и начинает писать книгу. Бред? Бред... Но на самом деле ситуация еще бредовее. Ведь Чубайс и его соавторы писали свою книгу о приватизации на развалинах, ими же и нагроможденных. Или слово «ваучер» не вошло полноправным членом в дружную семью русской ненормативной лексики? Или не наши соавторы и примкнувший к ним Кох явили миру уникальную форму приватизации государственных предприятий за казенные же деньги?! Или не они на смену номенклатурному чиновнику привели номенклатурного миллиардера, назначаемого по тем же дружеским, семейным или клановым соображениям?! Вы хоть что-нибудь понимаете? Ведь Чубайсу писать книгу о приватизации в России — это примерно то же самое, что народному академику Лысенко писать книгу «Почему я так и не вывел ветвистую пшеницу». Но Лысенко при всех своих недостатках такую книгу писать не стал, а Чубайс при всех своих достоинствах стал. Напортачить, описать это да еще и заработать! Когда я служил в армии, это называлось — «оборзеть». О размерах гонорара, полученного соавторами (450 тысяч долларов), я, от имени современных российских писателей, скажу так: нам и не снилось! Это годовой гонорарный фонд всего нынешнего «Худлита» — крупнейшего издательства страны. Недавно я сам видел Валентина Распутина, шагавшего пешком из дома творчества в Переделкино до железнодорожной станции с двумя тяжеленными чемоданами. Ну нет у него денег на такси! И ведь это Распутин — писатель с мировым именем. «А вы кто такие?» — так и хочется спросить словами незабвенного Паниковского, которому за украденного гуся попадало гораздо крепче, чем теперь иным за уворованные миллиарды.

Так кто ж они такие? Писатели? Нет, не писатели, а так — писарчуки... Даже новорожденной мыши понятно, что подобные гонорары получают не за изысканность стиля или оригинальность фабулы, а совсем за другое. После всего этого правительство, призывающее нас жить по закону и платить налоги, очень смахивает на панельную даму, заклинающую клиентов не изменять женам! «Но ведь всех соавторов, кроме руководителя творческой бригады, — возразит читатель, — президент отставил!» Слишком большой шум поднялся — вот и отставил.

А Чубайса оставил. На развод...

Собчачизация

На этого человека с лицом дипломированного сутяжника я обратил внимание еще в первые, медовые месяцы отечественной демократии. По любому поводу он рвался к микрофону и по любому вопросу имел собственное, вполне правдоподобное мнение. Есть миф, что его «хождение во власть» началось с кухонного спора на бутылку коньяка. Едва ли! Исторические катаклизмы без людей типа Собчака так же невозможны, как Вальпургиева ночь без летучих мышей. Собчак пришел в политику, опираясь на ненависть народа к неуклюже скрываемым привилегиям: к домам из бежевого кирпича, где общая площадь в два раза больше жилой, к черным «Волгам» с занавесочками, к закрытым распределителям сырокопченой колбасы... Именно Собчак стал теоретиком и практиком нового подхода к старой проблеме: если народ не любит скрытых привилегий, значит, человек, облеченный властью, должен быть открыто богат и благоустроен, причем независимо от результатов его руководящей деятельности и даже вопреки им. И началась собчачизация власти... Кто приезжал в собчаковский Питер, видел, как ветшает Северная столица, как нищают люди, как эрмитажные атланты не валятся на головы экскурсантам только благодаря многовековой выдержке. Новый же мэр мгновенно из тощего микрофонного правдоискателя преобразился в дородного поедателя устриц, перебрался в квартиру рядом с Зимним дворцом и стал массовиком-затейником международного уровня. Но самое главное: он стал одним из создателей нового стиля взаимоотношений власти и народа. Этот стиль принципиально отличался от линии КПСС, навязывавшей подданным свою убогую, упрощенно-марксистскую, но все-таки логику. Новый принцип гласил: у этого быдла вообще нет никакого логического мышления, поэтому можно лепить любой вздор — пипл схавает... Кстати, приватизация — всего лишь частный случай собчачизации российской экономики и политики.

В точном соответствии с этим новым принципом и вел себя Собчак, будучи мэром. Точно так же ведет себя он и теперь, когда журналисты стали печатать о нем разоблачительные материалы, а следственные органы задавать некоторые вопросы. Любой студент юрфака, если за ним нет греха, спокойно пойдет по адресу, указанному в судебной повестке. И вдруг безвинный профессор права пугается вызова к следователю, точно монашка, обнаружившая у себя под подушкой искусственный фаллос. Где же логика? Ах, я совсем забыл, что мы с вами логическим мышлением не обладаем и наше дело, глядя в телевизор, просто сочувствовать несчастному экс-мэру, затравленному супостатами до тяжкого сердечного недуга! Постойте, какими такими супостатами? У нас же не мафиозный паханат, а демократическое общество во главе с гарантом! А если и есть некоторые странности, выражающиеся иногда, например, в танковой стрельбе по парламенту, то почему же Собчак не замечал этого, возглавляя вторую столицу и активно участвуя в разработке новой конституции свободной России? Бывшему мэру обижаться на нынешнюю российскую действительность так же нелепо, как арестованному наркому Ежову сетовать на жестокость следователей НКВД. Впрочем, я опять забыл, что у нас с вами нет и не может быть логического мышления, поэтому мы должны во всем верить депутатке Нарусовой, превратившейся в своего рода телевизионную Шахерезаду.

Сейчас Собчак в Париже, в городе, куда со всего света съезжаются художники, влюбленные и обмишурившиеся политики. Он бодр и спокоен — ведь в далекой России дело его живет и побеждает: собчачизация продолжается...

Дети «Артека»

В Москве имел место быть учредительный съезд Конгресса интеллигенции РФ. Посетили его разные ударники умственного труда, но преобладали там все-таки люди, которых объединяют между собой две особенности. Первая: все эти интеллектуалы резко критически относятся к советскому периоду отечественной истории и достаточно лояльно к текущему моменту. Вторая: все они получили известность, звания, чины именно при советской власти, и вряд ли нужно объяснять, что получили не за борьбу с режимом. И если нелюбовь автора фильма «Офицеры» Бориса Васильева к большевикам хоть как-то можно объяснить его блуждающими дворянскими генами, то аналогичное чувство, испытываемое, скажем, бывшим главным редактором журнала «Сельская молодежь» Олегом Попцовым (не путать с Олегом Поповым), необъяснимо до иррациональности. Другими словами, без Фрейда не разберешься... Хотя, впрочем, советофобию некоторых моих сверстников, сорокалетних людей, я объясняю трудным детством, проведенным в «Артеке».

Замечательна фигура главного организатора съезда — лидера движения «Народные дома» Сергея Филатова — в недавнем прошлом главы администрации президента. Благодаря его присутствию весь съезд напоминал чем-то празднованье дня рождения бывшего директора гастронома, в течение многих лет снабжавшего дружественную творческую и научную интеллигенцию съестными редкостями. И хотя теперь он уже не повелевает дефицитами, друзья-интеллигенты в благодарность за былое собрались почествовать бывшего завмага, тем более что в гости обещался еще и начальник торга, в последний момент, к сожалению, захворавший гриппом. Но раз уж собрались — почему бы не потолковать о судьбах отечественной интеллигенции, а точнее — интеллигентства?

Я не раз уже писал о том, что разделяю интеллектуалов на два, так сказать, отряда. Интеллигенция — это те работники умственного труда, которые более озабочены судьбой народа, Отечества, нежели собственным благополучием. Второй отряд — интеллигентство (по аналогии с дворянством, купечеством) — это те интеллектуалы, которые прежде всего беспокоятся о личном благополучии и интересах своего социального слоя. Сказать, что первое хорошо, а второе плохо — не сказать ничего. Когда интеллигенция приходит к власти — она начинает строить новую жизнь, часто даже не спросив, а хочет ли этого народ. Когда интеллигентство приходит к власти — оно начинает строить загородные виллы, не поинтересовавшись даже, что думает об этом народ. Кстати, народ в противостоянии, в полемических битвах интеллигентства и интеллигенции стал чем-то вроде дощечек «Велесовой книги». Одни считают их подделкой, вторые — подлинной вещью, но ссылаются и те и другие постоянно... Очевидно: интеллектуалы, собравшиеся на учредительный съезд, новую жизнь строить не собираются. Скорее всего их объединяет озабоченность тем фактом, что власть им явно недодала за активное участие в демонтаже предыдущего режима. Возможно, для выбивания из власти этой «задолженности по зарплате» и был учрежден на съезде постоянно действующий Конгресс с соответствующим аппаратом. Впрочем, наиболее талантливые и энергичные делегаты съезда многого от власти не ждут. Они заняты возделыванием своих профессиональных садиков, о чем, например, не лукавя, и сказал в телеинтервью Олег Табаков. Что ж, зал в его замечательном театре «Табакерка» очень невелик, и, полагаю, то обстоятельство, что население России убывает на два миллиона человек в год, он почувствует на себе не скоро...

Стул президента

Президент перенес грипп без осложнений, обследовался в кардиологическом центре и с отлично функционирующими шунтами вернулся на работу в Кремль, чтобы в начале января отправиться в очередной отпуск. Эта информация облетела все СМИ, как раньше облетала весть о запуске очередного советского космического корабля. Тема президентского здоровья, надо сказать, гораздо больше занимает наши СМИ, чем, например, то обстоятельство, что по продолжительности жизни постсоветский человек скоро догонит первобытных охотников, погибавших, если верить антропологам, вскоре после наступления половой зрелости.

Рассуждая о власти, о будущих президентских выборах, комментаторы все-таки позволяют себе иной раз иронию и даже сарказм, но когда заходит речь о здоровье гаранта, даже у самых ядовитых журналистов в голосе появляется та жизнеутверждающая вкрадчивость, с которой в коридорах ЦК некогда восхищались небывалой работоспособностью генсека, ежели его начинали вместо искусственного питания кормить с ложечки. С тех пор многое изменилось. О президентском кресле теперь можно говорить по-всякому, но о стуле президента, как прежде, — хорошо или ничего! Я тут как-то на досуге вдруг осознал: моя жизнь с конца восьмидесятых прошла под знаком состояния здоровья Б. Н. Ельцина. То вся Москва шепталась о странной речи, произнесенной им под влиянием неведомых снадобий с трибуны партийного пленума. То вся страна радовалась его благополучному падению с элитного моста где-то в районе правительственных дач. То вышедшая на простор площадей кухонная интеллигенция до хрипоты обсуждала «эффект Буратино», обрушившийся на борца против привилегий во время пребывания в Америке. То докучливый Верховный Совет требовал экспертизы состояния Ельцина, который поднялся на трибуну перед депутатами, предварительно разгорячась в теннисном матче с верным Бурбулисом...

Репетицию немецкого оркестра, беспробудный шеннонский сон, сорок тысяч курьеров-снайперов, финскую войну в шведских снегах и многое другое я опускаю, так как все это уже вошло в сокровищницу общенациональных курьезов. Напомню лишь президентские выборы, когда народ, затаив дыхание, гадал: кто же победит — Зюганов или недуг? Победил Ельцин — и Зюганова, и недуг. А потом была знаменитая операция на сердце — и на несколько часов «атомный чемоданчик» оказался в руках премьера Черномырдина, очень хорошо знающего, сколь крепко пожатье десницы президента, даже когда он на бюллетене или в отпуске. У Е. Шварца где-то сказано, что человека легче всего съесть, когда он болеет или в отпуске. А тут мы имеем до уникальности обратную картину! Вот недавно здоровехонький генерал Николаев был отправлен в отставку бюллетенящим президентом. Сподвижники всенародно избранного прекрасно понимают: если тебя вызывают на ковер, то неважно, где он расстелен — в Кремле, Завидове или Барвихе.

Президент выздоровел — и скоро уйдет в отпуск. Я где-то читал: чтобы проверить организацию производства, надо директора отправить в отпуск. Если все продолжает, как и при нем, исправно функционировать, значит, производство отрегулировано прекрасно, а сам отпускник — отличный руководитель. Если же производство нарушается, значит, руководитель не слишком хорош, не доверяет подчиненным. Третий вариант: производство работает плохо, но после ухода директора в отпуск налаживается. Следовательно, начальник совсем ни к черту — и его нужно гнать. В этих трех случаях все ясно. А что прикажете делать, если плохо налаженное производство остается таким же скверным и после ухода директора в отпуск? Вот ведь вопросец!

1998

Новый год как зеркало русской революции

Наверное, как и многие из вас, значительную часть праздничных дней я провел у телевизора. Сначала я недоумевал, потом злился, но в конце концов призадумался. Ведь телевидение, в том числе новогоднее, — это всего лишь одно из зеркал, отражающих нашу с вами жизнь. Что же отражало это зеркало? Посмотрим...

Ну, о поздравлении президента я просто промолчу. Замечу лишь, что всенародно избранный, видимо, вообще вскоре будет появляться на работе в Кремле раз в году — чтобы поздравить реформируемую им страну с наступающей деноминацией. Бросалось в глаза и другое. Наши многочисленные каналы все эти дни крутили примерно одни и те же отечественные фильмы. На одном канале «Покровские ворота» открывались — на другом тем временем закрывались. На одном канале Шерлок Холмс только начинал читать странное объявление в газете и глумиться над недогадливым Ватсоном, на другом он уже гонялся за собакой Баскервилей. Это очень напоминало новогодний карнавал, на котором несколько человек решили каждый по-своему удивить общественность и после долгих размышлений все до единого вырядились маленькими лебедями. Не согласовали... Недавняя трагедия на Северном Кавказе, когда несколько силовых структур не согласовали действия по отпору террористам, не из этой ли самой оперы, увы, уже кровавой, а не комической? Понимаю, параллель неожиданная, даже рискованная, но вы задумайтесь: телевизор ведь — всего лишь зеркало!

Бросалось в глаза преобладание на праздничном телеэкране ремейков, то есть переделок различных сюжетов, хорошо нам знакомых по советским временам. Но если о главном нам продолжают петь старые песни, и, как правило, поют хуже, чем прежде, — то что же это за такое «главное»? У каждого времени, как известно, свои песни. Какие же песни у нашего времени — «Зайка моя» или «Давно не бывал я в Донбассе»? Теперь становится ясно, почему, несмотря на все призывы, мы никак не можем сформулировать нашу национальную идею. Если это старая идея на новый лад, то так и скажите. Но тогда объясните, почему ради этой старой идеи всю страну уже не один год держат в позе бегуна, присевшего на низкий старт.

Далее. На всех каналах наблюдался почти один и тот же набор знаменитостей — в основном эстрадные звезды и актеры, разбавленные политиками останкинского масштаба. Представители всех остальных профессий в нынешнем эфире такая же редкость, как треска в водах Лазурного Берега. Итак, на одном канале звезда имярек учила нас готовить новогодний пирог, на другом та же самая звезда пела, на третьем она же рассуждала о тайнах бытия, на четвертом рассказывала смешные случаи из своей эстрадно-кулинарной практики, на пятом интервьюировала другую звезду, покрупнее, на шестом травила нас анекдотами. Номера каналов условны и не совпадают с теми, что обозначены в телепрограмме, но суть от этого не меняется. Не напоминает ли это вам ситуацию на нашем политическом Олимпе, где человека могут с треском погнать из вице-премьеров, чтобы вскоре назначить главой администрации или первым помощником, а потом снова — вице-премьером. И чем в таком случае «сильные ходы» президента отличаются от «новых проектов» нашего ТВ? Ох, узок круг как реформаторов, так и звезд. Степень их удаленности от народа постарайтесь определить сами.

И последнее соображение. Если коммерциализация, а точнее сказать, самая откровенная торговля эфиром привела к таким неутешительным последствиям для телезрителей, то стоит ли торопиться с законом о купле-продаже земли?! Допускаю, что и эта параллель на первый взгляд может показаться неожиданной. Но вы все-таки задумайтесь!

Не возвращайтесь, Владимир Семенович!

В предъюбилейные недели часто приходилось слышать с экрана и читать в прессе единообразные сетования типа: «Эх, Высоцкого бы сейчас!» Даже юбилейный концерт прошел под эпиграфом «Я все-таки вернусь!». Лично мне трудно себе представить сегодняшнего Высоцкого. И не потому, что я не могу вообразить шестидесятилетнего Владимира Семеновича. Очень даже могу: такие люди в сути своей, в своей нравственной и социальной энергетике обычно не меняются до последнего часа, даже если уходят глубокими старцами.

Но именно поэтому-то я и не могу представить себе Высоцкого в нашей нынешней жизни. Кто-то способен, устав от тщательно просчитанного гитарного вольномыслия, заняться телевизионной стряпней. Кто-то, взгромоздясь на обломках страны, может как ни в чем не бывало дребезжать свои похожие на одну бесконечную макаронину постмодернистские тантры. Кто-то рад, истомившись в худосочном андеграунде, весело подхарчиться в рок-агитке «Голосуй или проиграешь!». Но Высоцкий? Неужели и он бы?.. Надрывная, испепеляющая искренность — вот что сделало его властителем душ целого поколения. Его сегодня пытаются изваять борцом с коммунистическим режимом. Ерунда! Просто у человека с обостренным чувством справедливости всегда, с любой властью будут особые счеты. Да, его, как и всех нас, бесила прокисшая идеология, облаченная в номенклатурное финское пальто и сусловский каракулевый пирожок. А вы думаете, он бы сегодня был в восторге от очередного пресс-секретаря, который, отводя рыскающие глаза от объектива, расхваливает несмышленому народу свежий политический ляпсус? Да, его возмущали танки в Праге. А вы полагаете, он обрадовался бы танкам у Белого дома? Да, его унижало положение советской культуры, бегающей на коротком поводке у соответствующего отдела ЦК. А вы уверены, что ему пришлась бы по душе постсоветская культура, роющаяся, как выгнанная из дому собака, по помойкам и фондам? Да, его, выросшего в послепобедной Москве в семье офицера-фронтовика, возмущала официальная полуправда о Великой Войне. Но уверен, он бы до зубовного скрежета ненавидел тех, кто рассуждает сегодня о коммунофашизме, по странной прихоти истории победившем национал-фашизм, презирал бы тех, кто с высот общечеловеческих ценностей плюет на распатроненную нашу нынешнюю армию. Да, он умел посмеяться над дикостями железного занавеса. Но едва ли ему понравилась бы нынешняя торговля страной на вынос и на выброс.

Высоцкий прекрасно сыграл презиравшего ворье сыщика Глеба Жеглова. И мне трудно вообразить Владимира Семеновича поющим перед разомлевшими кирпичами, фоксами и горбатыми (не путать с Горбачевым!), которые обзавелись теперь «мерсами» и «мобилами», расселись не по тюрьмам, а по банкам, министерским и парламентским креслам. Я не представляю себе Высоцкого нахваливающим на президентской кухне котлеты Наины Иосифовны. Я не представляю себе Высоцкого на обжорной презентации в то время, когда голодают учителя и шахтеры. Я не представляю себе Высоцкого в новогодней телетусовке где-то между оперенным Б. Моисеевым и смехотворным М. Задорновым. Не представляю...

Или же просто боюсь себе представить Высоцкого в наше время, когда говорить, писать, петь, орать правду, может быть, и не так опасно, как прежде, зато совершенно бесполезно! Я ведь и куда более могучего властителя дум и душ, Александра Исаевича Солженицына до его возвращения не мог себе представить существующим посреди обрушенного Отечества в каком-то нахохленном полумолчании. А вот поди ж ты...

Не возвращайтесь, Владимир Семенович! Не надо...

В помощь сочинителям гимнов

Кажется, процесс воссоединения Белоруссии и России, одно время забуксовавший, двинулся к своему счастливому завершению. Бодрый и энергичный президент Лукашенко побывал в Москве, обнялся с президентом Ельциным, — и речь уже пошла ни много ни мало об общей государственной символике — гербе, гимне и так далее. Редкий случай, когда объятия мужчин, к тому же политиков, оказались небесплодными.

Как-то сами собой в печати поутихли разговоры о том, кому это воссоединение выгодно. Вдруг, словно из-за железного занавеса, просочилась информация, что у белорусов дела-то идут: производство растет, культура живет, зарплата трудящимся выдается, даже оппозиция процветает — новую газету затеяла. Конечно, иной раз, глядя в телевизор, рядовой россиянин может подумать, будто суд над журналистами-границепроходцами — самое важное событие белорусской экономической, политической и культурной жизни, но комментарии стали осторожнее, а «обыкновенный лукашизм» совсем вдруг выпал из лексикона обозревателей. Кстати, самое время поведать телезрителям, например, про писателя Иванова, которому в Литве впаяли год тюрьмы не за попытку перейти границу, а всего-навсего за издание книги, нетрадиционно освещающей те, давние события вокруг Вильнюсского телецентра. Но свобода слова у нас пока разборчива, как капризная невеста. Поэтому-то из-за узника литературной совести Иванова пока еще не сопит сердито Киселев и не пенится наш правозащитный ПЕН-клуб. Подождем, когда НАТО в Прибалтику придет. Засопят и запенятся...

Во время своего визита президент Лукашенко встретился в белорусском посольстве с российской творческой интеллигенцией. Пришли туда, разумеется, те деятели культуры, которые с самого момента разъединения братских народов не мирились с этим геополитическим бредом и боролись как могли. Налетели, понятное дело, и такие, никогда не унывающие деятели, которые будут так же лихо петь, плясать и юморить, даже если ближним зарубежьем станут Мытищи.

Деятели, честно говоря, мне не симпатичные, но у них имеется особое качество. Об этом качестве немного подробнее. У меня есть кошка Муся и есть холодильник, открывающийся с легким, почти неуловимым щелчком. Так вот, в каких бы отдаленных углах квартиры Муся ни скиталась, услыхав звук открываемого холодильника, она мгновенно оказывается у ног и, облизываясь, смотрит на меня преданными желтыми глазами. Сходным качеством обладают и те мастера искусств, о которых речь. Их появление на встрече с президентом Лукашенко, их затейливые речи и здравицы, откровенно скажу, меня обрадовали: почувствовали, значит, чертяки, некий судьбоносный щелчок великого государственного холодильника, поняли, что это всерьез и надолго.

Нет, я не издеваюсь. Я, увы, наконец понял, что ни одна серьезная перестройка общественного сознания (а таковая всегда обходится налогоплательщикам недешево!) просто невозможна без этих людей, обладающих уникальным чутьем на личную выгоду и молниеносной реакцией на изменение конъюнктуры. И дай бог, чтобы на воссоединение наших народов они потратили хотя бы треть той энергии, каковую израсходовали в свое время на поругание и осмеяние «империи зла» и «тюрьмы народов». Не исключено, что кто-нибудь из них напишет и высококачественный, соответствующий новым историко-политическим реалиям текст к знакомой до слез музыке александровского гимна. Могу даже (надеюсь, С.В. Михалков меня простит) подсказать им первые две строчки:

В союз нерушимый республик свободных
Сплотились Россия и Белая Русь...

Ну а дальше уж пусть сами...

Еврофаковцы

История любит размах! Лучше, конечно, выиграть сражение или резко поднять благоденствие народа. Но если не получается ни то, ни другое — можно придумать что-нибудь тоже размашистое, но поскромнее. Например, отправить несколько тысяч молодых россиян из хороших семей учиться за границу. Зачем? Такой вопрос вроде бы и неудобно задавать ввиду красивости и широты государственного жеста. А я все-таки спрошу: «Зачем?»

Ученье за границей давно уже перестало быть редкостью. Дети и внуки крупных чиновников и предпринимателей, по просачивающимся в прессу сведениям, давно уже там учатся толпами. И едва ли затем, чтобы подсмотреть, чем в европах теперь ружья чистят. Наши бизнесмены и так туда стаями летают, унося в клювах то пушок от стратегического секрета, то перышко из национального достояния, вьют виллы в Испании и Англии. Могли бы и подсмотреть — мимолетом!

Говорят, за границей можно узнать тайну золотого ключика, отпирающего дверь в волшебную страну рыночного благоденствия. Но ведь все наши молодые реформаторы стажировались за рубежом и ничего оттуда не привезли, кроме привычки с европейским изяществом врать по телевизору и делать за казенный счет евроремонты. Оттого, что они сносно говорят по-английски и надувают щеки в Давосе, рядовому налогоплательщику, как говорится, ни тепло ни холодно, а многим и попросту голодно.

Или у нас опять наступают времена, когда кадры решают все? Было ведь некогда целое движение рабфаковцев. Страна готовилась к Большому Скачку. И совершила его, хоть и тяжкой ценой. Но не нам осуждать эту цену, не нам — свидетелям того, как сотни тысяч погибли в горячих точках, миллионы стали беженцами, а десятки миллионов превратились в нищих. Зачем нам еврофаковцы? У нас ведь в стране не Большой Скачок, а Большой Сачок. Уникальные специалисты без работы сидят, академики от позорной безысходности стреляются!

Теперь, после нескольких лет старательного самооплевывания, многие отряхнули глаза и вдруг с удивлением обнаружили, что, оказывается, наша система образования — одна из плодотворнейших. Я лично общался со многими западными гуманитариями, их односторонность напоминает даже не флюс, а прыщ на флюсе. Жалуемся на утечку мозгов. Но если бы эти мозги были заполнены чепухой, никому бы они нужны не были, никуда бы не утекали — дома сидели. Да, перед операцией Ельцина консультировало пожилое американское светило, но ведь резал-то президентское сердце, простите за прямоту, наш хирург! И вот, пожалуйста, о третьем сроке уже поговаривают...

Упаси бог, я не против того, чтобы наши учились за границей! Но тратить на это народные деньги, когда собственная высшая школа и фундаментальная наука напоминают доходягу, это то же самое, как из блокадного Ленинграда посылать гуманитарную помощь в нейтральную Швейцарию, где Штирлиц лично насчитал в ресторане двадцать видов десерта из сливок.

И последнее. Отправка еврофаковцев на учебу ненавязчиво сравнивается с аналогичным поступком Петра Великого. И в этой параллели есть определенный смысл: импульсивный царь тоже в свое время предпочел эволюционной преемственности «шоковую терапию», хотя по сути продолжал все то, что гораздо спокойнее, разумнее и *национальнее* начинали осуществлять его предшественники. Кроме того, многие ученые давно уже связывают с этой петровской акцией начало процесса принципиального отрыва русской элиты от народа. А кончился этот отрыв, как известно, Октябрьским взрывом. Не мной замечено: нелепо рубить в Европу окно, а тем более — отдушину. Дверь надо ладить. Такую, чтобы открывалась и в ту, и в эту сторону. Но не ногой, конечно...

Виртуальная кровь

Сейчас, когда я пишу эти строки, операция «Гром в пустыне» еще не началась, но может начаться в любой момент. Телевидение постоянно держит нас в курсе подготовки удара по Ираку. Вот взлетают с палубы авианосца крылатые боевые машины, похожие на те, что мы видели в фильме «Звездные войны». Вот из транспортных самолетов спускаются веселые американские солдаты, экипированные, как собравшиеся в Палестину крестоносцы. А вот и сам усатый Саддам Хусейн, настырно отказывающийся допустить международных экспертов в свои дворцы. На него европейский принцип «Мой дом — моя крепость» не распространяется.

Все это, честное слово, напоминает рекламную кампанию дорогостоящего боевика, премьера которого искусно откладывается для того, чтобы подогреть азарт зрителей и увеличить сборы. И пока весь мир, затаив дыхание, ждет оглушительной премьеры, легковерную публику пичкают интервью с кинозвездами, рассказывают ей о каскадерских трюках, показывают специально сконструированного для этой ленты электронного монстра — величиной со статую Свободы.

Политика всегда театральна, даже водевильна, но когда она продолжается в форме боевых действий, отношение к происходящему традиционно меняется: кровь есть кровь. По крайней мере, так было раньше. Теперь на наших глазах происходит некое качественное искажение международной нравственности. Нам предлагают отнестись к неизбежным жертвам и разрушениям как к виртуальной реальности. И, вероятно, убедить в этом тех, чей жизненный опыт почерпнут в основном из компьютерных игр, не так уж сложно. Заметно и то, как предстоящая трагедия все более и более обрастает некими фарсовыми деталями. Человек, который должен отдать приказ о бомбардировке «аморального Саддама», сам в настоящее время занят тем, что, попавшись на «аморалке», отбивается от обвинений в оральных и прочих домогательствах, как говорится, несовместимых с занимаемой должностью. В. Жириновский, летя в Багдад голубем мира, попутно дает плюху российскому послу в Ереване, а потом ритуально купается в заповедном озере. Смех да и только!

Во всей этой несерьезности, как специально, тонут голоса здравомыслящих людей. А ведь и вправду: одно дело ракетно-бомбовый удар по Ираку, оккупировавшему Кувейт. И совсем другое дело — плановое кровопускание только за отказ показать тайные объекты. Но никто уже не обращает внимания на несоответствие преступления и наказания. Никто уже не вспоминает, что на планете немало государств, десятилетиями нарушающих нормы международного права и установки ООН. Это как в классе: строгий учитель выбрал одного озорника и порет его в назидание остальным юным хулиганам.

Косноязычная попытка президента Ельцина указать на рискованность такого поворота событий была просто пропущена мимо ушей нашим старшим заокеанским братом. Более того, отечественное телевидение вдруг начало интенсивно отмечать девятилетие (на редкость круглая дата!) вывода советских войск из Афганистана, освежая у россиян комплекс вины как раз накануне американской силовой акции. Но я не уверен, что у СССР было меньше геополитических причин для введения войск в Афганистан, чем у Америки для проведения операции «Буря в пустыне». Однако это никого не интересует — ведь в Афганистане пролилась кровь! Настоящая... Кровь же, которую прольют в Ираке, будет, очевидно, виртуальной. Если смотреть по телевизору...

Нью-застой

Прочитал я тут недавно, что мой знакомый писатель-постмодернист получил к пятидесятилетию литературную премию. Когда-то такое, помнится, уже было — давали премии не за творчество, а за возраст. Ну, конечно, это было при застое! Стал я сопоставлять — и ахнул: «А ведь снова при застое живем!» Впрочем, если учесть, что английский язык, судя по вывескам, стал у нас вторым государственным, лучше назвать наше сегодняшнее состояние «нью-застоем».

Судите сами. При застое в страну ввозили хлеб и ширпотреб. За нефть и газ. Сейчас ввозится почти все. Если с прилавков убрать импорт, на них будет так же пусто, как на митингах Демвыбора России. При застое, если помните, производство группы «Б» отставало от группы «А». Сегодня вообще «А» упало, «Б» пропало... Если бы не Газпром, мы бы давно уже друг друга ели и огонь трением добывали! Прежде в Москву ехали за колбасой, потому что основная часть колбасы была в столице. Теперь в Москву едут за деньгами, потому что до восьмидесяти процентов всех денег — здесь. В результате в представлении окраинных жителей Москва как была, так и осталась не собирательницей, а обирательницей земель русских.

Побывал я недавно в школе — со старшеклассниками беседовал. До перестройки, рассказали они мне, народ был нищим и голодным, а богатыми были секретари райкомов. И тогда пришел Ельцин... Батюшки! Именно так, когда я учительствовал, предписывалось говорить о дореволюционной России: народ был нищим и голодным, а царь и капиталисты богатыми. И тогда пришел Ленин...

При застое основная часть интеллигенции была прикормлена. Думать она могла все, что угодно, но говорить только то, что надо. Немногочисленных инакомыслящих государство старалось держать в строгой захудалости, но это не всегда удавалось ввиду широкой международной поддержки антисоветских смельчаков. Нынче, наоборот, прежние инакомыслящие прикормлены (это гораздо дешевле ввиду их немногочисленности!) и говорят то, что надо. Если они начинают говорить не то, что надо, то испаряются из эфира, как плевок с каминной решетки. Вспомните хотя бы утраченную совесть русской интеллигенции Сергея А. Ковалева. Основная же часть интеллигенции держится в строгой захудалости, но может при этом думать и говорить все, что угодно, — на кухнях, как и прежде...

Продолжим наш сравнительный анализ. При застое химик руководил культурой. При нью-застое доктор исторических наук руководит военно-промышленным комплексом, а Немцов — реформами. При застое генсек вручал своему сыну, заместителю министра, ордена. При нью-застое президент вручает своей дочери бразды правления. И снова, как в прежние годы, на высшем уровне лобызаются. Смотрю телевизор: Ельцин и Кучма целуются, словно два крупных геополитических голубя. Нацеловались. В результате долги Украине прощены, а все договоренности идут в ущерб России. Значит, опять помогаем симпатичным государствам вопреки собственным интересам?

Можно еще долго проводить параллели между застоем и нью-застоем. Попробуйте сами на досуге! И задумайтесь вот о чем. Последнее десятилетие стоило нам страшно дорого: обобрана и вымирает основная часть населения, утрачены исконные земли, потерян международный авторитет, подорвана обороноспособность... Ради чего? Ради того, чтобы из застоя попасть в нью-застой...

Отверженные

Чуть больше года назад умер поэт Владимир Николаевич Соколов. Людям, по-настоящему разбирающимся в стихах, нет смысла разъяснять его место в русской поэзии XX века. Для тех, кто не разбирается, постараюсь пояснить. Давайте представим себе всю русскую поэзию текущего столетия в виде, допустим, десятиэтажного дома. Поэты, ушедшие и здравствующие, обитают в этом воображаемом здании каждый соответственно своему значению: чем крупнее талант — тем выше этаж. Про нахраписто экспериментирующую и графоманящую ораву в подвале этого поэтического чертога не стоит и говорить. Минуем второй этаж, где слышны куплеты да гитарный перезвон. Задержимся ненадолго на седьмом, около двери, откуда крепко тянет поэтическим потом и нобелевской лаврушкой. А теперь туда, вверх, на десятый — где Ахматова, Блок, Белый, Заболоцкий, Есенин, Георгий Иванов, Маяковский, Мандельштам, Соколов...

Последние лет двадцать Владимира Соколова звали за глаза «классиком» — все понимали, что он один из немногих поэтов, которые будут представлять российскую литературу XX века в третьем тысячелетии. Это понимали даже выстраиватели советских литературных иерархий: Соколов был лауреатом Государственной премии СССР. Вроде бы не оспаривали это и устроители поминок по советской литературе: Владимир Николаевич стал первым лауреатом возрожденной Пушкинской премии. Он никогда не занимался политикой — только поэзией, что в период торжества партийности литературы строго не приветствовалось. Но ему, Соколову, прощалось. За талант. Тяжко выговорить, но уйди он из жизни тогда, лет десять назад, государство на его могиле поставило бы достойный памятник, а на стене дома в Лаврушинском переулке уже давно висела бы мемориальная доска. Бог отпустил Соколову иной срок — весной этого года ему бы исполнилось 70. Поэт со своими жизненными и творческими принципами почти десятилетие прожил в новой, постсоветской эпохе. Не старался ухватиться за сучья противоборствующих ветвей власти, не участвовал в президентских кампаниях. Он просто служил великому русскому слову. С тем и ушел...

И что же? О том, как трудно жил поэт в последние годы, как всем миром собирали деньги на похороны, — умолчу: слишком свежи воспоминания. Мемориальная доска? Доски на домах в Москве теперь вообще не в чести, хотя любая «цивилизованная» европейская столица отличается прежде всего обилием памятных знаков, связанных с деятельностью выдающихся людей. Памятник на могиле? Все попытки комиссии по литературному наследию добиться от государства средств на установку надгробия окончились безрезультатно. Памятниками нынче расторопно придавливаются криминальные авторитеты, павшие в разборках и перестрелках. Пламенному борцу с застоем, успевшему вовремя сжечь партбилет, казенный мрамор тоже обеспечен. Какому-нибудь «реформатору», попавшему под горячую руку голодным шахтерам, на памятник деньги нашли бы. Соколову не нашли...

Что это? Случайность? Вряд ли... Наше нынешнее государство откровенно не любит литературу, ибо она, неуемная, все время пытается осмысливать происходящее в Отечестве с позиций вековых нравственных принципов и исторических законов, а не приватизационных интересов. Российская словесность взывает к совестливости и чувству ответственности, к тем человеческим качествам, которые нынче во власти встретишь реже, чем кокосовую пальму в сибирской тайге. Литература сегодня фактически отделена, отвержена от государства, как, впрочем, отделены и отвержены — промышленность, земледелие, армия, наука, просвещение... Осталось отделить от государства народ. Или уже отделили?

Геополитическое похмелье

Еще в конце 80-х дальновидные люди предупреждали, что эйфория общечеловеческих ценностей скоро пройдет и наступит суровое геополитическое похмелье. Так и вышло. Только теперь после лукавой козыревской всеуступчивости России предстоит тяжко биться за каждый свой интерес, за каждую бездарно утраченную позицию в мировой политике и экономике, за каждого трусливо брошенного и умело перехваченного союзника.

Разумные люди сразу же после подписания Беловежских соглашений говорили, что главной проблемой постсоветского пространства будут миллионы русских, оставленные без всяких прав и гарантий в ближнем зарубежье. Но трибунных правозащитников тогда куда больше интересовали тайные параграфы пакта «Молотова — Риббентропа», нежели явная ущербность цидулок, подписанных в Беловежской Пуще. Думаю, последнему оставшемуся у власти беловежцу Б. Ельцину и самому явно неловко вспоминать о тех временах. Не с этим ли связан тот факт, что почти все его тогдашние советчики безжалостно удалены из политики?

А сколько суровых слов было сказано и написано в свое время по поводу книги Игоря Шафаревича «Русофобия»! И что же? В заявлении Министерства иностранных дел России в связи с недавними событиями в Латвии слово «русофобия» уже вполне официально фигурирует как горькая, но объективная констатация того, что в этой прибалтийской республике на государственном уровне осуществляется дискриминация людей по национальному признаку. Вот вам и кусочек Европы посреди «советской азиатчины»! Сколько публицистического задора было потрачено на выявление и обезвреживание «русского фашизма»! В результате латыши, воевавшие в дивизии СС, устраивают в Риге свои парады в то самое время, когда нынешняя, объединенная Германия регулярно извиняется перед наиболее пострадавшими народами за гитлеровские злодеяния полувековой давности.

Я вспоминаю одного литератора перестроечных времен, который просто брызгал чернилами, борясь против «синдрома старшего брата». Но разве «старший брат» лишал «младших братьев» гражданских прав, вводил запреты на профессии, выгонял из домов, превращал сотни тысяч людей в беженцев? Нет. Он нес все тяготы социалистического строительства и социалистического беззакония. А старшинство заключалось в том, что ему, старшему, и доставалось порой крепче всех. И как ни относись сегодня к советской власти, но именно при ней в республиках была воздвигнута промышленность, оформились государственные структуры, выросла национальная интеллигенция — короче, все то, что и сделало возможным возникновение на развалинах СССР новых государств. Совсем не случайно в большинстве стран СНГ у власти остались представители старой советской номенклатуры. И если даже былые «ставленники Москвы» оказались столь незаменимы в постсоветские времена, то за что же тогда глумиться над военными, инженерами, учителями, агрономами, строителями, учеными и другими лицами некоренной национальности, оставшимися жить в новых государствах?

Нет, они ни в чем не виноваты. Виноваты другие. Те, которые в борьбе за личную власть в Москве так долго заигрывали с националистами и сепаратистами, что даже теперь, когда чудовищные просчеты стали очевидны, медлят прямо и твердо сказать: «Всякий, кто посягает на интересы русских, живущих за пределами России, посягает на интересы России!»

Но именно тот, кто скажет эти слова, и будет следующим президентом нашей страны.

Ленинοеды

В галерее наивного искусства «Дар» съели Ленина. Точнее, съели торт, изображающий в натуральную величину тело вождя мирового пролетариата. В приглашении на эту выставку-акцию, между прочим, сказано: «К Ленину больше не применим эпитет “выдающийся” (злодей, гений, политик, учитель и т. д.). Это и составляет основу внутреннего конфликта большинства из нас на пороге третьего тысячелетия: самая актуальная на протяжении нашей жизни фигура окончательно уходит в сферу истории, искусства и культуры. Художественный проект московских художников Ю. Шабельникова и Ю. Фесенко представляет нам возможность мирно, торжественно и радостно преодолеть этот конфликт, перевести его из категории катастрофы в разряд ритуала... Приятие Ленина совершается во время символического ритуала совместного поедания торта...»

Вот так! От сокрушения памятников к совместному поеданию кондитерской версии Ильича. Я сам неоднозначно отношусь к историческому наследию Ленина, но то, что он крупнейшая фигура XX века, очевидно всем. Более того, он один из немногих деятелей, который шагнет с нами в новое тысячелетие. И это навязчивое стремление убрать его с Красной площади, вычистить из общественного сознания, переместить в сферу культуры как раз и связано с тем, что он, как напророчил поэт, и теперь «живее всех живых». Или по крайней мере живее многих нынешних обитателей Кремля. Его идеи (хороши они или плохи, покажет История) и сегодня владеют миллионами душ. И подозреваю, ныне, после краха либеральных реформ, его фигура, очищенная от хрестоматийного глянца и облитая публицистическими помоями, вызывает гораздо больше искренних симпатий, чем в эпоху застоя, когда в отношении к Ленину преобладало чувство равнодушного умиления.

Ленин (так уж сложилось) — кумир обездоленных, а их у нас в Отечестве стало гораздо больше за последние годы. И то, что Ленин все никак не станет для нас историей, признак тревожный, говорящий о назревании социального взрыва. А художники — то ли по наивности, то ли из провокаторского зуда — своим «перформансом», наоборот, лишний раз актуализировали Ильича в нашем сознании. Как бы это попонятнее выразить? Ну вот, например, недавно уныло и безлюдно прошла очередная сходка демократической общественности. А если бы накануне состоялось совместное поедание «красно-коричневыми» торта, выполненного в виде академика Сахарова, уверен, сходка была бы многолюднее и энергичнее...

Фантомас разбушевался

В нынешних суетливых кремлевских пертурбациях (чуть не написал другое, похожее слово) поражает прежде всего полное отсутствие государственного смысла. Но к этому как раз давно уже все привыкли, и российские СМИ комментируют отставку правительства не с позиции народных интересов, а исключительно с точки зрения президентских выборов 2000 года. Получается, что на тонущем корабле (а сравнение России с терпящим бедствие судном стало уже общим местом) нет актуальнее проблемы, чем вопрос, кто будет капитанствовать через два года. Что будет с самим кораблем, экипажем и пассажирами, как-то само собой опускается.

Впрочем, пока речь не о капитане, а о будущем старпоме. Сергей Кириенко возник в политике внезапно, как Афродита, из пены внутрикремлевских склок. Его появление разбило один из главных, старательно сконструированных российских мифов. Суть этого мифа обычно выражают нервным пожатием плечами, закатыванием глаз и мучительно-риторическим вопросом: «А кто еще?» Фонды изучения общественного мнения, телекомментаторы, политологи тщательно анализируют шансы того или иного претендента. У этого харизмы не хватает. Этот еще слишком молод. За тем тянется номенклатурный след. А этого не поддержат регионы... Ну кто же? Кто-о-о?

Да кто угодно. За один день телевидение из никому не ведомого улыбчивого очкарика с ранней лысиной сделало фигуру мирового масштаба. В газетах даже лесть на опережение появилась, мол, уже в комсомольские годы было ясно, что из Кириенко вырастет большой государственный деятель. Тут есть определенная логика: если нашим нынешним президентом мы всецело обязаны достопамятной КПСС, то вполне логично, чтобы новый премьер имел комсомольское происхождение. И тогда будет то, чего, вероятно, в последнее время не всегда удавалось добиться от Виктора Черномырдина. Будет торжествовать известная формула: «Если партия говорит «Надо!» — комсомол отвечает «Есть!».

Но если за один день можно буквально из ничего сделать фигуру, равновеликую газовому бронтозавру Черномырдину, то, следовательно, за два дня можно сделать фигуру, равновеликую самому Борису Ельцину. А тогда к чему эти мучительные размышления о преемнике? Будет команда — слепят из кого угодно — из Явлинского, из Немцова, из Лебедя, а можно и вообще из шофера правительственной машины. «Молодой, энергичный, разбирается в вопросах транспорта, а это в России главное!»

На мой взгляд, в этом стремительном, однодневном имиджмейкерстве кроется причина печального политического будущего С. Кириенко. Тем более что в последнее время имидж самого президента все более трансформируется на комический лад и начинает временами заменять телезрителям как-то полинявшего за последнее время Михаила Жванецкого. Во всяком случае, эпизод раздела серебряных ковшиков между Колем и Шираком можно смело показывать как вполне самостоятельное юмористическое произведение. Угрозы же и гневные гримасы президента в адрес непокорной Думы напомнили мне фильм моего детства «Фантомас разбушевался». Кстати, я так и не узнал, кто же скрывается за зеленой маской Фантомаса. Полагаю, и сегодня мы не совсем представляем себе, какая же историческая сила скрывается за гримасами и непредсказуемостями нашего президента. Называют Березовского, Чубайса, Семью... Но я не о людях, я о тенденциях, которые прокладывают себе дорогу сквозь все властолюбивые игры. И часто политическая победа того или иного лидера оборачивается историческим поражением целого народа.

Порнократия

Как известно, в так называемых цивилизованных странах крутую эротику и порнографию показывают по специальным платным каналам, чтобы люди, не озабоченные сексуально, включив ящик, не натыкались ненароком на энергичные сцены совокупления с обязательной заключительной демонстрацией общественности полноценного семяизвержения. И это правильно, как говаривал один обмишурившийся политик времен перестройки. Представьте, вы сидите в кругу семьи, ужинаете, обсуждаете с детьми их последние отметки и вдруг — здрасте... Подобная неожиданность может плохо отразиться на внутрисемейном климате и воспитании подрастающего поколения. Но если уж и демонстрировать разное там сексапильство по общедоступным каналам, то, конечно, в такое время, когда основную часть налогоплательщиков сморил сон, а бодрствуют в основном любители и специалисты. Кстати, многие каналы так теперь и поступают.

Точно так же, полагаю, нужно поступить и с политическими передачами, которые в последнее время по степени непристойности могут поспорить с самой крутой порнухой. Лично у меня, когда телевизор заводит речь о текущей политике, от стыда просто уши горят! Стыдно слышать президента, который с заторможенным лукавством предлагает членам парламента «решить их вопросы» в благодарность за хорошее отношение к Кириенко. Стыдно наблюдать, как второй по честности человек в стране Борис Немцов улыбчиво увертывается от своей причастности к «делу Клементьева». Стыдно видеть, как Жириновский с базарной непосредственностью предлагает голоса своей фракции в обмен на министерские портфели в новом правительстве. Стыдно воспринимать из уст госпожи Старовойтовой материнскую заботу о судьбе замордованного русскоязычного населения в Прибалтике, будто и не она была помощницей президента по национальным вопросам именно тогда, когда закладывались — в Москве в том числе — политические и правовые основы нынешнего бесправия прибалтийских «неграждан»! Стыдно каждый день слушать разглагольствования телекомментаторов, которые на пределе интеллектуальных возможностей разгадывают, кто из банкиров и олигархов стоит за той или иной кремлевской тонко рассчитанной неадекватностью. Мерзко наблюдать и самих олигархов, ничего не созидающих, ничего не производящих, но пожирающих, подобно печеночным сосальщикам, бюджет, собранный, между прочим, из наших с вами копеек!

Напомню, слово «порнография» переводится примерно как «непристойное изображение». Так вот, та система руководства страной, которая сформировалась в России за последние годы, это не демократия, не олигархия и даже не плутократия — это порнократия! Ибо в стране, лишившейся своих исконных территорий, промышленности, сельского хозяйства, армии, науки, в стране, где не платят зарплату, доводя население до нищенства и в конечном счете до демографической катастрофы, *непристойно* устраивать из управления государством игрище. Это напоминает мне врачей, которые с помощью скальпеля играют в крестики-нолики на теле тяжелобольного пациента, а общенациональное ТВ с утра до вечера взахлеб нам об этом рассказывает.

Дети, наткнувшись на порнуху сразу после «Улицы Сезам», могут вообразить, будто потное пыхтение под юпитерами это и есть любовь, воспетая поэтами. С этим борются. Но тем временем стараются втемяшить доверчивым избирателям, будто агонизирующее кремлевское хитромудрие это и есть новейшие технологии управления государством Российским. Нет, не управление это, а порнократия. И показывать порнократию, как и порнографию, лучше по спецканалу или глубокой ночью. Для особенных любителей и специалистов. Подавляющему большинству видеть все это больно и стыдно...

Конь в сенате

Политический кризис, разрешившийся утверждением Кириенко в должности премьер-министра, напомнил мне почему-то эпизод из римской истории, когда император Калигула, известный своей разносторонней необузданностью, чтобы наглядно продемонстрировать безграничность августейшей власти, сделал членом сената коня. Сенаторы, как водится, сначала повозмущались, но, зная крутой и, мягко скажем, неадекватный нрав императора, приняли лошадку в свои дружные законодательные ряды.

Упаси бог, я не хочу сравнить нашего нового премьер-министра с конем! Он совсем даже не похож на коня, а напоминает, если уж на то пошло, трудолюбивого улыбчивого пони. Но согласитесь, чтобы утвердить Кириенко, исполнительная власть так напряглась и так надавила, что я просто порадовался утверждению в должности нижегородского вундеркинда, ибо на его месте и в самом деле могло оказаться любое домашнее или дикое животное и даже, страшно вымолвить, — Чубайс!

У нас удивительная конституция, которую когда-нибудь историки будут с изумлением изучать, периодически вспоминая маму Сергея Шахрая и родительниц других авторов этого уникального документа. Ну в самом деле, что означает: после отклонения трех кандидатур президент имеет право распустить парламент? Понимай как хочешь. Получается не конституция, а сонник какой-то! Президент толкует так, а Дума эдак. Но, как известно, хорошо толкует тот, у кого армия и МВД... У Конституционного же суда после событий 93-го года толковательные способности, очевидно, просто отшибло. В результате и стала возможна в нашей Думе ситуация, напоминающая времена сексуально озабоченного римского императора.

Коммунистов в данных обстоятельствах мне попросту жаль. Не потому, что я сам некогда был членом КПСС и даже горжусь этим. А потому, что КПРФ как-то так устроилась в этой новой жизни, что все время оказывается крайней — и с той, и с другой стороны. Не пройди Кириенко, коммунистов обвинили бы в убиении юной российской законодательной власти. Но он прошел, и зюгановцев теперь обвиняют в двурушничестве и малодушии. А вот Явлинским я восхищен: на его белом политическом фраке ни пылинки, ни капельки — и это на фоне тотальной экскрементализации политического истеблишмента. «Яблоко» вообще отказалось от голосования. Иногда Григорий Алексеевич напоминает мне чем-то моего студенческого приятеля — парня смелого, безоглядного. В нашем единодушном студенческом стаде он единственный не состоял в комсомоле и решительно отказывался вступать! Он был сыном секретаря обкома партии. Лет через десять я встретил студенческого приятеля в коридоре ЦК ВЛКСМ — он там теперь работал...

Но вернемся к нашим коням. У писателя Леонида Андреева был политический водевиль, который назывался «Конь в сенате» и высмеивал, как вы догадались, взаимоотношения самодержавия и тогдашней Думы. Ограничусь двумя цитатами.

К а л и г у л а: ...Я — бог. Захотел я — и жеребца сделаю сенатором, я захочу — всех вас сделаю жеребцами и отправлю на ристалище бегать...

М а р ц е л л: ...Ты бог, и ты все можешь! Сделай же рыжего коня цезарем, как ты уже сделал его сенатором, укрась жеребцом ряды великих римских владык!

Калигулу, как известно, убила собственная охрана, но конь императором не стал... Императором стал Клавдий, дядя покойного.

Отпускник с ядерным чемоданчиком

Недавно я смотрел телесюжет о пикетировании Министерства обороны беззарплатными тружениками «оборонки» и меня поразила одна «знаковая» деталь: заместитель министра вышел к толпе не просто в штатском, а в пиджачишке — сквозь распахнутый ворот рубашки виднелся пестрый шейный платок. Примерно в таком виде поэт Вознесенский обычно читает с эстрады свои экспериментозы. Пиджачный генералитет, как известно, по душе Верховному. Так спокойней. За честь мундира прежде стрелялись или заговоры составляли. А за честь пиджака с шейным платочком? Даром что в армии дедовщина, бескормица, раздолбайство... Следующий, полагаю, этап — пирсинговая сережка в ухе маршала.

А как разгоняли Газпром? Это же всероссийский водевиль! В первой половине дня ненавистный монополист был повержен, арестован, уничтожен. Молодые капитаны нашего рыночного «Титаника» держались по-чекистски сурово. Во второй половине дня выяснилось, что никто Газпром не разгоняет, а просто хотелось бы получить с него должок. Рем Вяхирев, выглядевший в этой ситуации, как профессиональный боксер среди призеров районной спартакиады, быстро всем разъяснил, что долг Газпрома государству меньше совокупной задолженности потребителей, в основном госпредприятий. Видимо, Кириенко Ильфа с Петровым не читал. Там же ясно написано: утром деньги — вечером стулья. В общем, порезвилась кремлевская золотая молодежь, а стране убытков на миллиард долларов. Чубайс в свободное от литературного творчества время как раз и выбивает у МВФ для стабилизации рубля примерно такую же сумму. Слава богу, президент принял Вяхирева и, после недоуменной паузы, кажется, понял, что без Газпрома, как говорится, «скучно дома — ни помыться, ни поесть!».

Кстати, я уверен, свои знаменитые паузы Борис Ельцин держит именно в те минуты, когда мечтает о внеочередном отпуске. Я хорошо представляю себе это состояние: смотришь из окна кремлевского кабинета на пыльную Москву и видишь теплые воды Черного моря или рыбные затоны правительственного Подмосковья. А тут, как назло, шахтеры касками стучат, работяги Транссиб перекрывают, Православная церковь царские кости не признает, Дума импичмент затевает, НАТО на Украине обустраивается, рубль валится... И надо еще каждую неделю по радио обращаться к оборзевшим от демократии и недоедания «дорогим россиянам», намекать депутатам на возможность танкового разрешения противоречий между исполнительной и законодательной властями, объяснять другу Биллу, что ситуация держится под контролем, регулярно заявлять о своем нежелании баллотироваться в двухтысячном году и окорачивать тех, кто в этом самом году баллотироваться собирается... Рехнешься от таких нагрузок! Как хочется, наверное, в такие минуты махнуть на все рукой, оставить на хозяйстве дочь-помощницу и дернуть в отпуск, прихватив с собой, конечно, ядерный чемоданчик. А еще, наверное, президенту в такие минуты очень хочется, чтобы шапка Мономаха стала вдруг шапкой-невидимкой: нахлобучил — и оторвался, исчез, улетел...

Но избирателям хочется этого еще больше!

Кремлевские попрошайки

Идешь спокойно по улице — и вдруг голос жалобный: «Сами мы не местные... Дом сгорел... Вещи украли... Дети голодуют...» Поднимаешь глаза и видишь здоровенного несвежего мужика, протягивающего в мольбе немытые руки. Есть, разумеется, люди, у которых на самом деле и дом сгорел, и вещи украли... Есть беженцы — жертвы суверенитетомании. Но ко мне почему-то обычно привязываются те, кому не для детишек голодных деньги нужны, а для того, чтобы спасти организм от похмельной лихоманки. Спасти на несколько часов — а потом снова караулить под гастрономом прохожего с лицом подобрее и кошельком потолще.

Президент Ельцин и российское правительство уже давно напоминают мне подобных подгастрономных попрошаек. Полагаю, в глазах так называемых цивилизованных стран мы и выглядим опустившимися, немытыми побирушками. Вспомните, уж скоро десять лет, как вся страна периодически замирает, гадая: «Дадут или не дадут?» В центре всеобщего внимания главные выпрашиватели — сначала Гайдар, а теперь Чубайс — с их осточертевшими рассуждениями о кровной заинтересованности в процветании новой России. Хотя по сути смысл их аргументации очень напоминает знаменитую уловку беспризорников двадцатых годов: «Дяденька, дай Христа ради “лимон”, не то в глаз плюну, а у меня сифилис...»

Под «сифилисом», надо понимать, имеется в виду перспектива прихода к власти оппозиции и возрождения самостоятельной, сориентированной на собственные внутренние и внешние интересы политики. Пока уловка срабатывает — снова дали на бедность и безалаберность. И никто почти не вспоминает о том, что выпрошенные миллиарды — всего лишь малая часть чудовищных сумм, вывезенных из страны на Запад, залегших в тамошних банках или превратившихся в роскошную недвижимость. Всего лишь ничтожная часть деньжищ, вращающихся в российском криминальном бизнесе, минуя государственную казну. Никто почти не говорит о том, что если бы приватизация госсобственности в Отечестве проводилась не по-чубайсовски, а по-честному, никаких кредитов, возможно, и брать не надо было бы! Никто уже не спрашивает, куда делись деньги, украденные из сберкасс во время либерализации цен, и кому достались средства, вложенные по-совковому доверчивым населением в многочисленные «пирамиды», за которыми, как свидетельствуют последние разоблачительные публикации, стояла все та же наша реформучая власть. Никто настойчиво не любопытствует, почему после каждого выклянченного кредита в стране становится все больше особняков и шестисотых «мерседесов», но все меньше людей, имеющих возможность честно зарабатывать деньги на своем рабочем месте — в цеху, в поле, у школьной доски. Почти никто не кричит в голос о том, что все эти миллиарды придется обязательно отдавать, десятилетиями отказывая себе во всем, обирая потомков...

Не до этого! Главное — ненадолго унять ломку от идиотских реформ, а потом снова подковылять на полусогнутых к мировому сообществу и, дыша постсоветским перегаром, загнусавить: «Сами мы не местные... Дом сгорел... Вещи украли... Дети голодуют...»

Эффект козла

История учит: большой бардак всегда заканчивается большим террором. Четыре года назад я напечатал в «НГ» статью «Дурное предчувствие», где утверждал: за разгром страны с помощью направленного взрыва реформ пусть не сразу, но обязательно ответить придется. На меня сразу же зашикали: какой, мол, кровожадный выискался! Нет, я не кровожадный, я просто на досуге люблю книжки по истории читать. Впрочем, теперь рассуждения о грядущем возмездии стали общим местом в газетах самой разной ориентации, включая и нетрадиционную. Особенно суровы в своих прогнозах бывшие члены команды президента, выброшенные на ходу, как выбрасывают из вагонного окна испортившуюся дорожную курицу. Народ, кажется, тоже созрел для мести за обман и разор — достаточно почитать плакаты шахтеров и оборонщиков.

А вот еще наблюдение на ту же тему: Б. Немцов побывал в Кургане и встречался в филармонии с тамошней общественностью. Пафос его как всегда приблатненного выступления был направлен против тех, кто перекрывает железные дороги. Вице-премьер жарко рассуждал о тех страшных бедствиях, к которым ведет страну «лежание на рельсах», а потом и вообще запафосничал: «Никому, слышите, никому не позволено разрушать государство!» И зал вдруг захохотал — обидно и угрожающе. Кто разрушает и как, давно уже всем известно, по крайней мере в общих чертах.

Выходит, остается только ждать, когда История руками доведенного до крайности народа накажет политических авантюристов и экономических экспериментаторов. Увы, такое бывает очень редко. Бездарных правителей чаще всего наказывают историки, а не История. А вот бездарные правители наказывают без вины виноватый народ сплошь и рядом. Такой вариант выхода из кризиса я называю «эффект козла». Помните, в перенаселенную комнату подсаживают козла, животное, как известно, удивительно ароматное... И когда через некоторое время блеющего супостата удаляют, жильцы чувствуют себя так, словно получили многокомнатную квартиру. Представьте себе, что вскоре за протесты против действий режима начнут сажать (привлекать, кстати, уже начали). Потерророрят-погноят некоторое время, потом дадут послабление. И беззарплатный наш народ обрадуется: жить-то стало лучше, жить-то стало веселее! А за эти год-два (или десять) многое может измениться. Найдут, к примеру, в Уральских горах сокровища ариев — и расплатятся с МВФ. Или американцы сделают нас своим 51-м штатом и посадят на бюджет. Главное — время выиграть. Глядишь, подрастет малолетний внук Бориса Николаевича — и вопрос о преемственности власти решится сам собой.

Судя по «делу Клементьева», по кадровым и структурным переменам в силовых ведомствах, нас готовят к выходу из кризиса именно с помощью «эффекта козла». Не удивлюсь, если в Курганской филармонии уже потихоньку переписывали тех, кто громче всех хохотал. Сам я сухари еще сушить не начал, но, будучи человеком смешливым, черствый хлеб жене велел складывать в специальный мешочек...

Карманники

К нынешним насельникам Кремля относятся по-разному. Кто-то не может простить им, как по-лохски они проворонили геополитические интересы России в Беловежской Пуще, наплодив сотни тысяч беженцев и испоганив жизнь миллионам наших соотечественников в ближнем зарубежье. Кому-то плевать на геополитику, но у него в глазах кровавые мальчики, брошенные режимом в чеченскую войну. Третьи ненавидят власть за порушенные идеалы и социальные гарантии советских времен. Четвертым плевать на социализм со всеми его гарантиями, они презирают Ельцина за то, что тот так и не добил проклятых коммуняк еще в 93-м. В общем, каждый плюет на нынешнюю власть со своей колокольни.

Но есть одна претензия, одна обида, общая для всех — от красно-коричневых до бело-голубых. Я имею в виду отвратительную вековую привычку российской власти — с наглой регулярностью залезать к нам в карман. Возьмем новейший период. Не успел Гайдар прочмокать о начале рыночных реформ, как тут же мы лишились всех своих сбережений. Ветеран, трудившийся полвека, стал беднее старшеклассника, сбежавшего с урока, чтобы перепродать пару шмоток. Неужели нельзя было обойтись без этого грабежа? Можно. Но тогда у нас сегодня не было бы олигархов. Ведь для того, чтобы один человек в течение года стал олигархом, по крайней мере два миллиона человек в течение того же года должны стать нищими. И они ими стали...

Кое-кому все-таки удалось выстоять, приспособиться к новой жизни и даже подзаработать, пусть немного. И тогда вдруг начали возникать пирамиды — МММ, «Хопер», «Селенга», «Властилина»... Разве власть не знала, что все это мошенничество? Знала. Но «реформы буксовали», а под колеса буксующих реформ для лучшей сцепки у нас традиционно принято сыпать деньги из наших с вами карманов. Однако воспоминания о гайдаровском грабеже были слишком свежи, и решили на сей раз воспользоваться шаловливыми ручками пирамидостроителей. Значительная часть наших денег, как показывают последние публикации, из «пирамид» перекочевала в казну, где и рассосалась. Постоянно отдыхающий президент стоит дорого, особенно в реформируемом государстве...

И вот к нам снова залезли в карман. Логика проста: Гайдара стерпели, пирамиды стерпели — стерпите и финансовый кризис! Значит, горе обобранному? Лидеры шахтеров за организацию пикетов уже пошли под суд. Президент же, ссылаясь на свой бойцовский характер, в отставку даже не собирается. Он еще поработает, то бишь поотдыхает... Тем временем банкиры деньги, которые им выдал ЦБ, чтобы они могли рассчитаться с вкладчиками, попросту хапнули. Нецелевое использование средств — уголовная статья. Хоть кого-то привлекли? Никого. И не привлекут, потому что должен же кто-то оплачивать следующие выборы! Давно замечено: чем бездарнее режим, тем больше денег ему необходимо для самосохранения. Так что, дорогие россияне, держите карман шире!

Борис, ты был не прав!

На днях — мрачный юбилей. Пять лет назад в столице демократической России был расстрелян из танковых пушек законно избранный Верховный Совет. Президент совершил антиконституционный переворот. Погибли сотни людей. Просвещенный Запад как бы ничего и не заметил — так не замечают оплошность выгодного гостя, наблевавшего посреди гостиной. «Это трагическая страница нашей новейшей истории!» — печально твердят сегодня телекомментаторы, кстати, те самые, что с пеной у рта призывали пять лет назад «раздавить гадину». Но я бы не торопился списывать «черный октябрь» 93-го в исторический архив. Пепел сожженного парламента стучит в грудь!

Обычно людей сбивает с толку странный факт: во главе парламентской оппозиции оказались тогда Руцкой и Хасбулатов, вчерашние кунаки Ельцина да и в принципе люди, на мой взгляд, малосимпатичные. Но сегодня комментаторы старательно не вспоминают о том, что эти два фигуранта, борясь со своим вчерашним патроном за власть, попросту оперлись на мнение парламентского большинства. А у большинства, тесно связанного с избирателями, прекрасно знающего, к чему привели гайдаровские эксперименты, претензии к президенту были фактически те же, что и сегодня у всех нас: развал страны, грабеж населения, непродуманные реформы, чудовищная геополитическая безграмотность, страшная криминализация общества, авторитарно-авантюристические методы руководства, омерзительный фаворитизм, или, если пользоваться терминами того времени, «бурбулизм»...

К чему это привело, сегодня понятно уже всем. Даже тем, кто на выборах 96-го под влиянием жесточайшего информационного прессинга был готов перекусить за Ельцина горло ближнему. Е. Киселев, конечно, мужчина импозантный, но когда детей кормить нечем, слово «рейтинг» становится матерным. Сегодня даже самые раздемократические политологи говорят о том, что президент «лег у истории на пути, как в собственную кровать». А ведь предлагавшийся в 93-м году «нулевой вариант» (переизбрание и президента, и парламента) мог еще тогда разрешить конфликт в пользу здравого смысла — и минувшие пять лет Россия не боролась бы, изнемогая, за личную власть Ельцина, а действительно реформировалась бы. И не было бы у нас сейчас спецконституции, от которой страдают все, кроме гаранта и его ближайшего окружения.

Именно события 93-го года привели к тому, что, выбирая между интересами государства и личным интересом, президент все минувшие годы упорно и совершенно сознательно выбирал последнее, ибо понимал: потеряв власть, он, в отличие от своего друга Гельмута, не уйдет на заслуженный и уважаемый покой. Преемники могут давать ему любые гарантии личной и семейной безопасности, но на следующий день после отставки родственники сожженных заживо в Белом доме подадут на него в суд, а суд этот иск примет — и оправдаться недавнему президенту будет нечем. К тому же и ближайшие советчики, и СМИ с большой радостью свалят на отставника свою часть вины за силовое разрешение того, давнего конфликта. Разразятся страстными инвективами, уверен, и политики, подталкивавшие экс-гаранта к танковой пальбе. Тот же Г. Явлинский, например. А преемник пожмет плечами и скажет: «Извини, Борис, но ты был не прав!»

И будет прав...

Вирус нравственного дефицита

После 7 октября просто стыдно смотреть телевизор. Врут напропалую! Ну как это в акциях протеста по всей стране могли принять участие всего 700 тысяч, если митинги прошли в пятистах городах? И ведь тут же показывают репортажи из этих самых городов: где десять, где двенадцать, где семь тысяч митингующих... А в Москве?! Народ запрудил весь Васильевский спуск, весь мост аж до Балчуга. И это двадцать пять тысяч? Почему же, когда примерно столько (даже поменьше) народу собирали «демократы», это называлось «полумиллионом»? Это что — политизация арифметики? Допустим, насельникам телеэфира дают неверные сведения из президентских или правоохранительных структур. Но разве у них нет перед глазами видеоряда, который они сами же нам и показывают? Или уж совсем нас за быдло считают? Боятся? Но ведь сейчас за правду не убивают (лишь иногда, как Рохлина), не сажают и даже не исключают из партии, а вот поди ж ты...

И ладно бы только врали, еще и глумятся.

Французского националиста Ле Пена лишили депутатской неприкосновенности за то, что он пренебрежительно отозвался о газовых печах — символе геноцида времен Второй мировой войны. А ведь 7 октября на улицы вышли люди, тоже подвергшиеся своего рода геноциду — реформаторскому. Разве полтора миллиона в год убыли российского населения — это не геноцид? Зачем же ерничать, назойливо представляя тех, кто остался дома, умниками, а тех, кто пошел на митинги, полудурками? Зачем же лукаво сетовать на то, что акция протеста прошла слишком уж законопослушно, в то время как организаторы обещали классовую бурю? Бури хочется? Не затем ли, «что в бурях есть покой»? Я уже слышал в народе новую поговорку — «Врет как по телевизору!» Закончится ведь тем, что народ стихийно лишит наших эфирных витий неприкосновенности.

Отражение телеэкраном событий 7 октября лично меня окончательно убедило в том, что наблюдательные советы, состоящие из представителей разных политических партий и социальных слоев, на ТВ просто необходимы. Мы-то мечтали о бесцензурной правде, а получили бесцензурное вранье. Может, лгать по телевизору станут поменьше... Впрочем, официальные лица иной раз дают в этом отношении журналистам сто очков вперед. Вот интересно, пресс-секретари президента, когда их патрон официально оформит свой уход на отдых (неофициально он отдыхает в Кремле уже много лет), эмигрируют или будут носить темные очки, чтобы люди, которым они доказательно врали все эти годы, не могли посмотреть им в глаза? А может, и телевизионщики, и виртуозы, и пресс-секретари, и политики, соприкоснувшись с нынешней кремлевской властью, тут же заражаются неким вирусом нравственного дефицита? Таких инфицированных, судя по всему, уже немало. Взять хотя бы Гайдара — он ведь без всякого стыда, лоснясь от самодовольства, продолжает поучать страну, изуродованную его воинственным большевистским непрофессионализмом.

Теперь о президенте. Подавляющее большинство плакатов и лозунгов 7 октября содержали, и в довольно резкой форме, требование его досрочной отставки. О том же говорили многие губернаторы. Думская комиссия по импичменту работает в темпе ударной комсомольской стройки. Кажется, у нас появилась, наконец, общенациональная идея, пусть и временная: «Президента — в отставку!» Но тут я должен с грустью констатировать: если ВИЧ укорачивает жизнь, то вирус нравственного дефицита, наоборот, удлиняет. Я имею в виду жизнь политическую... Увы, это так.

Короля играют СМИ

Президентская ветвь российского политического древа тихо отсыхает, изредка напоминая о себе заявлениями о поддержке журналистов в их неравной борьбе с оппозицией и поздравлениями народу в связи с праздником единства и согласия. (Более издевательский праздник в ограбленной, раздираемой противоречиями стране придумать просто невозможно!) Заявление Б. Ельцина о том, что главного — необратимости реформ — он добился, ничего, кроме ужаса, у нормальных людей вызвать не может. Ведь слово «реформы» давно уже стало синонимом: разрухи, воровства, безвластия.

На этом фоне все большие надежды население связывает с премьер-министром Примаковым и его кабинетом. То, что эти надежды небеспочвенны и опытные государственники могут спасти тонущий корабль, косвенно подтверждает заявление Г. Явлинского о фактах коррупции в новом правительстве. Понятно, что реальный успех Примакова — это конец всех честолюбивых планов главного яблочника, являющегося, по сути, виртуальной политической фигурой. Как прежде короля играла свита, так теперь политиков играют СМИ.

Вообразите на минуту, что вместо подобострастных вопросов о будущем Отечества и недостатках нынешнего правительства журналисты вдруг начнут упорно спрашивать Явлинского о том, зачем он, вооружась, бегал арестовывать благородного самоубийцу Пуго, почто он так упорно призывал Ельцина к силовому решению кризиса в кровавом октябре 93-го, каков его реальный вклад в «нижегородское чудо», от которого рыдают сегодня земляки Косьмы Минина, что там за слухи бродят о заокеанской помощи ему во время президентской кампании 96-го. Наконец, какой-нибудь совсем уж отмороженный корреспондент может спросить: «Григорий Алексеевич, как же так? Пока правительство было укомплектовано идейно близкими вам «гарвардскими мальчиками», вы даже Бревнова в упор не видели, а теперь вдруг разглядели коррупционные соринки?»

Но все это из области мечтаний — СМИ продолжают виртуозно «играть» Явлинского. Когда в очередной раз будете смотреть телевизор, обратите внимание: он — единственный политический персонаж, информация о деятельности которого фактически лишена иронии и сарказма. Представьте на секунду, что «подлечить сердчишко» в Германию съездил бы Зюганов! А потом, вернувшись подлеченным, прямо с трапа самолета объявил бы о коррупции в новом правительстве. Какой смех подняли бы все, от Киселева до Шендеровича! А тут все на полном серьезе! Единственный человек, пошутивший по этому поводу, был Евгений Примаков. И все!

Повторяю, тут дело нешуточное. Представьте себе, что правительство, укомплектованное чиновниками «советской» школы, окажется честным, работоспособным и добьется успеха. Сразу встает вопрос: почему же раньше не давали рулить нормальным людям, а выискивали разных завлабов? И следом делается резонный вывод: ну их всех, этих авторов шоковых терапий и программ «500 дней», в то самое фольклорное болото, откуда еще никто в реальную политику не возвращался!

АнтиСМИтизм

Нынче с тяжелой руки генерала Макашова все говорят и пишут об антисемитизме. Дело, конечно, нужное. Хотя, опираясь на утверждение о закоренелом антисемитизме русского народа, довольно трудно объяснить, например, интернациональный состав дружного коллектива российских олигархов. Генерал упорно ссылается на Даля. Не знаю, не знаю... В «советском» Дале (см. послевоенные переиздания), как и в орфографических словарях «великой эпохи», слово «жид» вообще отсутствует. А вновь появляется оно с пометкой «презр.» лишь в словарях постсоветских. Об этом надо бы помнить некоторым телекомментаторам, сравнивающим комсомол с гитлерюгендом, а КПСС с национал-социалистами. Такие «залепухи» оскорбляют многих людей, рождают специфическое настроение в обществе, которое я бы назвал «антиСМИтизмом». Это явление гораздо более реальное, массовое и обоснованное, нежели антисемитизм. Рассмотрим всего лишь один пример, но показательный. Сегодня в связи с физической и политической немощью Б. Ельцина, в связи с необходимостью очистить информационное пространство для следующего лидера все более набирает обороты новый мозгопромывочный проект. Цель — свалить вину за «ельцинизм», приведший к общенародному обнищанию (43 миллиона за чертой бедности!), на самих пострадавших, на обобранных. Мол, каждый народ имеет такого президента, какого заслуживает. Мол, сами избрали на свою голову, и теперь, как говорит Жванецкий, все претензии к родителям.

Да, у людей короткая память, на этом и строятся различные методы манипуляции общественным сознанием. Но короткая память и амнезия — вещи разные. Мы еще не забыли, что накануне выборного марафона 96-го рейтинг Ельцина составлял всего 6 процентов. Выходит, народ-то знал ему цену и голосовать за него не собирался. Тогда в дело пошли гигантские деньги, крохотную часть которых вынесли из Белого дома в достопамятной коробке из-под ксерокса. Принялись за дело и СМИ — уговаривали, убеждали, убалтывали, улещивали, устрашали, улюлюкали, морочили... Уморочили-таки! Все это напоминало уловки базарных «экстрасенсов», «делающих гипноз» доверчивому покупателю, чтобы впарить совершеннейшую рухлядь. Через полчаса «гипноз» проходит, доверчивый потребитель хватается за голову, но «гипнотизера» давно уже и след простыл. А то бы...

Но «гипнотизеры» из СМИ, обеспечившие нам еще несколько лет погромных реформ под руководством нетрудоспособного гаранта, никуда не исчезли, они ежедневно без всяких комплексов возникают на экране, в радиоэфире, на газетных полосах и твердят нам, что мы-де сами во всем виноваты и потому вымираем. Однако при этом они почему-то убеждены: полуголодную учительницу должна возмущать леденящая сердце опись имущества ОРТ, а беззарплатный офицер-ракетчик просто обязан приходить в ужас от тупых парламентариев, не спешащих голосовать за льготы для СМИ.

Не должны и не обязаны!

В лучшем случае и учительница, и офицер, усмехнувшись нехорошей, антиСМИтской, усмешкой, скажут: «Поделом!» И попробуйте возразить им, обманутым...

Кто — кого, или АнтиСМИтизм-2

Если помните, в прошлый раз я предложил неологизм «антиСМИтизм», обозначающий довольно распространенное нынче общественное явление — недоверие и даже неприязнь к СМИ. Идея вызвала интерес, а посему продолжим эту тему.

С утра до вечера по всем программам долбят про памятник Дзержинскому! Нет — террору! Позор палачу! Московская дума обещает костьми лечь, но не допустить возврат Железного Феликса на Лубянскую площадь. Все правильно. Увезли так увезли. Но у меня вопрос: «А называть станцию метро именем палача царской семьи, детоубийцы — это не позор?» Почему же тогда «Мемориал» не устраивает пикеты возле станции метро «Войковская»? Или член Екатеринбургского ВРК Петр Войков лучше Дзержинского? Или он не имел отношения к ревтеррору? Не лучше. И потеррорствовал вволю. Да вот беда, никто из членов фракции КПРФ в Думе не потребовал: «Значит, так, Феликса воротить! И вот еще что: “Войковскую” не сметь переименовывать!» Тогда бы точно переименовали... Знаете, от всего этого веет пошлой политической возней и какой-то исторической подлятинкой...

А тут еще телевизор продолжает пугать нас тем, что власть вот-вот учинит цензуру над СМИ. Примаков — власть? Власть. Смотрю дневной информационный блок. Премьер встречается с силовиками и говорит о необходимости самым решительным образом бороться с антисемитизмом, ксенофобией (незаслуженными утеснениями «лиц кавказской национальности») и русофобией. Правильно? Абсолютно, по-моему, правильно. Лично для меня неприемлемы заявления генерала Макашова. Я не понимаю, на каком основании преследуются законопослушные кавказцы, честно работающие, скажем, в Москве. Меня глубоко возмущают провокационные «перформансы», во время которых режут свинью с надписью «Россия». Примаков точно и взвешенно сказал о трех болевых точках нашего общества. Что же остается в вечерних новостях, когда люди пришли с работы и интенсивно поглощают информацию одновременно с ужином? Осталась лишь первая часть этой долгожданной триады — борьба с антисемитизмом. Никто не спорит: с антисемитизмом надо бороться самым решительным образом! Но остальное-то где? Примаков сам, что ли, кусок из своего выступления вырезал? Сам себя цензурировал? И возникает закономерный, государственной важности вопрос: кто кого сегодня подвергает цензуре: власть — СМИ или СМИ — власть?

И последнее. В минувшее воскресенье выбирали Законодательное собрание Петербурга. В субботу агитация была, понятно, запрещена. Загадка: кто из политических лидеров и руководителей блоков, пробивавшихся в питерский парламент, регулярно появлялся в субботу в информационных блоках центральных программ? Отгадка: только Григорий Явлинский. Упаси бог, он не агитировал, он просто был обворожителен и остроумен. Кстати, Юрий Болдырев не менее умен и остер, но он почему-то не возник на экране в субботу, накануне рывка его блока в законодательный орган. Я очень уважаю партию с дивным фруктовым названием «Яблоко», но партийности как в литературе, так и на ТВ мне почему-то больше не хочется. Так ведь, понимаете, и до Железного Григория рукой подать. Феликс Эдмундович Дзержинский тоже ведь поначалу железным быть не собирался...

Уходя, гасите свет!

Тяжким был уходящий 1998 год. Но именно в этом году случилось, наконец, то, о чем с начала 90-х мечтал каждый нормальный российский гражданин. Закончилась эпоха политического экстремизма, государственной неразберихи и экономической хлестаковщины. Точнее, заканчивается, причем под заполошные крики о наступлении национализма и экстремизма. Впрочем, давно известно, кто громче всех кричит: «Держи вора!» Гайдаровско-чубайсовский экстремизм довел страну до краха. Беззарплатье, голодовки, стремительная убыль населения, деморализованная, полуразоруженная армия, загибающиеся культура и наука... Куда уж дальше! В мировую цивилизацию вошли? Вошли. И получили место возле геополитической «параши»...

Да, в стране рост националистических настроений. Это тревожная, хотя и закономерная реакция «иммунной системы» народа на страшную опасность вырождения и гибели. Но для того-то и существует культура, чтобы переплавлять разрушительный национализм в созидательный патриотизм. Я недавно был на юбилее моего старшего товарища поэта Андрея Дементьева и обратил внимание на любопытную особенность. Если на его предыдущем большом вечере, года два-три назад, самую живую реакцию вызывала любовная и «житейская» лирика, то теперь самые бурные аплодисменты заслуживали патриотические стихи, стихи против разрушения Отечества. А поэт в России, как известно, больше, чем поэт, и реакция на стихи — больше, чем реакция на стихи. Давно известно: лучшее лекарство от дикого национализма — патриотизм. А ведь все эти годы патриотическое чувство, обозванное имперской спесью, сознательно и целенаправленно разрушалось. Петербургские «письменники» договорились уже до того, что пора-де Питеру отделяться от России и становиться вольным городом. Это не первоапрельская шутка. Это результат катастрофического разгосударствливания общественного сознания, ибо только такое сознание может воспринимать, скажем, раздолбаистого Немцова как государственного деятеля, а расстрелявшего парламент Ельцина как гаранта законности. Появление в правительстве разумных, обладающих настоящим государственным опытом людей, и прежде всего Е. Примакова, вызвало понятную реакцию у вчерашних фаворитов. Но воля ваша, все эти попытки объединения «демократов», создание «правого» блока очень напоминают желание хулиганистых подростков отомстить новому строгому завучу, который во время болезни директора пытается навести в школе порядок.

И последнее. После убийства Галины Старовойтовой ее единомышленники, радикал-демократы, призвали население в знак протеста в восемь вечера на несколько минут погасить в квартирах свет. Из моего окна открывается вид на шесть семнадцатиэтажных башен. Так вот, погасло не более десятка окон. О чем это говорит? Об ожесточении людей? Возможно. А если о том, что сожаление о печальной участи Старовойтовой и сочувствие ее радикальным идеям не одно и то же? Гасит свет тот, кто уходит. А мы-то с вами остаемся!

С Новым годом!

1999

Тенденция, однако...

Есть странная закономерность: стоит нашим писателям-либералам обратиться к власти или к общественности с призывом крепить демократию и выше нести знамя гуманизма, как непременно случается какое-нибудь антиконституционное свинство. Самый яркий пример — кровавый расстрел парламента в 93-м. Уж как просили президента силу употребить! Не устоял... Кстати, один из активных просильщиков, писатель А. Приставкин, стал потом председателем комиссии при президенте по помилованию (предпомилкомом) и теперь энергично борется против смертной казни. Выходит, политическому противнику никакой пощады, а уголовнику-душегубу — милость и снисхождение! Тенденция, однако...

И вот снова появилось обращение писателей-«демократов» к гражданам России. Смысл этого воззвания в том, что сегодня, оказывается, мы «имеем дело с единым фронтом» коммунофашистов и нацистов. (Тут мой грамотный компьютер подчеркнул красной линией «коммунофашистов». Мол, извини, пользователь, не бывает такого...) «Бывает!» — утверждают в письме все тот же предпомилком А. Приставкин и группа писателей, призывающие нас с тобой, дорогой читатель, «встать стеной» и «не капитулировать перед силами зла». Но что есть зло? Для меня, например, это — жулье, перекачавшее наворованные миллиарды за границу. А для подписантов воззвания зло — это «саботаж коммунистами и их союзниками необходимых России реформ», что привело «к резкому ухудшению жизни народа, к проявлению массового недовольства...». Вот ведь как! Не тот виноват, кто бил, а тот, кто отбивался! Тенденция, однако...

Есть в письме, конечно, и про РНЕ. Я, кстати, категорически против фашизма и экстремизма. Более того, не могу понять, зачем русские националисты, члены вполне пока легального движения, оделись в пресловутую черную форму, а из всего многообразия арийских солярных знаков выбрали именно тот, который смахивает на фашистскую свастику? Колоннами по городу ходить тоже необязательно, особенно если мэр против. Но ведь дело не в РНЕ. «Фашист» у нас в стране — это переходящий политический ярлык, наподобие «врага народа» 30-х годов. Вспомните, «фашистской» у нас была когда-то «Память», ныне вполне одомашненная. Коммунисты? Они, сердешные, при каждом обострении политического противостояния объявляются красно-коричневыми, а потом, после выборов, снова незаметно превращаются в обычную левую парламентскую партию. Жириновский и тот хаживал в «фашистах» до тех пор, пока не стала внятна его методика продуманной политической взбалмошности. Всякий, кто пытается так или иначе спросить режим: «За что ж вы так нас и нашу Россию обижаете?» — сразу становится фашистом. Уверяю вас, если завтра с требованиями отставки президента и контроля общества над СМИ пройдет колонна Ассоциации цирковых лилипутов — их тоже назовут фашистами. Может быть, «малофашистами». Все тут понятно: расправляться с политическим противником, если он квалифицирован как фашист, можно, не думая о законе, конституции, морали. Шарашь осколочными, как в 93-м, никто не спросит!

А если спросят, предпомилком Приставкин помилует.

Тенденция, однако...

Дурят нашего брата!

Всю минувшую неделю вся просвещенная Россия устами тележурналистов негодовала по поводу принятого Думой закона о Высшем совете по защите нравственности на телевидении. Мол, это — цензура, красный реванш и страшный удар по свободе слова — главному, если не единственному завоеванию ельцинского десятилетия. Мне тоже не нравится этот закон, точнее, его название. Лучше бы назвали «Совет по защите прав граждан России на объективную информацию». В конце, впрочем, можно добавить и про нравственность — не помешает.

Но сам закон, по-моему, нужен. Ведь дурят нашего брата! Далеко ходить не будем, проанализируем, как дезинформировало нас ТВ в связи с этим самым законом. Прежде всего стращало цензурой. А разве сейчас на нашем телевидении нет цензуры? Еще какая! Много ли, допустим, критических материалов о деятельности Березовского вы видели на ОРТ, а о деятельности Гусинского на НТВ? То-то! Это и есть цензура, но не государства, а финансово-политических кланов. Кстати, госцензура есть и в демократических странах. Попробовали бы вы на американском ТВ во время операций против Ирака отыскать передачу, подвергающую сомнению позицию США. А теперь вспомните наше ТВ периода чеченской войны!..

Далее. Пенясь от возмущения, ни один комментатор, нарушая наши права на объективную информацию, не сообщил нам о том, что почти в каждой так называемой цивилизованной стране имеются подобные советы, следящие за нравственностью, уважительным отношением к национальным святыням, равномерным распределением эфира между парламентскими партиями, чистотой языка... Никого там это не возмущает, там понимают: если общество не будет контролировать свои СМИ, то СМИ будут контролировать общество. И возникнет эдакое ТВ КПСС, к которому мы, между прочим, уже пришли...

Основной довод телевизионщиков против будущего совета незамысловат: сами разберемся с нравственностью, без сопливых. (Напомню, что двенадцать сопливых будут делегированы от президента, правительства, Совета Федерации и Думы.) Но не получается самим-то разобраться. Включаю телевизор и обалдеваю: оказывается, теперь юридические советы в эфире будет нам давать адвокат, только что отсидевший, и отнюдь не из-за судебной ошибки. Включаю в другой раз и вижу, как на детском песенном утреннике в качестве почетного гостя выступает «дитя порока» непредсказуемой сексуальной ориентации. Включаю в третий раз и смотрю боевик про то, как отвратительный русский неандерталец задумал повывести всех американских первенцев... Не получается без сопливых-то!

Так о чем шум? Об этом тоже ни слова не проронил ни один из говорливых комментаторов. А все просто: грядут выборы. В реализации избирательных технологий телеканалы играют главную роль. И вдруг появляется конституционный орган, который может, например, попросить: «А покажите-ка нам, пожалуйста, методики вот этого рейтингового опроса! Странный он какой-то. А обманывать избирателей безнравственно!» И конец. Конец фантастическим заработкам, конец политическому влиянию, конец ТВ КПСС. Да и нашего брата дурить будет уже гораздо сложнее.

Импичмент, который всегда со мной

Лично я никогда не голосовал за Ельцина. Более того, всегда, с самого начала я скептически относился к этому политическому деятелю. В доказательство сошлюсь на мою повесть «Апофегей» (1989), где Борис Николаевич, тогда еще первый секретарь МГК КПСС, сатирически выведен под именем «БМП». Ох и поклевала меня тогдашняя либеральная критика!

Но сегодня даже кавалер медали за оборону Белого дома в 1991 году со мной согласится: Борис Николаевич Ельцин крепко виноват перед Россией. Грехов множество. Взять тот же развал Союза. Президент РСФСР, подписывая беловежские бумаженции, был обязан хотя бы обозначить права России на Крым и казачьи области Казахстана, добиться гарантий для русского населения, брошенного на поругание в этнократических республиках. Ничего этого он не сделал. Очень торопился. Куда? Занять горбачевский кабинет.

Далее. Именно Б. Ельцин привел во власть таких политических недотыкомок, как Гайдар, Бурбулис, Козырев, Немцов, Чубайс, и многих других. По их вине давно назревшие реформы были превращены в обираловку, а приватизация в грабеж. По вине Б. Ельцина десять лет планета с изумлением наблюдает невиданное саморазрушение могучей некогда державы. В результате обнищавшее население вымирает, а народное хозяйство превратилось в обломки, на которых написаны имена общеизвестных «олигархов». О расстреле парламента во имя укрепления демократии и говорить нечего. Это в одном ряду с утверждением известного кровопроливца о том, что гильотина — лучшее средство от головной боли. Далее — война в Чечне, развязанная Б. Ельциным вопреки всем конституционным нормам. Преступность данной акции настолько очевидна, что даже «особенный человек» Г. Явлинский признает это.

Всех приведенных выше обстоятельств мне, например, вполне достаточно, чтобы вынести свой личный импичмент президенту. И этот импичмент всегда со мной. Уверен, подавляющая часть россиян живет и умирает с таким же импичментом в сердце. Вспомните, каков был рейтинг Б. Ельцина накануне президентских выборов, до того, как всем нам дали по башке колотушкой избирательных технологий! Шесть процентов. Чем не импичмент? Другое дело, нужен ли сейчас этот импичмент государству Российскому? Сей вопрос уже из области политической хирургии, и формулируется он примерно так: резать или ждать, пока сам отвалится. Тут не угадаешь.

Но главное — в другом. Главное в том, что наши политики, как всегда, не договорились о значении слов. Парламент говорит об отрешении Б. Ельцина от власти в соответствии с конституцией. Но сам президент и любой его постельничий, мне кажется, гораздо точнее понимают значение слова «импичмент». Открываем словарь иностранных слов и читаем: «Импичмент — процедура привлечения к суду парламента высших должностных лиц государства». К суду! Помните сцену из фильма «Ко мне, Мухтар!»? «Выходи!» — кричит опер вооруженному бандиту. «А если выйду, что мне будет?» — спрашивает тот из укрытия. «Будет тебе суд!» — отвечает опер.

И получает пулю...

Поминки по победе

Я разлюбил праздник Победы. Нет, не саму Великую Победу, спасшую мир, включая и тех умников, что называют сегодня наше одоление победой советского фашизма над немецким фашизмом. Бог с ними, это особый тип людей. Они чувствуют удовлетворение только тогда, когда убедят себя и других в том, что земля, на которой они родились, состоит преимущественно из дерьма. Такие есть в каждом народе. Главное — не допускать их к формированию государственной идеологии, но именно этим они и любят больше всего заниматься. И занимаются.

Я разлюбил не саму Победу, а именно праздник, ибо, да простят меня ни в чем не повинные ветераны, 9 Мая — это теперь поминки по Победе. А поминок я не любил никогда. И что, в самом деле, нам праздновать? Развал страны, потерю исконных наших земель и ничтожество армии, экономящей на «парадных мероприятиях»? Праздновать полтысячи офицеров, стреляющихся ежегодно от безысходности? По поводу чего нам торжествовать? По поводу того, что международная военная организация из четырех букв откровенно посылает нас, еще недавно могучую державу, на три буквы и показательно бомбит Сербию? Чему нам радоваться? Тому, что в школьных учебниках страницы, посвященные Великой Отечественной войне, донельзя ужаты и написаны каким-то извиняющимся слогом? Мол, простите, победили... Радоваться тому, что в этих учебниках второй фронт уже почти стал первым? Чем нам восторгаться? Тем, что наши ветераны живут во много раз хуже ветеранов-немцев? Тем, что бывшим эсэсовцам в Латвии пенсию Германия платит, а бывшим красноармейцам Россия не платит?

Праздник — это всегда торжественные, возвышающие душу слова. Но кто говорит эти слова? Генералы, продувшие Чечню? Странный главком, посвятивший себя всенародному гримасничанью и беззаветной борьбе за личную власть? Представьте себе полк, попавший в тяжелые условия. Полк надо срочно перегруппировать, перевооружить, поддержать духовно. И что же делает командир полка? Он, насупясь, меняет одного начштаба за другим и не дает трибуналу наказать проворовавшихся интендантов. Надо ли объяснять, что полк этот небоеспособен...

Я разлюбил праздник Победы. Мне стыдно смотреть в глаза ветеранам, потому что в случившемся есть и моя вина, вина моего поколения. Ведь произошло это все на наших глазах, при нас, столь самоуверенно упрекавших в слабости поколения, покорившиеся Сталину. А мы кому покорились? Если бы Сталину, а то — смешно сказать... Это мы в слабых руках не смогли удержать великую, тяжкую, ко многому обязывающую ношу Победы. Увы, тяжесть Победы бывает иной раз неподъемнее тяжести поражения. Увы, русский человек, не знающий пощады к внешнему разрушителю, бессилен перед разрушителем внутренним. Сначала мы готовы строить заводы на руинах храмов, а потом храмы на руинах заводов. И это называется «русское чудо».

Но я очень хочу снова полюбить праздник Победы, хотя отчетливо понимаю, что путь к этой любви труден и жесток...

«Поздно, Дубровский!»

Импичмент не для нас. Он в любом случае не привел бы к смене власти в Кремле, потому что всегда нашлись бы генералы, мечтающие о внеочередной звезде на погонах, молодые политики, пекущиеся о стабильности в стране, писатели-гуманисты, требующие пролить кровь, и танкисты, зарабатывающие себе жилплощадь стрельбой по госучреждениям...

Импичмент для потомков. Спросит, допустим, мой задумчивый внук лет через пятнадцать: «Дедушка Юра, вы что там в 90-х, совсем плохие были?» А я отвечу: «Нет, внучек, мы боролись! Мы в 93-м Белый дом защищали! Правда, не защитили... А в 99-м за импичмент голосовали! Но голосов не добрали...» — «Эх вы!» — вздохнет внучек, вскинет на плечо АКМ и выступит на охрану государственной границы, проходящей по Московской кольцевой дороге...

Честно говоря, меня долгое время раздражало то, что все политические передачи на нашем ТВ посвящены тайнам кремлевского двора. Мол, рейтинг этого подскочил, а рейтинг того упал — и так до бесконечности, как будто нет огромной пока еще страны с ее многообразными интересами. Но постепенно я понял: ТВ тут абсолютно право, ведь все последнее десятилетие борьба за власть и является основным содержанием жизни Отечества. Вообще, борьба за власть — дело дорогостоящее и разрушительное. Вот почему так быстро разобрались с этим вопросом в Болгарии, Чехословакии, в той же Прибалтике. Маленькие страны, небогатые. И только обширная и чреватая полезными ископаемыми Россия может позволить себе отдать целых десять лет исключительно вопросу власти. Но если бы речь шла лишь о личной власти Б. Ельцина, власти его домашних и одомашненных, то, полагаю, у нас давно был бы другой президент. Однако изменение политического и экономического строя в России произошло с помощью таких преступлений, такого казнокрадства, что любая новая власть первым делом спросит, к примеру: «Борис Абрамович, откуда дровишки? Вы что, динамит, как Нобель, изобрели или конвейер, как Форд, придумали?» И начнется!

Почему в странах соцлагеря бывшим вернули собственность? Да потому что там режимы продержались менее пятидесяти лет. Есть кому возвращать. Почему у нас никому ничего не вернули? Потому что — «поздно, Дубровский!» Так вот, это грядущее «поздно, Дубровский, Березовский, Смоленский, Гусинский, Ходорковский...» — и составляет смысл нашего нынешнего существования. Нас будут водить по пустыне до тех пор, пока все позабудут, что там было на самом деле в Египте этом штопаном. Вот почему так важно, кто будет преемником. Это может быть кто угодно, хоть пара сросшихся сиамских близнецов с нездоровыми сексуальными наклонностями. Главное, чтобы не задавал вопрос: «Откуда дровишки?» А еще главней, чтобы, получив ответ: «Из лесу, вестимо...», — никто уже и не вспомнил бы, что когда-то в Египте лес был общенародной собственностью...

Страшная тайна Ельцинора

Какая-то тайна открылась новому премьеру Степашину в последние недели. Он явно посуровел, построжал, похудал и даже стал покрикивать на подчиненных. В каждом замке есть свой страшный секрет, узнав который человек меняется. В шекспировском Эльсиноре то была общеизвестная Тень Отца Гамлета. Поговорив с ней, принц превратился в страшного мстителя. Во многих замках есть запретная комната. Заглянув туда, безмятежное прежде существо тоскует и не находит себе места. А какова же страшная тайна, сокрытая в семейном замке Ельцинор? Об этом много гадают, упоминают всуе вассалов Березовского, Чубайса, Абрамовича, чад и домочадцев владельца замка — строгого седовласого сеньора с шунтированным сердцем.

Болтают тоже разное. Но вспомните, как прикосновение к этой тайне перепахало добродушного писательского внука Гайдара, уютно заведовавшего отделом в журнале «Коммунист»! Вспомните, как те же секретные обстоятельства превратили немногословного газовика Черномырдина в искрометного сочинителя народных поговорок. А что эта тайна сделала с улыбчивым бухгалтером Кириенко? Он же теперь на людей бросается. Например, на Ю. Лужкова. Критикует московского мэра, словно дефолт в Отечестве случился во времена Керенского, а не во время премьерства самого Кириенко. Но это такой воздух в подвалах Ельцинора: подышал и сам себя не помнишь. И вроде бы тебя не Немцов из нижегородского банка в Москву перетащил, а божий ангел на спасение россиянам с золотого облака спустил...

Дольше всех не поддавался Е. Примаков. Наверное, потому что он старше, мудрее всех и, бродя по переходам Ельцинора, читал про себя какую-нибудь охранную молитву. И на него тайные силы мрачного замка не действовали или действовали косвенно: радикулит вот замучил.

А теперь Степашин. Нельзя сказать, что он никогда прежде не бывал в замке Ельцинор. Бывал — и директором ФСБ, и министром МВД, и первым вице-премьером, который однажды не так сел и тем обрек на гибель целый кабинет министров! Но в главную, тайную комнату, наверное, его не водили или, может, с призраком откровенно говорить не позволяли. А тут отвели и позволили. И потемнел ликом Степашин, и заговорил о том, что Россия может потерять экономическую независимость. Как же его должна была потрясти полученная в страшном лабиринте информация, если он на заседании правительства, перед телекамерами вдруг произнес то, что знает любой продвинутый российский школьник?.. Что же такое он увидал, что постиг, от чего содрогнулся?

Бог весть. Но даже страшно помыслить об этом: ведь и сам Патриарх всея Руси, человек мудрый, побывав в тайных пределах Ельцинора, заговорил вдруг о необходимости очистить Красную площадь от захоронений, ибо на площади устраивают рок-концерты. Мысль о том, что проще не проводить возле исторических захоронений концерты, как-то миновала его высокое чело... К чему я все это говорю? К тому, что в сказках, а иногда и наяву нехорошие замки в конце концов на радость всем рассыпаются во прах.

Может, оттого и потемнел ликом премьер Степашин?

Рифма — оружие пролетариата

Недавно мне довелось сидеть в жюри поэтического конкурса. Честное слово, такие конкурсы еще проводятся. Собралось человек сто пятьдесят. Не профессионалы, конечно, а любители. Самому старому поэту было за восемьдесят. Самой молодой поэтессе — двенадцать лет. Были тут и домохозяйки, и бизнесменистые молодые люди, и студенты, и пенсионеры, и бомжи... Страсть к стихописанию — это своего рода болезнь, которая не разбирает ни социального положения, ни возраста.

И вот несколько часов я слушал стихи. Не стану касаться художественной стороны дела — настоящий поэт всегда редкость. Но традиционно в России поэзия была отражением общественных настроений. Рейтинги и опросы, которыми потчуют нас Киселев или Сванидзе, сооружаются неизвестно где и неизвестно кем. Их главная задача — приготовить из очередного премьер-министра Дездемону для нашего кремлевского Отелло. Я думаю, Степашин уже по ночам вскрикивает из-за своего катастрофически растущего рейтинга. А вот стихи непрофессионалов — это глас народа в чистом виде. О чем же пишут поэты? Понятное дело, о любви, дружбе, весне и осени... О чем еще? О России. И стихи эти нерадостные. Они пишут о проданной, преданной, разграбленной стране. Очень часто стихи содержат, как говорится, прямой призыв к изменению конституционного строя. Постоянно фигурирует образ скамьи для подсудимых, куда поэты с маниакальным упорством стремятся посадить всенародно избранного президента со всей семьей. Нехорошо отзываются стихотворцы и об олигархах, по своей лирической наивности не понимая, как можно честным путем за два-три года, ничего не производя, заработать миллиарды долларов. Далее, явно впадая в гиперболу, поэты внезапное богатство немногих напрямую увязывают с обнищанием большинства. Достается от любимцев муз и Америке. Особенно за бомбежки Сербии. Поэтический метод познания действительности встает в тупик перед американским принципом ликвидации одной гуманитарной катастрофы с помощью другой гуманитарной катастрофы. Несколько гневно-эротических эпиграмм были напрямую посвящены оральным взаимоотношениям Моники и Клинтона.

Вот такие стихи... Конечно, кремлевская власть давно заткнула себе уши и не воспринимает то, что говорят о ней на самом деле. Борису Николаевичу, дабы узнать настроения подданных, достаточно увидеть счастливую кроличью улыбку орденоносного Макаревича, словно перенесшегося на своей «Машине времени» в эпоху махрового застоя. Но если в глубинах президентской администрации еще остались серьезные аналитики, пусть они проанализируют эту самодеятельную поэзию, ибо в ней зарифмовано невеселое будущее тех, кому сегодня очень хорошо.

Правда в особо крупных размерах

Вы будете смеяться, но идея создания «министерства пропаганды» мне нравится. Государство без идеологии и мощного пропагандистского аппарата невозможно, оно развалится. Напомню ставший уже хрестоматийным пример — чеченскую войну. Государство пыталось подавить криминально-сепаратистское новообразование на Кавказе, а средства массовой информации воспевали героические образы чеченских боевиков. Чем все закончилось, известно: людей сегодня похищают как в мрачные времена работорговли. Спрашивается, неужели деятели СМИ Льва Толстого не читали — «Казаков», например? Неужели ничего не знали о мировом опыте жесткой борьбы с терроризмом и сепаратизмом? Все они отлично знали и читали. Почему же так поступили? Отложим ответ на этот вопрос до тех пор, когда изучением приватизации и соответствующих денежных потоков займутся историки, когда будут опубликованы засекреченные ныне документы западных спецслужб, а психоаналитики попробуют разобраться в маниакальной западофилии российских либералов.

Следующий звоночек был недавно. Россия впервые за последние годы предприняла самостоятельные геополитические шаги. Я не специалист, но очевидно, что рейд десантников в Приштину был единственным способом демонстрации наших интересов странам НАТО, которые давно уже относятся к России как к спившемуся и запаршивевшему соседу по коммунальной квартире. «Что-то ты, мужик, сегодня плохо выглядишь! Не ровен час помрешь, и вселят на твое место какого-нибудь красно-коричневого. На-ка тебе кредит на опохмелку...»

Итак, едут-едут по Югославии наши казаки! И что же? На Евгения Киселева было больно смотреть, так его огорчил этот рейд. Такое впечатление, что он не заместитель гендиректора НТВ, а заместитель генсека НАТО, отвечающий за недопущение российских миротворцев в Косово. Поймите меня правильно, я не против того, чтобы журналисты имели собственное мнение. Я давно смирился с тем, что многих деятелей СМИ совершенно не интересует наше с вами мнение. Обратите внимание: позиция комментаторов очень редко совпадает с результатами интерактивных опросов, которые они сами же проводят. Мол, вы там у себя на кухне можете думать все что угодно, а я вот вам что скажу...

Свобода слова — святое дело. Но мне хочется, чтобы наконец собственное мнение появилось и у нашего государства и чтобы голос нашего государства, выражающий это мнение, был послышнее в эфире, чем колоратуры Елены Масюк или философическая отсебятина Владимира Познера. Одного я боюсь, что вся мощь объединенного «министерства пропаганды» пойдет не на пропаганду исконных интересов страны, а на то, чтобы довести до каждого, какое крепкое рукопожатие у президента и какая крепкая у него Семья. И тогда я буду с замиранием сердца ждать, когда же наконец на экране появится родная растительность Сванидзе, его милые троцкистские очочки, и стану с наслаждением припадать к его полуправде, потому что вокруг уже будет сплошное государственное вранье, выдаваемое за правду в особо крупных размерах....

Битва за безнаказанность

Вы полагаете, смысл предстоящих парламентских и президентских выборов в том, чтобы посредством всенародного голосования выявить и наделить властью наиболее действенных и разумных политиков, способных достойно руководить страной? Уверяю, вы глубоко заблуждаетесь!

В нашем Отечестве на сегодняшний день власть не имеет почти никакого отношения не только к благу народа, но даже к более или менее исправному функционированию государственной машины. В нашей стране власть — это та охранная «окончательная бумага», какую требовал профессор Преображенский от своего кремлевского пациента.

За небольшим исключением, перед всеми, кто участвует в нынешней политической жизни, стоит одна, но очень важная, я бы даже сказал, судьбоносная задача — избежать ответственности за содеянное. А сделать это можно, лишь получив власть. Так уж в России повелось. Потом, лет через двадцать, все зарубцуется и за прошлое по-настоящему не спросят. Каганович, например, после отставки еще лет тридцать играл в домино во дворе дома на Фрунзенской набережной, и никому даже по пьяни не приходило в голову набить хотя бы морду «железному наркому». Время не «просто врач, время — врач-анестезиолог».

И люди, персонально виновные в разгроме нашей страны, в подрыве ее экономики; военной мощи, в разворовывании и перекачивании за рубеж национального достояния, люди, фактически организовавшие в стране ползучий геноцид, отлично понимают: надо выиграть время. Я далек от того, чтобы списывать все преступления и преступные ошибки минувшего десятилетия на какую-то одну политическую силу. В случившемся виноваты многие, включая и некоторых лидеров сегодняшней оппозиции. Поэтому не стоит надеяться на праведный суд, который невинно пострадавшие свершат над корыстолюбцами и злоумышленниками. Спор идет лишь о том, какая часть виноватых станет судьями и, следовательно, избежит ответственности, а какая окажется под судом, ответив сразу за всех.

В этом, собственно, и заключается смысл предстоящих выборов. Ведь обойтись без возмездия вообще не удастся: слишком много обиженных, обобранных, обманутых. За миллионы беженцев надо отвечать? А за войну в Чечне? А за приватизацию? А за многолетнее беззарплатье? Ответит тот, кто проиграет выборы. В России новая власть традиционно утверждалась с помощью попрания предыдущих троносидельцев. И вот ради того, чтобы прорваться к власти, идут на самые изощренные политические мезальянсы и идеологические кульбиты. Возьмем тусовку чудовищно нашкодивших молодых реформаторов. Свое выборное объединение они назвали «Правое дело», явно рассчитывая на прочно внедрившийся в коллективное бессознательное слоган «Наше дело правое — мы победим!», выбитый на медали с портретом Сталина. Страну громили под профилем Джефри Сакса, а в Думу пойдут чуть ли не под профилем ненавистного им «отца народов» и «лучшего друга детей». Победа не пахнет, тем более когда идет битва за безнаказанность. Но самое печальное, дорогие читатели, заключается в том, что в этой битве за безнаказанность мы с вами оказываемся в роли мирного населения, которое, как известно, сильнее всего и страдает во время военных действий...

Пока гексоген не грянет...

Я думаю, в скором времени слово «Кавказ» мы будем писать через «ф» — «Кафказ», ибо все, происходящее в этом регионе, а также его взаимоотношения с центром больше напоминают мир романов Кафки, нежели реальность. Судите сами: знаменитый имам Шамиль жил в плену прилично, получал неслабую пенсию, посещал званые обеды... Одним словом, не кавказский пленник, а дорогой гость. Но заметь, любезный читатель, с ним обращались так лишь после того, как он сложил оружие и прекратил сопротивление.

Нынче все по-другому. Чем шибче бузила Чечня, тем больше центр закачивал в нее денег и оружия. О том, что чеченская армия в эти годы вооружалась исправнее и современнее, чем российская, написано немало. Ну, в самом начале, при Дудаеве, это объяснимо: демократия в Москве тогда еще не окрепла. Боялись, что та часть партноменклатуры, которая не изловчилась хапнуть национальную собственность во время разблюдовки 91-го, поднимет мятеж против той части, которая изловчилась и пересела из черных «Волг» в бронированные «Мерседесы». Напомню тем, кто забыл: именно генерал Дудаев первым в 93-м поддержал Ельцина и предложил даже прислать боевиков в Москву для наведения конституционного порядка. Однако Борис Николаевич, давно уже мечтавший сделать в Белом доме евроремонт, ответил: «Сами разберемся!» Разобрался...

Тем временем за счет вливаний из центра Ичкерия строила свою национальную государственность. Строила, в частности, на костях русских, еще недавно живших в этой республике как в родном доме. Но об этих издержках мы ничего не знали, ибо российское телевидение было влюблено в Дудаева, Басаева, Яндарбиева и других так страстно, как может быть влюблена в дворового хулигана преподавательница марксистско-ленинской философии, впервые за сорок лет жизни испытавшая с этим хулиганом оргазм. А потом вдруг (дело шло как раз к выборам) Борис Ельцин, сделавший все возможное для сепаратизации Чечни, вдруг осерчал на Дудаева — и началась война.

Странная война. Армия напоминала, извините за сравнение, собаку на длинном поводке со строгим ошейником. Конец поводка уходил, как водится, в Кремль. И стоило Российской армии добраться до горла врага, как тут же ее оттаскивали в сторону. О роли российских СМИ в той войне уже говорено-переговорено. Вели они себя так, как вела бы себя вышеупомянутая философиня, если бы милиция пришла забирать ее хулиганистого гиперсексуала. В общем, они вопили, рыдали и висли на руках силовиков... Потом над превратившейся в пепелище Чечней распростер свои совиные крыла генерал Лебедь — и все покрылось мраком Хасавюртовских соглашений.

Сколько казенных денег ушло в Чечню вроде как на восстановление — бог ведает. Можно считать в рублях, можно в долларах, а можно в зарплатах и пенсиях, так и не полученных миллионами россиян. Да и вообще, по мнению специалистов, вольная Ичкерия превратилась во всероссийскую отмывочную, по сравнению с которой печально знаменитый нью-йоркский банк — всего лишь жалкий обменный пункт возле гастронома. Есть во всем произошедшем и другая кафкианская странность: получив в результате войны свободу и независимость, чеченцы (не все, конечно) наладили в промышленных масштабах похищение людей, то есть стали лишать свободы себе подобных. Даже какое-то странное разделение труда возникло: чеченцы крадут, а Березовский вызволяет, они крадут, а он вызволяет... Такое вот гуманистическое партнерство. Дошло до того, что представителя президента сперли. Могли бы при желании и президента спереть... Не пожелали. Жаль.

В общем, установилось некое, как говорится, статус-кво, которое можно определить так: курица не птица, а Чечня вроде как уже и заграница, но только без границы. И вдруг эта почти уже заграница вместо того, чтобы согласно рекомендациям своих исламских Солженицыных обустраивать Ичкерию, нападает на наш российский Дагестан. Странно как-то нападает. Как и в прошлый раз, война началась накануне выборов. Более того, на территории Дагестана были заранее подготовлены мощные укрепрайоны. Представьте себе, немцы подходят к Брестской крепости, а им навстречу выходят и докладывают: «Герр генерал, Брестская крепость к торжественному приему немецко-фашистских захватчиков готова!» Странно... Ведь все наши премьеры после бухгалтереночка Кириенко пришли из силовых структур. Куда они смотрели? Или у нас в Кремле стекла с обратным затемнением? То, что происходит в Кремле, даже самые неподобающие вещи, видны всей стране. Но то, что в стране происходит, им, сидельцам кремлевским, не видать.

А может, просто не интересно им все это, у них другие в жизни сверхзадачи: усесться, усидеть, пересидеть... В результате прогремели страшные взрывы, унесшие сотни жизней. Власть, заботившаяся все эти годы только о собственной безопасности, привела к тому, к чему и должна была привести: сегодня в России ни один человек не чувствует себя в безопасности. А мы-то думали, снова пронесет. Нет, не пронесло... Увы, пока гексоген не грянет, русский человек не схватит карающую кочережку Истории, о существовании которой насельники кремлевских кущ, кажется, подзабыли. Напомним им, любезный читатель?!

«Холуин» — праздник творческой интеллигенции

У российской творческой интеллигенции нет своего общего профессионального праздника. У шахтеров есть, у милиционеров есть, у космонавтов есть, а у служителей муз нет как нет. Почему? Попробую предложить свою версию этой вопиющей несправедливости. Профессиональные праздники стали у нас фактом общенационального отдохновения при советской власти. Большевики, которых сейчас принято изображать шизоидами, свихнувшимися на марксистско-ленинской идиотологии, были на самом деле совсем не глупы и умело, особенно в первые десятилетия режима, работали с трудящимися. А как не работать, если, допустим, Викжель, исполком профсоюза железнодорожников, по влиянию на массы спорил с ЦК РКП(б). Это потом профсоюзы превратились в заочную школу коммунизма, а теперь и вообще напоминают фирму, организующую по заказам состоятельных господ митинги и шествия.

Итак, в порядке классовой лести возникли профессиональные праздники. Почему же забыли о творческой интеллигенции? Нет, не забыли — не сочли нужным. А чего, собственно, завлекать и обольщать служителей муз, если они сами (не все, конечно, но очень многие) с цыганской назойливостью навязывались в услужение новой власти? Демьян Бедный буквально завалил своими агитками молодую республику. Поэт Валерий Брюсов, некогда сурово полемизировавший со статьей Ленина о партийности литературы, с перепугу стал после 17-го руководить Главным управлением коневодства. Борис Пастернак по сердечному влечению сочинил чуть ли не самые первые хвалебные стихи о Сталине. Сейчас, когда частично открыты архивы НКВД, стало ясно: если бы эта, прямо скажем, не самая гуманная организация принимала меры по каждому доносу, написанному служителем муз, то к концу тридцатых в стране осталось бы два творческих интеллигента — сам Сталин, слагавший в молодости стихи, и еще, возможно, Хрущев, неплохо плясавший гопак. Кстати, когда по-настоящему опубликуют архивы КГБ, общественность сделает удивительное открытие: самыми активными сигнализаторами в органы в период «застоя» были зачастую как раз те деятели культуры, которые в конце 80-х стали самыми ярыми демократическими трибунами. Да вы их всех знаете! Но не будем забегать вперед: каждому фрукту — свое время.

Итак, этот чересчур активный холуизм, на мой взгляд, и привел к тому, что творческая интеллигенция осталась без профпраздника. Конечно, красный день календаря творцам могли бы подарить Горбачев или Ельцин, но они, видимо, тоже, как и их предшественники, просто обалдели от ураганной услужливости служителей муз. Достаточно вспомнить, как режиссеры, актеры, музыканты, писатели, ни черта не смыслившие в запутанной социалистической экономике, шумно требовали ударить реформами по «застою» и звали страну к пышным пирогам капитализма. В итоге ударили так, что до сих пор очухаться не можем, а сам Джефри Сакс открещивается от результатов «шоковой терапии», словно ошалевший папаша от новорожденного, покрытого рыбьей чешуей...

В результате надорвавшееся государство Российское уже не в состоянии, как раньше, в полной мере оплачивать наемную любовь творческой интеллигенции. Что ж, не беда: холуйство из общегосударственного дела превратилось в разновидность индивидуально-трудовой деятельности. Недавно я участвовал во встрече с видным литератором и заслуженным бизнесменом, приехавшим в Москву из высокоразвитого островного государства, расположенного в Японском море. Слово с рюмкой взял известный российский писатель, назовем его — Кульбитов. Я даю ему и нижеследующим персонажам псевдонимы не из-за опасений — они все равно себя узнают и разозлятся, но это меня как раз не волнует. Просто явление, о котором идет речь, стало настолько массовым, что хочется не конкретики, а обобщений.

Итак, Кульбитов... О чем же он говорил? Ну, во-первых, о том, что у возглавляемого им ПЕН-клуба нет денег для проведения международного слета, а у бизнесмена эти деньги есть. Во-вторых, о том, что недавно, вызволяя из суда узника совести, он отдыхал во Владивостоке и сердце его рвалось за горизонт, в уже упомянутое островное государство, но, увы, не дорвалось. В-третьих, он пожаловался: во всем мире его книги уже перевели, а в стране, которую представляет уважаемый гость, как-то замешкались. Вот такой спич, переходящий в попрошайничество. Но есть и более тонкие подходы.

Заметьте, деятели культуры, появляясь в телевизоре, с поразительным единодушием ругают наше Отечество. Вот и недавно писатель Виктор Ерофеев утверждал, что такую маразматическую власть россияне сами заслужили своей никчемностью. Он, разумеется, уже забыл, как в 96-м писал статьи, призывая голосовать за Ельцина. Но не в этом суть. У Чаадаева тоже было много претензий к России. Однако претензии нынешних литераторов имеют не столько мировоззренческое, сколько экономическое происхождение. Если вы думаете, будто каждый деятель культуры, хающий свое Отечество, не любит Россию, вы глубоко ошибаетесь. Любит, но жить-то надо. Не может же, ей-богу, он, человек особенный, стучать каской, как шахтер, или падать у доски в голодный обморок, как учитель. Зачем же тогда существуют международные фонды, гранты и стипендии для гонимых и непонятых? Правда, теперь у нас демократия — на цензуру и партком не очень-то пожалуешься. Остается жаловаться на страну и народ. Ну не такие они какие-то, понимаешь ли....

И вот по миру — с форума на форум, с семинара на семинар — снуют наши мало кому на родине известные деятели культуры, зарабатывающие на жизнь рассказами о том, как неимоверно трудно самореализоваться творческой личности в дремучей России. Видят западные интеллектуалы, скажем, поэта Ивана Александровича Дрыгова, специализирующегося на эстрадной версии эпилептических припадков, и плачут: до чего же эти наследники ГУЛАГа своих поэтов довели! Плачут и раскошеливаются, переводят, издают книги, которые, конечно, никто читать там, на Западе, не станет... А кто, допустим, в Советском Союзе читал роман Анри Курабье «Красный флаг над Монмартром»? Никто.

Однако печатали, автора в Москву приглашали, поили, кормили и денег с собой давали. Так уж издавна принято в нашей геополитической коммуналке между соседями, борющимися за почетное звание ответственного квартиросъемщика. Меняются лишь места и способы раздачи кормов, а также исторически обусловленные формы холуяжа.

Вот почему, любезный читатель, я и предлагаю учредить «Холуин» — профессиональный праздник российских деятелей культуры. Отмечать его можно в любой день, ибо это праздник, который всегда с ними...

Плюс электоратофикация всей страны

...Зазвонил телефон, и нежный мужской голос, представившись членом совета ветеранов, поинтересовался, как поживает Надежда Петровна. Надежде Петровне, бабушке моей жены, в будущем году могло бы исполниться сто лет. И если бы звонок раздался четыре года назад... Голос скорбно поблагодарил меня за информацию о безвременной кончине старушки — и на другом конце провода послышались бумажные шорохи: Надежду Петровну, пребывающую ныне в мирах, чуждых политическим суетам, вычеркнули из списка ветеранов-избирателей...

Раз в четыре года мы с вами, любезные читатели, становимся обладателями сокровища, которое ценится, пожалуй, даже выше, чем ценилась некогда в стамбульских гаремах девственность юной натуральной блондинки. И это сокровище — наши с вами избирательные голоса. В предшествующие всенародному волеизъявлению недели меня начинает посещать странная фантазия, будто я уже не гомо сапиенс, а некий «гомо электоратус», нелепое существо, появившееся на свет исключительно для того, чтобы подобно бабочке-однодневке совершить свой электоральный полет и кануть, исчезнуть, умереть, затаиться в темной щели бытия до новых выборов.

Прежде, говорят, люди в нашей стране были всего лишь винтиками огромной государственной машины, производившей социализм. То ли продукт оказался неконкурентоспособным, то ли машину забыли вовремя модернизировать, то ли враги подсунули в шестеренки гаечный ключ (пусть разбираются историки) — но мы с вами уже не винтики машины, производящей социализм. Однако, ей-богу, все чаще и чаще я начинаю чувствовать себя винтиком огромной, безжалостной электоральной машины. Сырьем для нее служит вся страна, ее недра, леса, реки, пашни, заводы, культура, религия, ну и люди, разумеется. А что она, эта машина, собственно, производит? Что она дала нам? Выдающегося реформатора правительственного автомобильного парка Немцова? Упитанного «шок-мена» Гайдара? Профессионального чеченозащитника Сергея А. Ковалева? Жириновского, превратившего свои юношеские комплексы в буйно-предсказуемый фактор российской политической жизни? Явлинского, вечно недовольного другими и всегда довольного собой? Крупнейшего современного семитолога генерала Макашова? Или «бизнес-герл» Хакамаду, советовавшую сидящим без зарплаты шахтерам собирать грибы и ягоды? Все они скромно именуют себя «элитой»... И вспоминается почему-то гоголевский бурсак, трясущийся возле гроба ведьмочки, а вокруг вьется, гикает, машет перепончатыми крыльями разномордая элита и вот-вот введут под руки Вия, уставшего от работы с документами...

А что такое каждые выборы с точки зрения укрепления общественной морали? Достаточно вспомнить недавние петербургские «грязные технологии», напоминавшие соревнования по прицельному метанию экскрементов — все соискатели с головы до ног... Нет пророков в своем Отечестве — одни пороки. Кстати, ход достаточно хитрый: когда кандидаты скрыты под толстым слоем виртуального и реального дерьма, люди перестают соображать, кто есть кто, и вполне могут предпочесть трижды судимого душегуба вполне приличному человеку. Впрочем, если избиратели все-таки разберутся и проголосуют за честного человека, криминальный авторитет, заплатив денежки, пройдет по списку блока.

Кстати, о деньгах. Страна в плачевном состоянии, убыль населения до полутора миллионов человек в год, наш всероссийский бюджет чуть ли не меньше бюджета города Нью-Йорка. Наш фронтовик получает пенсию, которой его немецкому (как бы это пообщечеловечней выразиться!) окопному визави едва хватает на одноразовое посещение пивной. А ведь в иных безработных регионах на эту пенсию живет вся семья. Лично у меня сердце сжимается, когда я вижу, на какую старость обречено поколение победителей.

Но вернемся к деньгам. Телевизор совершенно откровенно живописует, как та или иная отрасль экономики берется под контроль той или иной политической силой. Оно понятно — для выборной кампании нужны средства. Представьте, в некой больнице пациентам урезают питание для того, чтобы сэкономить деньги, необходимые главному врачу, баллотирующемуся в Академию медицинских наук. Даже при нашей полупарализованной правоохранительной системе главврача на следующий день выведут и поведут. А в масштабах всей страны вроде бы так и надо. Я думаю, тех денег, которые во время выборов расходуются на завоевание (покупку) одного голоса, хватило бы обладателю этого голоса на нормальную жизнь. Но, увы, средства достаются не ему, а имиджмейкерам, пиарщикам, рок-певцам, телеохмурялам, залетным кинозвездам и прочим представителям особого сообщества, о коем можно написать исследование под названием «Предвыборная паразитология».

Увы, мы пришли к печальной ситуации: не выборы для страны, а страна для выборов. Приходится с грустью констатировать: постсоветская власть — это бардак плюс *электоратофикация* всей страны. Чем отличается электоратофикация от электрификации, надеюсь, объяснять не надо даже совсем юным моим читателям, воспринимающим Ленина в одном ряду с мумифицированными египетскими фараонами. И если процесс электоратофикации России пойдет дальше такими же темпами, по диким просторам некогда могучей сверхдержавы по колено в избирательных бюллетенях будут бродить озверевшие гомо электоратусы и дубинками биться за мандат в Думу — так со временем назовут просторный шалаш, где кормят и наливают...

Хаосмейкеры

«Земля наша богата, порядка в ней лишь нет!» — этими хрестоматийными строчками обычно объясняют ситуацию в Отечестве, когда бессильны логика и здравый смысл. Ну что, мол, поделаешь, страна у нас такая — умом не понять, аршином общим не измерить... И все-таки попробуем понять. Для начала зададимся вопросом: кому в России нужны законность, порядок и процветание? Ответ вроде бы напрашивается сам собой: всем нужны! И подобно тому, как солдатикам срочной службы по ночам снятся девушки, все мы спим и видим закон и порядок на просторах России. Обалдели мы от реформ, в которых столько же логики и последовательности, сколько их в предсуповых метаниях курицы с отрубленной головой.

Так в чем же дело? Давайте рассуждать. Нужен ли закон и порядок группе странно разбогатевших граждан, для приличия именуемых «олигархами»? Нет, не нужен. Они страшатся закона и порядка, ибо первым делом их спросят: «Откуда дровишки?» Суд у нас гуманный, но даже если он разрешит каждому обманутому вкладчику влепить всего 1 (одну) несильную оплеуху плуту-банкиру в порядке моральной компенсации, мы в одночасье лишимся почти всех наших финансистов. А страницы «Коммерсанта» покроются некрологами с единообразной причиной кончины — «умер от множественных пощечин».

Разумеется, в случае установления закона и порядка начнут разбираться, каким образом российская казна превратилась в черный цирковой ящик: положишь в него, допустим, деньги, собранные с населения в виде налогов, а они глядь — уже в Америке или на каком-нибудь тропическом острове. У нас север обогреть и накормить не на что, а этот тропический остров долларами, украденными из России, можно засыпать полностью, как любимую лепестками роз. Да и вообще, вопрос можно поставить шире: почему некогда общенародная собственность работает теперь не на процветание державы, а на процветание нескольких десятков семей, включая и тот специфический родственный коллектив, каковой в нашей прессе принято писать с заглавной буквы, — Семья? Вот сами и решайте: нужен олигархам порядок или они заинтересованы в тщательно спланированном хаосе? На мой взгляд, это люди, сознательно устраивающие хаос, — хаосмейкеры.

Кстати, о прессе. Честным, а значит, небогатым журналистам, конечно, порядок и закон нужны. Вон уж сколько их поубивали и покалечили за последние годы! Но тем, кто делает из эфира мусоропровод, а из газетных полос производство по утилизации политических отходов, — нет, не нужны. Подумайте сами, как катастрофически уменьшатся влияние и доходы, например, владельца политического журнала, если придуманный рейтинг или умело вброшенный информслушок перестанут быть искрами зажигания, приводящими в движение мотор российской политики! А таковым мотором является у нас управляемая ярость президента Ельцина. Сейчас, по-моему, готовится целенаправленное падение этой ярости на аккуратный путинский пробор. Как известно, наш президент лучше всего аккумулирует гнев на отдыхе. Вот отдохнет и снова учинит очередной политический хаос. Кстати, закон и порядок президенту тоже не нужны. Закон предполагает настоящий баланс властей. Тогда уж не поруководишь при помощи указов и истерик, озвученных пресс-секретарями, которых меняют так часто, наверное, потому, что вранье все-таки вредно для здоровья.

Порядок, как и разруха, — в головах людей. Разве в обществе, где царит порядок, можно, поздравляя с 70-летием видного политического деятеля, экс-премьера, глумиться и делать неприличные, чуть ли не юдофобские намеки? Но ведь именно это было сделано на ОРТ в программе П. Шеремета, вялого, как лежалая репа, ведущего, все заслуги которого перед отечественной тележурналистикой заключаются в том, что он в неположенном месте перешел белорусскую границу. Перейди он, скажем, молдавскую границу, и никто никогда бы о нем не услышал. Но к батьке Лукашенко отечественные СМИ питают какую-то мистическую неприязнь. И чем очевиднее необходимость воссоединения двух республик, тем эта неприязнь крепче. Где же здравый смысл? У всей страны одни геополитические интересы, а у сотни насельников эфира, являющихся по совместительству еще и насильниками над нашим сознанием, совершенно иные предпочтения. И те же самые журналисты, которые в 93-м ликовали по поводу танковой пальбы в центре Москвы, сегодня рыдают о невинно разогнанной демонстрации в Минске. Закон, кстати, исключает двойной стандарт. Но именно двойной стандарт — закон для наших нынешних СМИ.

А нужны ли процветание, порядок и закон нашим политикам — особенно всем этим зачастившим накануне выборов в эфир деятелям категории «б/у»? Не-ет! Разве нужен закон Б. Немцову? Того гляди, станут разбираться с нижегородским чудом — и выяснится, что начудили в городе на Волге по самое некуда. А с чего это Г. Бурбулис вознамерился баллотироваться в Госдуму от неведомого ему Великого Новгорода? Вот уж буквально: в огороде бузина, а в Новгороде Бурбулис. Но мне-то понятно — почему. Как только в стране воцарится порядок, обязательно начнут выяснять, с чего начался у нас хаос, станут вспоминать главных хаосмейкеров и, конечно, вспомнят о госсекретаре Бурбулисе и о его роли в беловежском головотяпстве. Вот тогда-то ему и понадобится депутатская неприкосновенность.

Справедливости ради надо сказать, что почти вся оппозиция явно или тайно тоже не заинтересована в законности и процветании, по крайней мере в данный исторический момент. В противном случае ее шансы на приход к власти безнадежно падают. Пенсионер, вовремя получающий достойную пенсию, не помчится слушать Анпилова, он лучше в скверике с внучатами погуляет. Зачем человеку, чьи патриотические чувства уважаются, а не унижаются, вступать в РНЕ? Он лучше Ивана Солоневича на досуге перечтет.

Кстати, приказ президента сформулировать национальную идею так и остался невыполненным. А знаете — почему? Потому что всякая общенациональная идея вычленяет главное и отсекает второстепенное. А мы с вами живем сегодня в обществе, где второстепенное угнетает главное. Пример? Пожалуйста. В Москве, имея лишние деньги, можно в любое время зайти в хороший ресторан, попытать судьбу в казино или сыграть в жмурки со СПИДом, сняв девочку в Чапаевском парке. Это — второстепенное. А теперь — главное. Преподаватель истории, чтобы учить детей, в свободное от уроков время занимается погрузочно-разгрузочными работами, ибо сегодня содержать семью на учительское жалованье — примерно то же, что утолять жажду цветочной росой. И пока уровень нашей жизни будет определяться количеством «мерседесов» в Москве, а не степенью изношенности учительских башмаков, мы будем жить в беспорядке и беззаконии под властью хаосмейкеров, которым плевать на нас с вами с высокой хаосмейкерской башни...

Предвыборный грязепад

Есть такой вид развлекательного единоборства: борцы или борчихи вываливают друг друга в грязи под свист и улюлюканье зрителей, которым не важно, кто кого одолеет, а важно, кто кого сильнее выпачкает. Идущая полным ходом избирательная кампания очень напоминает такую борьбу с той лишь разницей, что зрители и избиратели не столько улюлюкают, сколько недоумевают. Впрочем, недоумение, переходящее в оторопь, — основное состояние российского гражданина в последние годы.

Прежде всего выяснилось, что множество соискателей думских мандатов имеют весьма смутное представление о своей частной собственности, гарантированной, между прочим, конституцией: кто-то про автомобиль забыл, кто-то про особняк, а кто-то, будучи включен в списки самых богатых людей страны, вдруг, оказывается, не имеет даже комнатенки в коммуналке, где голову преклонить. Эдакий бомж с ротой охраны и наручными часами, стоящими примерно столько же, сколько кремлевские куранты вместе со Спасской башней. Забывчивость, особенно непонятная рядовому налогоплательщику, у которого каждый рубль на счету.

Вообще-то в наше время провести предвыборную кампанию непросто. Это тебе не конец 80-х, когда неуспешного младшего научного сотрудника могли избрать депутатом просто за обидчивое выражение лица или какой-нибудь милый дефект речи. Сегодня все по-другому. Ежели ты беден, в политику лучше не соваться. Нет, конечно, можно вообразить Сокольники Гайд-парком и, подкарауливая в заснеженных аллеях запоздалых прохожих, обрушивать на них свою предвыборную программу. Однако такая политическая карьера может очень скоро завершиться в расположенной неподалеку, на берегу Яузы, психиатрической лечебнице. Для агитации, особенно если тебя никто не знает, нужны средства, и немалые. Но в таком случае очень трудно объяснить избирателям, откуда эти средства у тебя взялись.

Вся мощь нашей высокоталантливой журналистики в последние годы была направлена на то, чтобы убедить обывателя: честных денег в «этой стране» не бывает. Никто уже не верит в обещания типа: я добился благосостояния для себя — добьюсь, если выберете меня, и для вас.

Увы, в современной России нет ни одного сколько-нибудь заметного политического персонажа, про которого мы с вами не знали бы какой-нибудь гадости. Оплеваны все. Более того, сложилась ситуация, когда обвинения даже не принято опровергать. Отделываются обычно неопределенной ухмылкой (образцом в этом смысле является ухмылка В. Шумейко) и в крайнем случае ответными плевками в обидчиков. Я недавно прочитал в «Независимой газете», будто наливчатость «Яблока» во многом объясняется благосклонностью неких зарубежных финансовых структур. (Недаром же американцы называют свой Нью-Йорк «Большим яблоком»!) Ну, думаю, завтра Григорий Алексеевич даст им по независимой сопатке! Нет, не дал Григорий Алексеевич.

Кстати, Явлинский — один из самых загадочных российских политиков. Судите сами, он считает Лукашенко, желающего объединиться с Россией, нелегитимным президентом, и фракция «Яблоко» перед выступлением белорусского лидера покинула заседание Думы с брезгливостью вегетарианцев, попавших на праздник каннибалов. С другой стороны, Масхадов, желающий отделиться от России, для Явлинского — легитимный президент, и Григорий Алексеевич призывает вести с ним переговоры, замиряться, а потом, когда боевики, воспользовавшись перемирием и собрав силы, нанесут ответный удар по федеральным войскам, Явлинский, как водится, обвинит Кремль в гибели наших мальчиков и воззовет к мировой общественности! Вот такое Маленькое Яблоко посреди Москвы, которую за доверчивость впору именовать Большим Бананом.

Но вернемся к избирательной грязи. К любым наветам наши политики относятся, как я уже сказал, с чисто христианским смирением. Исключение, пожалуй, составляет только Ю. Лужков, с искренней обидчивостью отбивающий нападки Доренко, а тот уже близок, по-моему, к тому, чтобы заподозрить московского мэра в ритуальном поедании младенцев. И тут есть одна серьезная опасность. Всю минувшую неделю телевизор стращал нас баркашовцами, всю неделю Алла Гербер, как Кассандра, забредшая на берега Иордана, предрекала нам наступление фашизма. И мало кто задумывается о том, что при всеобщей замаранности эти парни в черной форме многим могут в самом деле показаться единственными избавителями от скверны, а «Спас» — настоящим спасением. Когда в стране не остается ни одного политика в белых одеждах, люди с надеждой начинают смотреть на тех, кто в черном. Так уже не раз бывало в мировой истории. И не надо все валить на русский народ. Экстремисты приходят к власти тогда, когда из политики уходит мораль, когда элита превращается в клоунов, кувыркающихся в грязи. Допустим, испаноязычный Доренко переберется в случае чего на жительство в Испанию, возможно, даже в один из тех особняков, которые он показывал в своих разоблачительных репортажах. А мы-то с вами куда? Нам-то — некуда!

Но давайте признаемся, и мы, граждане, потребители этой порочащей грязной информации, тоже притерпелись, пообвыкли. Так привыкают жильцы дома с окнами, выходящими на кладбище. Что же делать, если наши телевизоры, эти окна в мир информации, выходят на кладбище, где ежедневно хоронят честность, порядочность, здравый смысл, государственные интересы... А если бы мы вдруг возмутились, как тогда, в конце 80-х? («Ах, первый секретарь дал квартиру собственному сыну?! Долой КПСС!!») Что было бы? Ничего. Ибо любая критика сегодня рассчитана не на нас, представляющих собой как бы атомы общественного мнения. «Ах!» — воскликнули хором атомы — общественное мнение разверзлось и поглотило мерзавца. Разоблачения могут вызывать активный протест в обществе, когда оно еще достаточно благополучно. Среди людей, тысячами вываливавших на митинги в конце 80-х, голодных и безработных не было. Увы, человек не может одновременно бороться за выживание и за справедливость. Это обстоятельство очень тонко используется в современных избирательных технологиях. И весь предвыборный грязепад, по-моему, рассчитан совсем не на то, чтобы мы с вами, бледнея от омерзения, вычеркнули из бюллетеней те или иные фамилии. (Хотя, конечно, сделать это обязательно нужно!) Грязепад по сути рассчитан сегодня на реакцию одного-единственного гражданина России — Бориса Ельцина. Рассчитан на то, чтобы Борис Ельцин, содрогнувшись всем своим изболевшимся за державу сердцем, молвил: «Ну раз вы тут все такие грязнули и мерзавцы — останусь-ка я на третий срок. Пусть во власти будет человек, у которого хоть одна рука чистая!» Та, что держит ядерный чемоданчик...

2000

Отложенное возмездие

Борис Ельцин, проведший в отпусках и на бюллетене значительную часть двух президентских сроков, теперь на пенсии. В отличие от большинства престарелых россиян пенсии ему хватает. Даже остается — на охрану, бронированный лимузин, помощников и прочие милые экс-президентские прибамбасы. По сравнению с ним первый советский президент Михаил Горбачев ушел из большой политики, как благородный мужчина уходит из семьи, — со сменой белья и стопкой любимых книг. Не будь он «лучшим немцем» и лауреатом бесчисленных общечеловеческих премий, пенсионная судьбина его сложилась бы скудно и печально.

Однако вернемся к «царю Борису», о котором, по правде сказать, начали в предвыборной суматохе подзабывать. Так случается: болит, скажем, зуб — и весь мир умещается в изъеденном кариесом дупле, а вырвали — и через неделю даже не вспоминаешь об утраченном жевательном члене организма. Тем не менее коммунисты в парламенте ставят вопрос о том, имел ли право Владимир Путин гарантировать Борису Ельцину пожизненную юридическую неприкосновенность. Впрочем, это лишь обратная сторона вопроса: имел ли право демократически избранный глава государства «назначать» (или пусть даже объявлять) преемника? Спор на сегодняшний день бессмысленный, ибо у нас слова «право» и «править» являются однокоренными лишь для лингвистов, но не для политиков. Конечно, если рассуждать здраво, юридическая неприкосновенность — примерно то же самое, что дождевая непромокаемость. Мол, все люди, попадая под ливень, будут мокнуть, и только один человек благодаря соответствующему указу останется сух, как девица, последовавшая совету гигиенической рекламы.

Бред? Но именно таков нынешний «непромокаемый» статус экс-президента. Этот статус нелеп, бессовестен и... неизбежен. Вероятно, тот, кто в течение всех этих десяти лет сочувствовал моей антиельцинской позиции, удивится. А тот, кто не забыл, как еще в 1989 году в сатирической повести «Апофегей» я высмеивал всесоюзного борца с привилегиями, просто возмутится.

Но погодите возмущаться! Дозвольте слово молвить. Не следует забывать, что политическая безнаказанность на сегодняшний день, увы, — краеугольный камень нашего общественного устройства. И прежде чем выбить этот камень, надобно подвести под общество прочный фундамент, в противном случае вместо возрождения Отечества мы получим многолетнюю всероссийскую разборку, в результате которой пострадают, как всегда, наименее виноватые.

Конечно, хочется справедливости! Но справедливость — клинок обоюдоострый... Согласитесь: все свои ошибки и самодурства в отношении российского народа Борис Ельцин смог совершить только в результате той ошибки, каковую сам народ, замороченный продвинутой интеллигенцией, совершил, доверив ему бразды правления. Как будем карать народ? Пороть? А как наказывать интеллигенцию? Лишать свободы слова? А вдруг кто-то припомнит, что в высшие эшелоны власти Ельцина вывело все-таки не ЦРУ, а КПСС?! И что, объявим строгий выговор КПРФ — наследнице КПСС? Вынос Ленина из Мавзолея и внос Ельцина в зал суда по сути и возможным разрушительным последствиям — явления примерно одного порядка. Но ведь мы сегодня ведем речь о необходимости сплочения здоровых сил общества. Начнем консолидацию с распри? Уже было...

России сегодня нужна неотложная помощь, а нам предлагают неотложное возмездие. По-моему, в нашем случае гораздо уместнее отложенное возмездие. Да, бывает и такое. В истории тому множество примеров. Для бывшего политика самое страшное — собственными глазами увидеть, как без него страна живет богаче, спокойнее и честнее. Поэтому — за работу, господа и товарищи! Русское чудо лучше, чем русский бунт...

Канделябр — оружие творческой интеллигенции

Мало кто заметил любопытный факт: на недавних парламентских выборах представители творческой интеллигенции, включая и автора этих строк, провалились. Почти все. Несколько человек прошли по спискам, а это, согласитесь, более говорит об их партийной дисциплинированности, нежели о народном доверии. Могут возразить: «А Невзоров в Питере?» Невзоров, друзья мои, давно уже стал политическим бизнесменом и разрабатывает эфир, как говорится, открытым способом. Итак, оскудела Дума мастерами культуры. А ведь были времена — и наш парламент обилием говорливых знаменитостей напоминал телепередачу «Белый попугай».

Выходит, поумнел родной электорат и выбирает теперь исключительно людей государственных? Увы, это далеко не так: достаточно в Охотном Ряду и толстосумов, скупивших бюллетени, как некогда ваучеры, и засланных криминальных казачков, и многолетних парламентских сидельцев, у которых от постоянного лоббирования совесть превратилась в обмылок вроде тех, что лежат на раковинах в привокзальных сортирах. Их выбрали. На этот раз. А вот творческая интеллигенция получила, как говорится, полный отлуп.

За что? А за то, что в XIX веке называлось емким словом «подличанье». Еще свежо в памяти выдвижение В. Путина. Нет, в том, что нашего нынешнего президента, с которым связываются немалые надежды, поддержали артистические деятели, нет ничего зазорного. Вся проблема в том, как они это сделали.

Да, прилюдное сожжение очередного партбилета стало настоящим призванием многих мастеров. Вы помните знаменитую притчу Никиты Михалкова о хромом верблюде, который окажется впереди, если отечественный караван развернется и направит копыта в противоположную от реформ сторону? Вы все, конечно, помните! Так вот, случись невозможное — победи на тех выборах не Ельцин — на следующий день знаменитый режиссер объявил бы, что ценность верблюда определяется не целостью его конечностей, а интеллектом и что теперь, когда ловконогие либеральные верблюды завели Россию черт знает куда, настало время неторопливой мудрости, каковую злые языки выдают за хромоту...

А помните, как выдающийся музыкант Н. Петров советовал власти лупить политических противников канделябром? Впрочем, военные называют танки не «канделябрами», а «коробочками». Из них и стреляли по парламенту. Именно деятели культуры все эти годы расхваливали с телевизионного экрана и газетных полос шоковые реформы, ничего в них не смысля. Именно они млели от благосклонных кивков хитроумных западных политтехнологов, для которых права человека на самом деле примерно то же самое, что невинность Девы Марии для кюре, погрязшего в содомском грехе. Именно служители муз, ведя сытую фуршетную жизнь, внушали всей остальной России, что ради будущего можно и потерпеть. А надо ли напоминать о том, кто именно в первую чеченскую войну романтизировал ичкерийских волков и оскорблял нашу армию?

Конечно, так вела себя не вся творческая интеллигенция. Многие в эти годы были честны, прозорливы и неподкупны. Но одних не послушались, вторых не услышали, третьих замолчали. Да что там говорить, если даже Солженицына ухитрились представить массовому сознанию эдаким вечно недовольным дачным ворчуном. А господин Березовский — так тот попросту по-хозяйски отключил нобелевскому лауреату микрофон ОРТ, словно строгий спикер — надоедливому депутату.

Результат известен — властителей дум в Думу не пустили. Но гораздо печальнее другое: катастрофически небывало снизилось традиционное влияние российской интеллигенции на общество. Однако вместо того, чтобы задуматься о причинах этой народной немилости, наиболее шустрые служители муз снова озабочены исключительно милостью властей предержащих. Судите сами: почуяв в кремлевских коридорах державные сквозняки, вчерашние рыцари либерализма срочно вступают в патриотическое ополчение. Возможно, скоро призовут ударить канделябром. Кого? Был бы канделябр, а враг найдется...

Жаль. Пора бы вспомнить, что канделябр — прибор всетаки осветительный и главная задача настоящей духовной элиты — освещать своему народу нелегкие пути к лучшей жизни...

Соросята

У каждого народа есть миф «о себе любимом». В этом красивом мифе правда всегда торжествует над кривдой, богатыри непременно побеждают супостатов, дураки становятся умниками, там текут молочные реки и манят кисельные берега. В общем, сказка... Однако любая страна, в том числе и наша грешная держава, способна полнокровно существовать на земле лишь до тех пор, покуда в воображении народа живет ее облагороженный мифический образ. Гибель мифа чревата национальной катастрофой.

Как, удивитесь вы, связан этот историко-мифологический экскурс с нашей сегодняшней жизнью? Непосредственно. Противостояние в нынешнем мире — это все тот же жесткий диалог мифов, только компьютеризованный и виртуализованный. Правда, теперь это называют «двойным стандартом» в политике. Сами подумайте: имеет ли право бывший генсек НАТО Солана, санкционировавший погром Югославии, упрекать нас за действия в Чечне? С точки зрения здравого смысла — нет, а с точки зрения западной мифологии — да. И упрекает, да еще щеки миротворческие надувает!

За спорами вокруг ратификации СНВ-2 никто не обратил внимания на то, что мы давно уже разоружились. Духовно. Мы стали смотреть на себя, на свой народ, на свою историю глазами иной цивилизации. Проще говоря, смотрим на Илью Муромца глазами Калина-царя: вот, мол, слез с печки и наехал на бедного кочевника здоровенный, противный мужик, от которого несет тяжким русским духом. Увы, мы почти утратили национальный облагораживающий и мобилизующий миф. Утратили по своей вине. Но в значительной мере нам помогли его утратить, потратив на это немалые деньги.

Сошлюсь на один только пример: Джордж Сорос. Сколько уже писали о том, что далеко не случайно в школьных учебниках, изданных на гранты этого международного доброхота, наши исторические взлеты, та же великая Победа, принижаются, а темных пятен, напротив, море разливанное! В таких учебниках на передний план выдвигается не патриотическая, а протестная составляющая русской культуры — важная, но не основополагающая ее часть. Я и сам литератор протестного направления. Но всему есть мера! Сегодня без диссидентско-эмигрантского прошлого вроде как и писателем быть неприлично! Для сравнения: те же американцы не называют, скажем, Эдгара По писателем эпохи работорговли, зато российские филологи обнаружили целую литературу «периода тоталитаризма». А один наш поэт даже нажаловался, как в былые времена в Кремле его больно укололи, прицепляя к груди очередной орден...

Мало кто знает, что все эти годы Сорос материально поддерживал толстые журналы либеральной ориентации — «Знамя», «Новый мир» и др. Например, «Москву», журнал, сориентированный на державную идею, он не поддерживал. «Москва» и другие издания сходного направления выживали сами по себе. Теперь Сорос финансирование прикрыл, и вот недавние грантоносцы обратились в Кремль с письмом: «Спасите! Не выживем!» Конечно, помочь надо, эти журналы — часть нашей культуры. Но каков парадокс истории! Тот, кто утверждал, что в России культура — дело не частное, а государственное, научился худо-бедно выживать в мире рыночных отношений. А тот, кто выступал против вмешательства государства и восхвалял самоокупаемость культуры, теперь молит это самое государство о помощи. Вот тебе, бабушка, и Гайдаров день!

Читая российскую прессу и глядя телепередачи, невозможно отделаться от ощущения, что иные авторы ведут речь о некой мрачной, ублюдочной территории, именуемой «РФ» и заслуживающей в лучшем случае сострадания. Случайно ли это? Или их тоже прицельно поразили из западного «грантомета»? Бесплатный сыр, как известно, только в мышеловке. Нас почти приучили оценивать себя по чуждой нам шкале социальных и исторических ценностей. Это гибельно. Сыну не должно смотреть на свою мать глазами гинеколога.

Что же, спросите вы, я призываю игнорировать все наши недостатки и пить шампанское пополам с квасом (именно отсюда выражение «квасной патриотизм»)? Ни в коем разе! Но мудрость тех, кто определяет духовную жизнь общества, как раз и состоит в том, чтобы найти тончайшую грань между окрыляющим мифом и удручающей реальностью. Это умели делать Карамзин, Гоголь, Достоевский, Ахматова, Мандельштам, Лев Гумилев... А мы? Сегодня мы — жертвы чужого мифа, унижающего и обезоруживающего нас. Мы — соросята...

Понимают ли это новоселы Кремля? Хочется верить...

Сколько стоит будущее?

России несказанно повезло: наша молодежь оказалась гораздо лучше того, что мы заслужили за годы саморазрушения и самооплевывания. Кто знает, может быть, это и есть тот шанс, который История иногда дает провинившимся, но любезным ее сердцу народам? Однако шансом надо еще уметь воспользоваться...

Напомню о грустном: вместе с социалистической идеологией мы выплеснули подлинный патриотизм, без чего невозможно воспитание юного человека. Белобилетные существа, поселившиеся в телевизоре, принялись объяснять завтрашним защитникам Родины, что в армию идут служить только лохи и дебилы. Понадобились отрезанные головы и взорванные дома, чтобы об армии вновь заговорили как о важнейшей части российского общества. Непросто решался вопрос — «делать жизнь с кого?». Ведь образцами успеха в одночасье сделались самонадеянные гарвардские мальчики, воротившие носы от «этой страны», и приблатненные «новые русские», которым ходки в зону заменяли университеты.

Это было время, когда места положительных героев обветшавшей советской эпохи заняли фанерные рок-звезды, невнятные тусовщики, вдохновляемые сушеными мухоморами, упакованные путаны с их вагинальной романтикой да странные юноши, решающие проблему «быть или не быть» исключительно в сфере гомосексуальной самоидентификации. Героика, столь нужная формирующейся личности, превратилась в объект издевок. Помню, как известный актер в глумливой пантомиме под хохот зала изображал Павку Корчагина, с идиотическим энтузиазмом орудующего кайлом. Над чем смеялись? Над тем, как деды надрывались, строили «железку», чтобы привезти дрова в замерзающий город? Интересно, теперь, после чубайсовских веерных отключений, насидевшись в темноте и холоде, стали бы смеяться и хохотать?

Кстати, о Чубайсе. Молодежи объявили: в новой России каждый энергичный человек может стать преуспевающим бизнесменом. Однако забыли пояснить: с чего это, к примеру, Анатолий Борисович, в молодости тюльпановед, а впоследствии политтехнолог, уселся вдруг на общенациональную энергосистему, которая к прославляемому им частному предпринимательству имеет, на мой взгляд, такое же отношение, как, допустим, арктические льды к мороженому «Баскин-Робинс»?

Долгое время Кремль просто не замечал молодежи, вспоминая о ней только тогда, когда нужно было выиграть очередные выборы. Думая о своем будущем, руководители почти не думали о будущем страны. Власть напоминала странноватых родителей, тратящих последние деньги на евроремонт, когда собственные дети не кормлены. В стране появились беспризорники и подростки, не умеющие читать, а состояние здоровья призывников вызывало оторопь у врачей. Конечно, какие-то средства выделялись, что-то делалось... То упразднялся, то восстанавливался Комитет по делам молодежи. Любопытно, что упразднял комитет самый молодой премьер, получивший прозвище Киндер-сюрприз, а восстанавливал самый пожилой, окрещенный народом Примусом...

Меж тем на развалинах ЛКСМ возникло множество организаций самого разного толка: от буддистов до бомбистов. Есть, впрочем, и серьезные новообразования, такие, как Молодежный парламент, чей съезд только что прошел в Москве. Но ни многочисленные версии неокомсомола, ни молодежные секции «Яблока» и «Медведя», ни популярная телепередача «Акуна матата» не способны восполнить зияющие пробелы в общенациональной концепции молодежной политики. Это дело государства, имеющего соответствующие средства, возможности и полномочия.

Так сколько же стоит будущее России? Открываем бюджет на 2000 год. Дотации племенному животноводству — 290 млн. рублей. На российский цирк — 175 млн. рублей. Поддержка отечественного овцеводства — 140 млн. рублей. Развитие производства льна и конопли(?) — 70 млн. рублей.

Федеральная президентская программа «Молодежь России» — 49,5 млн. рублей. Вот такой цирк: племенное животноводство обходится державе в шесть раз дороже, чем «племя младое, незнакомое», которому предстоит обустраивать Россию и возвращать ей статус великой державы. А ведь сколько бы ни стоило будущее страны, отсутствие оного обойдется всем нам несравнимо дороже...

Проигранная победа

То, что я сейчас скажу, кому-то может показаться кощунством. Да и мне самому, внуку погибшего на фронте солдата, литератору, написавшему некогда восторженную книгу о поэзии Великой Отечественной, выговорить это трудно. Но все-таки я скажу: через несколько дней мы будем праздновать 55-летие проигранной Победы.

Да, проигранной!

Мы проиграли ее не в одночасье. Мы проигрывали ее десятилетиями, упорно ставя идеологическую телегу впереди экономической лошади и аплодируя полуживому партийному президиуму. Мы наводили дорогостоящую нефтедолларовую косметику на лицо социализма, делая его по возможности человеческим, вместо того чтобы заботиться обо всем нашем тысячелетнем национальном организме. Мы проиграли победу, доверив долгожданные реформы лукавым болтунам и номенклатурным дуболомам, превратившимся вдруг в «птенцов гнезда Сахарова». А как мы сбежали из Европы, буквально забыв штаны! Куда опаздывали? На отходящий поезд общечеловеческих ценностей? Нет такого поезда. Есть поезд национально-государственных интересов. Вот на него-то мы в самом деле опоздали. Теперь догоняем — по шпалам.

Мы проиграли Победу, когда позволили расчленить нашу единую, не нами собранную державу на части, разорвав страну по фактически административным границам. Это как если разрезать на куски живое человеческое тело лишь на том основании, что в анатомическом атласе голова на одной странице, туловище на второй, а ноги на третьей... Мы, русские, стали разделенной нацией. А ведь это всегда было уделом побежденных, а не победителей. Вот такое русское античудо!

Мы спустя полвека проиграли еще одну Сталинградскую битву, безропотно приняв «шоковую терапию», обобрав, швырнув в нищету ветеранов войны и подвижников тыла. Помните 92-й, помните арбатские лотки, заваленные орденами и медалями полуголодных фронтовиков? Я помню... Мы проиграли Победу, когда стали терять по миллиону человек в год. Нет, не в битвах (хотя и в горячих точках погибло немало), а от безысходной жизни и безверия, переходящего в комплекс национальной неполноценности.

Мы проигрывали Победу, вводя эту ублюдочную аббревиатуру ВОВ вместо гордых слов «Великая Отечественная война». Какие-то странные историки, озабоченные благосклонностью зарубежных коллег, принялись наперебой убеждать нас: мол, если она и великая, то исключительно потому, что потери наши оказались несоизмеримо велики. Несоизмеримо с чем? С самим спасением российской цивилизации?! Мы постепенно приучились воспринимать нашу войну глазами Запада, даже в школьных учебниках появились извинения за то, что победили в годы, когда у власти был Сталин. Согласен: грязь Истории не следует покрывать сусальным золотом вранья. Но и сводить войну, как это делалось в минувшее десятилетие, только к заградотрядам, драме перемещенных народов и сталинскому деспотизму тоже нельзя. Куча мусора, даже если она до небес, никогда не станет вдохновляющим монументом народной славы.

А вы помните, как перед полувековым юбилеем Победы Кремль буквально трепетал в холопском недуге: приедет ли Клинтон на торжества? Помните? Я помню... Я опубликовал тогда в «Труде» статью «Грешно плевать в Чудское озеро» и получил много писем, полных обиды и бессильного гнева. Я храню эти письма — они несмываемый укор нашему поколению, оказавшемуся хлипковатым для такой тяжкой ноши, как победа в мировой войне...

Мы проиграли Победу, когда наша интеллигенция, мозг и путеводитель нации, шедшая некогда в ополчение, на гибель ради своего народа, стала вдруг жаловаться на то, что народ ей достался вроде как некондиционный, с брачком-с... Мол, нечего искать свой путь — надо быть как все! Но ведь войну-то мы выиграли именно потому, что были не как все! А вот потеряли Победу, когда захотели стать как все.

Мы встречаем 55-летие Победы в тяжелое время, в эпоху кризиса и упадка. Выйти из этого тупика, из этого самопоругания — значит снова завоевать, вернуть, сделать навек нерушимой проигранную Победу!

Премиальный звон

Недавно я побывал на торжественном вручении литературной премии Солженицына. Слушал речь самого Александра Исаевича и думал о том, что большой писатель всегда начинает как ересиарх, а заканчивает как патриарх. Лауреат премии талантливейший Валентин Распутин в ответном слове сравнил подлинную литературу с истаивающей в океане разврата льдиной, на которой мужествуют, подобно папанинцам, последние совестливые мастера слова. Метафора, кстати, достаточно верно отражающая реальное положение дел в литературе...

Договоримся сразу: речь идет именно о литературе, а не о легком чтиве, являющемся неотъемлемой и, видимо, необходимой частью индустрии развлечений. То, что авторы этих книжек работают со словом, не должно вводить в заблуждение. В конце концов кроссворды тоже составлены из слов, однако никто не считает их изящной словесностью. Мы же ведем речь о литературе в той или иной степени художественной. Так вот, если вы полагаете, будто «художественные» авторы в наши дни пишут для читателей, вы глубоко заблуждаетесь. Они в своем большинстве пишут для жюри литературных премий. Появился особый жанр — премиальная литература. В прежние времена, скажем, на производстве премий было множество: квартальная, за рационализаторство, за экономию сырья и т. д. и т. п. В литературе же, наоборот, премий было мало — ленинские, государственные, комсомольские и еще кое-что... Узок был и круг лауреатов. Премии, кстати, давались не только за любовь к партии, но и за читательскую любовь. Тот же Распутин — лауреат Госпремии СССР. Теперь все наоборот: на производстве премий фактически не стало (зарплату бы вовремя выдали!) — зато в литературном цеху их множество. Одно лишь перечисление займет всю колонку...

Думаю, мало кто удивится, узнав, что писателя, кроме вдохновения, обуревают еще и самые обычные заботы: заплатить за жилье, одеться, накормить семью, культурно отдохнуть... Однако серьезную литературу издатели берут неохотно и выпускают небольшими тиражами. Гонорар куда как меньше авторского гонорара. К примеру, если роман разошелся в количестве десяти тысяч экземпляров, что бывает не так уж часто, автор получает где-то две тысячи долларов. А ведь даже самый писучий литератор, не халтуря, сочиняет роман не меньше года. В то же время премия Букера, питаемая живительными водочными токами фирмы «впитой», составляет около 15 тысяч долларов. Улавливаете? Что легче — бороться за читателя, писать романы с резвостью курицы-скоронесушки или попросту понравиться премиальному жюри?

Конечно, последнее. Но чем же можно понравиться жюри? Иногда уровнем своих произведений, так случается — и вручение премии В. Распутину тому подтверждение. Но, увы, чаще всего премию дают не за книги. Это больше напоминает школьную оценку за хорошее поведение. Жюри оценивает не столько литературу, сколько личное обаяние, дружеские и семейные связи соискателя, учитывается и возможность того, что в будущем соискатель сам может стать членом жюри, а члены жюри, наоборот, соискателями. Но прежде всего, конечно, оцениваются политические взгляды писателя, а также предусмотрительное отсутствие оных. Да, дорогой читатель, литератор, возмечтавший о престижно-прибыльной премии, в политическом отношении должен стать осторожен, как лань, забредшая в ботанический сад. Не дай бог, тебя заподозрят в патриотической неполноценности или в недоразвитом либерализме!

Особенно трепетно следует выбирать печатные органы. Случайное интервью в органе не той ориентации может закончиться катастрофой. И ты, кто годами крался на брюхе к заветной птице удачи, только увидишь, как она взмахнет стодолларовыми крылышками. Да что там! Непродуманное рукопожатие на какой-нибудь презентации может стоить премии. Даже те писатели, что выстояли в схватке с советской цензурой, боятся теперь выпасть из премиального «шорт-листа» не меньше, чем боялись некогда ночного стука в дверь.

С помощью премий добились того, чего не могли добиться с помощью цензуры: писатель страшится слова. Более того, в изматывающей борьбе за благосклонность жюри сами произведения делаются почти не нужными, вроде билета в баню — зашел, отдал пространщику и мойся. Надо ли удивляться, что сочинения иных лауреатов забываются даже скорее, чем заканчиваются полученные за них наградные деньги...

Поэтому не спрашивай, по ком звонит колокол, возвещающий о присуждении очередной премии... Он звонит по тебе, читатель!

Три «Д»

Что-то поутихли разговоры о нашей национальной идее... А помнится, года полтора назад Кремль вдруг озаботился ею с той непосредственностью, с какой мужчина в известные моменты жизни начинает интересоваться «Виагрой». Теперь вроде в этом надобность отпала... А напрасно! Дело не в том, что без национальной идеи невозможно жить. Возможно, хотя и затруднительно. Тут все гораздо сложнее: национальная идея значит счастье в жизни человека, хотя при всем своем огромном значении именно эти две категории чрезвычайно трудно поддаются определению. Но, мучительно размышляя, споря о сущности счастья, человек невольно выстраивает собственную жизнь. Дискуссии о том, в чем суть национальной идеи, помогают народу понять, выправить, наполнить высоким смыслом свое историческое существование. И вот, возвращаясь к этим затихшим спорам, хочу предложить вам, дорогие читатели, — ни больше ни меньше — свою версию нашей национальной идеи. Это — три «Д»: *Духовность. Державность. Достаток*.

Вряд ли нужно объяснять, что такое Духовность. Это и бережное сохранение культурно-исторических традиций, накопленных народами, населяющими нашу Евразию десятки тысячелетий. Это, конечно, и вера — как в религиозно-конфессиональном, так и в мирском смысле. Духовность, на мой взгляд, опирается на коллективное понимание того, что жизнь дается человеку все-таки не для насыщения плоти удовольствиями, а для насыщения души добром. Духовность в конечном счете — это то, к чему стремится любое нормальное общество, которое не хочет однажды превратиться в идеально гигиенический свинарник, где свежевымытые противоперхотным шампунем поросята с дружным хрюканьем встречают автоматически подаваемую в корыто жратву.

Теперь — Державность. Мой компьютер, оснащенный программой проверки орфографических ошибок, подчеркнул это слово красной волнистой линией. Он такого слова не знает. И немудрено, ибо вся наша жизнь последних лет была антидержавна по сути. Что я имею в виду? Я имею в виду целенаправленный разгром российской государственности, осуществлявшийся с конца 80-х, но имевший очевидную предысторию и в период так называемого застоя. Результаты разгрома каждый видит по-своему. Для одних это прежде всего беловежская «расчлененка» и 25 миллионов русских, оказавшихся за рубежом. Для других — это такой разгул воровства, когда удивляешься, что Медного всадника еще не уперли и не сдали в пункт приема цветных металлов. А для кого-то это наш хоккейный проигрыш сувенирной Латвии. Суть от этого не меняется.

Помните таможенника Верещагина, которому было за державу обидно? Обида за державу — главное чувство, обуревающее нормального постсоветского россиянина. И это не случайно. Человек на каком-то генетическом уровне понимает, что оскудение Державности угрожает самому существованию его рода-племени. Ведь народ или союз народов создают государство не потому, что им скучно без призора и налогов, а потому, что нормально существовать и развиваться можно только в рамках державы. Взгляните, как лелеют и укрепляют государство дети статуи Свободы, как гордятся тем, что могут объявить зоной американских интересов любой уголок планеты! Они-то понимают: Демократия без Державности — это силикон без бюста.

И наконец — Достаток. Ох, недаром Остап Бендер, посылая Корейко книжку «Капиталистические акулы», подчеркнул слова: «Все крупные современные состояния нажиты самым бесчестным путем». Реформы у нас пошли не по американскому и даже не по корейскому, а по корейковскому пути. В итоге: большинство бедствует, а подавляющее меньшинство загромоздило своими виллами, как накомодными слониками, все мировые курорты. Иное дело — Достаток! Именно он в отличие от «скоробогачества» всегда уважался на Руси. Кстати, и другие народы давно уже поняли это. Что такое средний класс? Это и есть люди, живущие в достатке.

А теперь подумайте: хотели бы вы жить в стране, где торжествуют Духовность, Державность и Достаток? Я бы хотел.

«Но где же четвертое “Д” — Демократия?» — сердито спросит кто-нибудь из читателей. Вопрос, конечно, интересный... Но о четвертом «Д» через неделю...

Четвертое «Д»

В прошлый раз я предложил читателям «Труда» ни больше ни меньше — формулу национальной идеи. Три «Д»: Духовность, Державность, Достаток... Но ведь есть еще четвертое «Д» — Демократия. О ней и поговорим.

За последнее десятилетие нам почти внушили, будто демократия — это своего рода платиновый эталон, хранящийся под пуленепробиваемым колпаком где-то в английском парламенте или в американском конгрессе. На самом же деле демократия — это, скорее, обобщенное и достаточно условное обозначение бесчисленных попыток разных народов отладить механизм влияния общества на власть. Механизм этот должен соответствовать уровню развития общества. Если на паровозе братьев Черепановых установить реактивный двигатель, паровоз не станет от этого летать по рельсам, как ракета, а скорее всего взорвется.

Элементы демократии имеются фактически в любом социуме. Встречались они и в советском обществе. Когда партийное собрание восставало против дурного директора завода, в результате чего тот вылетал из кресла, разве это не было проявлением демократии? Да, советская демократия сочеталась с диктатурой КПСС. Но сочеталась же довольно долгое время американская демократия с рабовладением! И Клинтон, между прочим, не предлагает по этому поводу вырыть из могилы кости Джефферсона. Хватит хаять советскую власть! Надо осмыслить ее неоднозначный исторический опыт и воспользоваться им во благо Отечества.

Бывают режимы, просто-напросто испещренные приметами «демократии», словно неверный муж дамской помадой. Однако это еще ничего не значит. Например, ельцинские реформы вызвали протест основной части населения чуть ли не через месяц после начала «шоковой терапии». И что? Ничего. По мере роста недовольства совершенствовались пиар-технологии, все вместительнее становились коробки из-под ксерокса — в результате выборы выигрывались. Это как если бы врач ставил мечущемуся в жару больному испорченный градусник, чтобы не омрачать картину широко разрекламированного выздоровления. Чем закончился этот метод лечения недугов в России, всем нам хорошо известно.

Тем, у кого слабая память, напомню, что низовые советы народных депутатов были разогнаны, а Верховный Совет расстрелян именно тогда, когда они, спохватившись, выступили, как умели, против разгрома экономики, «прихватизации», обнищания и попрания наших геополитических интересов. Короче, против всего того, что сегодня даже самый невменяемый «либерал» образца 93-го признает ошибками и недоработками. Выходит, власть в ту пору, на словах борясь за демократию, на самом деле с чисто большевистской изощренностью боролась против собственного народа. После разгона советов наша политическая система стала напоминать висячие сады Семирамиды: вверху — настурции демократии, а внизу — мертвые пески. Нежизнеспособность этого политического устройства очевидна. Не случайно Юрий Лужков пошел на создание в Москве выборных районных управ, а Солженицын постоянно твердит о необходимости восстановления самоуправления в форме земства. Извините за банальность, но демократия должна опираться на народ, а не на крикунов, объявивших себя правозащитниками. Большинство из них если и защищают что-либо, то в основном свои собственные права и интересы.

В нашей стране вообще предпринята редкостная попытка заменить непростые демократические механизмы свободой слова, слишком часто понимаемой как бездумное освобождение СМИ от ответственности перед обществом и государством. Упаси бог, я не против свободы слова! Но когда телекомментатор, призывавший в 93-м снарядов не жалеть, сегодня жалуется на то, что к нему пришли люди в масках, мне хочется спросить: «Дорогой коллега, ответьте, положа руку на свой диплом высшей партшколы, до каких пор вы будете понимать под демократией только те поступки власти, которые выгодны вам, а все невыгодное считать произволом и диктатурой? Может быть, пора признать, что демократия — это не лукавый синоним к режиму, отстаивающему интересы любезной вам части общества, а система, позволяющая всему народу формировать и контролировать власть всех уровней?»

Если так, то я готов прибавить к предложенной формуле четвертое «Д»: Духовность, Державность, Достаток, Демократия. Но для начала слово «демократия» надо бы хорошенько почистить наждаком здравого смысла. Уж очень оно засижено синими птицами безответственного российского либерализма.

Свободна ли свобода слова?

Запад озабочен свободой слова в России. Авангард отечественной журналистики тоже. В Москве собирались мировые ПЕН-знаменитости и пенились от возмущения по тому же поводу. Однако если на складе базовых демократических ценностей шумно ищут вора, это еще совсем не значит, что кто-то залезал на склад. Частенько ценности выносят именно те, кто их охраняет.

Напомню, свободу слова нам с вами дала, а точнее, вернула, будучи уже при смерти, КПСС. Но это был лукавый дар, вроде деревянного летающего коня из сказок. Подарить-то подарили, а как управлять, толком не объяснили. Кто знает, может, это такая своеобразная месть постылой партии народу, уставшему от политической моногамии? Ельцин, которому обычно приписывают роль гаранта свободы слова, на самом деле лишь приспособил ее, долгожданную, под нужды политического противостояния, а придя к власти, даже значительно ограничил. Нет, это было уже не кондовое цензурное хамство, а грамотные политтехнологии. Для ясности приведу пример. Митинг. Выступает человек, поддерживающий генлинию, — микрофон включен. Потом выходит человек, не поддерживающий линию, — микрофон выключен. Ограничений в высказываниях никаких. Ограничена слышимость.

Свобода слова в известной степени — просто красивая метафора, наподобие «именин сердца» или «поступи эпохи». Посудите сами, матерщина в трамвае — свобода слова или нет? Нет? А если у пассажира наболело! Точнее было бы вести речь о нашем с вами праве на объективную и доступную информацию. Имели мы ее в последние годы? Только отчасти. В самом деле, разве о страшном погроме русских в Чечне, о рабовладельцах и прочем беспределе не было известно журналистам в начале 90-х, когда Москва поддерживала свободолюбивых ичкерийцев и даже вооружала их? Конечно, было. Почему же СМИ не били тревогу? А потому, что тогда прогрессивным считалось бить не тревогу по поводу целенаправленного развала страны, а бить по «имперскому» самолюбию, бороться с синдромом старшего брата. Доборолись. В Татарстане скоро русских за Куликовскую битву будут судить, как в Латвии уже судят за Победу над фашистами.

А разве в разгар избирательной кампании 96-го осведомленные политкомментаторы не знали о тяжелейшей болезни Ельцина? Конечно, знали, но тогда прогрессивным считалось любой ценой не допустить к власти коммунистов. И мы с вами узнали об этом недуге лишь после того, как президент был переизбран на новый срок. И такие факты можно приводить бесконечно. Или вот еще... Возьмите подшивку любой газеты года за два, полистайте и почитайте подряд комментарии какого-нибудь улыбчивого политолога, возможно, даже президента шикарного фонда. По мере чтения у вас может возникнуть подозрение, что никакой он не аналитик, а проходимец, зарабатывающий на озвучивании мнений, порой противоположных, но выгодных в данный момент тому или иному политическому клану. На ваш укор политолог бодро возразит: «У нас свобода слова, и я писал то, что думал тогда. Теперь я мыслю иначе. Прозрел. Ну и что?» А стыдить человека за то, что в голову ему приходят исключительно хорошо оплачиваемые мысли, сами понимаете, бесполезно. Но как же тогда быть с нашим правом на объективную информацию?

Вы думаете, так обстоят дела только у нас? Ошибаетесь. На Западе, чья идеологическая корова тревожно мычит по поводу утеснения демократии в России, проблемы те же. К примеру, на днях выяснилось, что информация, которую выдавали союзники во время войны с Югославией, не имеет ничего общего с реальностью. Собственные потери занижены, сербские в несколько раз завышены. Да и вся пропаганда была чисто проалбанской, в результате чего именно сербы, а не албанцы изгнаны с исконных своих земель. Но ведь это как если бы азербайджанцы, приехавшие в Россию подзаработать, вдруг шуганули россиян с Рязанщины. Почему же вспенился ПЕН-клуб по этому поводу? Понятно, почему. Есть справедливость, за которую бороться выгодно, а есть справедливость, за которую бороться невыгодно. Интеллектуалы это тонко чуют!

Увы, свобода слова, а также пламенные борцы за оную свободны далеко не всегда и не везде... Однако я привел все эти примеры не для того, чтобы читатель усомнился в демократических ценностях. Просто надо помнить: любовь и проституция, извините за сравнение, осуществляются посредством одних и тех же физиологических актов... Но какова разница!

Совестизация

Наш новый президент, кажется, всерьез озабочен судьбой России. Это выгодно отличает его от предыдущих обитателей Кремля, которые заботились либо о своем месте в мировой истории, либо о семейном благополучии. Понятные в общем-то человеческие слабости лидеров привели к тому, что большинство населения живет ныне в бесчеловечных условиях. За годы «демсмуты» как-то забылось, что власть — не способ времяпрепровождения, а острейший инструмент вроде скальпеля. Ну подумаешь, выпил гражданин рюмку и закусил огурчиком! А если это сделал хирург, стоя в стерильной операционной над умирающим?

Начавшееся укрепление российской власти обнадеживает. В самом деле, неснимаемый глава региона или неотстраняемый районный барон — это такой же бред, как неснимаемые штаны. К чему может привести неснимаемость штанов, легко вообразить. А к чему привела неснимаемость региональных лидеров, иные из которых объелись суверенитетом, точно дармовой севрюгой на фуршете, знают все на собственной шкуре. Хуже неснимаемого губернатора разве что непереизбираемый президент.

Но вертикаль невозможна без горизонтали. Власть опирается на доверие народа, это ее фундамент. А доверие народа обусловлено верой в справедливость власти, как бы кому-то ни хотелось вышвырнуть из нашей жизни это якобы старомодное понятие — справедливость. Безвластье, терзавшее Россию, — порожденье прежде всего безверья. Может полунищий учитель верить власти, если вокруг нее, будто сутенеры, вьются знаменитые на всю страну жуликоватые нувориши? Может честный предприниматель верить власти, если его продолжают учить бизнесу те же самонадеянные завлабы, уреформировавшие по шпаргалкам МВФ страну до полусмерти? Может боевой офицер верить власти, если ее идеологами зачастую остаются те же персонажи, которые, изучив в юности историю Отечества по передачам радио «Свобода», кроили потом карту СССР педикюрными ножницами? Нет, не могут...

Включите телевизор! Там знакомые до слез, задубевшие от вранья лица. Представьте себе, вы приходите на лекцию о регулировании семьи, и докладчик, брызжа слюной аж до седьмого ряда, убеждает вас пользоваться противозачаточными средствами, ссылаясь при этом даже на древних египтян, изготавливавших презервативы из рыбьих пузырей.

Проходит год, и вы снова попадаете на лекцию. И тот же специалист с тем же слюнявым жаром убеждает вас, приводя пространные цитаты из Библии, что нет ничего преступнее и омерзительнее вмешательства в святой акт зарождения новой жизни! «Что за чертовщина?» — изумляетесь вы. Но все очень просто: прежде лектор получал деньги от завода резиновых изделий, а теперь — от фабрики, производящей памперсы. Смешно? Мерзко? Но не таково ли наше нынешнее ТВ?

Несколько лет назад в статье, опубликованной в «Труде», я назвал исход нравственности из общественной жизни *десовестизацией* и спрогнозировал неизбежность *совестизации*. Надеюсь, такое время наступило. Да, после стольких лет воинствующей безнравственности, возведенной в ранг государственной политики, этот процесс будет труден. Но в России испокон века для лидера важен не столько размер головы (чтобы шапка Мономаха лучше нахлобучивалась), сколько крепость шейных позвонков (чтобы не хрястнули под тяжестью исторического головного убора).

Однако при всем значении политической воли цементом нынешнего государственного строительства должна стать совестизация. Люди не сделаются законопослушными, пока не увидят: вор сидит в тюрьме, и не потому, что он поссорился с более крупным вором, а потому, что преступил закон. Люди не озаботятся государственными интересами, пока не убедятся: те, кто в свое время сознательно или по романтической дури рушил страну, осуждены хотя бы морально. Нет, я не наивный человек и отлично сознаю, что иной супервор в нынешнюю жизнь впаян, как реликтовый таракан в кусок янтаря, и выковырнуть его оттуда можно, лишь разворотив янтарь. Я понимаю, многие наши госдеятели прочно повязаны своим политическим происхождением и напоминают ватагу земляков из деревни Малая Ельциновка. Я знаю, обвинить журналиста в антигосударственной пропаганде — значит дать повод компьютеризированному западному гуманизму в очередной раз содрогнуться по поводу попрания демократии в России. Но другого выхода у нас нет. Или народ поверит в нравственность власти и равенство всех перед законом, или Россия разделит судьбу Китежа. С той лишь разницей, что утопший град погрузился в чистые озерные воды, а мы захлебнемся в нечистотах нищеты и распада...

Праздник, который не со мной

Моя трудовая неделя не разделена, как у большинства граждан, на рабочие, выходные и праздничные дни. Для вдохновения или срочного редакционного заказа нет ни суббот, ни воскресений, ни красных дат календаря. Но есть один праздник, который я не отмечаю принципиально. Это отшумевший недавно День независимости России. Я сознательно не стал писать об этом, что называется, навстречу торжеству, ибо уважаю и иную точку зрения. Но теперь, когда выветрилось праздничное похмелье, хочу поделиться некоторыми соображениями.

Что мы празднуем 12 июня? День независимости? От кого? Мы же не Америка и не Алжир, чтобы отмечать освобождение от колониальной зависимости. И если уж праздновать независимость России, то в день Куликовской битвы. Тут есть хоть какая-то историческая логика. Если же речь идет о «независимости» от коммунистического режима, то для этого имеется 21 августа — день подавления «путча». А идейному борцу с советской властью лучше всего оттянуться 4 октября — в день расстрела Верховного Совета...

Все разговоры о рождении 12 июня 1990 года новой российской государственности, на мой взгляд, просто оскорбительны. Российская государственность насчитывает столетия, а по мнению иных ученых, даже тысячелетия, и не стоит, наверное, каждую политическую заварушку объявлять новой эрой, а каждый неразумный слом предыдущей системы власти именовать началом новой государственности. Эта традиция тянется от большевиков, и ничего хорошего в ней нет.

Одним из первых, как помню, мысль о том, что Россия может взять и отделиться от всех остальных республик, высказал писатель Валентин Распутин. Но это была в сердцах брошенная с трибуны гипербола: уж очень тогда стали придираться «младшие братья» к своему «старшему брату» — русскому народу. Однако гиперболы русской литературы часто предшествуют параболам российской истории. Прошло время, и Первый съезд народных депутатов РСФСР принял Декларацию о государственном суверенитете России. Сегодня, когда Б. Ельцин появляется в телевизоре с доброй пенсионерской улыбкой на лице, многие не вспоминают о том, как, идя к власти, этот человек не щадил ничего, включая и государственные устои. Увы, самые большие несчастья народу приносит борьба политиков за право его, этот народ, осчастливить. Но не стоит забывать и тот факт, что за декларацию проголосовали 907 депутатов, а против только 13. А через год, точнехонько 12 июня, Ельцина избрали первым президентом России. Полагаю, именно это совпадение и привело к появлению Дня независимости.

На самом же деле это был день неуправляемости, давший толчок к ускоренному распаду СССР. И Советский Союз развалился самым невыгодным именно для России образом. Мы потеряли исконные наши земли. Большинство же республик вышло из Союза, напротив, значительно увеличив свои территории. Я пишу это не для того, чтобы предъявить кому-то территориальные претензии, претензии надо предъявлять себе и тем геополитическим лохам, которых мы допустили тогда к власти. Но помнить об этих утратах необходимо. По крайней мере для того, чтобы больше не совершать подобных трагических ошибок. Ведь распад СССР — это не просто изменения красных извилистых линий на карте — это десятки миллионов поломанных судеб, разделенных семей, это надломленные экономика и военная мощь, это годы международного шутовства под видом внешней политики... Разве можно политическую незадачливость называть независимостью? По сути, 12 июня — скорбная дата, именно в этот день русские стали разделенным народом.

Между прочим, эту двусмысленность почувствовала и сама власть: с 98-го года 12 июня стало Днем свободной

России или даже просто Днем России. Не спорю, такой праздник нужен. Но праздновать его следует, например, в день Бородинского сражения... Торжествовать надо в дни побед. А в дни утрат — скорбеть. Такие печальные даты тоже есть — 22 июня... Вы, кстати, заметили, что с прошлого года 7 ноября превратилось в День примирения? Улавливаете? День большевистской непримиримости стал Днем примирения! Теперь мы отмечаем не победу одной части народа над другой в кровавой классовой войне, а то чаемое примирение, которого так и не удалось добиться в реальности. И если следовать подобной логике, то 12 июня должно стать Днем Воссоединения, днем надежды на воссоединение русского народа и восстановление исторического союза народов Евразии.

В такой день и я бы празднично выпил!

Скорбное солнцестояние

В советском календаре памятных дат, выстроенном в основном по принципу принудительного оптимизма, 22 июня был, кажется, единственным днем искренней всенародной скорби. Почти каждая семья понесла утраты в войну, но ежегодный траур в светлую пору летнего солнцестояния, по-моему, был все-таки шире даже бескрайнего горя Великой Отечественной. Эта скорбь подспудно вбирала в себя и вечную память о миллионах погибших на германской войне, превращенной агитпропом в эдакую прелюдию к революции. В этот день исподволь поминались бесчисленные жертвы Гражданской войны и всего последующего сурового пути, на котором 37-й год — лишь ярче других освещенный полустанок. Даже для моего, насквозь проиронизированного поколения, высмеявшего, казалось бы, советскую эпоху «от гребенки до ног», 22 июня всегда оставалось святой датой. Ситуация изменилась в конце 80-х. Новые идеологи сделали 22 июня днем почти официальных сомнений в нашем превосходстве над фашистами, днем претензий к советской власти и лично Сталину.

Действительно, в истории наших утрат много таинственного. Вот странный и характерный пример. В начале 80-х я писал книгу о поэте Георгии Суворове, погибшем при освобождении Эстонии. Просматривая военную прессу, я наткнулся в передовой статье «Правды» на такую фразу: «Гитлер обещает уничтожить 20 миллионов советских людей. Ему это не удастся...» Статья опубликована в августе 41-го... Согласитесь, есть о чем задуматься! Сейчас уже доказано, что боевые потери — наши и немцев — сопоставимы. Несопоставимы потери среди военнопленных и мирного населения. Впрочем, всех, кто хочет глубже разобраться в этой сложной проблеме, я отсылаю к книге Вадима Кожинова «Россия. Век XX», которую, по-моему, должен прочитать каждый, по-настоящему интересующийся родной историей.

Между тем в мире все прочнее забывают о роли СССР во Второй мировой. Мы сами виноваты. Это прямой результат нашего неуважения к собственному прошлому. Наверное, многие заметили: когда речь заходит о войне, мы слишком часто извиняемся. Оправдываемся за то, что поторопились занять Прибалтику, за то, что замешкались помочь Варшавскому восстанию, оправдываемся за трофеи, вывезенные из поверженной Германии... Но разве допустимо судить жестокость смертного штыкового боя шестидесятилетней давности по законам сегодняшнего кикбоксинга?!

Перелицевать историю проще простого. Можно, например, с горечью сообщить, что советские воины-освободители наводили ужас на Европу. Одна дружная супружеская пара от страха даже отравила сначала шестерых своих детей, а потом и сама свела счеты с жизнью. Если не уточнить, что речь идет о Геббельсе и его жене, то впору потребовать от нынешней России компенсацию за моральный ущерб мирному немецкому населению. Стыдно признать, но в последние годы отечественные СМИ, освещая события Отечественной войны, нередко используют именно этот, сознательно доведенный мной до абсурда прием.

Надо ли удивляться, что Латвия теперь собирается потребовать с нас многомиллиардную компенсацию за оккупацию? Я не умаляю жертв латвийского народа, но, извините, кто в таком случае компенсирует моему народу революционный террор латышских полков, поддержавших большевистский режим? Латвия, между прочим, в то время впервые в своей истории обретала государственность. Другие балтийские племена, оказавшиеся в сфере интересов Германии, а не Российской империи, до своей государственности просто не дожили — к XX веку были уничтожены или ассимилированы. Кой черт понес латышей интернационалить на просторах России? Вдруг благодаря именно их штыкам удержался у власти Ленин, а значит, стал возможен сталинизм с его железной геополитической хваткой? Да и так ли уж мало было латышей, охваченных идеями социализма и классовой солидарности? В 18-м бившихся за Советскую Латвию, а в 40-м решивших пережить мировой катаклизм в составе СССР? Ведь ни эстонцы, ни литовцы не входили потом в Политбюро ЦК КПСС! А латыш Пельше входил. За что такая честь? Не за вклад ли латвийского народа в мировую революцию? Упрощаю? Конечно. Но не более чем те, кто называет десятилетия нашего государственного единства оккупацией.

Однако вернусь к главному: наши победы и потери будут уважаться другими, если мы будем уважать их сами. У нас множество дней в году для того, чтобы корить Сталина и ерничать над советской властью. Но у нас в году только один день для благоговейной скорби о павших в великой и справедливой войне...

С забвения этой простой истины начинается саморазрушение.

Бездержавье

Такого слова в русском языке нет. Есть похожие слова — бездорожье, безвластье, безвременье... То, что творилось в нашем Отечестве в последнее десятилетие уходящего века, вполне можно назвать «бездержавьем». Это совсем не означает, будто в России вообще не было власти. Бездержавье — не безвластье. Но была ли эта власть государственной, последовательно преследующей государственный, державный интерес, — вот в чем вопрос. Когда обворовывают квартиру, кто-то, несомненно, руководит этим процессом, но вряд ли можно назвать этого человека домоуправом.

Качество работы государства проверяется не количеством личных «мерседесов», а размером пенсий, уровнем здравоохранения и образования. Или (помимо иного) состоянием главной библиотеки страны. Состояние ужасающее! Боеспособность армии — тоже важный показатель. Ведь межгосударственные конфликты разрешаются пока отнюдь не при помощи международных фестивалей геев и лесбиянок. И еще один характерный признак бездержавья: крупные чиновники, владеющие важнейшей информацией, после отставки разбредаются по всему свету, словно коробейники. Вы помните демократического генерала КГБ Калугина, проживающего теперь в США? Я помню. А вот пенсионера из ЦРУ, поселившегося на берегу Истринского водохранилища, что-то не припоминаю. Помню я и вчерашнюю, если так можно выразиться, политику Козырева, возглавляющего теперь российский филиал американской фармацевтической фирмы. Посмотрел бы я на г-жу Олбрайт, работающую после отставки агентом брынцаловского «Ферейна» в США!

Но времена меняются. Сегодня олигархов фактически обвиняют в том, что они пытались подменить собой государство. А это привело ко многим тяжелым для страны последствиям. Прямо, конечно, об этом не говорят, но тот, кто еще не растерял навыки дешифровки передовых статей застойной «Правды», все понимает. Думаю, скоро мы узнаем много интересного о том, чем занимались олигархи и их помощники, пребывая на высоких государственных должностях и решая там (в свободное от заботы о государстве время) вопросы личного благосостояния. А гарантом этого разрушительного торжества личного над общественным был, конечно, Б. Ельцин с чадами и домочадцами.

Почему же все не рухнуло еще тогда, в эпоху дирижирования оркестрами? Да потому, что тот, кто грабит квартиру, совсем даже не заинтересован, чтобы в момент вывоза ценностей обрушилась крыша или возник пожар. Я скажу вещь, которая, может быть, кого-то покоробит, но Россия сохранилась как единое государство благодаря алчности людей, ее растаскивавших. Вот такой парадокс! На едином экономическом пространстве легче обогащаться. Сами посудите: руководитель Единой Энергосистемы России — это одно, а руководитель единственной электростанции суверенной Шатурской республики — совсем другое. Кстати, ничего нового в таком повороте истории нет. После Октябрьской революции Россия как держава уцелела не потому, что большевики были державниками. Они были интернационалистами, но им требовался надежный плацдарм для расширения мировой революции. К тому же интернационализм чем-то похож на групповой секс: нормального человека все равно потом тянет домой, к семейному очагу... Постепенно к власти пробились люди, для которых Россия была Россией, а не вязанкой хвороста для мирового пожара.

На мой взгляд, сейчас происходит нечто подобное. На смену тем, для кого Россия — своего рода вахтовый поселок золотодобытчиков, идут, хочется верить, другие люди, прекрасно сознающие, что лишь могучей многонациональной державе под силу приобщение к демократическим ценностям. Государство, кажется, выздоравливает. И тут возникает любопытная ситуация: пока гражданин хворал, из его квартиры соседи умыкнули телевизор, холодильник, чайник со свистком, малоношеное пальто, брюки и так далее. Но вот гражданин выздоровел, отъелся куриным супчиком... Естественно, он постарается вернуть и телевизор, и холодильник, и далее по списку.

В 1993 году я опубликовал повесть «Демгородок», написанную в жанре социальной фантастики. По сюжету пришедший к власти в России адмирал Рык сгоняет всех «врагоугодников и отчизнопродавцев» в строго охраняемое садово-огородное товарищество «Демгородок», где вчерашние олигархи и агенты влияния кормятся с огородов на шести сотках. Впрочем, есть и магазин «Осинка», торгующий вкусностями и модностями. Но за них нужно платить огромные деньги. За банку пива, например, — тысячу долларов. Благодаря этому швейцарские счета быстро пустеют и деньги возвращаются в обновленную Россию. Пивка-то хочется!..

Феликс из пепла

Государственная дума решила не возвращать Железного Феликса на Лубянку. Не пытаясь (будучи законопослушными гражданами) оспорить это решение парламентариев, давайте порассуждаем...

Воздвижение новых памятников и низвержение старых — отличительная черта всех революций. Свергнув царей и их сатрапов, революционеры вскоре сами навоздвигали кучу памятников, а также покрыли страну улицами Маркса, Энгельса, Розы Люксембург и прочих пророков и новомучеников социализма. Революция 91-го ничем в этом отношении от предыдущих не отличалась. Первым делом бросились переименовывать и, конечно же, взялись за памятники. Некоторые исчезли тихо — Калинин, Свердлов... Проредили изваяния Ильича. Впрочем, Ленина повыкорчевали больше в центре — в регионах он как указывал путь в светлое будущее, так и указывает...

Почему же с такой «эксклюзивной» яростью закипели страсти вокруг Дзержинского? Думаю, тут несколько причин. Во-первых, само низвержение памятника было обставлено ритуально: при большом скоплении народа на шею председателю ВЧК набросили петлю... Этот, как сейчас выражаются, перформанс призван был, видимо, символизировать исторический суд над советской цивилизацией, которую некогда устанавливал в России, не щадя ни себя, ни тем более врагов, неистовый поляк. Если бы с капитализацией в стране наступило всеобщее благоденствие, уверяю вас, о бронзовом двойнике Железного Феликса мало бы кто вспомнил. Однако роскошная жизнь наших лотерейных олигархов нынче возмущает обобранных людей не менее и даже более, чем прежде злила изобильная жизнь членов Политбюро. Как показывают опросы, большая часть населения незамысловато считает пока, что при социализме жилось лучше, ведь дефицит черной икры и даже колбасы в магазинах — дело более поправимое, нежели дефицит денег в кошельке. Впрочем, и после Октября многие с тоской вспоминали времена «проклятого царизма», упорно продолжая именовать улицы и переулки по-старорежимному. И Железный Феликс возрождается сегодня не из невежества, как пытаются представить иные телевизионные иллюзионисты, а из пепла наших сгоревших надежд.

Вторая причина, думаю, связана с тем, что Дзержинский в самом деле немало сделал для усмирения преступности и бандитизма, захлестнувших послереволюционную страну. А ведь преступность — одна из страшнейших язв и нынешней жизни: наша незащищенность сегодня такова, что иной раз, выйдя из дому, чувствуешь себя муравьем, перебегающим Рублевское шоссе. Для многих главный чекист в длиннополой шинели так и остался символом правопорядка. У вас есть другие символы? Назовите! Имеется и третья причина, которая, быть может, не формулируется открыто, но живет и побеждает в подсознании. Увы, если бы памятники ставили только самым достойным, они, памятники, встречались бы нам так же редко, как умные и красивые жены, умеющие хорошо готовить. Но в истории чаще побеждает сильнейший, а не честнейший, и станция метро «Войковская» до сих пор носит имя одного из убийц царской семьи... Кто бывал в Питере на Никольском кладбище, очевидно, заметил: Собчаку при всей неоднозначности его заслуг перед Отечеством под вечный сон выделен такой участок, что со временем (увы, мы смертны) там можно будет упокоить всю Межрегиональную группу. А вот могила великого ученого Льва Гумилева просто поражает своей скромностью...

Теперь давайте взглянем на минувшее десятилетие с точки зрения потомков: утрачены исконные земли, подорваны военная мощь и экономика, обнищало население, убывающее примерно на 750 тысяч человек в год (цифра из послания президента)... Согласитесь, вполне достаточно для того, чтобы через какое-то время переименовать проспект Сахарова, скажем, в проспект Зюганова. «За что? — спросите. — Ведь академик хотел нам всем добра!» А вы уверены, что тот же неистовый Дзержинский хотел нам зла? А разве Ельцин, раздававший суверенитет, словно добрый старьевщик сахарных петушков, думал, что все это кончится Чечней?

История с Железным Феликсом отразила принципиальный вопрос времени. Если мы принимаем историю такой, какой она была, со всеми ее темными и светлыми пятнами, с ее идолами и героями, — лучше бы, по мне, вернуть этот и некоторые другие памятники на место, не забыв при этом восстановить и то, что порушили сподвижники знаменитого чекиста. Если же мы будем продолжать делить нашу историю на светлые и мрачные эпохи, а исторических деятелей на святых и злодеев, то вся отпущенная нашему народу пассионарность так и уйдет в переименования...

Про это

Недавно в один день я побывал сразу на двух, как сейчас модно говорить, знаковых мероприятиях — на представлении публике новой книги военного журналиста Бориса Карпова «Кавказский крест-2» и показе нового фильма Владимира Меньшова «Зависть богов». И в этом на первый взгляд случайном совпадении мне увиделась своя логика, своя, если хотите, символика...

Не буду в подробностях пересказывать содержание новой ленты В. Меньшова, она скоро выйдет на экраны и, как все предыдущие работы режиссера, уверен, станет постоянно «пересматриваемой» картиной. Фильм — о любви, вспыхнувшей в 83-м году между советской телевизионщицей Соней и синеглазым французским журналистом Андре... Почему так важен год? А потому что это — конец «застоя», когда просто так за милым в Париж не умчишься да и в Москве с милой не останешься. В этот год, если помните, сбили корейский «боинг», залетевший к нам, как позже выяснилось, не совсем с дружественными целями. Андре наотмашь пишет об этом событии в своей газете, его лишают аккредитации — и Соня, великолепно сыгранная Верой Алентовой, лишается своей единственной любви. Трагедия? Да. Кстати, Ле Карре, написавший роман «Русский дом», в сходной ситуации обошелся со своими героями гораздо гуманнее — не разлучил окончательно.

Как во всяком серьезном произведении, в «Зависти богов» множество знаковых слоев и смысловых уровней. И об этом еще много напишут. Но Владимиру Меньшову, по-моему, удалось художественно обозначить одну из важнейших причин падения той нашей прежней государственности, а точнее, общности. Во время споров о подбитом «боинге», да и вообще разговоров «за жизнь» на кухнях выясняется интересная особенность: молодые, образованные, вполне благополучные по советским временам и даже влиятельные люди живут в «этой стране», почти ее ненавидя, в лучшем случае испытывая брезгливое равнодушие. Они с радостью готовы принять логику другой страны, почти им неведомой, но только не своего государства. Глубоко сомневаюсь, чтобы западные интеллектуалы до хрипоты спорили о том, имеет ли право НАТО бомбить Югославию. Споры же о трагической, что и говорить, судьбе пассажиров «боинга» буквально разрывают друзей и родственников на враждебные лагеря. Так в фильме. Так было и в действительности. Я помню.

Один из героев фильма, отец Сони, в запальчивости восклицает, обращаясь к обремененным партбилетами поборникам общечеловеческих ценностей: «Не хотел бы я жить в стране, которой вы будете руководить!» Так и случилось: люди, рыдавшие по поводу танков на улицах Праги и принудительных кормежек академика Сахарова, возглавив «реформы» в нашей стране, разорили и унизили ее, обобрав миллионы. Ну и что? Голодающая пенсионерка — это же не принудительно накормленный диссидент! Где тут общечеловеческие ценности?..

Вы посмотрите, допустим, на Чубайса! Человек, которому всю оставшуюся жизнь надо бы грехи замаливать и сиротам помогать, каждый раз выкатывается на экран телевизора, точно победитель какого-нибудь пивного состязания. И совершенно не случайно в фильме кто-то из молодых критиков «этой страны» упоминает появившегося в Ленинграде молодого экономиста «Толю Чубайса»... Кстати, закономерно, что фильм «Зависть богов», показанный на недавнем отечественном кинофестивале, вызвал холодное отчуждение членов жюри. В. Меньшов замахнулся на самое дорогое, что есть у значительной части нашей творческой интеллигенции, — на благородное презрение к «этой стране», позволяющее отделываться от ее боли, от ее проблем насмешливым недоумением, иногда переходящим в гадливость. Именно это считается хорошим тоном и непременным условием создания большого искусства и, соответственно, получения премий.

А книга Б. Карпова «Кавказский крест-2» как раз о том, чем заканчивается обычно это благородное неверие в правоту своей страны. Книга о страшной чеченской войне, о мальчишках, вынужденных отдавать свои двадцатилетние жизни за то, что московские интеллигенты в 83-м были убеждены в необходимости разоружения «империи зла». «Кому мы, мол, нужны?» — твердили они. Оказалось, еще как нужны! НАТО с тех пор увеличилось, как печень после выпивки... Оказалось, о судьбе Отечества заботятся все-таки не припадая к шуршащей скороговорке «Голоса Америки», а припадая к промерзшей, пристрелянной вражьим снайпером земле. Меня, конечно, могут упрекнуть в том, что я утрирую и огрубляю. Не без этого... Я, честное слово, рад, что наступили новые времена — и Соня смогла, наверное, уехать в Париж к своему Андре. Но в эти же самые времена лабораторно-кухонные тихушники разгромили и разворовали мою страну. И это противоречие разрывает мне сердце...

Россия в откате

Россия в откате

Последние десятилетия [illegible] Отечестве [illegible] века. Его [illegible] [illegible] совков[illegible] ([illegible]) [illegible] прежде всего [illegible] он [illegible]

Обычно в СССР [illegible] образного [illegible], начиная с мужественного и [illegible] [illegible] и [illegible] политических [illegible] [illegible] [illegible]

[illegible]

хотя какого-то [illegible] в [illegible] и [illegible] [illegible] [illegible] коммунизм, а [illegible] Россия [illegible] [illegible]

Гомо постсоветикус — человек недоумевающий

Последнее десятилетие породило в нашем Отечестве нового человека. Его предшественник, так называемый «гомо советикус» (или человек верящий), отличался прежде всего клинической верой в светлое завтра.

Обилие в СССР разнообразного инакомыслия, начиная с мужественного и бескорыстного, а также спонсируемого диссидентства и заканчивая стихийным политическим анекдототворчеством, как раз и являлось ярким свидетельством всенародной устремленности в лучшее будущее. Смеясь над полупарализованным Брежневым, люди расставались с прошлым ради будущего. Провожая во внеочередной восстановительно-оздоровительный отпуск Ельцина, они только недоуменно хмурятся.

Теперь очевидно — советский режим пал жертвой собственной оптимистической идеологии, на разработку и внедрение которой он потратил огромные средства. Если бы хоть у кого-то были сомнения в необратимости прогресса, в неизбежности улучшения жизни, — хрен бы шахтеры стучали своими касками супротив партократов, а творческая интеллигенция черта с два топтала бы давно уже скончавшийся социалистический реализм. «Метили в коммунизм, а попали в Россию» от силы несколько тысяч убежденных антикоммунистов, по историко-генетической иронии происходящих непосредственно от «пламенных революционеров». Большинство населения метило в светлое будущее, а попало в себя самое. Я, конечно же, не хочу сказать, что «все у нас было хорошо». Все зависит оттого, с чем сравнивать. Общаясь доверительно с соотечественниками, работавшими в советские времена за рубежом, я приметил любопытную закономерность: чем в более высокоразвитой стране человек трудился, тем больше у него было претензий к покинутой временно Родине. И наоборот. А если человек, как большинство советских людей, вообще никуда не выезжал (разве что в Крым или на Кавказ) и сравнивал тогдашнюю жизнь, к примеру, не с нью-йоркским супермаркетом, а с периодом послевоенного восстановления? В этом случае, согласитесь, оптимизм гомо советикуса не кажется таким уже нелепым и беспочвенным.

Будь «неуклонное повышение благосостояния советского народа» всего лишь пропагандистским мифом — коммунисты, как это ни парадоксально звучит, оставались бы у власти и по сей день... Но оптимизм гомо советикуса опирался, согласимся, и на реальные факты жизни. Сейчас, слушая какого-нибудь телевизионного витию, в это трудно поверить. Однако при советской власти рождались дети, росло народонаселение, игрались свадьбы и новоселья, выплачивались зарплаты и пенсии, строились садовые домики — маленькие, зато в огромном количестве, а за похищенных детей и журналистов не родители выкладывали доллары, но руководители соответствующих органов — партбилеты.

Жить постепенно становилось если и не веселее, то во всяком случае — все-таки лучше... Вот и автор этих строк начинал жизнь в каморке заводского общежития, расположенного в переулке, где стояла одна-единственная частная машина, а встретил достопамятный суверенитет России в трехкомнатной квартире и каждый вечер, паркуясь у дома и ругая советскую власть, ломал голову, куда бы воткнуть свои «Жигули». Неуемная жажда реформ появляется обычно на сытый желудок. И утоляется у всех, кроме самих реформаторов, очень быстро.

Победа Ельцина — это подлинный триумф советской идеологемы «завтра будет лучше, чем вчера». Борьба хорошего с лучшим закончилась падением советской власти.

Никому ведь в голову не могло влететь, что завтра может оказаться хуже, чем сегодня. И академик Сахаров, клеймя с трибуны съезда афганскую войну, я уверен, не мог себе вообразить, что следующая война будет вестись уже на территории России, что компоненты для атомной бомбы станут контрабандировать, как пасхальные яйца, и что на крымские пляжи начнут высаживаться пока еще учебные украинско-американские десанты. Андрей Дмитриевич, если вы меня слышите и если я в чем-то прав, явитесь хоть на миг обнищавшим атомщикам, устроившим марш протеста на Москву, чтобы не помереть с голодухи.

Гомо советикус исчез именно в тот момент, когда, держа в одной руке трехцветный флаг, он другой рукой схватил-таки за хвост «птицу счастья завтрашнего дня», но вместо чаемого волшебного пера получил в награду хороший залп помета. У всех еще на памяти время страшной гиперинфляции, когда людей лишали даже «гробовых» сбережений — и покойников порой приходилось хоронить, словно цыплят, завернутыми в целлофан. Никто пока не забыл, как вышедшие из котельных и редакций комсомольских газет интеллектуалы-правдоискатели превратились в убогих трибунных врунов, как герои обороны Белого дома образца 91-го стали бессовестными казнокрадами, а уголовники и взяточники с советским стажем преобразились в «новых русских», застроивших виллами половину курортного мира в то время, когда к большинству российских деревень осенью добраться по-прежнему можно только на вездеходе. Вполне возможно, среди «новых русских» есть и такие, что нажили свои капиталы честно, но, полагаю, этот опасный биографический факт они тщательно скрывают от соратников по классу.

Все еще помнят, как в одночасье набившиеся в телевизор, точно тараканы в банку с сухарями, нахальные трепачи стали называть наше Отечество «этой страной» и шумно радоваться распаду империи, словно в этой империи они не пооканчивали престижные вузы, а вкалывали в Баренцевом море, прикованные к галерам. На памяти и то, как вместо ТАСС, который с неуклюжим ехидством комментировал неудачи американских «звездных войн» и поражения чужих экспедиционных корпусов, мы получили национальное телевидение, талантливо ликующее по поводу распада отечественной космонавтики и успешных операций чеченских «робин гудов» против федеральных войск.

В результате сегодня мы живем в стране, поражающей своим единомыслием — тем самым, которого так и не смогли добиться коммунисты. Размышления (между авансом и получкой) на тему, как должно жить завтра, — замечательная почва для инакомыслия. Заставить основную массу людей, лишив их самого необходимого, судорожно искать способы выживания сегодня — вот кратчайший путь к введению единомыслия в России. Тем более что немногочисленный класс нуворишей уже заранее един в своем страхе потерять оттяпанное у зазевавшегося большинства.

В момент, когда гомо советикус (человек верящий) после контакта с птицей счастья окончательно протер глаза, огляделся и, потрясенный, спросил: «За что, ребята?» — в этот самый момент он и превратился в гомо постсоветикуса — человека недоумевающего. А пока он протирал глаза, произошла и замена главного лозунга общественной жизни. Никто уже не обещал, что завтра будет лучше, чем вчера. Более того, вся идеология оказалась нацеленной на то, чтобы вызвать у человека недоумевающего комплекс неполноценности и сомнения в том, имеет ли он вообще право на завтрашний день. Цель была достигнута быстро и умело.

Один из любимых лозунгов первых реформаторов — научись плавать в новых условиях, иначе утонешь! Никто его, кстати, не отменял, просто стало очевидно: утопленников может оказаться столько, что поток изменит направление и смоет заодно и новоявленных гидропрожектеров. Именно это остановило первоначальный разбег «реформ», а не протесты шахтеров, которые начали стучать оземь уже не касками, а своими доверчивыми головами. Именно этот возможный выход из берегов умерил пыл дорвавшихся до социальной практики завлабов и торговцев цветами, а не потрясенный ропот интеллектуалов, которым показали, что отныне их место не в приемной секретаря ЦК КПСС, а на коврике в прихожей банкира. Реформы не забуксовали, а затормозили на краю пропасти. И основная задача нынешней «команды молодых реформаторов» — продолжить движение вперед с помощью заднего хода. Цель — ничто, движение — ничто, важно — кто за рулем!

Подобно тому, как всеобщая вера в будущее привела Ельцина к власти, так всеобщее безверие сохраняло ему власть в самые, казалось бы, отчаянные моменты. Пассивность обобранных и обманутых в 93-м, «шепот, робкое дыханье» жертв пирамидостроения в 94-м, избрание на второй срок тяжелобольного и не менее тяжело запутавшегося президента в 96-м — все это, кажется, подтверждает мою версию случившегося в Отечестве. Увы, страх народа перед будущим, оказывается, не последняя спица в колесе Истории.

Боязнь любого резкого движения, которое теперь, в свете постперестроечного опыта, может только ухудшить жизнь, делает людей абсолютно беззащитными перед нынешней властью, которая уже позволила в коробках из-под ксерокса вынести из страны огромную часть национального достояния, призвав организованную преступность и Международный валютный фонд чуть ли не в официальные свои соправители. Миленький такой триумвират. Советская власть не смогла победить мелких «несунов». Новая власть попросту стала гарантом несущих в особо крупных размерах.

Мудрый премьер Рабин не устраивал определенную часть израильского общества и получил пулю в голову. Только в прошлом году в России тихо покончили с собой около пятисот отчаявшихся офицеров. Гордый девиз: «Наше дело правое — мы победим!» — сменился жалобой: «Наше дело правое, а мы не едим...» Человека с ружьем, страшащегося завтрашнего дня, можно уже не бояться. У некоторых угрофинских племен, как известно принимавших серьезное участие в формировании русского этноса, есть обычай, по которому обиженный в отместку вешается на воротах обидчика. Народ, болтающийся на роскошных, выстроенных турецкими рабочими воротах российской власти, — не к этому ли все идет сегодня в нашей стране?

Человек недоумевающий — замечательный материал для социально-нравственной инженерии. Его легко можно убедить в том, что проституция — отличный приработок для бедствующей учительницы, а киллерство не самое плохое занятие для доброго молодца. Ему можно доказать как дважды два, что двойное гражданство совершенно не мешает занимать ответственный государственный пост и что свои богатства политики обретают исключительно благодаря чтению лекций за рубежом. Его можно заболтать, и он поверит, будто выплата пенсий за счет очередного западного кредита — это вершина государственной мудрости, а пересаживание чиновников с иномарок на «спецволги» — это борьба со злоупотреблениями Наконец, он уже искренне уверовал в то, что НАТО — это просто компания веселых бойскаутов, задумавших совершить невинный турпоход по территориям, еще недавно входившим в СССР.

Человек недоумевающий охотно поверит в то, что резкое сокращение армии — лучший способ укрепления обороноспособности, а расстрел парламента — изысканная форма совершенствования демократии. Ему легко вбить в голову, что воссоединение с братской Беларусью — дело вредное, а президент Лукашенко (по своему парламенту, кстати, не паливший) — враг рода демократического. Его, недоумевающего, легко заставить считать заполонившую наши экраны и полки американскую киномуру и книгожуть приобщением к высокой западной культуре, а камнелицего Сильвестра Сталлоне — эталоном русского национального характера и образцом для подрастающих мальчишек.

Нет, доверчивость тут ни при чем. Доверчивость умерла вместе с гомо советикусом. Гомо постсоветикус страшно, до заторможенности недоверчив и скорее всего только делает вид, будто верит во весь этот бред. А может быть, тут другое — и он подсознательно продлевает, культивирует в себе это спасительное недоумение, подобно тому, как Отелло медлил поверить в измену своей белокожей супруги, ибо поверив — надо действовать. Люди предчувствуют: на смену человеку недоумевающему обязательно придет человек ненавидящий. А в огне ненависти потом, как показала История, сгорают все — и обманутые, и обманщики, за исключением тех, кто успел добежать до личного самолета... Главное — сгорает страна.

Но народ всегда мудрее и честнее власти. Недоумевая, он дает ей, обращающейся со скипетром, как с теннисной ракеткой, время подумать, а еще лучше — одуматься... Думайте, господа, думайте, пока мы терпеливо недоумеваем!

Газета «Труд», июль 1997 г.

Следующая станция — «Эйзенхауэровская»

Заметки о ратном сознании

В вагоне метро на самом видном месте прилеплена рекламка: «Призыв в армию? Нет уж, спасибо! За помощью обращаться по телефону...» Ниже — рисунок: трогательный мальчуган, сидящий на горшке и не ведающий, какая опасность ожидает его по достижении призывного возраста. Женщина лет сорока, моя ровесница, поставила сумку и старательно переписывает номер телефона в книжечку. Она не хочет отдавать своего сына в солдаты. Трудно осуждать ее за это: один лишь кошмарный виртуальный образ современной Российской армии, творимый в телевизионном эфире, способен напугать кого угодно. Да и жестокая реальность свое дело делает. В конце концов рефрижераторы с неопознанными останками парней, погибших на бездарной чеченской войне, существуют не в воспаленном воображении визгливой репортерши Масюк, а на самом деле.

Достаточно вспомнить русский фольклор, чтобы убедиться: настроение матери, провожающей сына в солдаты, всегда было далеко от лучезарного. Да, с ее стороны это всегда была жертва, но сознательная жертва, приносимая (красиво, черт возьми, выражались предки!) на алтарь Отечества. Это была жертва чтимому божеству — оберегу и заступнику родного воинства! Провожали со слезами — но зато как встречали победителя или просто достойно выполнившего ратный долг! Сегодня многим, слишком многим, служба в армии кажется жертвой... Минотавру.

Среди утрат последнего десятилетия есть одна, не всеми осознанная, но чреватая страшными последствиями утрата. Я имею в виду постепенную утрату нашим обществом патриотического сознания. Патриотизм — это иммунная система народа, а если прибегать к военным сравнениям, — кольчуга. Когда в обществе ослабевает патриотизм, начинаются исторические болезни: смуты, самозванство, по-дурацки проигранные войны, презрение к ратному труду, экономическое запустение при наличии всех условий для процветания, приход во власть людей, которых и к весам-то в гастрономе нельзя подпускать — не то что к государственной казне.

Почему в конце XX века, когда те же американцы засовывают в свою ребятню патриотизм вместе с первой жевательной резинкой и вбухивают в воспитание державного сознания огромные деньги, мы оказались без кольчуги? Причины уходят далеко в глубь российской истории. Возьмем ближайшие... Когда в борьбе за власть в Кремле «демократы» начали крушить СССР, советский патриотизм был обречен. Само слово «патриотизм» стало ругательным, а один бард-шестидесятник даже назвал его «кошачьим чувством». Более того, произошло нелепое разделение общества на «патриотов» и «демократов», а это примерно так же, как если делить население на рыжих и знающих иностранные языки.

Важнейший, я бы сказал, системный элемент патриотизма — ратное сознание. Оно залегает в архетипических глубинах человеческой души. Это совершенно особое чувство, обостряющееся в тревожные времена. Кстати, и разрушение ратного сознания умело осуществляется на тех же глубинных уровнях. И совсем не случайно наш телеэфир заполонен боевиками, в которых бравые американские солдаты лихо режут русских недоумков, одетых в некую пародию на советскую военную форму. Вспомните, когда в последний раз был снят добрый фильм про нашу армию? Я вам подскажу — почти двадцать лет назад. «Весенний призыв» с молодым Игорем Костолевским в главной роли. Да и последним разоблачительным фильмам об армии уже десять лет. Армия выпала из сферы интересов постсоветского кинематографа. Современному подростку, смотрящему телевизор, эмоционально гораздо ближе «Полицейская академия» и полевой госпиталь «Мэш», нежели жизнь Российской армии. Американцы взяли от нашего соцреализма главное — социальный заказ государства на воспитывающее, идеологизированное искусство. Это не значит, что все искусство должно быть таким, но без такого искусства распадаются важнейшие духовные скрепы, соединяющие людей, превращающие соседей по лестничной площадке в соотечественников.

Когда в 1980 году я закончил повесть «Сто дней до приказа», меня начали вызывать в различные кабинеты на разнообразные беседы... И я узнал много такого, что в ту пору, естественно, в прессу не попадало. Среди этой информации было достаточно и грязи, и трагедий, но того, что происходит сейчас в армии, не было. Не было срочников, регулярно превращающих караулки и казармы в стрельбища. Не было эпидемии самоубийств среди офицеров. Не было генералов, торгующих военным имуществом, как кавказцы марокканскими мандаринами. А главное, не было в обществе отношения к армии как к обузе. Откуда же все это взялось?! Кстати, дело прошлое, ГЛАВПУР уже почти разрешил публикацию повести, но тут в дело вмешался один влиятельный генерал и заявил, что эта «вредная» повесть никогда не увидит свет. Звали генерала Дмитрий Волкогонов. И этот теперь уже покойный человек навсегда останется для меня примером удивительной нравственно-политической метаморфозы, примером того, как из жестких шкурок упертых ретроградов вдруг выпархивали в мир этакие бабочки либерализма.

Но вернемся к вопросу о том, откуда взялось отношение к армии как к обузе. Если коротко и пунктирно, вот откуда. Любая революция первый удар наносит по силовым опорам свергаемой власти. Одной из таких опор и являлась Советская армия. Заодно был нанесен и мощнейший удар по ратному сознанию людей. Вспомните газетно-телевизионную истерику вокруг двух дачных холодильников покойного маршала Ахромеева! Вспомните попытку полководцев Великой Отечественной (ее как раз стали тогда именовать пренебрежительно — ВОВ) представить эдакими бездарными кровопроливцами! Да вспомните, наконец, стыдливое празднование 50-летия Победы, когда главной проблемой было — приедет или не приедет в Москву Клинтон! Существуют, кстати, два вида преступного разоружения державы. Первый, когда бездумно уничтожают в одностороннем порядке в угоду политическому моменту нажитую с таким трудом военную технику. И второй, может быть, более опасный, когда вымарываются или замалчиваются героические страницы отечественной истории. За шумными спорами, сколько групп было послано водружать знамя на рейхстаге и кто на самом деле водрузил первым, вроде как и забыли: кто бы ни водрузил — это был советский солдат, а не американский, английский или французский. Кстати, современный американский школьник даже не знает, что СССР участвовал во Второй мировой войне. Мой разбогатевший приятель отправил сына учиться в Штаты и с интересом узнал от приехавшего на каникулы отпрыска, что, выходит, американцы освободили Россию от фашистских захватчиков...

Я, кстати, не обольщаюсь: моя повесть «Сто дней до приказа» вопреки авторской воле тоже активно использовалась в целях разрушения ратного сознания, хотя писалась-то она с совершенно противоположными намерениями. Писатель — невольник эпохи. Нам казалось тогда: если бросить свет правды на уродливое явление, то оно, корчась, исчезнет, как упырь при солнечных лучах. Увы, оказалось, есть множество разновидностей зла, которые только жиреют и свирепеют от гласности. С подобным злом расправляться следует без шумных оповещений общественности и научно-практических конференций. Зло размножается в суесловии, как микроб в питательном растворе. Это урок многим деятелям культуры... Естественно, тем, у кого есть разум, а главное — совесть.

Сколько сказано, написано, снято о «дедовщине»! Исчезла? Ничего подобного. Лишь усугубилась и ожесточилась. Стали уже привычными сообщения типа: «...рядовой Н-ской части расстрелял из табельного оружия товарищей по этому самому оружию и скрылся. Ведутся поиски...» Где бы ни убежал солдат из части, об этом тут же оповещают всю страну по всем программам, как будто минимум российская дивизия в НАТО перекинулась. И честное слово, мне, искренне боровшемуся с казенщиной в армейской тематике, страстно хочется увидеть на НТВ простенький сюжет про сержанта Сидорова, образцово выполнившего приказ командира и поощренного краткосрочным отпуском на родину! Но ведь Сидорову, чтобы попасть в кадр, нужно сначала сбежать из части, желательно с автоматом и парой рожков... Во всем мире при помощи гласности борются с пороками общества. Мы изобрели особый вид гласности, напоминающей дымовую завесу, скрывающей бездействие, бездарность и корыстолюбие высшей власти. «Ах, в армии кошмар!» — «Кто виноват?» — «Как кто? Армия...»

«Опускание» армии стало перманентным и уже превратилось чуть ли не в традицию. Как-то меня пригласили в популярную молодежную телепрограмму «Партийная зона» — поздравить парней с 23 февраля. Одновременно со мной поздравлял молодежь и один эстрадно-брачный дуэт. Так вот, их поздравления свелись к пожеланию призывникам как можно успешнее закосить от армии. Это было сказано с удовольствием. Среди людей, самоназвавшихся современной российской элитой, дурной тон — любить армию и гранд-шик — ее презирать. Речь не о всех, но о многих. На смену казенной армейской романтике советской эпохи пришла романтика «закашивания».

Призывник как бы заранее идет в подчеркнуто неуважаемую обществом «солдатчину». Лишь только вековая мощь ратного сознания нашего народа обеспечивает еще существование армии и проведение два раза в год призывов.

Но почему же казарма (это очень волнует сегодня солдатских матерей!) со страшной регулярностью превращается в стрельбище? Откуда эта жестокость? А чего же вы хотите, если с утра до вечера стреляют — по телевизору, на улице? Если президент урезонивает парламент с помощью танковых орудий? Если киллер превращается в заурядную профессию: предприятию требуются столяр, маляр и киллер... Пустить в ход АКМ сегодняшнему бойцу психологически гораздо проще, чем, скажем, во времена моей срочной службы. О «чеченском синдроме» даже не говорю — настолько это очевидно! Нельзя забывать и о наркоманизации молодежи, что психику призывника явно не укрепляет...

А тут еще катастрофа офицерского корпуса. Когда-то поэт-фронтовик Георгий Суворов, погибший при освобождении суверенной ныне Эстонии, написал: «Есть в русском офицере обаянье...» Есть. Осталось. А вот хрестоматийные строчки — «слуга царю, отец солдатам» — воспринимаются сегодня, к сожалению, чуть ли не иронически. Какому царю? Тому, что министра обороны, как клоуна, наряжает то в китель, то в пиджак? Тому, который не желает даже пятнадцать минут слушать доклад о военной реформе, разрабатывавшейся годами? Отец солдатам? Какой отец, если офицер, сидя без зарплаты, собственных детей прокормить не в состоянии?! О каком воспитании личного состава можно вести речь, если прежняя система политработников развалена под радостные крики революционных завлабов и завклубов, а новая только создается? Простой вопрос — кого должен защищать в случае чего современный российский воин? Олигархов, вывозящих из страны по миллиарду в неделю? Политиков и чиновников, у которых семьи на всякий случай уже за границей? Пядь родной земли — после того, как на Беловежской летучке отвалили соседям за здорово живешь исконные наши земли? Бойцу говорят: надо любить Отечество. А в столице в выставочном зале посетителям предлагают заглянуть под хвост корове и таким образом проникнуть в тайну России. Раньше это называлось кощунство. Теперь — «перформанс». Не хотел бы я быть сегодня замом по воспитательной работе в подразделении...

А все-таки странно. Вроде бы буржуазная революция (реставрация) победила: у нас теперь уже есть владельцы заводов, газет, пароходов, свои олигархи, свои безработные и бездомные. Самое время начать относиться к армии, как к опоре собственного, а не прошлого режима. Нет, не относятся... Может быть, потому что за последние годы армия стала у нас и в самом деле рабоче-крестьянской — то есть классово чуждой нынешним хозяевам жизни, а значит, и опасной? Хоть у одного нынешнего нувориша или политика сын или внук отслужил срочную? Может, у Чубайса? Огласите весь список, пожалуйста! Нет, не оглашают... Не потому ли моя ровесница тщательно списывает телефон с рекламного листочка в вагоне метропоезда?

В последние годы, поняв гибельность отсутствия державной идеологии и насмотревшись на ракетно-бомбовые способы защиты демократических ценностей (в Ираке и бывшей Югославии), российская власть пытается вернуть из ссылки «патриотизм», да и к армии, судя по всему, начинает относиться снисходительнее. Когда писались эти заметки, телевизор принес радостную весть: Б. Ельцин пообещал увеличить военнослужащим денежное довольствие в полтора раза. Как говорится, дай-то бог! Но возвращение патриотизма в общественное сознание идет трудно. Даже теледикторы никак не могут унять судорогу в голосе, когда произносят слова «патриот», «патриотический»... Кстати, телевизор нас сегодня с утра до ночи пугает наступлением фашизма и экстремизма. Так вот, я хочу напомнить, что фашизм и экстремизм начинаются с попирания патриотического чувства. Не бойся патриотизма, и тебе не придется бояться фашизма! Не смейся над патриотизмом, и тебе не придется рыдать от экстремизма!

Патриотизм возвращен из ссылки, но как бы условно. Власть медлит по-настоящему опереться на созидательную мощь обостренного патриотического сознания. Власть ведь оказалась в сложном положении. С одной стороны, даже последняя кремлевская мышь понимает, что выход из духовного и экономического кризиса, возрождение изничтоженной армии неизбежно потребуют от народа жертв и лишений во имя будущего страны. С другой стороны, как только патриотическое сознание окрепнет, многие деятели, пребывающие или побывавшие у власти в последнее десятилетие, будут вынуждены ответить на самые разные вопросы — про Севастополь, про миллионы русских, отданных на поругание «этнократическим демократиям», про миллиарды долларов, вывезенные за рубеж, про рукотворную демографическую катастрофу, про постыдную утрату страной своих вековых геополитических позиций, про ограбленное поколение победителей и про многое, многое другое... История показывает, что обычно на такие вопросы отвечают не в мемуарах, а в зале суда. Власть медлит, думая не о завтрашнем дне России, а о собственных видах на будущее. А самый лучший вид на будущее, как известно, из кремлевского кабинета.

...Женщина вышла на «Кутузовской», спрятав блокнотик с заветным телефоном в сумку. Она не виновата. Она живет в такое время, когда любить свою армию — не принято. Когда офицер, обвиненный в шпионаже, не стреляется, а выдвигается в народные депутаты. Она живет в странное время, когда принято восхищаться отважными израильтянками, служащими в воюющей армии, и насмехаться над российскими парнями, по повестке являющимися в военкомат. Когда в Латвии судят партизана Великой Отечественной войны, судят именно за партизанское прошлое, а российская власть помалкивает. Разруха, как справедливо заметил классик, — прежде всего в головах. Еще лет десять такой разрухи — и, вполне возможно, станция, на которой сошла моя ровесница, будет называться «Эйзенхауэровская».

Газета «Красная звезда», февраль 1999 г.

Просто комсомол

Если бы нынешние олигархи и нувориши помельче не были такими жлобами, они бы сбросились и поставили памятник комсомолу где-нибудь в центре Москвы. Большой и красивый памятник с золотыми буквами на цоколе: «СПАСИБО ТЕБЕ, КОМСОМОЛ!»

И ведь есть им за что благодарить младшего соратника партии, эту полуобщественную, полугосударственную организацию, канувшую в глубины истории вместе с советской цивилизацией. Нынешние «комсомольчики», возникшие после 91-го, — при всем моем уважении к смелости и последовательности их организаторов — это уже явление новой эпохи. Но вернемся к олигархам. Они теперь делают вид, будто богатство на них упало с неба, как золотые плуг и молот на древних славян. Ничего подобного: большинство нынешних крупных состояний зародилось в коммерческих структурах, которые комсомол активно создавал во второй половине 80-х годов при поддержке социалистического тогда еще государства. Но к нашему гипотетическому памятнику, буде он воздвигнут, олигархи не придут. Не дай бог кто-нибудь вспомнит, как они сделали свои первые деньги, тайком завышая цены на билеты в молодежную дискотеку при райкоме комсомола. Неловко. Попадет в газеты. А завтра с принцем Чарльзом партия в гольф...

Есть и еще довольно значительная группа населения, обязанная своим благополучием в наше грабительское время все тому же комсомолу. Это — предприниматели, менеджеры, руководители... Дело в том, что комсомол был стихийной, полуофициальной школой менеджмента. В достаточно заорганизованной советской экономике это была своего рода отдушина. Посудите сами: молодежные жилищные комплексы, молодежная печать, молодежные театры, молодежный туризм, студенческие строительные отряды, молодежные кафе, молодежная эстрада и т. д. Ведь это же все организовывало не государство! Помогало — да, но бегали и соображали мальчики и девочки с комсомольскими значками. Комсомол воспитывал деловую хватку, и поэтому они оказались наиболее подготовлены к новой, постсоветской жизни. У них сейчас все в порядке, они составляют основу нарождающегося среднего класса. Я часто встречаю их в самых неожиданных местах, на самых разных, достойных должностях. О комсомоле они вспоминают с неизменной благодарностью. Не сомневаюсь: они принесут и положат цветы к цоколю нашего гипотетического памятника. А может быть, приведут отпрыска и молвят: «Смотри, отпрыск, благодаря этой славной организации ты учишься теперь в Париже!»

Но продолжим наши юбилейные мечтания. Вряд ли мы дождемся даже кулька с тремя гвоздиками от тех, кто совершенно незаслуженно именует себя «демократами». Надо сказать, многие из «пламенных демократов» встретили горбачевскую перестройку, будучи комсомольскими активистами довольно высокого уровня. Иных я встречал на съездах и пленумах ЦК ВЛКСМ. Иные резко критиковали меня сначала за повесть, а потом и фильм «ЧП районного масштаба» (режиссер — С. Снежкин). Особенно, помнится, серчала видная армянская комсомольская богиня, видевшая в моем скромном творчестве угрозу государственной стабильности и будущим видам СССР. Кто мог подумать, что всего через два года она вольется в дружные ряды борцов за свободу и независимость Армении? И таких «волшебных превращений» я видел немало. Почему? Давайте поразмышляем! Комсомол действительно был школой политических, государственных кадров. В течение полувека с момента своего рождения он, без преувеличения, чеканил золотой кадровый запас государства. Можно криво по этому поводу усмехаться, но ведь страна в течение полувека достойно отвечала на все вызовы истории. И немалую роль сыграли в этом вчерашние комсорги и активисты. Но тогда было не принято самонадеянно рассуждать об исключительной роли элиты... Наоборот, советовали: «Будь попроще — и люди к тебе потянутся!»

К середине 70-х ситуация переменилась. Почему? Потому что идеология, которую писатель А. Ланщиков очень точно назвал «великодержавным интернационализмом», выдохлась. (Из всех республик СССР дольше всего эта идеология задержалась в России, потому-то мы больше других и пострадали от беловежского сговора.) Что требовало государство от молодого лидера в 20-е? Построить. В 40-е? Победить и восстановить. В 50-е? Снова — построить... Назвался элитой? Хорошо. А инфаркт в тридцать лет от перенапряжения и неподъемной ответственности не хочешь? В 70-е государство уже предлагало молодому пассионарию не дергаться и выжидать. Были, конечно, и БАМ, и КамАЗ, и Нечерноземье, но я о тенденции...

В эпоху выжидания государство неизбежно утрачивает контроль над качеством кадровой смены. Человека просто не на чем проверить. С трибуны-то все клянутся в верности идеалам, преданности Отечеству. А как проверишь? Над всем СССР расслабляющее марево стабильности. В такие времена нравственность и государственные убеждения — результат самовоспитания. Люди заканчивали одну ВКШ, сидели в одном кабинете на проезде Серова, ходили в одну и ту же баню... И лишь 91-й год показал, что они из разных нравственно-политических галактик.

Когда человек меняет религию в результате глубокой духовной эволюции, он обычно об этом не распространяется. Это тихий неофит. Но если он делает это потому, что прежнее вероисповедание уже не кормит, то, как правило, он широко оповещает всех о своей новой вере. Этим буйным неофитам, кстати, мы и обязаны антикомсомольской истерией, развернувшейся после 91-го. Почувствовал на себе. Если раньше меня упрекали в том, что я чересчур сгустил краски, описывая «застойный» комсомол, то теперь те же самые люди упрекали меня в том, что я слишком мягок со своими героями, а надо — наотмашь и без пощады...

Бог судья этим людям. Они устраивали шоковую терапию, строили финансовые пирамиды, сбивали народ с толку кампаниями типа «Голосуй или проиграешь!», колготились в кремлевской тусовке... Они решили свои личные проблемы за счет страны, которая под видом борьбы за общечеловеческие ценности и рынок была оплевана, обобрана и отброшена на десятилетия назад, а в геополитическом смысле — и на столетия... Они не принесут, как я уже сказал, цветов к нашему воображаемому памятнику. И на том спасибо...

Цветы принесут другие. Когда две мои повести «Сто дней до приказа» (1980) и «ЧП районного масштаба» (1981) начали ходить по мукам согласования, то прежде всего они попали в ЦК ВЛКСМ, так как я предложил их для публикации в молодежные журналы. И меня стали вызывать на проезд Серова. Раньше на этом комсомольском Олимпе мне бывать так вот запросто не приходилось, и шел я туда в первый раз, как на Голгофу. Честно говоря, я ожидал встретить в ЦК иллюстрацию к тому, что на районном уровне сам же и описал в своей достаточно сатирической повести — эдакую комсомольскую версию сусловской упертости, кстати во многом обусловившей молниеносный крах советской системы. (Народ-то вырос из коротких штанишек во многом благодаря советской системе, но вот беда — с брючками замешкались...)

Так вот, люди, которым было поручено со мной «поработать», удивили меня своей терпимостью, образованностью и глубиной. Это были просвещенные государственники, шедшие во власть с созидательными идеями, а не просто ради карьеры. И оставалось им немного — с проезда Серова перебраться на Старую площадь. Кое-кто даже перебрался... Думаю, если бы Горбачев в основном опирался на этих людей, все могло случиться у нас в стране по-другому. Впрочем, тогда бы это был уже не Горбачев. Обанкротившийся политик похож на тяжеловеса, уронившего штангу в переполненный зрительный зал. Оправдаться невозможно, хотя может иметься масса объективных причин...

Ельцину же эти люди нужны не были, как подрывнику не нужны мостостроители. Отказавшиеся ритуально потоптать поверженных советских кумиров были выброшены из государственных структур. Кто-то уцелел, занимаясь своим участком, на котором его просто некем было заменить, и таким образом пережил великую ломку. Ведь даже самые упертые «демократы» понимали: если, допустим, отклонировать Немцова в количестве 100 тысяч особей и заместить этими особями все государственные должности, то Россия рухнет через три дня. Не рухнула, кстати, потому, что на все должности не хватило немцовых и бревновых.

И вот постепенно те не востребованные десять лет назад молодые государственники (теперь уже не очень-то и молодые) начали возвращаться во власть. Понадобились, потому что разрушать и разворовывать уже нечего, а страну надо спасать. Я все чаще вижу этих людей во главе изданий, пытающихся быть честными в наше изолгавшееся время, на министерских постах, руководителями регионов. Хочется надеяться, что этот бездумно замороженный на десять лет кадровый резерв державы брошен в прорыв не слишком поздно. Очень хочется надеяться...

Эти люди обязательно принесут цветы к нашему еще не воздвигнутому памятнику. И мы поговорим о том, что не все, нет, не все молодые писатели, художники, режиссеры, которым ВЛКСМ помог издать первую книгу, организовать первую выставку, поставить первый спектакль, отреклись от комсомола, когда началась насильственная бурбулизация страны. Вспомним о том, что не все, нет, не все, кто бежал в свое время за помощью и защитой в отдел культуры ЦК ВЛКСМ, рассказывают теперь по телевизору, как комсомольские Малюты Скуратовы на дыбе очередного партийного постановления заставляли их писать, петь, рисовать, играть нечто противное их совести и таланту. А разве, спросите вы, не было идеологического диктата? Был. Но не жестче, чем сегодня. Любая власть пытается диктовать художнику. Сопротивляйся, а иначе зачем ты пришел в искусство? Зарабатывать? Ну, извини... Во времена моей литературной молодости приспособленчества стеснялись, старались скрыть... А теперь один мой сочиняющий знакомый гордо заявляет, что он самый востребованный сегодня поэт, потому что пишет слоганы для банков! А ведь банк — это нынче что-то вроде райкома или горкома партии... Комментарии, как говорится, излишни.

Возможно, читатель, знающий меня по другим выступлениям в «Собеседнике», почувствует в этом тексте известную юбилейную слащавинку. Возможно... Поверьте, я знаю в 80-летней истории комсомола немало грустных, порой постыдных страниц... Но дело не в юбилее. Дело в том, что мы смотрим сегодня на ставший историей комсомол не с вершин обретенной социальной гармонии и повальной нравственности, а скорее из выгребной ямы. Кто осмелится теперь критиковать комсомол за «бюрократизацию и формализацию» работы с молодежью, когда нынешняя власть вообще забыла о существовании молодежи? Во всем мире думают о тех, кто будет жить в третьем тысячелетии. А в России главная проблема: дотянет ли Ельцин до 2000 года... Я вообще объявил бы мораторий на критику советской эпохи. Не нам сегодняшним ругать себя вчерашних. Не заслужили, не заработали, не доросли, не доросли... И кто знает, может статься, вместо памятника комсомолу еще придется строить новый комсомол?! Не расшифровывающийся... Просто комсомол.

...А все-таки олигархи — жлобы.

Еженедельник «Собеседник», № 42, 1998 г.

Забытые союзники

Скоро 23 февраля — День защитников Отечества. Прежде этот праздник именовался, если помните, иначе — День Советской Армии и Военно-Морского Флота. Понятно, что с разрушением советской цивилизации сей красный день календаря был обречен на переименование. И это нормально. Но почему он стал называться Днем защитников Отечества, а, скажем, не Днем Российской армии? Случайно? Едва ли... В Кремле даже случайные люди случайно ничего не делают. Ведь не переименовали же в угоду «зеленым» День рыбака, например, в День труженика акваторий...

Всем памятно почти мазохистское миролюбие, охватившее наше общество в конце 80-х и начале 90-х годов. С высоких трибун звучали слова «о Верхней Вольте с ядерным оружием», саркастические вопросы вроде: «Да кому мы нужны?» или: «От кого будем защищаться?» Горбачев, похожий на выросшего до невероятных размеров голубя мира, летал по странам и континентам, уверяя, что СССР больше не несет человечеству никакой угрозы. А разве, спросите вы, не следовало прекращать изнуряющую военную конфронтацию с Западом? Конечно, следовало. Но не так! Ведь в подтверждение нового мышления бездумно сворачивались оборонные программы, чохом резались танки, взрывались ракетные шахты, люди в погонах объявлялись чуть ли не дармоедами, а наша Западная группировка войск покидала Европу с торопливой безалаберностью малолетних хулиганов, застуканных в чужом саду. Над глубинным, веками воспитанным ратным сознанием народа попросту издевались. Самооплевывание шло с поистине верблюжьим размахом. Наиболее продвинутые идеологи даже предлагали поровну поделить вину за Вторую мировую войну между Гитлером и Сталиным. Еще немного — и Малахов курган переименовали бы в Молохов, объявив символом бессмысленного кровопролития и напрасных жертв...

Но остановились. Почему? Да потому, что, с одной стороны, державы, противостоявшие нам в «холодной войне», лукаво похваливая нас за приверженность общечеловеческим ценностям и раздавая «премии мира», множили тем временем свою боевую мощь, наращивали военное присутствие в местах нашего отсутствия, и становилось ясно: воткнув штык в землю, мы теряем не штык, а землю. С другой стороны, грянула Чечня — боль и позор новейшей России. Пришло понимание того, что древнюю мудрость «хочешь мира — готовься к войне» никто не отменял. Просто сформулировать ее в духе времени следует иначе: «Миролюбие сильного уважают. Над миролюбием слабого потешаются». А надо ли объяснять, что социально-экономические катаклизмы минувшего десятилетия нанесли оборонной мощи страны страшный и, скорее всего, невосполнимый урон?! Ведь все шумные обличительные кампании в средствах массовой информации против действительно вопиющих недостатков наших Вооруженных Сил велись на уровне сладострастной констатации мрачных фактов и фуршетных призывов срочно создать профессиональную армию. Кто ж спорит с тем, что хорошо вооруженные и высокооплачиваемые профессионалы лучше хворых призывников! И наш президент так же считает. Только все это очень напоминает решительный совет затуберкулезившему бомжу немедленно отправиться на лечение в высокогорный швейцарский санаторий.

Есть ли выход? Помнится, в старой России богатые люди не только дворцы и храмы строили, они еще на свои средства снаряжали и содержали полки. Представляете картину: военный парад, на мавзолее стоит руководство страны. Динамики разносят радостный голос комментатора, к примеру, Евгения Киселева: «А сейчас на Красную площадь вступают овеянные славой гвардейцы-потанинцы! Следом печатает шаг отдельный ударный батальон «Альфа» имени Петра Авена! Грозно движется колонна вяхиревской бронетехники, заправленной природным газом! А вот передо мной телеграмма от Анатолия Чубайса. Энергетики прощают долги частям ПВО и желают им успехов в боевом дежурстве!..»

Но шутки в сторону. Сегодня мы имеем странную ситуацию: на государственном уровне потребность в мощной современной армии очевидна и даже строго провозглашена. Найдены кое-какие средства. Вместе с тем не решены проблемы, требующие не столько материальных, сколько мировоззренческих усилий. Идеология медийной интеллигенции, формирующей общественное сознание, до сих пор, как правило, остается на уровне профанического пацифизма начала 90-х. Заметьте, на нашем ТВ сюжеты, скажем, об израильской или американской армии изготавливаются по геройским канонам сладкоголосой передачи «Служу Советскому Союзу», зато о собственных Вооруженных Силах нам чаще всего повествуют в жанрах беспощадно-разоблачительной журналистики. О каждом побеге солдата из части страну скорбно оповещают в общефедеральных теленовостях. А вот о побеге за рубеж какого-нибудь банкира с денежками доверчивых вкладчиков мы можем и не узнать. Зачем бросать тень на крупный отечественный бизнес? Я не призываю, упаси бог, к тому, чтобы армия снова стала зоной, закрытой для критики. Не для того много лет назад вместе с журналом «Юность» боролся за публикацию моей повести «Сто дней до приказа». Но постоянно изображать армию безжалостной «зоной» тоже нельзя. Есть восточная пословица: «Если человека сто раз назвать ослом, он в осла и превратится».

Теперь я возвращаюсь к тому, с чего начал. Именуя 23 февраля Днем защитников Отечества (красиво, надо признать!), власть имущие лингвисты далеко не случайно забыли слова «армия» и «флот». Ведь именно Армия и Флот, по меткому выражению русского императора, единственные и самые надежные союзники России. Новое, более миролюбивое название ратного праздника — это, как модно сейчас выражаться, знак, поданный нашему новому союзнику — Западу. Вероятно, чтобы оценить этот знак получше, НАТО и придвинулось вплотную к российским границам...

«Литературная газета», февраль 2002 г.

Заметки несогласного

Жить в России сегодня трудно, тревожно и обидно. Мне, например, обиднее всего вспоминать о том, как моя страна продала свое мировое если не «первородство», то уж точно «второродство» за невразумительную похлебку из общечеловеческих ценностей. В результате мир существует теперь в условиях силового экспорта «американской демократии» — особого общественного устройства, которое к собственно демократии имеет такое же отношение, как «царская водка» к любимому нашему отечественному напитку.

«Эка, хватил! Мне бы твои заботы!» — нехорошо усмехнется беззарплатный бюджетник и будет, наверное, по-своему прав. Но дело не в кухонно-геополитических амбициях, а в исторической судьбе России: олимпийскому боксеру-тяжеловесу неприлично работать вышибалой в борделе для лилипутов. Мы живем в стране, утратившей (временно, надеюсь) смысл своего бытия, и эта бессмысленность во многом определяет все происходящее вокруг — от Кремля до обжитого бомжами подвала...

Впрочем, вышеупомянутый насмешливый бюджетник сам давно ломает голову над вопросом: «Почему, сбросив с себя бремя гонки вооружений, перестав спонсировать блуждание по миру великой социалистической идеи, избавившись в Беловежской Пуще от «братьев меньших» (а заодно и от многих исконных российских земель), мы не зажили весело и богато, на зависть, так сказать, всему мировому сообществу?» Вопреки обещаниям, оказалось, простое благополучие в постсоветской России гораздо больший дефицит, чем ондатровые шапки при социализме. В прежние времена обладатели ондатровых, как выразился бы Солженицын, «наголовников» все-таки заботились (правда, все хуже и хуже) о том, чтобы у остальных были хотя бы кроликовые ушанки.

Что же сегодня? Для многих политиков, давайте честно признаемся, наша страна давно превратилась в одну большую избирательную урну, а мы с вами из хомо сапиенс — в хомо электоратус. Российским деятелям культуры, тем же киношникам, ночами снится американский Оскар, смахивающий, между нами говоря, на уменьшенное до сувенирных размеров надгробие всему остальному национальному кинематографу. (Надеюсь, вставший на крыло усилиями Никиты Михалкова «Золотой орел» хоть что-то изменит в этой стыдной ситуации.) Отечественным нуворишам, в просторечье именуемым «олигархами», за редким исключением, плевать на нас с вами с высокой финансовой пирамиды. И бегство капитала из страны (можете посмеяться над моей наивностью) явление не столько экономическое, сколько нравственное.

В России воцарилось тотальное неуважение к собственной стране. И тон задают, как ни странно, «новые русские». Лезущие в глаза телевизионные технологи комплекса национальной неполноценности — всего лишь следствие. Но почему же они, наши постсоветские буржуины, получившие то, о чем и не мечтал незабвенный Корейко, так относятся к Державе? Да потому что Держава со всеми своими заводами, газетами и пароходами отдалась им в начале девяностых, как напившаяся недотрога на корпоративной вечеринке — без ухаживаний, клятв и обязательств. Просто так. И дело не только в том, что перераспределение общественной собственности произошло далеко не по принципу «каждому по способностям» — тут уж ничего не поделаешь. В конце концов, родоначальники иных знатных российских фамилий тоже не были постниками и праведниками. «Птенцы гнезда Петрова» Меншиков или Шафиров воровали так, что Европа только крякала от изумления. Однако, наделяя в стародавние годы дворян вольностями, землями и холопами, государство требовало от них суровых служилых повинностей. И пока эти повинности выполнялись, страна росла и усиливалась. Как только остались одни вольности — рухнула. Примерно то же самое (но в более сжатые сроки) произошло с советской номенклатурой, а соответственно и с СССР.

А на чем, вспомните, поднялась новая политическая элита? Правильно: на разрушении веками складывавшегося на евразийском пространстве многонационального государства. Вы думаете, это когда-нибудь забудется? Никогда. Вы думаете, почему наши либералы так против смертной казни борются? Из-за трогательной заботы о серийных убийцах? Нет, просто они хорошо помнят, что именно высшей мерой в прежние годы каралась государственная измена. Вероятно, поэтому шпионаж в нынешней судебной практике приравнивается к сквернословию в общественном месте. Чем политическая элита может искупить свою вину перед Державой? Тем же, чем искупили большевики: восстановлением разрушенного и возвращением утраченного. Реально это сегодня? Нет, нереально. После показательного, на весь мир, харакири, совершенного во имя укрепления взаимного доверия между Востоком и Западом, странно жаловаться на плохую работу кишечника. Восстановление, конечно, произойдет, но будет стоить огромных трудов. Полагаю, библейская печаль в глазах нашего президента происходит во многом от понимания того, какие мощные силы не заинтересованы в подъеме России.

Но я вспоминаю разговор с одним немецким писателем, состоявшийся еще в те годы, когда Берлин разделяла стена. Он сказал так: «Моя страна разорвана. Это историческая данность, с которой бессмысленно спорить. Я и не спорю. Я просто с этим не согласен. И все немцы с этим тоже не согласны!» Тогда я не понял смысла его слов. Теперь, глядя на объединенную Германию, понимаю. А есть ли сегодня у нашей интеллектуальной элиты это спокойное, конструктивное, обращенное в будущее несогласие с нынешним состоянием страны? Нет. Точнее, почти нет. Значит, не будет этого созидательного несогласия и у народа, ибо государствообразующие идеи в огороде не растут.

Теперь об элите экономической, поднявшейся, как все отлично помнят, на приватизации, результатами которой недовольно подавляющее большинство населения. Пожалуй, сегодня на просторах Отечества это недовольство — единственное (разумеется, кроме русского языка), что объединяет наш многонациональный и разноконфессиональный народ. И следует помнить: массовое неприятие «прихватизации» делает весь класс новых собственников по сути нелегитимным. Следовательно, в любой момент «Мерседес» может превратиться в тыкву, а телохранители — в крыс. Значит ли это, что необходима, а главное — возможна деприватизация? Не уверен. «Родить обратно» приватизацию уже нельзя. Что же может в этой ситуации нынешняя власть, более всего озабоченная легитимизацией хапнутого ловкими мира сего? Немногое: создать такие нравственные и правовые условия, когда новые владельцы общенародной собственности вынуждены эксплуатировать ее не только себе, но и Державе на пользу. Почему же власть этого не делает или делает недостаточно эффективно? Прежде всего потому, что она до сих пор ощущает себя властью предпринимателей, а не всего российского народа. Именно отсюда ее поразительная непредприимчивость.

Другая причина заключается в том, что нынешние верхи ни дня не были «пассионарными», они стартовали с того, чем закончили дворянство и советская номенклатура — с безответственности, пофигизма и желания просто «пожить». Вы только вспомните тип людей, окружавших президента Ельцина! Это же за редкими исключениями какой-то коллективный зять Межуев при подгулявшем Ноздреве! Разрушив медленно, слишком медленно эволюционировавшую командно-административную систему, они создали карманно-административную антисистему, ввергнувшую нас из застоя в исторический простой, ибо смысл и назначение этой антисистемы сводится к набиванию карманов с помощью административного ресурса. Чтобы понять, сколько мы из-за этого потеряли, достаточно побывать в Китае, не разрушившем свою командно-административную систему, а сделавшем ее инициатором и регулятором модернизации страны.

«Ты куда, сукин сын, нас зовешь?» — может спросить автора этих строк иной проницательный читатель, воспитанный на ксерокопированном «Архипелаге ГУЛАГ» и подпольном «Скотном дворе» Оруэлла, позаимствовавшего этот сюжет, кто не знает, у нашего историка Николая Костомарова. Туда и зову — вперед, к командно-административной системе! Пятнадцать лет реформачества (произнести «реформирования» просто язык не поворачивается) убедительно показали, что «умный рынок», самочинно решающий все экономические проблемы, существовал только в недалекой голове обозревателя газеты «Правда» Егора Гайдара. Там он и остался. Мы же в результате получили безумный рынок, при котором обыватели мерзнут без электричества, а военные летчики сидят без топлива и поддерживают свою боеготовность, глядя по телевизору бомбежки Багдада.

Конечно, когда лично член Политбюро Суслов запрещал Ларисе Васильевой печатать в «Дне поэзии» стихи Гумилева, а ресторан Дома литераторов с трудом добивался от Главобщепита редкостной привилегии не брать вялую зелень с базы, но покупать петрушку на колхозном рынке, из такой командно-административной системы ничего путного выйти не могло. Но если фреза берет слишком глубоко, зачем разносить весь станок кувалдой? Не проще ли переналадить? Не надо забывать, что мы живем в огромной северной стране, географически открытой любому нашествию, в стране, где веками складывались коллективные формы выживания, а соответственно общинное сознание и особое, уповающее, отношение к государству. Веками инициатива населения (если исключить бунты, да и то не все) направлялась властью, веками наши люди были государевыми, а потом три четверти века советскими, то есть тоже государственными. Разумеется, у этого не раз выручавшего нас коллективизма есть обратная сторона: сниженная индивидуальная активность, осложненная или, если хотите, облагороженная нестяжательной православной этикой. И этот уникальный социум без серьезной государственной опеки мы в одночасье, опираясь на западные теории, хотели превратить в рыночное общество?! Да ведь, извиняюсь, одно и то же слабительное на всех по-разному действует. Мы сами отключили свой наиважнейший, веками выстраданный ресурс — государственность. Америка «сделала» Советский Союз исключительно потому, что ее командно-административная система оказалась более жесткой и эффективной.

У России сегодня нет государства, соответствующего ее экономическому потенциалу и национально-историческим задачам. У нас есть государственно гарантированные условия для дальнейшей деградации и депопуляции. Лично я с этим не согласен. Полуосознанно и безысходно не согласен народ, то и дело выплескивающий свое возмущение на улицы. Не согласны с этим даже совестливые и дальновидные иностранцы, с недоумением наблюдающие картину последовательного саморазрушения великой некогда Державы. Не согласен с этим, как я понимаю, и Кремль.

Так чего же мы ждем?

«Литературная газета», апрель 2003 г.

Россия в откате

Каждый нормальный человек, считающий Россию своим Отечеством, а не случайным местом рождения или обогащения, нередко с тоскою задумывается о том, что же все-таки происходит на самом деле в нашей стране. Почему, столь решительно и даже глумливо отстав от социализма ради того, чтобы пристать к цивилизованным рыночным странам, мы откатились почти по всем показателям, в том числе и по качеству жизни, в самый конец общемирового списка? Почему объявленный рывок в будущее отбросил нас в прошлое — и в геополитике, и в экономике, и в науке, и в культуре, и в образовании, и в здравоохранении? Нет, Россия не в обвале. Она в небывалом, вызывающем оторопь откате. Мы заплатили огромную цену, в сущности, сами не зная за что! Любые реформы — дело затратное, но почему российская модернизация конца XX века оказалась утратной?

Дисциплинка хромает

Может быть, самая тяжкая наша утрата последних полутора десятилетий — почти полная потеря социальной дисциплины. Не беспокойся, читатель, я не зову тебя назад в социализм, ибо воротиться туда даже при большом желании мы уже не сможем, хотя кое-какие разумные элементы былого мироустройства непременно вернутся и уже возвращаются. Но я хочу поговорить о другом: социальная дисциплина, как мне кажется, совсем не ущемление нашей с вами свободы, которую, если сказать по правде, большинство граждан при нынешней жизни не знает, куда бы и засунуть. Наоборот, социальная дисциплина — это необходимое условие реализации человеком его прав, ибо каждое наше право на поверку оказывается чьей-то обязанностью, и наоборот. Например, наше право на здоровые зубы — обязанность дантиста, а право пешехода переходить улицу на зеленый свет обеспечивается обязанностью водителя останавливаться на красный сигнал светофора.

Чтобы убедиться, насколько за минувшие годы порушена социальная дисциплина, достаточно проехать по улицам российских городов. Москвы, например. Такое впечатление, будто Правила дорожного движения существуют исключительно для того, чтобы их нарушали. На дорогах царит совершеннейший сословно-феодальный строй: высокородный «Мерседес» может позволить себе то, что простолюдину-«жигуленку» и не снилось. А если, не дай бог, ты замешкался перед бампером какого-нибудь торопящегося на «стрелку» авторитета, то ведь запросто могут выволочь из машины и отдубасить. Кто водит, тот знает. О жестоких томлениях в пробках, когда по встречной полосе ожидается пролет правительственного кортежа, я даже и не говорю. Томления эти, чуть переиначивая Оруэлла, смело можно назвать «пятнадцатиминутками ненависти».

Многие сотрудники организации, которой после долгих лингвистических экспериментов, кажется, возвращают исконное имя ГАИ, давно превратились в небескорыстных участников дорожно-транспортного бардака. Результат — бесконечные пробки и аварии. Степень транспортного одичания такова, что прежний главный гаишник вынужден был организовывать блокпост возле Триумфальной арки на Кутузовском и лично отбирать у могучих самозванцев левые мигалки и незаконные ярлыки, разрешающие езду без правил. Не за это ли его в конце концов и сняли с повышением? Иной раз я, пока доберусь из Переделкина до Сухаревки, где расположена редакция «ЛГ», успеваю насчитать до полдюжины аварий. Кстати, в Пекине (а движение там по интенсивности давно уже сопоставимо с московским) я за неделю увидел лишь одно ДТП, и то в день, когда выпал большой снег — явление довольно редкое для китайской столицы, где, между прочим, построено уже шесть транспортных колец с развязками.

А ведь дорожный беспредел — это лишь одно, не самое значительное и не самое тяжкое проявление развала социальной дисциплины. Другая очевидная примета — чудовищное мздоимство во всех без исключения сферах жизни. Некоторым высшим чиновникам в народе даже дают прозвища, исходя из их общеизвестных лихоимственных аппетитов. И что? Ничего — божья роса! Журналисты, кстати, давно уже пишут о взяточничестве с какой-то беспомощной, почти добродушной иронией. Мол, ну что ж поделать: «Жизнь такова, какова она есть, и больше никакова».

Жизнь и в самом деле такая, что без «отката» невозможно решить ни один вопрос. Про это знают все: пациент, ложащийся на бесплатную операцию, мелкий коммерсант, открывающий магазинчик, режиссер, снимающий кино на казенные средства, губернатор, отправляющийся в Первопрестольную выбивать бюджетные деньги... Временами мне кажется, что почти легальная, пронизывающая все общество система взяток заменила партийную дисциплину прежних времен, и действует она, надо сознаться, гораздо жестче. Во всяком случае, за неуплаченные партвзносы на моей памяти никого не расстреливали, а вот за не откаченный вовремя «откат» убивают постоянно и прямо на улице. Не из-за этой ли «откатной» системы, в частности, Россия откатывается все дальше и дальше с пути нормального исторического развития?

Вышли мы все из бюджета

Взятки были и, полагаю, будут всегда. И не только в России. В Америке, да и в Европе тоже берут. Помню, в Германии нашу литературную делегацию принимал бургомистр. Он с большим удовольствием отобедал с нами за городской счет, но от совместного ужина, им же, кстати, и оплаченного, отказался наотрез, как мы ни уговаривали. Переводчица тихо объяснила: «Да отвяжитесь вы от него! Порядок у них такой: чиновник с каждой делегацией может подхарчиться только один раз. Нарушителей строго наказывают!» Надо полагать, педантичные немцы установили это строгое правило отнюдь не по причине маниакальной честности и вызывающей бытовой скромности своих бургомистров.

Поверь, читатель, я не ханжа и знаю: хорошего человека положено благодарить. Древняя традиция. Занял тебе знакомый неандерталец место в пещере поближе к огню, а ты ему за это мозговую косточку попридержал. Поэтому, скажем, объявление на двери ординаторской в городской больнице «Конфеты и цветы не пьем!» вызывает у меня абсолютное понимание и сочувствие. Разговор о другом: взятки, мздоимство, казнокрадство не могут быть главными регуляторами общенациональной экономики и основными источниками благополучия для целого класса. Не может смысл предпринимательства сводиться к умению увести из бюджета достойную сумму, распасовать ее между конкретными благодетелями, а на свою долю построить особняк в стиле «барвиххо» или еще лучше — перекинуть в офшор. Да еще потом искренне изумляться, откуда взялись миллионы идиотов, голосующих за коммунистов. Не понимаю, почему у нас «бюджетниками» называют учителей, врачей, военных, музейщиков? У настоящего «бюджетника» одни часы стоят столько, сколько педагогический коллектив средней школы сообща за год не заработает. «Вышли мы все из бюджета...» — чем не строчка для не написанного пока гимна молодой российской буржуазии?

Я не наивен и прекрасно сознаю: неправедного в жизни при любых режимах и идеологиях всегда больше, чем праведного. Социализм хотел дать людям равенство и справедливость. Не справился... Чуть не превратил нас, если пользоваться выражением Аполлона Григорьева, в «мундирное человечество». Но ведь хотел! А к какой цели стремится наше нынешнее общественное устройство? К неравенству и несправедливости? Но это, извините, свинство, которое у человечества всегда с собой. Разрушая прежний строй, мы отказались не только от державных, но и от внятных гуманитарных целей государственного существования. А если нет цели, нет и ответственности за ее достижение. Потому-то наша элита имеет комфортную возможность жить исключительно для себя. Иногда меня посещает жестокая мысль: а не стала ли историческая будущность России тем «откатом», который наш верхний класс заплатил за то, чтобы стать имущим и правящим?..

Безответственность и безнаказанность — вот два страшных недуга, разъедающих державу. В самом деле, если никто не ответил за развал страны, за жульническую ваучеризацию, за предательскую первую чеченскую кампанию, за дефолт и за многое другое, то зачем блюсти государственный интерес, зачем соблюдать законы? Себе дороже... Но для одних это несоблюдение оборачивается хорошим доходом (часть его в крайнем случае в виде взятки заносится в законоблюстительное учреждение), а для других, обычно попавшихся на мелочи, которой и поделиться-то невозможно, заканчивается тюрьмой. Вообще, наша правоохранительная система — это какая-то сюрреалистическая сеть, пропускающая сквозь ячейки крупную рыбу и задерживающая мелочь. Мало кто знает, что количество заключенных в демократической России немногим уступает числу узников ГУЛАГа. Но геноцидом это почему-то никто не называет.

И еще одна любопытная подробность: когда стали реабилитировать жертвы сталинизма, неожиданно выяснилось, что многие, как считалось, политические страдальцы оказались обычными уголовниками: хищение государственных средств в особо крупных размерах, бюджетные злоупотребления, махинации с концессиями и налогами и т. д. Просто в те кошмарные годы воровство у государства квалифицировалось как политическое преступление. Странно, что к Соловецкому камню возле Лубянки приходит ныне лишь кучка правозащитников, поминающих идейных борцов с диктатурой и советским великодержавием, а должны ведь бурлить многотысячные манифестации отечественных предпринимателей. Эх вы, бизнесмены, не помнящие родства!

Что делать с теми, кто виноват?

В России сегодня главный вопрос не «что делать?». Потому что для нынешней элиты эта проблема так же неактуальна, как выбор сексуальной позиции для импотента. «Кто виноват?» — даже смешно спрашивать. Ответ знают все, включая питомцев интернатов для детей с дефектами умственного развития. Главный вопрос, стоящий нынче перед российским обществом, «что делать с теми, кто виноват?». И он не так прост, как кажется, например, Ю. Головину, автору статьи «Преступление без наказания», опубликованной в «ЛГ».

Вспомним, что последние пятнадцать лет мы жили сначала в обстановке стремительно мутирующего социализма, потом в условиях явочной демократии, затем в ситуации революционно-вечевого законотворчества, далее под лозунгом «Демократическое Отечество в опасности!», и, наконец, в последние годы минувшего века вся страна получила отпуск без содержания по Семейным обстоятельствам. Естественно, в эту эпоху юридической невменяемости каждый из нас, кроме коматозных больных, вольно или невольно, по знанию или по незнанию, однажды или бессчетно, а закон преступал. Фактически к любому могут зайти и сказать: «Пройдемте!» Если бы такое случилось не в России, я бы абсолютно уверенно сказал, что все это устроено специально, чтобы каждого из нас повязать той растащиловкой, каковая бушевала в стране и которая упоминается в школьных учебниках под кодовым названием «либеральные реформы». Но в нашем Отечестве История напрямки никогда не ходит, поэтому спокойнее считать, что и власть, и лишившиеся гробовых сбережений пенсионеры — равноценные жертвы бурного стечения непредсказуемых обстоятельств, на удивление точно предсказанных за полвека тем же И. Ильиным. Остается лишь радоваться за тех пенсионеров, у которых дети оказались в гайдаровском правительстве, а также в дружественных ему финансовых и политических структурах.

Но шутки в сторону! Как всякая нормальная женщина хочет выйти замуж и освятить интимную близость с любимым человеком штампом в паспорте, так любой разбогатевший человек желает, чтобы общество признало его состояние законным и неотъемлемым. Ведь это же маразм, когда в канун президентских выборов раскупаются все авиабилеты за рубеж. Боятся: вдруг пиар-технология, виртуозно делающая несогласного гражданина на один день (день голосования) со всем согласным, даст сбой и люди выберут какого-нибудь сурового народного заступника! И хотя такого заступника не видно не только в списке кандидатов, но и в самых отдаленных политических окрестностях, авиабилеты все равно покупают. На всякий случай.

Может быть, правы те, кто считает: для нормального рыночного развития необходима всеобщая экономическая амнистия, чтобы никакому пролетарию, крестьянину, а тем более интеллигенту общенародная собственность на средства производства больше никогда не мерещилась и чтобы никакой самый въедливый следователь не поинтересовался кредитом, зажиленным в каком-то там девяносто лохматом году! Но как это осуществить в конкретной исторической ситуации? Предположим, вдруг в программе «Время» объявляют: все нарушения в области экономической деятельности с 1991 по 2003 год предать, как выражались в позапрошлом столетии, вечному забвению, а вот после 2003 года те же нарушения квалифицировать как тяжкие преступления и наказывать по всей строгости капиталистической законности.

Что же произойдет? А ничего. Ну разве что пацан, укравший из отцовского кошелька сотню-другую, будет теперь молить под ремнем не о пощаде, а об экономической амнистии. Но я-то думаю, станет еще хуже. Пострадавшая от реформ основная часть населения как не любила «скоробогатых», так и не полюбит. Только это будет уже нелюбовь без надежды на восстановление справедливости, в просторечье именуемая классовой ненавистью. В этой связи произойдет, наверное, резкий рост количества частных охранных фирм, а личный состав войск МВД значительно превысит численность Российской армии, в которую к тому времени по причине полной государственной немощи будут уже призывать граждан со своими ружьишками и портянками.

Но это еще не все. Может случиться полная разбалансировка, как говорится, внутриполитических сдержек и противовесов. Ведь нынешняя власть лишится единственного, по сути, способа хоть как-то окорачивать «генералов российского бизнеса», ибо почти у каждой постсоветской капиталистической акулы, как у незабвенного Корейко, есть на совести или пропавший поезд с продовольствием, или невозвращенный кредит, или офшорные художества, или странные связи с чеченскими боевиками, или совершенно случайно наткнувшийся на пулю киллера конкурент... Без амнистии-то все гораздо проще: возмечтал некий нефтедобытчик о большой политике, намылился в Думу или паче того — в Кремль, а ему дают почитать увлекательное досье, по сравнению с которым романы про Бешеного — криминальные пасторали. И плюхается наш несостоявшийся политик с мечтательных высот лицом в постылый бизнес, а то еще и усылается, как встарь, в свою глухую швейцарскую деревеньку. Не балуй!

Да ведь и это еще не все! Не исключено, что сразу же после всепростительного манифеста появятся возмущенные толпы тех, кто по молодости лет или нерасторопности недооткусил от бюджета, а к ним тут же примкнут те, кто имманентно не способен зарабатывать честно. И они из мучительной обиды могут запросто учудить в стране такую «экстремуху», по сравнению с которой Зюганов покажется розовеньким голубем социального мира. Такое начнется, что хоть капиталы из Отечества выноси! Спрашивается: нам это надо? Мы ведь и так давно лежим как в экономическом, так и в геополитическом смысле на боку, касаясь трех великих океанов из последних сил.

Что же делать? А может, поворотиться к опыту католической цивилизации и ввести в оборот «индивидуальные бизнес-индульгенции» (ИБИ)? Конечно, следует учесть целенаправленные ошибки, допущенные с ваучерами, сделать эти бизнес-индульгенции именными и продавать страждущим по договорной цене, определяемой размерами сбережений того или иного ударника капиталистического труда. Еще лучше — заставлять каждого предпринимателя покупать такие ИБИ каждые пять лет, чтобы экономическая жизнь медом не казалась. Выручку же пустить на умиротворение обиженных слоев населения и процветание государства Российского. А? Впрочем, это уж я совсем, как ребенок, замечтался...

Правительство или ликвидационный комитет?

Но с другой стороны, оставить все как есть тоже нельзя, потому что управлять обиженным народом еще худо-бедно можно, но направлять его на реализацию сколько-нибудь серьезного социального проекта невозможно. «Какого проекта?» — спросит вдумчивый читатель. А есть ли вообще у нашей элиты какой-нибудь проект, кроме армейского правила «Бери больше — кидай дальше!»? И вот тут-то важно понять, что такое есть современная российская власть. Если она попросту ликвидационный комитет, озабоченный лишь постепенным демонтажом остатков великой евразийской державы, то все идет правильно: экономика хиреет, оборона ветшает, севера и восточные территории пустеют, население сокращается, мозги из страны утекают, грамотность молодежи падает, а некогда мощная духовная культура подменяется лепетом телевизионных недотыкомок. Лично я с таким проектом категорически не согласен, а люди, его осуществляющие, на мой, никому не навязываемый взгляд — классические отчизнопродавцы. Я очень хочу жить в свободной и процветающей стране, но если эта страна будет начинаться под Калугой, а заканчиваться сразу за Костромой, такая ситуация меня не устраивает. Тебя, читатель, надеюсь, тоже!

Но хочется верить, дело все-таки в другом. Нынешние лидеры получили страну (если бы взяли, тогда другое дело!) в состоянии тщательно отлаженной, управляемой и прогнозируемой смуты. Эту смуту иные наши западные партнеры всячески поощряют и поддерживают, именуя ее почему-то долгожданной российской демократией, за которую и по парламенту пострелять не грех. Случай в истории не новый.

Вспомним хотя бы, как в XVIII веке соседи Речи Посполитой, включая Россию, ревностно лелеяли шляхетский вольнолюбивый кавардак, и не забудем, чем это кончилось для Польши, исчезнувшей с географических карт. Нынче в сходной ситуации оказалась сама Россия, и тут любой резкий шаг может привести лишь к тому, что смута станет непрогнозируемой и неуправляемой. В общем, сложилась обстановочка, очень точно обозначаемая народной поговоркой: недотерпеть — пропасть, перетерпеть — пропасть. При подобном раскладе традиционно нелегкая шапка Мономаха давит уже не на уши, а на плечи...

Что же делать? Не знаю. И, вероятно, по-настоящему не знает никто, включая мудрых политтехнологов, напоминающих мне иной раз парапсихологов, которым сдвинуть взглядом графин мешает публика в зале. Но начинать, наверное, нужно (да простится мне это гуманитарное прекраснодушие!) с восстановления все той же социальной дисциплины. А она, как известно, предполагает определенную долю самоотверженности граждан. Да, у нас были крутые времена, когда самоотверженность и самопожертвование народа творили чудеса, как экономические, так и геополитические. Да, это историческое перенапряжение, иногда неизбежное, иногда навязанное властью, сильно подорвало нашу пассионарность. Однако от этого перенапряжения остались земли (пустеющие), победы (забываемые), промышленные гиганты (приватизированные)... Но остались! Теперь мы метнулись в другую крайность — в полную и даже какую-то злорадно-сибаритскую отчужденность от нужд страны. Боюсь, от этой отчужденности останутся только новорусские замки с поющими унитазами да еще иноплеменные барахолки, разросшиеся до самостийных анклавов наподобие Косово.

И тут снова пора вспомнить о социальной дисциплине как способе выживания народа в эпоху исторического кризиса. Однако от писательских призывов сама собой социальная дисциплина не вернется, точно так же, как беременность не возникнет от чтения любовных романов. К дисциплине должна призвать власть, а точнее, наглядно ее продемонстрировать на собственном примере. Напомню, что Екатерина Великая сначала привила оспу себе и наследнику, а лишь потом призвала это делать подданных.

Не знаю, как вы, дорогие читатели, но за последние пятнадцать лет в обращениях власти к народу я ни разу не слышал ничего, ни слова о бескорыстии и самопожертвовании во имя будущего Державы. Обращения правительства к народу напоминают скорее отчеты правления не очень успешного акционерного общества перед чересчур покладистыми держателями акций: надо потерпеть еще годок, в следующий избирательный срок, возможно, пойдут дивиденды. Но ведь это лукавство! Мы с вами не акционеры, а граждане — мы не можем продать свои акции и послать все к черту, вложив деньги в более доходное предприятие, например, в американское кролиководство. Разве можно продать Великую русскую равнину и Байкал? Впрочем, в XIX веке, в пору реформ Александра Освободителя, Волгу со всеми портами и пристанями чуть не продали в личную собственность. Имеется такой задокументированный исторический факт. Но вовремя спохватились...

Призывов же к самопожертвованию нет по вполне понятной причине: в ответ народ потребует самопожертвования и бескорыстия от властей предержащих. А ведь это уже совсем другой разговор! Вы думаете, сталинская гвардия во френчах ходила и демонстрировала всяческий ригоризм по глупости? Э, нет, они соблюдали (часто только внешне) взаимный договор с обществом о самоотверженности и бескорыстии во имя исполнения великой задачи — «вытащить республику из грязи». Вытащили, потом снова втащили, потом опять вытащили... Но это отдельный разговор.

Позднесоветская верхушка была уже дамой комфортной, но старалась скрыть свои номенклатурные радости за заборами спецсанаториев и дверями распределителей. Подловато, конечно, зато умно, ведь по радио пели: «Прежде думай о родине, а потом о себе». Кстати, мой опыт общения с руководителями советской эпохи свидетельствует о том, что таких людей, которые думали сначала об общем деле, а потом о своих частных делах, было не так уж и мало. Косилка горбачевской а потом и ельцинской кадровой политики проехалась прежде всего по ним. Полагаю, проехалась целенаправленно: наступало время, которое внезапно прозревший ныне публицист Черниченко очень точно назвал эпохой «Большого хапка», когда даже относительно бескорыстный государственник смешон и неудобен. Помните, как потешались наши смешливые журналисты над «плачущим большевиком» Рыжковым? Как улюлюкали над Бондаревым, сравнившим «перестройку» с самолетом, который взлетел, не зная, куда сядет? А ведь они дело говорили. Извинился перед ними хоть кто-нибудь из прежних зубоскалов? Нет, конечно. У нас извиняются только за имперское прошлое...

Тепло ли тебе, девица?

Так уж устроено наше общество, что парадигму социальной дисциплины задает властная верхушка, и ничего тут не поделаешь. Не будем рассуждать, хорошо это или плохо: в отношении к исторически сложившимся социально-психологическим особенностям нации такие оценки вообще неприменимы. У американцев, например, явно не так, ведь там, подражая Клинтону, не бросились же все заниматься оральными удовольствиями с секретаршами. У нас, полагаю, бросились бы, как вся элита метнулась вслед за двумя первыми президентами обустраивать личное благополучие в разгромленной стране, телевизионно демонстрируя свое неуклонно растущее благосостояние в то время, когда вымерзали города, не выдавались зарплаты и пенсии, а бойцы и офицеры умирали на площади Минутка в Грозном. Поймите, я не за то, чтобы премьер-министр являлся на пресс-конференцию в своем студенческом пиджачишке, а олигарх оставлял «Мерседес» за квартал от офиса и пересаживался в «копейку». Но должно же быть понимание того, что выпячивание своего благополучия, демонстративные покупки западных футбольных клубов — это для нашей неблагополучной и еще не отвыкшей от относительного советского равенства страны бестактность, чреватая тектоническими социальными последствиями!

И совсем уж мало кто задумывается над тем, что мы обладаем уникальной историко-общественной ценностью — исключительной восприимчивостью населения к тем нравственным знакам, которые подает власть. Но где они, эти знаки? Чего у них там наверху не хватает — знаков или нравственности? Конечно, иной читатель может упрекнуть меня в том, что я унижаю наш великий многонациональный народ, изображая его каким-то нелепым подражателем, тупо ожидающим от властей судьбоносных призывов и прямых указаний. Нет, это совершенно не так. Наш народ без всяких знаков упрямо сопротивляется тому, что в его коллективном бессознательном связано с разрушением страны. Но сколько можно сопротивляться? Или у нас теперь 90 процентов населения партизаны?

Да, у нас низкий порог социальной боли. Мы терпеливые. Степень падения уровня и стандартов жизни подавляющей части народа абсолютно не соответствует, как сказал бы социолог, протестной активности населения. Взять те же веерные отключения электричества и перебои в подаче тепла зимой. Да по северным регионам страны давно уже должны были прокатиться беспощадные «холодные бунты» против отключателей. Однако все протесты сводятся к женскому галдежу возле административных зданий, пассивным голодовкам и каскобитиям шахтеров, а высшие российские чиновники если и страдают, то исключительно от пуль, заказанных политическими соратниками и партнерами по бизнесу.

Эта терпеливость нашего народа исторически сложилась, и без нее, конечно, не было бы ни петровского рывка в Европу, ни сталинской модернизации и уж точно никакой ельцинской приватизации. Но именно эта низкая болевая чувствительность создает у власти иллюзию стабильности и правильности выбранного пути там, где нет ни стабильности, ни пути, а есть одно измывательство над людьми. Помните сказку про Морозко? Россию можно сравнить с Настенькой в зимнем лесу. Она, леденея, на глумливый вопрос деда: «Тепло ли тебе, девица? Тепло ли тебе, красавица?» — отвечала согласно своему национальному менталитету: «Тепло, дедушка! Тепло, батюшка!», за что и была вознаграждена. А если, полагаясь на ответы Настеньки, Морозко так бы расстарался, что и вознаграждать ввиду необратимого переохлаждения девичьего организма было бы некого? Тогда что? Боюсь, отношения российского населения с властью напоминают этот печальный вариант русской сказки.

...И хрюкает

Итак, мы имеем общество, где взаимоотношения власти и народа регулируются сегодня исключительно пиар-технологиями и средствами массовой информации, а не какой-то внятно сформулированной, признанной обеими сторонами общей сверхзадачей и готовностью как тех, так и других ее выполнить. Ведь, согласитесь, нельзя же такой общенациональной задачей признать неуклонное увеличение числа отечественных миллиардеров в списке самых богатых людей планеты! Мы имеем экономику, построенную на «реформах», обобравших основную часть населения и фактически ничего не предложивших взамен. Да, у нас полные прилавки, но если бы советская власть отобрала вклады, сократила пенсии и зарплаты, распахнула внутренний рынок в ущерб отечественному товаропроизводителю, посадила бы науку, культуру, армию, образование на голодный паек, как это было сделано в начале 90-х, полагаю, совковые продмаги ломились бы от икры, а ненадеванным импортом были бы завалены все универмаги от Камчатки до Карпат. У нас изобилие от бедности, а не от процветающей экономики. Да и оно ограничивается десятком крупных городов. В противном случае чем объяснить миллионы беспризорных и нищих? Чем оправдать официально признанный ныне факт сверхсмертности населения нашей страны, которая очень скоро, если угрожающая тенденция сохранится, просто обезлюдеет и распадется? Разве это не чрезвычайные обстоятельства? Разве это не катастрофический форс-мажор, который никак не хотят признавать наши набитые деньгами «мажоры»? Разве все это не требует от власти принятия срочных и чрезвычайных мер?

Я не экономист, не политик и не политолог и потому не могу предложить, как говорится, подробный план спасительных мероприятий. Для этого есть профессиональные руководители. Вот и пусть они доказывают свою дееспособность делами, а не сиренами персональных автомобилей. Но вот что бросается в глаза: нынешней власти катастрофически не хватает исторического честолюбия. Неужели никто из наших государственных деятелей не хочет получить у потомков титул «лучшего русского»? Или они рассчитывают на похвалу исключительно зарубежных историков, которые, конечно же, будут им искренне признательны за такую неслыханную геополитическую халяву?!

Я литератор, я пишу о сложившейся трагической ситуации с точки зрения морали и здравого Смысла. И я уверен, что для выхода из этого общенационального тупика нужна созидательная мобилизация всего общества. (Не бойся, читатель, этого слова — «мобилизация». Пусть его боятся опереточные либералы образца 80-х, доживающие свой век в качестве любимых экспертов и фигурантов отечественного телевидения.) Но прежде всего необходимо нравственное пробуждение самой власти. Она обязана, следуя общественной воле, точно сформулировать, что такое «хорошо» и что такое «плохо», что «полезно», а что «вредно» для страны, что «морально», а что «аморально». И главное: власть сама должна придерживаться этих принципов, подавая пример социальной дисциплины и сознавая, что у любого гаранта гарантийный срок в истории ограничен.

А пока, говоря о российской действительности, так и хочется горько перефразировать памятный со школьных лет эпиграф к радищевскому «Путешествию»: «Чудище обло, озорно, огромно, стозевно и... хрюкает».

«Литературная газета», сентябрь 2003 г.

Предпраздничный оптимизм

Не знаю, как вы, дорогие читатели, а я провожаю 2003-й с чувством осторожного оптимизма. И вот почему: витавшие чуть ли не с 91-го года в обществе идеи, мнения, оценки, которые старательно замалчивались или высмеивались нашими СМИ, в уходящем году стали исторически овеществляться. Государство наконец начало медленно, но верно возвращать себе то, что, по определению, не может принадлежать никаким олигархам, — страну. Нефть в этом долгом и сложном процессе возвращения — всего лишь важная частность.

Далее, российская власть пока еще очень осторожно дала понять, что не собирается, как при Ельцине, во имя борьбы с имперскими амбициями, существующими в основном в воображении штатных правозащитников, отказываться от тысячелетиями складывавшейся на евразийском пространстве общности этносов и цивилизаций. Не знаю, как у вас, дорогие читатели, а у меня в этом году впервые появилась уверенность в том, что те народы на постсоветском пространстве, которые хотят быть вместе с Россией, будут с нами. Ведь, в конце концов, право на самоопределение имеет не только тот, кто хочет уйти, но и тот, кто хочет остаться. Например, Абхазия. Со временем это, наверное, поймут и в Госдепе.

Наконец, заслуженное электоральное возмездие настигло наших «правых», имеющих к великой либеральной идее примерно такое же отношение, как кровососущие насекомые к службе переливания крови. Именно они корпоративно и персонально виноваты в том, что долгожданные реформы в нашем Отечестве привели к страшному воровству и чудовищному обнищанию людей. Тот факт, что в российских деревнях четвероногих друзей давно уже кличут по фамилии одного из самых энергетических отечественных политиков, рано или поздно должен был обернуться политическим крахом СПС. Вот и обернулся. Причины поражения «Яблока», на мой взгляд, гораздо романтичнее. Явлинский, полагаю, пал жертвой дамского раздражения: согласитесь, трудовой российской женщине свой законный бесполезняк с вечно недовольной физиономией дома надоел. Зачем ей еще один такой же в Думе?

Минувший год обозначил и другую важную тенденцию — заканчивается, кажется, огульное поношение советского периода нашей истории. Начато это было еще ельцинским агитпропом, всерьез полагавшим, будто душераздирающий рассказ о принудительном кормлении академика Сахарова, объявившего голодовку в горьковской ссылке, морально приободрит пенсионеров, которые после гайдаровской инфляции рылись по помойкам в поисках пропитания. Сегодня, кстати, в свете разгула международного терроризма и американского антитерроризма не такой уж нелепостью видится чрезмерная забота советского руководства об обороноспособности страны. «Уж пусть лучше Иванов построит новую подводную лодку, чем Абрамович купит очередной футбольный клуб!» — к этому выводу, надо полагать, пришел нынче не один российский налогоплательщик.

К слову, широкое празднование в Кремле не слишком круглой даты — 85-летия ВЛКСМ, юбилейное поздравление президента с пожеланием непременно использовать в нынешней ситуации исторический опыт комсомола — все это, конечно же, серьезный знак, который власть подала обществу. Смысл знака прост: хватит хаять не такое уж плохое прошлое, пора обустраивать не такое уж хорошее настоящее. И это тенденция! Не хочу расстраивать перед Новым годом обладателей медали «Защитник Белого дома», но следующий шаг — объективная и в целом (при многих оговорках) положительная оценка роли КПСС в отечественной истории. Да-да! Тут никуда не денешься: респектабельной власти, пришедшей всерьез и надолго, необходимы приличные исторические предшественники.

Это поняли, кажется, все, кроме отечественного телевидения. Вышеприведенные соображения о символическом смысле показательного юбилея комсомола я высказал в нескольких интервью, которые у меня, как у автора повести «ЧП районного масштаба», взяли все центральные каналы. Надо ли объяснять, что до эфира мои мысли так и не дошли?! А юная корреспондентка РТР даже попросила меня, подставляя микрофон: «Юрий Михайлович, скажите, пожалуйста, фразу: “В комсомоле работали карьеристы, приспособленцы и циники!”» — «Зачем?» — изумился я. «Очень надо!» — покраснев, объяснила девушка. Когда я рассказал об этом эпизоде одному из наших телевизионных руководителей, в прошлом сотруднику то ли Би-би-си, то ли «Немецкой волны», он в ответ лишь загадочно улыбнулся.

Надо признать: потерпев сокрушительное поражение во всех практически сферах жизни, наш деструктивный, неприлично проамериканский либерализм победил в российском эфире. И эта вроде бы эфирная победа стоит, на мой взгляд, мостов, банков, почты и телеграфа, о коих так переживал Ленин. До сих пор российское ТВ смотрит на все происходящее в нашей стране как бы со стороны, причем со стороны западной. Недаром великий провидец Достоевский обмолвился в «Идиоте»: особенность русского либерала заключается прежде всего в том, что он «нерусский либерал». Понятно, речь не о национальной принадлежности, а о цивилизационном мировидении.

Наши политические телеобозреватели за редким исключением похожи на чуждых надсмотрщиков, пристально следящих за тем, насколько прилежно Россия гнет спину на ниве общечеловеческих ценностей, измеряемых ныне почему-то исключительно в долларовом эквиваленте. Иногда в случае нерадивости аборигенов или их преступного внимания к собственным национальным интересам достаточно щелкнуть хлыстом, строго напомнив об азиатско-рабской сущности «этой страны», а в особо тяжелых ситуациях можно и напрямую пожаловаться в эфире главному Белому дому: «Вы посмотрите, что делают — СПС и “Яблоко” прокатили! Фашизм!» Но я уверен, набирающий силу процесс самовосстановления Российского государства скоро затронет и отечественное ТВ. Следите за Познером: как только он с нежной судорогой в лице заговорит о патриотизме и особом пути России, значит, началось!

Надеюсь, эти предпраздничные соображения объяснили читателям «ЛГ» причины моего ненавязчивого оптимизма. А «Литературная газета», верная своим действительно демократическим принципам, и в следующем году будет открыта всем направлениям отечественной общественно-политической мысли, в том числе мнениям тех, кто не разделяет надежд и обольщений автора этих строк. С новым счастьем!

«Литературная газета», декабрь 2003 г.

Лампасофобия и погонобоязнь

Воспоминания и размышления рядового запаса

Кажется, в 84-м, когда рукопись моей повести «Сто дней до приказа» уже третий год ходила по мукам согласования, довелось мне очутиться в кабинете довольно большого главпуровского начальника.

— А понимаете ли вы, — спросил он, глядя на меня сочувственно, — что публикация вашей повести может вызвать у нашей молодежи, и особенно у матерей призывников, неприязнь к армейской службе? Так сказать, погонобоязнь...

— Но ведь партия учит нас, писателей, смело вскрывать недостатки, а не трусливо скрывать их! — звонко возразил я, демонстрируя вполне профессиональное владение фигурами позднесоветской демагогии, а сам тем временем подумал: «Не погонобоязни вы страшитесь, товарищ генерал, а лампасофобии!»

— Да, конечно... вскрывать... — еле заметно поморщившись, согласился он. — И лично я — за то, чтобы вас напечатать, раз уж написали. Мы уже дали команду «Советскому воину». Но вот что я вам скажу на будущее, дорогой инженер человеческих душ: «Армию надо любить. Нелюбимая армия — это очень плохо... Для всех!»

В «Советском воине» меня все же не напечатали, потому что категорически против «клеветы на Вооруженные Силы» выступил генерал Волкогонов. Повесть увидела свет в журнале «Юность» только в 1987 году, когда немецкий любитель острых воздушных ощущений Руст загадочным образом пролетел пол-Союза и сел прямо на Красной площади, а Горбачев мгновенно воспользовался этим и поснимал кучу военачальников, вызвав оцепенение всесильных некогда структур, в том числе и военной цензуры. Впрочем, к радости пишущей и вещающей братии, никакой цензуры вскоре вообще не стало, и, начав с критики армейской «дедовщины» (чему, собственно, были посвящены мои «Сто дней»), очень быстро, в какие-нибудь два года, отдельные (как выражались при старом режиме) журналисты и писатели договорились до того, что армия вообще нам не нужна. Зачем? Ведь никто, кроме нас, в мире и воевать-то больше не собирается! Одна осталась угроза человечеству — СССР, эта «Верхняя Вольта с атомным оружием». А люди в погонах, соответственно, — дармоеды и погубители наших сыновей.

Антиармейское ожесточение достигло такого градуса, что офицеры, выходя на улицу, старались лишний раз не надевать форму. Побить не побьют, а оскорбят запросто. Помню, как в те дни меня в качестве разоблачительного писателя пригласили в какую-то познеровскую передачу. Когда я вдруг, вопреки ожиданию, начал говорить о том, что борьба с недостатками в армии и борьба с армией не одно и то же, Познер на мгновенье забыл о своем тщательно выверенном имидже русского Фила Данахью и глянул на меня с чисто «кураторским» гневом. Удивительно, но мои слова вызвали не только бурное негодование собравшейся в студии прорабоперестроечной общественности, но и какое-то затравленное недоумение приглашенных на передачу военных. Они уже не верили, что кто-то из творческой среды может защитить их в эфире, считая, наверное, мое выступление каким-то изощренно-иезуитским режиссерским ходом, после чего наступит окончательный телевизионный погром.

Почему страна набросилась на свою армию с каким-то линчующим ожесточением? Что это было? Стихийный протест масс против нашей военной чрезмерности, которая приводила к вечному отставанию пресловутой группы Б?

(Мой тихо инакомыслящий школьный учитель обществоведения пошутил однажды: «Запомните дети, группа А — «аборона», а группа Б — быт!) Возможно, это была аллергическая реакция на вбивавшуюся годами обязательную любовь к защитному цвету. Или же виной всему стали бурно вскрывавшиеся армейские язвы, в том числе и дедовщина. В общем, поводы, конечно, имелись... Но, заметьте, перестроечное общество резко разлюбило армию именно тогда, когда та совершенно искренне захотела стать лучше. Во всяком случае, такого неуставного беспредела, который бушевал во время моей срочной службы в 70-е, в конце 80-х уже не было.

В чем же дело? Тот, кто читал книжки по истории революционных переворотов, наверное, заметил, что любому изменению государственного строя всегда, в любой стране предшествует далеко не спонтанный, как потом выясняется, рост антиармейских настроений. И это естественно: человек с ружьем не только защитник в военную годину, в мирное время он опора существующего порядка вещей, который-то и предполагается изменить. Деморализованная армия бросает не только фронт военных действий, как это было в 1917 году, она еще оголяет и фронт внутренний, а такой есть в любом, даже самом благополучном и стабильном обществе. Распустите полицию и вооруженные силы в могучих процветающих Соединенных Штатах, и через месяц вы не узнаете эту страну, а возможно, даже не найдете на карте.

Когда Алексей Фатьянов сочинил свою знаменитую песню, где есть строчка «Соловьи, соловьи, не тревожьте солдат!..», редактор потребовал, чтобы автор срочно поменял «солдат» на «ребят». Почему? Да потому, что даже в сороковые годы, спустя четверть века после революционного сноса Российской империи, слова «солдат» и «офицер» все еще ассоциировались с царской армией и Белым движением, вызывая отрицательные эмоции, а наши, рабоче-крестьянские защитники социалистического Отечества именовались «красноармейцами», «бойцами» и «краскомами». Такова инерция мифологизированного общественного сознания. Лишь испытания Великой Отечественной войны и стихийно овладевшее людьми чувство ратной преемственности поколений, разумно подхваченное агитпропом, наконец почти погасили эту инерцию.

Поэтому, уверяю вас, даже если в Советской армии не было бы никакой дедовщины, никто не посылал бы парней в Афганистан, а офицеры вдобавок кормили бы рядовой состав грудью, все равно всеобщая погонофобия конца 80-х годов представляется мне неизбежной. В ней были заинтересованы слишком многие: и внутри страны, и за рубежом. Первые (и среди них весьма высокопоставленные персонажи отечественной политики) понимали, что деморализованная армия не сможет противостоять уже намеченному к тому времени сворачиванию советского проекта и изменению государственного строя. Вторые, наши зарубежные доброжелатели, отлично знали, что умело подготовленный и направленный взрыв общественной неприязни к армии способен нанести обороноспособности потенциального противника такой урон, который не приснится никакому начальнику объединенных штабов в самом золотом сне.

Так и случилось. Полагаю, еще многие десятилетия у историков, изучающих документы горбо-ельцинского периода, будут шевелиться от ужаса волосы, ибо такого бессмысленно-панического саморазоружения могучей державы, саморазоружения, переходящего в саморазгром, человечество, пожалуй, еще не знало. Когда сегодня читаешь, сколько великолепной техники порезали «на иголки» ради благосклонного пентагоновского кивка, сколько дорогущего имущества бросили в местах былой дислокации во имя титула «лучший немец», сколько высочайших специалистов безжалостно вышвырнули из армии для укрепления «нового мышления», — понимаешь, почему среди людей, так или иначе причастных к обороне, в 90-е годы прокатилась небывалая, запредельная волна самоубийств.

Однажды, вскоре после расстрела Белого дома, я оказался на пресс-конференции рядом с последним министром обороны СССР и членом ГКЧП Дмитрием Язовым. Мы разговорились, и речь зашла о фронтовой поэзии, которую маршал знал и любил. Я же в свое время защитил кандидатскую диссертацию по этой теме, и мы, проникаясь друг к другу все большей симпатией, читали в подхват любимые строчки «стихотворцев обоймы военной»:

А вот — рубли в траве примятой!
А вот еще... И вот, и вот...
Мои товарищи — солдаты
Идут вперед за взводом взвод.

Все жарче вспышки полыхают.
Все тяжелее пушки бьют...
Здесь ничего не покупают
И ничего не продают.

Видимо, чтобы выяснить, с кем это он так упоительно беседует на свою любимую тему, Дмитрий Антонович тихонько подозвал организатора пресс-конференции и шепнул ему на ухо вопрос. Организатор шепнул ответ, после чего маршал изменился в лице и сказал, с ненавистью глядя на меня: «Вот из-за таких, как вы, развалился великий Советский Союз!» Со стыдом должен сознаться: в долгу я не остался, высказав твердую уверенность в том, что Советский Союз развалился из-за таких вот, с позволения сказать, полководцев, не способных взять на себя историческую ответственность в критический момент! В общем, объяснились...

Только со временем я понял: маршал никак не мог остановить начавшийся развал, ибо тогда, в переломном 91-м году, он и сам, глядя телевизор и читая газеты, уверовал в то, что армия не имеет права жестко вмешиваться в политический процесс, а если и имеет, то не до крови. Последние советские руководители отдали власть «демократам» подобно тому, как вполне разумная домохозяйка безвольно выносит свое золотишко вместе со сбережениями цыганке, позвонившей в дверь. Когда же «гипноз» проходит, домохозяйка винит себя, а маршал — писателя.

Прошло всего несколько лет, и выяснилось: армия вполне может вмешаться в политику и даже пролить кровь сограждан, которые взбунтовались против реформ, странным образом смахивающих на геноцид. А еще люди в погонах должны воевать в Чечне с сепаратистами, порожденными не кем-нибудь, а тогдашними кремлевскими геопаралитиками. Чуть позже стало очевидным, что новой России сильная армия нужна нисколько не меньше, чем старому Советскому Союзу, ибо даже самые демократические мировые державы без малейшего смущения решают свои экономические и геополитические проблемы с помощью военной силы. В преддверье глобального слияния всех народов в единую дружную семью, как на грех, обострились межэтнические конфликты, а тут еще поднял голову международный терроризм, внесший незначительные изменения в архитектуру Нью-Йорка и весьма значительные — в новейшую историю человечества.

А что же происходило в этот период с нашими вооруженными силами? Могу сказать с уверенностью: творческая интеллигенция и люди в погонах стали лучше понимать друг друга, ибо последние на собственном опыте узнали, что такое финансирование по остаточному принципу, который прежде был знаком в основном лишь тем, кто занят в сфере культуры. Известный лозунг «Пушки вместо масла!», означающий самоограничение нации во имя укрепления оборонной мощи, был диаметрально переиначен: «Виллы вместо пушек!» И оно понятно: нация в целом была обобрана ради того, чтобы единичные ее представители могли скупать элитные футбольные клубы за рубежом, приобретать императорские пасхальные яйца и с простодушием лимитчиков заселять лучшие кварталы мировых столиц. Таким образом, сокращение расходов на вооружение, о котором столько говорили перестроечные пацифисты, никак не отразилось на рядовых гражданах, зато очень пошло на пользу самопровозглашенной элите.

В последние годы, кажется, наша армия медленно, с боязливой оглядкой на мировое сообщество, приходит в себя. Но запущенный много лет назад в общественное сознание пропагандистский миф об армии как о Молохе, пожирающем наших сыновей и наши средства, неистребим.

Мало того, он старательно подпитывается отечественными СМИ. Проанализируйте телевизионные передачи и информационные сюжеты, посвященные Российской армии, и вы заметите, что почти все они за редким исключением имеют негативный характер: там избили, здесь заморозили, там заморили голодом, здесь застрелили свои же... «А что, разве не так? — спросите вы. — Разве это не правда? Или на ТВ нужно возрождать передачу "Служу Советскому Союзу!", которую сами военнослужащие издевательски называли "В гостях у сказки"?!»

К сожалению, в последнее время правдой становится только то, о чем нам говорит теледиктор. Должен к тому же заметить, что передачи типа «В гостях у сказки» на российском ТВ давно уже в изобилии имеются, но только они волшебно повествуют не о нашей армии, а об американской или, например, об израильской. И повествуют в таких приторно-восторженных тонах, что впору называть эти сюжеты «Служу Соединенным Штатам!» или «Служу Земле Обетованной!». Никогда не поверю, что у частей, воюющих в таких сложных условиях, нет никаких проблем — ни в военной подготовке, ни в снабжении, ни в морально-политическом состоянии. Так не бывает! Любой служивший это поймет. А вот на российском телевидении, страдающем патологической западофилией, бывает! Постоянно.

Поймите, я призываю не к тому, чтобы замалчивать пороки и недостатки наших вооруженных сил. Нет. Речь идет о таком вопиющем, установочном преобладании негативной информации над позитивной, когда в обществе неизбежно формируется стойкая неприязнь, даже нелюбовь к своей же армии. У кого-то из фантастов есть роман, где земляне, прилетевшие на незнакомую планету, вынуждены все время отбиваться от агрессивных форм местной жизни, и чем яростнее они отбиваются, тем страшнее и неодолимее становится местная чудовищная фауна. Только хорошенько поразмыслив, астронавты поняли, что стремительная эволюция монстров питается их, землян, ненавистью и страхом. Ведь еще неизвестно, какого зла в армии больше: своего, так сказать, имманентного, или того, что привносит в нее призывник, убежденный прессой и родителями, будто прямо из военкомата его засылают на жуткую и враждебную планету цвета хаки.

Нетерпеливый читатель, видимо, уже начинает сердиться: почему это автор никак не дойдет до панацеи от всех бед — профессиональной армии. Дошел! Но мне снова придется начать чуть издалека. Некоторое время назад меня пригласили в передачу «Принцип домино», которую ведут, как известно, две очаровательные россиянки — темнокожая и белокожая. Моим оппонентом оказался Борис Немцов. Он тут же обвинил действующего президента в нехватке политической воли за то, что тот разом не переведет все вооруженные силы на контракт. И тогда я спросил: «Но, Борис Ефимович, вы же были ближайшим соратником, почти преемником Ельцина, прочему же вы еще в середине 90-х одним указом не ввели профессиональную армию? Вам-то чего не хватило?» Если сумеете, то попытайтесь представить себе смущенного Бориса Немцова. Но он действительно смутился. Разговор в прямом эфире приобретал явно не то направление, на какое рассчитывали. Белокожая ведущая потемнела от огорчения, темнокожая побледнела от возмущения, и больше они мне до конца передачи слова не давали.

А дело в том, что переход на контрактную армию — акт не столько военно-политический, сколько экономический, требующий точнейших расчетов и серьезного хозяйственного напряжения. Отказ Ельцина, вопреки обещаниям, от немедленного перехода к профессиональной армии — одно из немногих трезвых решений этого президента. Вот ведь в Италии, благосостояние которой не сравнить с нашим, только-только начали подбираться к профессиональной армии, хотя неуставные мордобои, случающиеся в казармах между северянами и южанами, там не редкость и очень беспокоят советы апеннинских солдатских матерей. Кстати, наши отечественные советы солдатских матерей делают много хорошего. Но воля ваша, иные из них, особенно те, которые тщательно подпитываются различными невнятными фондами, порой смахивают на советы дезертирских матерей.

Никто же не спорит с тем, что, если нет общенациональной угрозы, армия должна быть уделом профессионалов, а не тем местом, где парни, не желающие служить, отбывают наказание за то, что их родители в период первичного накопления не урвали достаточно, чтобы избавить своих детей от байковых погон. Но если у страны, пережившей жесточайший экономический и военно-технический погром, нет покуда возможности всех солдат сделать контрактниками, наверное, есть смысл навести порядок в призывной армии. Увы, все происходит по Куприну. Помните, посетитель парикмахерской с ужасом видит, как брадобрей откладывает бритву, подходит к стене и мочится прямо на обои. «Что вы делаете?» — восклицает клиент. «А-а! — машет рукой цирюльник. — Все равно завтра съезжаем!» Так вот, вместо того чтобы улучшить те реальные вооруженные силы, в которых обязаны по закону служить наши дети, вместо того чтобы сделать эту службу более безопасной и комфортной (насколько вообще ратный труд может быть безопасным и комфортным), мы почти пятнадцать лет «съезжаем» в виртуальную контрактную армию. Но так до сих пор и не съехали...

Иногда, вспоминая мой давний разговор в ГЛАВПУРе, я, наверное, потому что стал старше, все лучше понимаю того генерала: свою армию надо любить, как и Родину, со всеми ее достоинствами и недостатками, любить сегодняшнюю, а не вчерашнюю или завтрашнюю. Нелюбимую армию улучшить невозможно!

«Литературная газета», февраль 2004 г.

Государственная недостаточность

После бесланской катастрофы, я бы даже сказал, после «бесланкоста», в эфирных и газетных спорах было много сказано о том, кто виноват, что нам теперь делать и даже про то, что делать с теми, кто виноват. В основном упрекали власть в слабости... Хотя, впрочем, все упрекавшие отлично сознавали: еще несколько лет назад наше государство вообще пребывало в состоянии комы, а некоторые из упрекавших в свое время даже хорошо потрудились, чтобы вогнать державу в эту самую кому. Однако, рассуждая о послебесланском устройстве России, речь вели больше о практических вопросах: усилить, уговорить, ужесточить, уплатить, уничтожить. Если же речь заходила о духовном аспекте, то почти все говорили одно и то же: народ должен сплотиться перед угрозой терроризма. Но о том, как сплотиться, и главное — вокруг чего, почти все умалчивали. И не случайно, ибо «государственная недостаточность», которой вдруг все озаботились, заключена в первую очередь в наших головах и только во вторую очередь в структурах власти.

Но откуда она в наших головах взялась и почему так надолго в них задержалась? В самом деле, со времени разрушения Советского государства со всеми его достоинствами и пороками прошло уже тринадцать лет. Для сравнения: через десять лет после братоубийственной, разрушительной революции в нашей стране началась индустриализация, через двенадцать лет после окончания страшной Великой Отечественной войны, еще не наевшись вдоволь, мы первыми в истории человечества вышли в космос. Думаю, теперь уже никто, по крайней мере среди читателей «ЛГ», не считает, что, приводя эти аргументы, я впадаю в дешевую «совковую» пропаганду. Возможен иной упрек: я забываю о цене упомянутых побед. Нет, не забываю, она была чудовищна. Но при этом я хорошо помню, что мы с вами, дорогие современники, за наше минувшее беспобедное тринадцатилетие заплатили по крайней мере сопоставимую цену. Просто она еще по-настоящему не сложена, подсчитаем — обязательно прослезимся!

А теперь, чтобы понять, откуда взялась в наших головах «государственная недостаточность», давайте вспомним, что нам показывало телевидение в промежутках между жуткими сообщениями о «бесланкосте» и его последствиях! Нет, речь не об оставшихся в программах легкомысленных, не соответствовавших скорбному моменту передачах. Будем объективны: мгновенно и полностью изменить сетку вещания невозможно, это знает любой нечуждый телевизионного ремесла человек. Речь о другом. Вот, например, на НТВ в информационном блоке нам с какой-то плохо скрываемой радостью сообщили о том, что начались торжества, посвященные 150-летию Крымской войны, в которой Россия потерпела позорное и сокрушительное поражение. Согласитесь, странное стремление, как говорится, «до кучи», напомнить стране, пребывающей в общенациональном террористическом шоке, о ее былых геополитических провалах. Сомневаюсь, чтобы американцам, потрясенным катастрофой 11 сентября, талдычили по телевизору о надвигающемся 60-летии погрома Перл-Харбора...

Ураган «Иван Грозный»

Однако можно взглянуть на ситуацию и по-другому: а с чего, собственно, на НТВ взяли, что Россия потерпела «позорное и сокрушительное поражение»? Во-первых, обескровив мощную коалицию держав, наша страна потеряла только Севастополь, отразив противника на Севере, Балтике, Камчатке, а в Закавказье Муравьев вообще одержал победу, взяв Карс. Это я еще со школы помню. Во-вторых, вчерашние союзники, как всегда, отплатили черной неблагодарностью чрезмерно, на их взгляд, усилившейся России, которая несколько десятилетий выполняла благородную миссию «жандарма Европы», оберегая территориальную целостность стран, блюдя послевоенное устройство континента, а также борясь с революциями — тогдашним организованным терроризмом. А ведь к революциям как к историческому явлению резко отрицательно относятся, между прочим, все наши телевизионные каналы, начиная с НТВ и заканчивая МузТВ. Но к России они, очевидно, относятся еще хуже...

Прав, по-моему, историк В. Шамбаров: наша страна потерпела поражение скорее не в Севастопольской кампании, а в той информационной войне, которую против нее развернула передовая Европа, что в конечном счете и обусловило печальные для нас дипломатические и геополитические последствия того вооруженного противостояния. Конечно, эта точка зрения дискуссионна, как спорна и позиция политинформаторов НТВ. Но почему же из двух спорных точек зрения «медийцы» упорно выбирают именно ту, которая формирует у общества негативный образ своей державы, не важно — на нынешнем или на давно пройденном этапе? Образ эдакой злобной геополитической неудачницы.

Почему с таким удовольствием наша эфирная челядь повторяет название урагана «Иван Грозный»? И никто ни на одном канале даже не обмолвился о том, что этому страшному вихрю куда больше подошли бы имена Аттилы, Барбароссы или Наполеона, чьи разрушительные походы ни в какое сравнение не идут с приграничной экспансией Ивана Васильевича, который к тому же и во внутриполитической жестокости сильно уступал своим западным венценосным современникам. Впрочем, Венгрия, Германия и Франция — члены НАТО, поэтому называть ураган именами их исторических персонажей неполиткорректно. Россия же — другое дело. И лично мне совершенно понятно, зачем заокеанцы решили таким, прямо скажем, остроумным способом напомнить миру о разрушительной угрозе, якобы традиционно исходящей от нашей страны. А вот почему наше ТВ это напоминание охотно ретранслирует, на подсознательном уровне усугубляя «государственную недостаточность» в наших головах, мы поговорим чуть ниже.

Черные мифотворцы

В эти же дни на Первом канале продюсер К. Эрнст показывал нам сериал «Диверсант», снятый, между прочим, на казенные деньги и посвященный, кстати сказать, приближающемуся 60-летию Великой Победы. Я, конечно, не фронтовик, но по роду своей научной и писательской работы много занимался военной темой — читал источники, сидел в архивах, собирал устные рассказы участников войны, выпустил книгу о судьбе и стихах поэта-фронтовика Георгия Суворова. И должен признать: та правда о войне, к которой мне удалось прикоснуться, очень далека от светлого мифа, созданного советским искусством. Но та доходящая до нелепости концентрация негатива, что предлагают нам создатели «Диверсанта», — это уже не правда, а черный миф о народной войне, причем с отчетливым русофобским оттенком. Не случайно садист-особист, терзающий мальчишку-разведчика, добывшего ценнейший оперативный материал, постоянно к месту и не к месту цитирует Есенина. Командир диверсионной группы, едва заброшенный в Германию со сложнейшим заданием, хлещет под презрительным взглядом «немецкого товарища» жидкость для укрепления кошачьей шерсти. Генерал, простонародно вышедший умыться в трусах, отдает под трибунал разведчика, не понявшего, с кем имеет дело... Разумеется, все наши диверсанты, прошедшие, надо полагать, жесточайший контроль при отборе в разведшколу, оказываются детьми раскулаченных или расстрелянных врагов народа, а то и просто живут по украденным документам. Их наставники и командиры — сборище садистов-интриганов, до судорог страшащихся начальства, но генерал при этом в разговоре с подчиненным запросто называет сурового Верховного главнокомандующего не иначе как «наш Сосо»...

Я бы не стал так подробно останавливаться на этой типичной развесистой «эрнстовщине», если бы она не иллюстрировала одну очень нехорошую тенденцию всего нынешнего российского культурно-информационного пространства. Согласитесь, все это очень напоминает западное, высокомерно-отчужденное, до смешного некомпетентное представление о нашей истории, да и вообще о нашем народе. Понимаете: нас учат смотреть на свое как на чужое! Это очень опасно! Именно с этого начинается утрата культурной самоидентификации, а потом археологи недоумевают: куда без всяких войн девалась богатая и могучая цивилизация, развивавшаяся вроде бы вполне нормально?

Вы замечали, как по поводу чужих праздников наше телевидение обычно захлебывается от щенячьего восторга? Ах, День благодарения, ах, Хеллоуин, ах, двухсотпятнадцатая годовщина Великой французской революции! А про двухсотлетие перехода Суворова через Альпы, наверное, только одна «Литературная газета» и вспомнила. Нет, впрочем, была еще какая-то телепередача про то, что через Альпы ходить вообще не стоило, да и не такой уж военный гений Суворов, как думали раньше. Во всех странах, у всех людей есть простительная слабость: к юбилейным датам «подсветлять» минувшие события. У нас же, наоборот, их «подчерняют», причем, повторяю, за казенный счет. А ведь любое историческое свершение, отдаляясь, неизбежно возвышается и героизируется. У нас же почему-то наоборот — унижается и иронизируется. Когда я смотрю то, что наше телевидение делает к 60-летию Победы, у меня иногда возникает ощущение, будто оно готовит своего рода Антипобеду. (По аналогии с комсомольскими Антипасхами времен принудительного советского атеизма.) «ЛГ» и некоторые другие издания пишут об этом постоянно, а толку?..

Отчизнофобия за казенный счет

Да мало ли о чем мы пишем! Например, пишем о том, что иные литераторы, приезжающие в составе официальных российских делегаций на различные творческие конференции и книжные ярмарки, едва завидев первый микрофон, начинают нести пославшую их за рубеж державу с такой страстью, словно они только-только чудом вырвались из застенков Лубянки и даже еще тюремную робу не сняли. Причем все это с удовольствием слушают не только доверчивые западные интеллектуалы, но порой и высокие чины профильных российских министерств, благосклонно при этом улыбаясь: вот, дескать, какие мы свободные!

Лично я за свободу и вольнодумство, я сам всегда смеялся над советскими писателями, жутко боявшимися хоть на полградуса отойти от линии партии. Но мы сегодня живем в стране, где свободы слова больше, чем здравого смысла. Ведь казалось бы: езжай за свой счет и ругай кого хочешь! Однако ж нет: у нас развилось неведомое на Западе «державопоносительство» за казенный счет. Оказывается, за публичное презрение к Отечеству можно еще и суточные получать. Сквернослова-то понять можно: сами по себе его книжки там никому не нужны, Запад всегда ценил российского писателя не за талант, а за политическую бодливость. Но как понять государство, которое само финансирует черный пиар против себя? И когда же наконец наша продвинутая творческая интеллигенция поймет, что патриотизм — это всего лишь порядочность по отношению к собственной стране!

В том же ряду стоят изданные за казенный счет школьные учебники, после которых родная история кажется чем-то постыдным и хочется, как говорится, сыграть за другую команду. С той же «государственной недостаточностью» в сфере образования связано вытеснение литературы из учебных программ. А ведь именно родное слово, отточенное классиками, закладывает в нас национальный культурный код. Человек, вовремя не прочитавший Пушкина, Толстого, Достоевского, Чехова, Шолохова, будет иметь к России скорее паспортную, нежели духовную принадлежность!

А вот еще случай! Будучи в провинциальной юношеской библиотеке, я попросил показать мне, какие книги таятся в бандероли, присланной для пополнения фондов полугосударственной благотворительной лавочкой, носящей веселое имя «Пушкин». Показали: сверху лежал сборник французской маргинальной секспрозы, полузапрещенной даже у себя на родине, далее шла отечественная экспериментальная и экскрементальная литература, а следом книги по отечественной истории, объединенные общим разоблачительно-осудительным пафосом... Напомню, речь идет о провинциальной юношеской библиотеке, а покупались книги опять же за казенный счет!

Кто же, спрашивается, додумался до такой посылочки детям?

Что такое «Герострата»?

В каждом народе, в каждом обществе, во все времена имеются группы людей, которые нацелены на уничтожение существующего порядка вещей и которых я обозначил бы термином «Герострата». Этот неологизм составлен мной из двух слов: «Герострат» и «страта» (общественный слой). Возможно, кто-то увидит здесь аналогию с гумилевской «антисистемой» и будет, конечно, прав. Любой человек, интересующийся историей, неизбежно задумывается над природой саморазрушительных процессов в обществе. Когда землетрясение обрушивает колосса на глиняных ногах, это понятно. Но ведь СССР-то рухнул в эпоху «сейсмического» затишья!

Надо сказать прямо: люди, составляющие нашу отечественную «Герострату», принципиально считают российскую цивилизацию низшей по сравнению с Западом и убеждены, что она для своего же блага должна исчезнуть как самодостаточное культурно-историческое целое, став подчиненной частью западного мира... Что лежит в основе этого неприятия, что приводит людей в «Герострату» — особенности личности, специфика биографии, особое семейное воспитание или какие-то параисторические энергии, пронизывающие нас, — вопрос сложный, не изученный и даже табуированный. Но такие люди были всегда и везде. Гейне, например, явно предпочитал Францию родной Германии, хотя был выдающимся немецким поэтом. Сталкивался я и с комическими случаями. Например, одна дама очень сильно невзлюбила «эту страну», потому что ей так и не удалось здесь найти достойного мужа...

«Герострата» особенно востребована во времена революционных сломов, ибо, во-первых, любит и умеет ломать, а во-вторых, не испытывает к объекту ликвидации никаких привязанностей. А ведь, как известно, даже опытные хирурги стараются не оперировать близких людей: рука может дрогнуть. У настоящего представителя «Герострата» не дрогнет, лишен он и «патриотических предрассудков». Достаточно вспомнить интернационал-большевиков, органично сочетавших суровое служение пролетарскому делу с работой на германский Генеральный штаб. Или, например, «гарвардских плохишей» периода шоковых реформ, наводнивших коридоры нашей власти своими друзьями — американскими экспертами в штатском. Кстати, национальная принадлежность чаще всего ни при чем. «Герострата» — принципиально внеплеменное явление, как бы кому ни хотелось объяснить политические взгляды того или иного деятеля формой его носа или девичьей фамилией его жены.

Но ведь сегодня, скажете вы, питомцев «Герострата» во власти почти не осталось! Согласен: они уже, хочется думать, не определяют нашу внутреннюю и внешнюю политику, хотя нынешняя внутренняя и внешняя политика во многом определяется именно тем, что они успели наворотить за свое недолгое пребывание у кормила (имеются в виду оба значения этого слова). А вот в информационно-идеологической сфере (прежде всего в электронных СМИ) представители «Герострата» до сих пор занимают ключевые позиции.

Я бы даже сказал, что мы имеем сегодня своего рода двоевластие. Власть кремлевская и власть медийная ставят перед собой совершенно разные задачи и тянут страну в разные стороны. Первая, если воспользоваться историческими аналогиями, уже прошла этап «смены вех» и пытается строить национально сориентированную демократию в отдельно взятой стране, а вторая все еще самозабвенно служит идее мировой общечеловеческой революции, из-за которой явно торчат ослиные и слоновьи уши. Думаю, многие замечали, что российское телевидение зачастую комментирует решения российской власти с ироничным отчуждением: «Кремль сказал...», «Москва считает...», «федералы понесли потери...». Но ведь именно так о нас, вспомните, в разгар холодной войны говорил «Голос Америки», возглавляемый, кстати, беглым советским дипломатом.

Обратите внимание: большинство руководителей каналов и телеобозревателей, определяющих политическую направленность вещания, — это выдвиженцы конца 80-х и начала 90-х, когда страной руководила прорвавшаяся в Кремль «Герострата». Где теперь их совыдвиженцы, работавшие тогда во властных структурах? В худшем случае на Канарах, в лучшем, как Козырев, занимаются своим делом — торгуют американскими пилюлями. А вот медийные кадры «Геростраты» до сих пор при деле! В чем тут секрет? Наверное, в особенностях российской либеральной интеллигенции, наконец-то осуществившей мечту всей жизни и получившей возможность говорить в эфире то же самое, что и на полудиссидентских кухнях. Произошло губительное для общества превращение человека подпольного в человека эфирного! Есть, правда, и еще одна причина: у «политиков-практиков» до сих пор существует, по-моему, непонимание того, что в новейшей истории России «Останкино» — едва ли не самая главная башня Кремля. Они по-настоящему не понимают телевидения, и даже серьезные, волевые государственные мужи, попадая в эфир на допрос к пустейшему телеведущему, ведут себя порой, как заробевшие пациенты на приеме у проктолога...

«Коллективное бессовестное»

Хочу сразу оговориться — я совершенно не предлагаю считать «Герострату» внутренним врагом и супостатом. Человека, испытывающего неприязнь к собственной стране, можно лишь пожалеть, ведь нельзя же, в самом деле, гражданина, страдающего сенной лихорадкой, осуждать за нелюбовь к скошенной траве. Они такие. И по-человечески понять их можно: когда рушился советский строй, они почувствовали поддержку общества, оказались востребованны и к этой высокооплачиваемой востребованности привыкли, обзавелись виллами, винными погребами, дорогими увлечениями... Однако востребованность закончилась, а привычка к ней осталась. Очевидно и другое: с тем, что Россия возрождается в своей вековой парадигме, они не смирятся никогда. Традиционная Россия — неизбывный аллерген «Геростраты». И, оставаясь эфирной властью, они будут всей мощью современных информационных технологий, всеми каверзами манипуляции сознанием противостоять самоукреплению страны.

Например, откровенная антигосударственность, царившая в эфире в 90-е, ныне стала невозможна, и ей на смену в качестве эвфемизма пришел изобретательный антисоветизм, когда важнейшая, во многом трагическая часть нашей истории изображается исключительно в духе глумливого негатива. В результате старики, честно прожившие жизнь, уходят, чувствуя себя соучастниками некоего страшного преступления. А молодежь вступает в мир с сознанием несмываемого родового советского греха... Возможно, отпрыск революционного клана Николай Сванидзе именно так и борется со своими семейно-коммунистическими комплексами, но с ними, полагаю, лучше бороться все-таки в тихом кабинете психоаналитика, а не в телевизионной студии общероссийского канала...

Надеюсь, каждому нормальному человеку понятно: информационную, идеологическую, культурную политику нельзя оставлять в фактической монополии «Геростраты». В министерствах культуры и образования этот процесс, кажется, пошел. Он будет труден, ибо давно замечено: чем человек хуже относится к своему государству, тем больше он любит государственные посты, льготы и награды. Что касается российского телевидения, то это, наверное, единственное место в мире, где при полном отсутствии профессионализма и таланта можно получать гигантские зарплаты только за одну приверженность общечеловеческим ценностям и отверженность от ценностей общероссийских.

Проблему эту нужно срочно решать, но, конечно, только так, как это принято в демократических странах. Для начала, например, надо организовать на ТВ долгожданные наблюдательные советы, которые есть во всем мире и которые пропорционально отразят нынешний политико-мировоззренческий спектр страны. Они должны обладать правом налагать вето на программы, разрушающие сознание людей, а также влиять на подбор эфирных кадров, не допуская, чтобы малообразованные негигиеничные губошлепы навязывались народу в качестве общенациональных златоустов. Но если в эти советы опять понабьются «совести интеллигенции» образца 91-го года, ничего не изменится, только усугубится. Возможно, проблему гражданского контроля над информационным пространством частично можно решить и в рамках предполагаемой Общественной палаты, но опять же если в ней соберутся дельные и самодостаточные люди. И, конечно, власть должна всерьез разобраться с тем, что мы имеем сегодня в верхних эшелонах ТВ: профессионалов, государственников или ватагу корыстных «менеджхедов», которые, плюя на качество вещания, хищно осваивают и присваивают казенные средства. Впрочем, зрителям ответ на этот вопрос давно уже известен. А вот власть, как обманутая жена, все у нас узнает последней...

Итак, на мой взгляд, «государственная недостаточность» в наших головах имеет по преимуществу эфирное происхождение... И мы никогда не выйдем из общенационального кризиса, если телевидение, оставаясь нашим «коллективным бессовестным», будет продолжать клонировать даже не граждан мира, но своего рода граждан магазинов Duty Free. А это самый короткий путь к тому, чтобы сузить Россию до размеров Шереметьево-2...

«Литературная газета», 2004 г.

Не расстаться с комсомолом!

Новое — это понятое старое. Год от года мы всё внимательнее вглядываемся в великий и противоречивый опыт Советской цивилизации. Теперь, после цхинвалской бойни, конфронтации, навязанной нам Западом, в условиях мирового экономического кризиса, стало ясно: мобилизационные навыки той строгой эпохи еще будут востребованы, понадобятся не меньше, чем общечеловеческие ценности. И не только нашей стране. Кстати, государственная идеология СССР, представлявшая собой, говоря словами Анатолия Ланщикова, «великодержавный интернационализм», тоже еще пригодится огромной, многоплеменной и не такой уж единой России.

Думаю, не случайно 90-летие Комсомола праздновали в Кремлевском дворце как общенациональную дату. В 90-е годы, в пору разгула государственного антисоветизма, дни рождения ВЛКСМ отмечали, помню, полуподпольно. Мне в эфирных спорах с оппонентами, страдавшими острой формой либерального психоза, приходилось всерьез доказывать, что Комсомол и гитлерюгенд не имеют между собой ничего общего. Оппоненты очень удивлялись, недоумевая, почему автор повести «ЧП районного масштаба» упорно защищает то, что некоторое время назад сам же обличал? Но тот, кто критикует, чтобы улучшить, и тот, кто критикует, чтобы уничтожить, никогда не поймут друг друга.

Комсомол, как и всю Советскую власть, нельзя рассматривать и оценивать вне жестких исторических вызовов, брошенных нашей стране в начале XX века. Телодвижения двух борцов, сплетенных в схватке на ковре, абсолютно логичны и понятны. Но попробуйте мысленно убрать одного из спортсменов — и тогда яростные барахтанья оставшегося покажутся какой-то брутальной бессмыслицей. Однако именно так в минувшие два десятилетия судили Советскую эпоху в целом и Комсомол в частности, забывая, что чрезмерность государственного принуждения была не ядовитым плодом чьей-то злой воли, а единственным способом сохранить, сплотить и модернизировать разрушенное Отечество. Заметьте, благополучной Америке, знающей лишь экспедиционные войны, хватило полупридуманного мирового терроризма да ипотечного краха, чтобы почти забыть о правах человека и либеральной экономике. Никто не оправдывает политические жестокости в СССР, но ведь, наверное, и кризис 1993-го в Российской Федерации можно было разрешить без танковой пальбы по парламенту. А ведь это были не 30-е, когда «тянуло порохом со всех границ». Нашей стране в ту пору никто не угрожал, кроме младореформаторов и их американских советников. А поди ж ты!

Комсомол, рожденный революцией для молодого разрушительного буйства, очень скоро, повинуясь исторической логике, превратился в союз созидателей. Он помогал полуграмотному юношеству приобщаться к знаниям, консолидировал молодежь для восстановления испепеленной экономики, поднимал на защиту Отечества от фашизма, принимал активное участие в осуществлении громадных проектов — таких, как Магнитка, Братск, БАМ, Тюмень... Плодами комсомольских трудов, во многом бескорыстных, пользуются ныне не только олигархи, но отчасти и мы с вами.

Да, Комсомол являлся надежным помощником КПСС. Но поверьте мне, как очевидцу: самостоятельности у этого «помощника» было куда больше, чем сегодня у некоторых припартийных молодежных объединений. Да, Комсомол жил и действовал под стягом коммунистической идеологии, которая тогда считалась передовой, между прочим, не только в СССР. А возможно, и была для своего времени таковой. Устарела? Наверное... Но ведь буквально на наших с вами глазах усыхает вчера еще казавшийся вечнозеленым либерализм, увитый пожухшими орхидеями свободы слова! Поэтому про то, кто «передовитей», давайте поговорим лет через сто — как любил выражаться певец Комсомола Владимир Маяковский.

Принято считать, что ВЛКСМ, пораженный внутренним кризисом, изжил себя и бездарно распался вместе с Советским Союзом. Но это далеко не так. Действительно, в 70-е годы обострилась давняя бюрократическая болезнь, выражавшаяся в пустословии и отрыве аппаратчиков от рядовых членов организации. Собственно, по этому поводу я и возмущался в своем «ЧП». Однако сей недуг имеет абсолютно внеидеологическое происхождение и характерен для всех сложных организационных структур. Сегодня такой же болезнью страдают, например, крупные банки, удивительным образом отрывающиеся от своих рядовых вкладчиков. Но даже впавшие в самое густопсовое «комчванство» комсомольские вожаки прежних лет никогда не получали к Новому году бонусы в сто тысяч долларов. Почувствуйте разницу!

Да, созданный для экстремальных исторических нагрузок, Комсомол в обстановке стабильности, именуемой также застоем, заскучал, зачиновничал, заформализовался. Но ведь и в мирной армии угодливый ординарец ценится дороже боевого командира. Тенденция, однако... Зато, как только после 1985-го страна стала меняться, Комсомол ожил, начал не на словах, а на деле, не по Горбачеву, а по уму, перестраиваться: он стремительно деидеологизировался, дифференцировался, ориентируясь на разные социально-образовательные группы молодежи, он экономически обосабливался от государства. Молодая предприимчивость на глазах превращалась в предпринимательство, а организационная работа все больше походила на менеджмент. Вот почему среди богатеньких российских «форбсов» столько выходцев из Комсомола.

Есть и еще одна тонкость. ВЛКСМ, с одной стороны, был массовой молодежной организацией, а с другой — кузницей государственных кадров. Так исторически сложилось. Да, да, кузницей той самой проклятой номенклатуры, о которой теперь вдруг вспомнили, назвав ее «президентским резервом». Человек, поднявшийся по ступенькам комсомольского аппарата, неизбежно, за редким исключением, становился убежденным державником и получал уникальные навыки руководящей работы. Катастрофа 90-х во многом объясняется тем, что проводить сложнейшие реформы поручили вольным завлабам, а не новому поколению профессиональных организаторов, давно уже поднявшихся над устаревшими догмами и стереотипами. Их все равно призвали, но позже, когда надо было спасать страну. Поскреби сегодня крупного хозяйственного, административного или политического деятеля, найдешь бывшего комсомольского работника. Одна только беда: кузница эта давно остыла, а заготовки кончаются...

Убежден, 1992 год мы вполне могли встретить с могучим демократическим Комсомолом, который расшифровывался бы, например, так: «Конфедерация союзов молодежи». Вместо юных ленинцев у нас были бы юные «гагаринцы»: предлагался такой мудрый выход из идеологического противостояния. Не нравятся октябрята? Назовите их «августятами», только не уничтожайте механизмы первичного приобщения детей к социуму! Нет, разогнали. Всех и сразу. Почему это произошло? По многим причинам. Но главных две. Первая: люди, оказавшиеся тогда во власти, многие из них, воспринимали российскую государственность примерно так же, как складские грызуны воспринимают санэпидемстанцию. Результат всем известен. Вторая причина: у комсомола было слишком много собственности, и когда страну, точно захваченный средневековый город, отдали на поток и разграбление, ВЛКСМ был обречен. Если помните, Хулио Хуренито у Ильи Эренбурга пристрелили всего лишь за хорошие английские ботинки... А тут такое богатство!

Сегодня вместо Комсомола в России действует около 400 молодежных организаций, но их влияние на новое поколение ничтожно. Это как раз тот классический случай, когда количество не переходит в качество. А из «Наших», уж простите меня, и вообще получилась какая-то худосочная пародия на ВЛКСМ. Ни нашим, ни вашим... Видимо, создать мощную, жизнеспособную молодежную организацию силами Администрации президента в принципе невозможно. А значит, у нынешнего государства Российского нет серьезных, действенных форм влияния на молодых граждан, если исключить, конечно, милиционеров и судей, арестовывающих и сажающих юных экстремистов.

Оказалось, сам собой растет только чертополох на некогда плодоносных колхозных полях, а социальную ответственность, любовь к знаниям, патриотические чувства, ратное сознание, национальную терпимость, здоровый образ жизни, — все это детям, подросткам, юношеству надо прививать. Иногда принудительно, как вакцину от гепатита. Кто будет это делать? Кто сегодня способен формулировать и проводить в жизнь долгосрочную государственную молодежную политику? А ведь без нее у России нет будущего не в фигуральном, а в буквальном смысле слова! Кто?! Бонна, нанятая состоятельными родителями? Умный рынок? Ну-ну...

«Литературная газета», 2008 г.

Лезгинка на Лобном месте

От какого наследства мы отказываемся?

Мы относимся к дружбе народов так же, как и к другим ценностям, доставшимся нам от советской цивилизации: заводам, нефтяным скважинам, газопроводам, ракетам, плотинам... Пользуемся, пока они вдруг не начинают ломаться, взрываться, прорываться... Только тогда и спохватываемся: ах, ведь надо ж было чинить, латать, модернизировать — вкладываться! А почему не вкладывались? Экономили, наверное: Абрамовичу — на яхту, а Прохорову на Куршевель копили...

И вот теперь рванула дружба народов. Гибель болельщика Егора Свиридова, застреленного «кавказцем», вывела на площади толпы молодежи с лозунгами «Россия для русских!». Отечественные либералы, отбросив ролевые игры в державников и демократов (ради рейтинга чего не сделаешь!), дружно запели свою строевую песню о русском фашизме. Патриоты заговорили о «пробуждении нации». Власть удивилась: почему здоровье русского, невежливо обошедшегося с Кораном, не стоит и десяти копеек, а вот кавказцы, приезжающие в глубь России, позволяют себе такое... Ну, дальше вы помните! Не успели остыть «манежные» страсти, как страну потряс взрыв в «Домодедово». Следы ведут, как обычно, на Кавказ. Мне, русскому человеку, есть что сказать по этому поводу. И я скажу. Но сначала давайте взглянем на происходящее в стране глазами тех, кого при советской власти не слишком почтительно величали «националами».

Россия столетиями была империей. Неважно: царской, романовской или советской, сталинскобрежневской. Да, в какой-то мере это была «перевернутая империя», где метрополия жила беднее и бесправнее «колониальных окраин». Но все-таки империя! Нынешняя Россия, именуясь Федерацией, унаследовала почти всю имперскую проблематику и прежде всего межнациональную, что совершенно нормально. Вон в Бельгии фламандцы с валлонами никак не договорятся, а у нас вместе живут более ста народов, которые сошлись в единое государство разными путями. Одни прискакали как завоеватели, а стали подданными. Другие сами слезно попросились под крыло двуглавого орла, истребляемые безжалостными соседями. Третьи сопротивлялись, но были покорены и присоединены. Четвертые вообще не сопротивлялись, а достались вкупе с землями, отвоеванными у других империй, начинавших войну, как правило, первыми. Пятые просто «проснулись» в России, которая расширялась стремительно: многие «сущие в ней языки» стали своего рода архипелагом, затопленным русским потоком, хлынувшим, перевалив Урал, на Восток. Сейчас трудно поверить, но в ту пору русские рожали больше, чем китайцы. Население России и Франции к моменту похода Наполеона было примерно одинаковое, а к концу столетия нас было уже много больше, чем французов.

Подсознательное отношение «малых» этносов к «метрополии» и «имперскому народу» определяется тем, при каких обстоятельствах зажили вместе: волей или неволей, бескровно или с кровью, давно это случилось, как с финно-уграми, или сравнительно недавно, как с народами Северного Кавказа. Что приобрели, а что потеряли, попав под скипетр. Национальный вопрос, если помните, клокотал во всех бунтах и смутах, потрясавших державу, однако не разнес ее вдребезги, подобно Австро-Венгрии или Османской империи. Почему? Наверное, потому, что почти каждый «язык» имел прежний опыт подчиненного сосуществования с другими, более мощными этносами, входил в другие государственные образования. И на крутых поворотах истории коллективный разум народа подсказывал: а с русскими-то получше будет! От добра добра не ищут!

Конечно, случалось всякое, но хорошего было больше. Когда больше плохого, жаловаться некому. Не в том смысле, что нельзя обратиться в ООН или в Страсбург. Можно. Но кто будет обращаться? На территории современной Германии еще в XVIII веке обитало не менее десятка крупных славянских племен со своими наречиями, культурой, традициями, верой... Где они? Их нет. А где калмыки, оставшиеся в пределах Китая? Я уже не говорю о кровавой резне армян, живших на византийских землях еще до турок-османов. Посещение Музея геноцида в Ереване — одно из самых страшных впечатлений моей жизни... Зато народы, ставшие частью Российской державы, за редчайшим исключением, не только не исчезли, но расплодились, развились, обзавелись письменностью (у кого не было), приобщились к плодам русской цивилизации, может быть, не самой передовой, но и не самой отсталой. Впрочем, самая передовая в ту пору Британская империя вытворяла со своими колониальными холопами такое, что крепостнику Николаю Палкину в кошмарном сне не могло привидеться. Это информация к размышлению о том, «что такое хорошо и что такое плохо» в межэтнических отношениях.

Опыт межнациональных отношений, нерешенные проблемы многоплеменного устройства страны, накопленные Российской империей и переданные по наследству СССР, остались во многом не осмысленны. При советской власти они считались решенными в ходе «революционного очищения», что верно лишь отчасти. К тому же на смену иллюзии, что нательный крест стирает племенные различия, явилось куда большее заблуждение, будто партбилет отменяет национальное самосознание. Официальная марксистская наука изучала национальную проблему со стыдливой опаской, как невинная медичка заспиртованный фаллос. Ну а в минувшие 20 лет, когда государственный антисоветизм приравнял Октябрьскую революцию к грязному гешефту пассажиров опломбированного вагона, о 74-летнем государственном опыте одной шестой части суши как-то и говорить было не принято: совок.

История повторяется. И мы сегодня в известной мере сталкиваемся с тем, с чем наши деды столкнулись после Октября. Любая революция — это попытка с помощью направленного взрыва разрешить бесчисленные противоречия, копившиеся долгие годы не только в социальной и производственной, но и во всех иных сферах жизни, включая культуру. Но разные заинтересованные силы стараются направить взрыв в нужную им сторону, в итоге гибельная волна может ударить туда, куда никто не ожидал. В известной степени так и случилось в России... Как написал Волошин:

И зло в тесноте сраженья
Побеждается горшим злом.

Революция и Гражданская война были не только братоубийством на классовой почве. Все смешалось в доме Романовых... Малевич чуть не с маузером гонялся за «академиками живописи». Ведомство Луначарского готовило переход с кириллицы на латиницу для лучшего контакта с мировым пролетариатом. Горцы с одобрения интернационалистов жестоко квитались с казаками, а сектанты и старообрядцы сурово поминали обиды «никонианам». Поощряя сведение вековых счетов, большевики думали скорее очистить стройплощадку, разрушить прежние устои, девальвировать святыни, подорвать государственную религию, прижучить имперский народ — русских. Уж тут порезвились... Кстати, «Дни Турбиных» сняли из репертуара по жалобе украинских письменников, обвинивших киевлянина Булгакова в глумлении над мовой. И хотя Сталин любил этот мхатовский спектакль: в основном-то на сценах шла сплошная революционная «новая драма», но отказать не мог. Политика! «Борьба с великодержавным шовинизмом» стала вообще навязчивой идеей нескольких поколений советских руководителей, и «русскую партию» карали даже суровее, чем «космополитов».

Нам с вами, пережившим гражданскую войну 90-х, не надо объяснять, как это бывает. Мы помним, как в эфире ругались словом «патриот», как рассуждали о рабской природе русских. Когда в дни октябрьских событий 93-го я вечером возвращался домой на Хорошевку, меня несколько раз останавливали омоновцы, обыскивали, проверяли документы. И вот что интересно: все омоновцы были не местные, не московские, а командированные, причем из «национальных» регионов страны. Странно, не правда ли? Кстати, первый, кто предложил Ельцину вооруженную помощь против мятежного парламента, был Дудаев. Русская столица вызывала традиционные опасения. Напомню: приток гастарбайтеров, изменивший ныне этническое лицо города, еще только начинался.

Но вернемся в начало XX столетия. Завоевав власть, новые лидеры многое поняли: свои портреты они стали заказывать «крепким реалистам» вроде И. Бродского, а не «черноквадратникам». Видимо, для узнаваемости. Жестко был пресечен национализм, перерастающий в сепаратизм. Тех, кого особенно грела формулировка «вплоть до отделения», отправили остыть на севера. Позже умерили гонения на религию (в самую последнюю очередь на православие, из-за войны), занялись восстановлением межэтнической толерантности. Например, в конце 20-х объяснили «украинствующим» товарищам, что одна-единственная русская газета на всю «неньку», в основном русскоговорящую, — это явный перебор. Появились «советский патриотизм и пролетарский интернационализм», которые так и ходили парочкой, словно Берман и Жандарев, до самого развала СССР. Советская власть осознала: это только в теории у Маркса классовые интересы выше национальных, а религии потихоньку отомрут. Сам же автор «Капитала», между прочим, был тронут до слез, когда младшенькая дочь Элеонора увлеклась верой предков...

Это диалектика, дурачок!

О ленинской национальной политике в СССР стоит поговорить отдельно. С одной стороны, извещалось о триумфальном формировании новой исторической общности людей «советский народ». Я в десятом классе даже писал реферат на эту тему и не мог уяснить, как это возможно, чтобы одновременно успешно шли два противонаправленных процесса: расцвет национальных культур и стирание межнациональных граней. Ну какой же может быть расцвет при стирании? Окончательно запутавшись, я пошел за помощью к учителю. Он снисходительно похлопал меня по плечу и весело сказал: «Это и есть диалектика, дурачок!» Но глаза у него были грустные-грустные...

О том, что народы и народности не спешат превращаться в новую историческую общность, я убедился, попав в 1976 году в армию. У нас, в 9-й самоходной батарее, на 70 бойцов приходилось 15 национальностей. Многие воины, особенно из Средней Азии, с Западной Украины, из Прибалтики, едва говорили по-русски, не понимая, чего от них хотят офицеры, которые, кстати, уже тогда с чеченцами и ингушами, образовавшими в полку свой «тейп», старались лишний раз не конфликтовать. Впрочем, должен заметить: к концу службы все без исключения бойцы овладевали «великим и могучим», предпочитая крупнокалиберные казарменные идиомы. Эти подробности, нашедшие позже отражение в моей повести «Сто дней до приказа», вызвали едва ли не самое лютое раздражение цензуры, запретившей в 1982 году публикацию в «Юности», несмотря на героические усилия главного редактора Андрея Дементьева.

Вступив в литературу, я обнаружил, что там-то ленинская национальная политика торжествует вовсю. На VII Всесоюзном совещании молодых писателей (1979) сразу бросалось в глаза: свежие дарования, прибывшие из союзных республик (реже из автономий), уже выпустили в весьма юном возрасте первые книжки на родных языках. Надо понимать, что для советского начинающего литератора первая книжка была чем-то вроде первого миллиона (долларов, конечно) для современного бизнесмена. Многие талантливые русские стихотворцы ждали своих первых сборничков до тридцати, а то и до сорока лет. Такая была установка Центра: прежде всего продвигать национальных авторов. А русская литература и так великая — подождет! Одним Рубцовым больше, одним меньше — не забеднеем! Когда началась перестройка, многие из взлелеянных национальных талантов встали в первые ряды народных фронтов... Интересно, что некоторые национальные писатели (как правило, из смешанных семей) начинали сочинять по-русски, но потом, помаявшись, переходили на титульные языки и сразу издавали книжки. Мой сверстник, пострадавший кандидат в президенты Белоруссии поэт Владимир Некляев именно таким путем пришел к «матчыной мове».

Когда советские историки перечисляли главные преступления царизма, они непременно поминали политику русификаторства. А была ли русификация при советской власти? Конечно, была, не могло не быть, ведь, как и до революции, общесоюзное административное, информационное, научное пространство было в основном русским — избежать этого влияния, особенно в городах, было невозможно. Нельзя сказать, что все относились к этому спокойно. Ведь любой этнос, как организм, борется за существование до последнего вздоха. В конце 80-х меня, молодого секретаря правления СП РСФСР, отправили в Йошкар-Олу представлять, так сказать, Центр на съезде марийских писателей. Мы крепко выпили с местным писательским начальником Николаем Федоровичем Рыбаковым, по совместительству, между прочим, председателем Верховного Совета Марийской АССР. Он, разоткровенничавшись, сказал в сердцах: «Ты пойми, Юра, мы, марийцы, и так утрачиваем свой язык, культуру. И мы утратим, не волнуйтесь, к этому все идет. Но не надо нас торопить! Давить не надо!» Вот так, с одной стороны — расцвет, а с другой... Диалектика, дурачок!

Как всякая женщина, даже самая неброская, в душе хочет быть царицей бала, так и любая народность, даже самая маленькая, мечтает о суверенной державности. На этом играли большевики, обещая «самоопределение, вплоть до отделения». А если в истории народа был опыт государственности, пусть и неуспешный, то в своих геополитических снах он видит себя не иначе как от «моря до моря». Это нормально и, подобно буйно-многофигурным эротическим фантазиям, редко осуществляется наяву. Хотя бывает всякое: взять то же Косово! Но надо понимать: чем крупнее, мощнее этносы, тем больше у них шансов выпорхнуть из имперского гнезда, особенно когда его треплет и разоряет «свежий ветер перемен», который так дорог подвижному певцу Газманову. Массовый вылет возмужавших союзных птенцов из советского гнезда мы наблюдали в конце 91-го года. Правда, есть достаточно аргументированная версия, что всех остальных, кроме легкокрылых прибалтийских горлиц, просто силой вытряхнули... Но пусть в этом разбираются историки.

Тут пора вспомнить еще об одном советском «грехе», благодаря которому мы живем сегодня в большой Российской Федерации, а не в маленьких уютных независименьких державочках, о которых грезил Сахаров. Дело в том, что в СССР были нации «первого сорта» — союзные, и «второго» — автономные. Первые были «вплоть до отделения», вторые «не вплоть». Это и спасло. Пока те, которые «не вплоть», следуя призыву Ельцина, объедались суверенитетом, государство постепенно очнулось от геополитического слабоумия. Конечно, в советские годы вслух никто никогда не говорил о «сортах», но по вовлеченности в руководящие органы, по выделяемому куску из бюджета, по присутствию в информационной риторике всем все было ясно. Я очень хорошо помню обиды молодых татарских или якутских писателей, вырывавшиеся на наших литературных посиделках под влиянием «огненной воды». Мол, нас больше, чем молдаван, а вот вы... И эта «автономная» обида не забыта, даже приумножена, о чем и пойдёт речь ниже.

Что же делать? Выход один: наше общероссийское федеративное гнездо (ОФГ) должно стать таким уютным, надежным, обильным, чтобы никому не хотелось выпасть из него, милого, в какой-нибудь этнофеодализм или в какую-нибудь новую «руину». И еще очень важно! Каждый обитатель гнезда должен твердо знать: здесь никогда от него не будут требовать, чтобы он забыл трели предков и запел так, как поет «ответственный гнездосъемщик». И никогда никто не прикажет, чтобы из разноцветных и разнокалиберных яиц вылуплялись одинаковые двуглавые орлята. Такое коммунальное гнездо устоит при любых ураганах истории.

Ах, восточные переводы!

А теперь про умножение обид. Если вы полистаете учебники по литературе советского периода, то сразу заметите, сколь почетное место отведено в них творчеству писателей «народов СССР и РСФСР». Тут вам: Чингиз Айтматов, Эдуардас Межелайтис, Василь Быков, Олесь Гончар, Кайсын Кулиев, Рыгор Бородулин, Петрусь Бровка, Павло Тычина, Мирзо Турсун-заде, Сильва Капутикян, Нодар Думбадзе, Ираклий Абашидзе, Джамбул, Юрий Рытхэу, Расул Гамзатов, Олжас Сулейменов, Давид Кугультинов, Габдула Тукай, Юхан Смуул и т.д. и т.п. Не берусь судить, действительно ли они самые лучшие в своих национальных литературах того периода, но думаю, уверен: из лучших. По моим наблюдениям, «оперативной канонизации», как правило, подлежат авторы своевременно талантливых книг, как сейчас сказали бы, «мейнстрима». Очень большие (не будем бросаться эпитетом «великие») писатели чаще идут поперек течения, поэтому их канонизируют уже после смерти, когда утихнут политические и окололитературные страсти. Особая статья писатели, которые начинают бороться с собственным государством. Их мгновенно при жизни «пьедесталит» Запад и отсылает нам в виде заказной общечеловеческой бандероли. Против импорта у нас противоядия никогда не было и нет. Впрочем, гляньте, какими мелкими тиражами выходят нынче книги даже самых крупных писателей-диссидентов, и вы убедитесь: История — не фраер!

А теперь возьмите современные, так сказать, общероссийские учебники по литературе! Вы очень удивитесь, но национальных писателей там почти не осталось. Раз, два и обчелся. Так, остатки былой советской роскоши. Неужели, получив свободу слова и суверенитета от пуза, сбросив путы пролетарского интернационализма, русификаторства и «старшебратства», национальные авторы стали писать хуже и не выдвигают теперь из своих рядов общефедеральных титанов? Да, разрушение советской культурной политики с ее целевой поддержкой национальных литератур не могло не сказаться. Но чтобы будто корова языком слизала... Так не бывает! Ведь горы Дагестана, снега Якутии, луга Марий Эл продолжают вдохновлять хранителей национального слова! Мастера есть — мы просто о них не знаем. Чтобы не быть голословным, назову лишь немногих: М. Ахмедов, Б. Магомедов (Дагестан), Х. Бештоков, З. Толгуров (Кабардино-Балкария), Ю. Чуяко (Адыгея), Л. Харебаты, Н. Джусойты (Осетия), Р. Бикбаев (Башкирия), Э. Эльдышев (Калмыкия), Р. Харис, Р. Файзуллин (Татарстан), Г. Раднаева (Бурятия), В. Ар-Серги (Удмуртия), Н. Ахпашева (Хакасия), Н. Харлампьева (Якутия), Б. Бедюров (Алтай), А. Попов (Коми), Л. Иргит (Тыва), А. Токарев (Марий Эл)... Нет, мастера не перевелись, их просто не переводят, и потому они отсутствуют в общероссийском информационном пространстве.

Вспомним: в прежние годы сотни русских писателей вкладывали свой талант и усидчивость в то, чтобы стихи аварки Фазу Алиевой или проза манси Ювана Шесталова сделались явлением всесоюзным и даже мировым благодаря русскому языку. Государство не жалело средств, понимая, что́ вкладывает в дружбу народов, даже закрывало глаза на то, что вокруг кормится немало бездарей и прохиндеев. Это было своего рода «вербальное донорство», ведшее к кровному родству разноязыких культур. Вспомним, какие мастера посвятили себя переводу: Н. Заболоцкий, Н. Тихонов, Б. Пастернак, Д. Самойлов, С. Липкин, Я. Козловский, В. Цыбин, Ю. Мориц, И. Лиснянская, В. Соколов, Б. Ахмадуллина, А. Преловский, Э. Балашов, Р. Казакова, Ю. Кузнецов, Св. Кузнецова, М. Синельников... Евтушенко перевел огромный том грузинской поэзии «Тяжелей земли». «Ах, восточные переводы, как болит от вас голова!» — написал не кто-нибудь, а сам Арсений Тарковский. Да, этот пир литературного толмачества стоил недешево! А вы думаете, небоскребы «Газпрома», под крышу набитые высокооплачиваемыми клерками, обходятся дешевле? «Так ведь мы на газе с нефтью и держимся!» — скажете вы. «А на дружбе народов, значит, не держимся?» — спрошу я. На чем экономим? На фундаменте Державы.

Власть всячески, при каждом случае подчёркивала значимость национальной творческой интеллигенции в общесоюзном масштабе. Знаете, кто возглавлял Литфонд СССР — могучей тогда организации? Отвечу: крупный кабардинский писатель Алим Кешоков. А сейчас кто? Смешно выговорить... Или помните, у Вознесенского в «Плаче по двум не рожденным поэмам»:

> И Вы, Член Президиума Верховного Совета
> товарищ Гамзатов, встаньте...

Была и еще одна очень умная фенечка: в статьях, в докладах, в телевизионных комментариях национальные писатели назывались в одном ряду с русскими, чтобы всем стало ясно: это фигуры равновеликие и в Стране Советов почетен всяк сущий в ней язык: Белов, Гончар, Катаев, Карим, Трифонов, Санги... И это было мудро, ибо издревле в отношениях народов важны ритуалы, знаки уважения, подчеркнутое равенство: между, например, классиком великой русской литературы и акыном народа, который еще полвека назад не имел своей письменности. Игра, скажете, имперское лукавство? Игра. И отчасти лукавство, но гораздо более почтенное и полезное для государства, нежели дорогостоящие игры политтехнологов, именуемые «суверенной демократией».

Примерно то же самое происходило в других сферах, так или иначе касавшихся национальных отношений, но в литературе за этим следили особенно строго — и вот почему. Любой народ, живущий в государственном пространстве, принадлежащем иному языку и другой национальной традиции, к своей родной речи относится с особым пиететом, понимая: утрата языка — прямой путь к ассимиляции, исчезновению. Если «поэт в России больше, чем поэт», то у небольших этносов, «расцветающих стираясь», национальный писатель, который хранит, развивает родное слово, — фигура почти сакральная, сверхавторитет, учитель и законодатель жизни. Именно эти сверхавторитеты, востребованные и обласканные Москвой, транслировали соплеменникам позитивное отношение к многонациональной державе. Скорей все сюда, наш земляк читает на Всесоюзном телевидении стихи вместе с самим Ярославом Смеляковым! Это зрелище насыщало даже самые мнительные и злопамятные души верой в правильное устройство советского этнического ковчега. Почему же союзный ковчег развалился? Хороший вопрос, как любят говорить политики, если не знают, что ответить. Думаю: прочность корабля проверяется в долгом плавании, в мощном шторме, а не в тот момент, когда болтун в капитанской фуражке направляет судно на рифы.

Эфирная чужбина

Вы давно видели на центральных каналах российского ТВ поэтов, прозаиков, публицистов из Татарстана, Якутии, Тувы, Дагестана, Адыгеи, Коми, Осетии, Башкирии? Я вообще не видел. Справедливости ради надо сказать, что и нормальных русских писателей в эфире тоже почти нет. Увы, этническое однообразие «лиц каналов» заставляет иной раз вспомнить скупой ассортимент захолустного сельпо.

Спросите гипотетического Эрнста, и он объяснит: «Какие еще писатели? Кому они нужны! Рейтинг не позволяет. А рейтинг — это деньги!» Заметьте, на занудные комментарии к банковским заморочкам и судорогам котировок, понятные лишь специалистам, эфира никогда не жалеют и о рейтингах в данном случае не заботятся. Но телезрителей, интересующихся культурой, в том числе и национальной, в природе гораздо больше тех, кто ушиблен сводками с валютных торгов. К тому же следи за этими сводками не следи, а дефолт все равно упадет на голову внезапно, словно полутонная сосуля с нечищеной крыши культурной столицы. И скажу прямо: мне как гражданину плевать на рейтинги и заработки телевизионной братии, мне нужно прочное многонациональное государство.

В 87-м году я впервые попал в США, в Чикаго, и нас в рамках модной тогда «народной дипломатии» расселили в американских семьях. И вот как-то хозяин дома, увидав в телевизоре диктора с явной китайской внешностью, оживился и стал мне объяснять, что это у них такой порядок: когда число жителей какой-то национальности, допустим китайцев, достигает контрольной цифры, скажем 100 000, в эфире сразу появляется их соплеменник. Чтобы не возникало ощущение дискриминации. Заметьте, это в Америке — стране эмигрантов, приезжих, сознательно, если не считать негров-рабов, покинувших родину в поисках лучшей жизни. И такая забота об их самоидентификации! Кстати, в США давно отказались от «теории тигля», который из эмигрантской массы якобы выплавит новую единую американскую нацию, ее заменили концепцией «компота», мол, каждый этнический кусочек сам по себе, но зато все вперемешку. Остается пожелать заокеанцам, чтобы их «компот» не забродил...

А что же тогда говорить о России, где коренные народы проживают на своих исконных территориях, имеют уникальную древнюю культуру. Почему их нет на нашем экране? Нас не волнует, что у них появится чувство дискриминации? «Что ж теперь, с калькулятором телевидением руководить?» — спросит тот же воображаемый Эрнст. Да, если надо, и с калькулятором, ибо в противном случае единая Россия сохранится не только на пожелтевших плакатах одноимённой партии. Ведь, поймите, виртуальная реальность во многом заменяет нам действительный мир. Некогда, в давние времена, было так. Видит человек: на его исконной земле все меньше соплеменников, людей с понятным языком, привычной внешностью, повадками, — и сразу включаются этнические защитные механизмы, появляется настороженность к чужакам, особо трепетное отношение к родному, национальным символам, формируются табу, например на смешанные браки. (Между прочим, в сверхтолерантной Америке межрасовые браки не превышают 3–5 процентов!) Ксенофобия, или «чужебоязнь», надо признать, это всего лишь острое, опасное, порой постыдное выражение естественных внутренних процессов этнического сопротивления, и связано оно не с врожденной агрессивностью, а с тревогой народа за свою будущность. Запрещать ксенофобию — примерно то же самое, что разгонять тучи над Красной площадью перед парадом. Дождь потом все равно пойдет, но будет гораздо сильнее, а возможно, и с «градом». Надо устранять причины — источники этнических тревог.

Беру на себя смелость утверждать: нынешнее российское телевидение провоцирует ксенофобию, невольно включая подсознательные инстинкты этнического самосохранения. Глядя на экран и не находя там никаких признаков своей национальной культуры, никаких родственных лиц, или обнаруживая их исключительно в негативно-криминальном контексте, тот же аварец, чеченец или башкир (да и русский иной раз) испытывают ту этническую тревогу, которую ощущали их далекие предки в пору иноплемённых нашествий. «Но ведь это невозможно, чтобы всех в эфир!» — воскликнет уже изрядно надоевший мне собирательный Эрнст. Всех и не надо, для того прежде и выдвигались знаковые фигуры национальных культур: Гамзатов, Кулиев, Рытхэу, Махмуд Эсамбаев... Они умерли, а смена не пришла. Почему? Говорю, экономили... Два раза одни олимпийские игры оплатить — где ж денег набраться?

Давайте поставим себя на место молодого человека, приехавшего, как неудачно выражались прежде, с национальных окраин империи в Москву. Он слишком часто воспринимает наш город не как столицу общего государства, а как центр сил, чуждых, враждебных его языку, культуре, равнодушных к его национальным авторитетам. «Вы не хотите нас знать? Так получите лезгинку на Лобном месте!»

Это ясно всем, кроме, пожалуй, нашей либеральной интеллигенции, которая, сменив пролетарский интернационализм на общечеловеческие ценности, думает, будто закрыла национальную проблему. Нет, не закрыла. Да, убрали графу «национальность» из паспорта, чтобы не травмировать группу населения, затрудняющуюся с самоидентификацией или делающую из этой самоидентификации секрет. Ну и что? Знаете, у нас множество граждан, затрудняющихся с половым самоопределением или делающих из своей сексуальной ориентации секрет, однако графа «пол» в паспорте почему-то осталась.

Литературный апартеид

Подобно тому, как квартирный вопрос испортил москвичей, вопрос территориальный, мягко скажем, не улучшил характер народов, населяющих просторы России, ибо административные границы у нас проводились под влиянием разных факторов — иногда политических, иногда экономических, иногда застольно-дарственных. Межнациональные конфликты конца 80-х, парад агрессивных суверенитетов, кавказские войны, этнический терроризм — все это добавилось к давним племенным спорам и сильно пошатнуло межнациональный мир в стране. Этнические глыбы, из которых сложен наш общий дом, лежавшие ранее впритирку, встали кое-где углами друг к другу.

Кто будет сглаживать острые исторические углы, обтачивая политические зазубрины, подгоняя камень к камню? Кто будет совместно вырабатывать общую, устраивающую все стороны картину мира, если хотите, коллективный дружественный миф, который оказывает огромное влияние на взаимоотношения народов? Этим традиционно у нас занималась многонациональная научно-творческая интеллигенция, ибо только ей дано формулировать новые идеи, символы, корректировать с помощью художественных образов национальные коды, целенаправленно изменять комплементарность народов. Попросту говоря: как можно плохо относиться к пастуху кавказской национальности, если его любит наша свинарка Глаша? Большие политики (да простят меня мудрые кремлевские ели!) всего лишь державно оглашают эти плоды коллективных интеллектуально-нравственных усилий.

Конечно, мировидение потомка мюридов и отпрыска рязанских хлебопашцев никогда не будет идентичным. И не надо! Но вспомните, что сказал пленный Шамиль, когда его бесконечно долго везли в Санкт-Петербург: «Если б я знал, что Россия такая большая, я бы никогда не стал с ней воевать!» Но для того, чтобы понять, что Россия большая и воевать не надо, следует, как учил Гоголь, по ней проездиться. Увы, канули в Лету традиционные дни братских литератур, которые в прежние времена проводились ежегодно и нарочно в разных республиках, автономиях, областях, когда у разноплеменных участников формировалось чувство единого пространства. Кто теперь бороздит просторы страны? Гастарбайтеры, беспошлинные торговцы да террористы с сумками, полными тротила. А куда теперь ездят московские и питерские писатели? В основном в Америку, Германию, Израиль... Тюркоязычные литераторы зачастили в Турцию, а угро-финны — в Финляндию и Венгрию. Там их привечают, переводят, подкармливают, премируют...

А ведь особым инструментом сбалансированной межнациональной политики в СССР служили именно премии в области литературы и искусства. Высшей была, если помните, Ленинская. Среди ее лауреатов: Муса Джалиль, Мухтар Ауэзов, Олесь Гончар, Чингиз Айтматов... Ныне (с 2005 г.) ей по статусу соответствует Президентская премия. За шесть лет таковую не получил ни один национальный писатель. Напомню: все советские годы в списках лауреатов Госпремий СССР и РСФСР непременно присутствовали национальные авторы. Обязательно! А теперь внимание: с 1991 по 2004-й Государственной премии России удостоен только один «национал» — чеченец К. Ибрагимов (2003). Он очень хороший писатель, но так и хочется горько пошутить, что вайнахские литераторы отстояли свое право на общефедеральное признание с оружием в руках. Однако, учитывая сложную обстановку на Северном Кавказе, я так шутить не буду. Вместо Госпремии России теперь у нас премия Правительства РФ. За шесть лет с момента ее учреждения ни один автор, сочиняющий не на русском языке, этого отличия не удостоился.

Обратимся теперь к общественным премиям, которые, как это ни странно, рекламируются нашими федеральными ТВ и СМИ гораздо активнее, нежели государственные. Ни «Триумф», ни «Большая книга», ни «Нацбестселлер», ни, разумеется, «Букер» ни разу не снизошли до литераторов, пишущих на языках, так сказать, предков. В позапрошлом году я, будучи сопредседателем жюри «Большой книги», обратил внимание организаторов на странный факт: из года в год чуть ли не треть номинантов — это эмигранты, давно покинувшие нашу страну, остальные же — обитатели столиц. Писателей из российских губерний в «лонгшорт-листах» очень мало, а «националов» вообще нет, словно их в природе не существует. И что? Ничего. На меня посмотрели так, точно я грязно выругался при дамах. Не найдете вы авторов, пишущих на национальных языках, и среди лауреатов премии «Дебют», а это верный признак того, что литературный «апартеид» у нас в Отечестве установился всерьез и надолго. На вырост.

Уникальным исключением на этом фоне является работа Фонда Сергея Филатова, который проводит при поддержке Агентства по печати совещания молодых писателей Северного Кавказа и даже выпускает сборники их произведений. К сожалению, у нас такого контакта с ведомством Михаила Сеславинского не получается. Уникальный, не имеющий аналогов на постсоветском пространстве проект — приложение «Многоязыкая лира России», придуманный «Литературной газетой» пять лет назад, — приходится буквально навязывать. Уступив после долгих прошений, агентство выделяет нам в год столько средств, сколько обычно дают на выпуск одной приличной книги с картинками. Однако каждый январь начинается с «молений о транше», агентство державно колеблется, точно мы просим не на «государево дело» — пропаганду литературы народов России, а на выпуск методического пособия по воспитанию хороших мальчиков в лесбийских семьях. Наконец, деньги приходят летом, когда республики буквально забросали газету письмами, такими, например:

«...Писатели и деятели культуры Республики Дагестан обеспокоены ситуацией, сложившейся с приложением «Многоязыкая лира России», которое выходит нерегулярно и в небольшом объеме. В результате прерывается с таким трудом налаженный диалог между республиками России... Не будем забывать, что культура — рельсы политики, и именно проекты в сфере культуры на сегодняшний день особенно актуальны... “ЛГ” предоставляет свои страницы для диалога культур и литератур многоязыкой страны, чтобы национальные писатели почувствовали свою причастность к судьбе единой и великой России. Очень надеемся на понимание и помощь государства в этом деле, важном для поддержания благоприятного политического климата в России...

Председатель правления Союза писателей Дагестана народный поэт Дагестана М. Ахмедов».

Помните про «травму автономии»? Вот так ее сегодня усугубляют, вместо того чтобы лечить. Есть и ещё одно важное обстоятельство. Все серьезные национальные писатели всегда были русскоязычными, прекрасно знали нашу, а точнее, свою вторую культуру, являясь не только выразителями национальных интересов, но и одновременно полпредами русского мира в своих этнических сообществах. Многие переводили на родные языки русскую классику, современных авторов. Повторю: именно они формировали среди соплеменников если не любовное, то лояльное отношение к Москве. Я до сих пор помню слова, полные страстной любви к России, которые на пушкинских торжествах много-много лет назад произнес поэт, переводчик Пушкина Давид Кугультинов — великий калмык, прошедший фронт и депортацию...

А сейчас я выскажу то, ради чего, собственно, и уселся за эти заметки. В России сегодня нет продуманной, скоординированной межнациональной политики в духовной сфере. Более того, идет постепенное (не хочется верить, что продуманное) разрушение федеральных связей на культурном уровне. Высшая власть говорит о необходимости формирования новой исторической общности — «российский народ». Интересно, как это произойдет без участия культуры, которая способна, как я уже сказал, корректировать национальные коды? Но коррекция может укреплять дружеские, партнерские отношения, а может и разрушать... И если это общность, то надо понять, что у нас будет общим, а что должно навек остаться уникально национальным, потому что «общность» — это не «одинаковость»...

Государствообразующий вакуум

И тут не обойти «русский вопрос», без решения которого никакой новой общности не будет. Прекрасно, что президент Медведев призвал «развивать лучшие черты русского национального характера». Мы, русские, горячо «за». Но возникают вопросы. Как? На какие средства? В рамках каких государственных институтов? А для начала не пора ли отказаться от недоброй многовековой традиции воспринимать русских не как самостоятельный народ, имеющий свои интересы, устремления, устои, проблемы, обиды, наконец, а как некий условный «этнический эфир», «государствообразующий вакуум», в котором идут социально-экономические процессы и осуществляются интересы различных этнических групп и страт... Но русские — это не «этнический эфир», это большой, мощный, хотя и надломленный жестоким веком этнос. И клич, брошенный на Манежной — «Россия для русских!», — надо понимать так: «Россия и для русских тоже!» У русских уживчивость и терпимость в природе, это давнее наследие: славяне традиционно жили соседскими общинами, и при оценке «свой-чужой» кровь никогда не играла для них ведущей роли. Соратничество — совсем другое дело! В этом сила русских, позволившая им сплотить огромную многоязыкую империю. В этом и слабость, наши защитные этнические механизмы слишком слабы и включаются слишком поздно. Но и они включились, когда русские стали чувствовать себя почти чужими в стране, носящей, между прочим, их историческое имя! Давно замечено: смуты и революции в России случаются именно тогда, когда русский народ (а не караул) устает от собственного государства.

Впрочем, это тема для отдельной статьи.

«Литературная газета», февраль 2011 г.

Где проспект Ивана Калиты?

Нигде. В Москве такого нет, как нет площади, улицы или переулочка, носящего имя этого рачительного князя, который, говоря по-современному, запустил процесс превращения одного из окраинных городов Золотой орды в столицу Руси — собирательницу земель русских. Калитниковские улицы и проезды к Калите отношения не имеют, они лишь напоминают о том, что встарь здесь проживали калитники — ремесленники, мастерившие кошельки. Странное дело, за исключением Юрия Долгорукого, Александра Невского и Дмитрия Донского (их советская власть в трудную годину призвала под свои знамена), ни один другой венценосный Рюрикович или Романов не увековечен в московской топонимике. Где славные имена Ивана III, окончательно одолевшего ордынское иго, или Алексея Михайловича Тишайшего, начинавшего мягкую модернизацию России, которую его необузданный сын Петр «рукой железной поднял на дыбы». Кстати, Петровка получила свое имя не в честь Петра Великого, а из-за близости Высоко-Петровского монастыря. Есть, правда, названия, косвенно хранящие память о великих монархах: Александровский сад (разбит при Александре Первом), Екатерининский сад (принадлежал одноименному институту благородных девиц), Николаевский тупик — упирался в Николаевскую железную дорогу и чудом, а может, с глумливым умыслом сохранён большевиками. Вот вроде и все. Ни тебе Александра Второго Освободителя, ни Александра Третьего Миротворца, ни царя-мученика Николая Второго. Знаете, вообще-то я не монархист, но и у меня такая «монархофобия» вызывает недоумение. Тот, кто бывал в столицах мира, наверное, замечал: там имена императоров, королей, курфюрстов и других суверенов, даже невеликих, непременно запечатлены в названиях улиц. Я уже не говорю про Чингисхана, который в иных среднеазиатских республиках давно по частоте употребления затмил Ленина с Марксом. А в Москве нет даже улицы родоначальника царской династии — Михаила Федоровича. Как-то даже неловко в преддверии 400-летия Дома Романовых! Но не спеши, читатель, удивляться всем этим странностям, мы только вступаем в паноптикум парадоксальной московской топонимики.

Небрежение самодержцами было бы понятно при ранних коммунистах, они взрывали храмы, переименовывали все, что напоминало о «тюрьме народов» и «самовластительных злодеях», принципиально называли улицы во славу бунтовщиков-мятежников, если выражаться по старому стилю, и народных вожаков, если по новому: Разина, Пугачева, Болотникова. Не забывали и цареубийц с бомбистами — Каляева и Халтурина. Но это было прежде, при ВКП(б) — КПСС. А что же сегодня, когда первые лица стоят со свечками в храмах, а визит в Отечество кого-нибудь из остаточных Романовых выглядит чуть ли не встречей в верхах? Да, в Москве нет теперь улиц Разина и Каляева... И правильно, нечего бунтовать против властей. Зато улицы Пугачевская, Халтуринская и Болотниковская целехоньки. Забыли про них, что ли, в угаре первичного накопления или решили, что всех смутьянов из истории тоже выкидывать не стоит? Не ясно.

Но с особой бережностью Москва хранит память о декабристах, многие персонажи первого этапа освободительного движения получили прописку на улицах города: Каховский, Бестужевы, Одоевский... Люди, конечно, были талантливые, смелые, с размахом, мечтали реформировать Россию, не стесняясь в средствах. Сам я недолго жил на улице Пестеля, который так планировал после уничтожения династии решить еврейский вопрос: предложить им креститься, а тех, кто откажется, построить в колонны и пешедралом отправить в Палестину. Он был твердо уверен, что миллионную толпу, возвращающуюся на историческую родину, остановить никто не захочет, даже покормят и с собой дадут. М-да, сложись на Сенатской по-другому, и будить было бы некого. А для героя Отечественной войны 1812 года генерала Милорадовича, некрасиво застреленного Каховским, переулочка в Москве не нашлось...

Такая же грустная участь постигла многих государственных мужей, послуживших укреплению державы. Есть Сибирская улица, но нет улицы Ермака Тимофеевича — первопроходца Сибири. Ермакова Роща всего лишь увековечила фамилию давнего домовладельца. А как пройти на площадь Столыпина? Никак. Ее тоже нет на карте Москвы. Поразительно! Ведь в том вязком информационном натиске, что заменяет нам нынче идеологию, Петр Аркадьевич представлен как самый главный и успешный реформатор за всю нашу историю. К тому же он любимец Никиты Михалкова, который продавливал его на первое место в телешоу «Имя России», будто приятеля-режиссера на премию «Золотого орла». А вот аллея Сергея Юльевича Витте в Москве имеется. Правда, странно? Столыпина нет, а Витте есть. С чего бы? Ах, ну да, Витте как бы либерал, а Столыпин — монархист... Впрочем, это — лишь самая невинная из тех столичных нелепиц, что заставили меня усесться за недоумённо-топонимические заметки.

Когда-то, будучи молодым поэтом, я сочинил стихотворение «Прогулка по Москве», где были такие строки:

Как неярким апрелем припрятанный снег
От лучей посторонних,
Я ищу девятнадцатый век
В подворотнях...

А и в самом деле, давайте поищем XIX век, шагая по столице. Где, например, улица графа Дмитрия Владимировича Голицына. Кто такой? Ну как же! Возглавлял Москву с 1820 по 1844 год. Отец города! Забыли. Не помешал бы и переулочек генерала Джунковского, он руководил столицей в труднейшее время (1905–1915), много сделал для Первопрестольной, «утратив доверие» царя, попросился на фронт, остался после Октября в СССР и погиб в 38-м году. Это теперь уволенные начальники тихо убывают в свои заграничные замки, а царские сатрапы, как и большевистские наймиты, были куда усидчивее, скромнее и патриотичнее.

Но может быть, мы найдем улицу Николая Александровича Алексеева? Кто такой? Удивительный человек! Он был с 1885 по 1893 год московским головой. Этот предприниматель, пошедший, говоря по-нынешнему, во власть, устроил в столице современную канализацию, водопровод, обрел для города Третьяковскую галерею и трагически погиб от рук сумасшедшего убийцы в своем думском кабинете. Но нет, его имя тоже не увековечено. Есть, правда, улица и два переулка Петра Алексеева, известного рабочего-революционера, но это, как говорится, совсем из другой оперы. А метро «Алексеевская» поименовано так в память старинного села. Раньше станция называлась «Щербаковская» — в честь Александра Щербакова, с 38-го по 45-й возглавлявшего Москву и организовывавшего оборону столицы от фашистов. Но поскольку он был из «гнезда Иосифова», то его имя в 90-м исчезло с карты города вместе с именами Жданова и Куйбышева. Хотя в то же время улицы Шверника и Орджоникидзе, других сталинских соратников, сохранились как ни в чем не бывало. Чудеса!

Двадцать лет нам внушают, что Российская империя подошла к Первой мировой войне в небывалом расцвете, кормила весь мир отборным зерном. Это — правда, как и то, что собственные подданные хронически недоедали и даже порой голодали. Нас уверяют, что Октябрь был катастрофой, красным колесом, прошедшим по цветущей стране, что Белое движение потерпело крах из-за того, что каппелевцы, марковцы и дроздовцы были чисты, наивны, благородны, а потому бессильны против злобных шариковых, вооруженных винтовками Мосина и возглавляемых швондерами в кожаных тужурках. Допустим. Но в таком случае покажите мне хотя бы переулочек генерала Лавра Корнилова, поднявшего знамя борьбы с богоборческим режимом! Проводите меня к бульвару генерала Деникина, на улицу адмирала Колчака или хотя бы в тупичок Врангеля! Увы, в топонимике Москвы нет ничего, напоминающего о мучениках белой идеи.

Зато есть Абельмановская улица и площадь Абельмановской заставы. Названы так в честь большевика Николая Абельмана, погибшего при подавлении левоэсеровского мятежа в 18-м. Есть улица штурмовика Зимнего дворца Антонова-Овсеенко. Имеется улица Баумана, сохранившая имя революционера, убитого во время событий 1905 года. Есть улица Сергея Лазо, героя Гражданской войны, сожженного японцами в паровозной топке. Мы доезжаем до станции метро «Добрынинская» и можем гулять по четырем Добрынинским переулкам, названным в честь Петра Добрынина, организатора Красной гвардии. Имеется и улица Маршала Тухачевского, не только продувшего Варшавскую операцию, но и травившего газами тамбовских повстанцев... Есть улицы организатора Красной армии Подвойского и целых шесть проездов Подбельского, наркома почт и телеграфов, которые взяли прежде всего. Потом он усмирял Ярославское восстание и умер в 20-м от тифа. Сохранена память о лихих революционных матросах Железняке и Дыбенко. Осталась улица, носящая имя секретаря Ленина большевички Фотиевой, приглядывавшей за больным шефом. Есть улицы пламенных большевичек Елены Стасовой и Инессы Арманд, которая была, как теперь известно, последней любовью вождя мировой революции.

Сам я рос в Балакиревском переулке в полной уверенности, что этот кусочек старой Москвы зовется так в честь русского композитора из «Могучей кучки»: тогда не вешали на стенах таблички, объясняющие происхождение и смысл названия. Лишь со временем мне удалось узнать, что бывший Рыкунов переулок переименован в честь большевика, рабочего пуговичной фабрики Николая Балакирева, участвовавшего в октябрьских боях и умершего опять же от тифа на колчаковском фронте. После этого уже не кажется странным, что нетронутыми остались улицы Дундича, Боженко, Щорса и Чапаева. Все-таки легендарные люди, про них сняты фильмы. А вот память мальчишек-юнкеров, засевших в 17-м в Кремле и тщетно пытавшихся защитить законную власть, никак не увековечена.

В общем, в Москве остались десятки, если не сотни названий, хранящих для потомков имена борцов за власть Советов. Разумеется, недопустимо вычеркивать из истории столицы людей, установивших строй, при котором страна не так уж плохо прожила семьдесят лет. Многое из советских достижений я бы мечтал перенести в наше время. И такое обилие «красных» имен не вызывало бы у меня неприятия, если бы при этом целые пласты отечественной истории не выпали из столичной топонимики. Ну скажите, зачем нам с вами революционный пуговичник Балакирев, забытый уже при советской власти, если нет улицы имени его великого однофамильца? Зачем нам Клара Цеткин, если нет улицы княгини Софьи Щербатовой, великой благотворительницы, создавшей в Москве сеть приютов и богаделен?

В 90-е годы на мутной волне молодого, задорного антисоветизма были переименованы многие улицы Москвы. Например, улицу Горького сделали Тверской. И поделом — не дружи с большевиками. А с другой стороны, с кем еще дружить «буревестнику революции»? Улица Грибоедова снова стала Малой Харитоньевской, улица великого драматурга Островского — Малой Ордынкой, переулок писателя-страдальца Николая Островского, чья житийная повесть «Как закалялась сталь» переведена на все мировые языки, стал зваться Пречистенским, хотя до 37-го именовался Мертвым по имени домовладельца Мертваго (не путать с Живаго). Очевидно, в данном случае тяга к благозвучию победила порыв к исторической аутентичности. Площадь Маяковского снова стала Триумфальной. Площадь Лермонтова — Красными Воротами. Улица Герцена обернулась Большой Никитской, улица Алексея Толстого — Спиридоновкой. А ведь в ту пору уже имелись площадь Никитских Ворот, сохраняющая вечную память о Никитском монастыре, а также Спиридоньевский переулок. Зачем же было трогать больших писателей? Кстати, улица пролетарского поэта Филиппа Шкулева, автора песни «Мы кузнецы, и дух наш молод...», сохранена в неприкосновенности. С чего бы это?

Первоначальный замысел ясен и логичен: вернуть дореволюционные названия, дабы восстановить историческую справедливость, и убрать с карт скороспелые плоды большевистского своевольства. Согласен. Но тогда почему улицу Дурова не переназвали обратно Божедомкой? Возможно, те, кто занимался переименованиями, посещали в детстве Уголок Дурова, вспомнили, прослезились и пощадили великого дрессировщика. Но ведь и «Золотой ключик» они наверняка читали. Однако Алексею Толстому это не помогло. Так же непонятно, почему Большая Коммунистическая не стала, как встарь, Большой Алексеевской в честь храма митрополита московского Алексия, а сделалась вдруг улицей Солженицына? Думаю, великому правдопроходцу и справедливцу это бы не понравилось. Или вот еще любопытный пример. Долгие годы в центре была улица Дмитрия Медведева, Героя Советского Союза, писателя, автора мемуаров «Это было под Ровно», но потом ей вернули прежнее название Старопименовский переулок, а имя литератора-партизана присвоили в 2005-м улице в районе Косино-Ухтомский. Разве нельзя было так же поступить с писателями, куда более значительными? Не понимаю! Нечто похожее случилось и со Станиславским. Переулку, носившему имя великого реформатора сцены, вернули прежнее название — Леонтьевский, а улицей Станиславского стала былая Малая Коммунистическая. При этом как-то незаметно потеряли улицу Немировича-Данченко, зато у нас снова есть Глинищевский переулок. Какое счастье!

Идем по Москве далее. Если застой 70–80-х погубил страну, как ныне принято считать, то почему остался проспект

Андропова, и к стене его дома на Кутузовском привинчена мемориальная доска? А если застой был не так уж плох, во всяком случае, не столь вреден стране, как гайдаровские реформы, то почему у нас в таком случае нет улицы Брежнева? И почему мемориальная доска в честь генсека, руководившего страной без малого двадцать лет, висит не на Кутузовском проспекте, где он жил в квартире, на которую бы не позарился теперь чиновник средней руки, а прибита она почему-то около Бранденбургских ворот в Берлине на посмешище туристам. При этом в Строгине осталась улица члена брежневского Политбюро Федора Кулакова. Абсурд!

И таких странностей в нашем городе хоть отбавляй. Исчезла вкупе с памятником площадь Дзержинского — главного чекиста, пролившего во имя революции немало кровушки. Может, и правильно исчезла — «не губи несчастных по темницам»! Но тогда почему осталась улица Вячеслава Менжинского, сменившего Железного Феликса на посту председателя ВЧК–ОГПУ? Почему сохранена улица Михаила Кедрова — начальника Особого отдела ВЧК? Зачем нам улица пламенного австровенгра Бела Куна, ох и полютовавшего в России, организовавшего вместе с Розалией Землячкой в Крыму массовое истребление белых офицеров, уже сложивших оружие. Да, улица, полвека носившая имя кровавой Землячки, ныне называется Большой Татарской. А вот имя одного из организаторов уничтожения последнего русского императора и его семьи — Петра Войкова — продолжают носить станция метро, улица и целых пять проездов! Иногда дело объясняют так: мол, Войкова увековечили не как цареубийцу, а как советского полпреда, погибшего на посту. Володарский тоже был убит на посту. Но его улица теперь называется Гончарной. Исчез без следа из городской топонимики Свердлов, куда более значительный деятель Октября, вдохновитель расстрела Романовых. А Войков, как заговоренный, хотя пишут об этом и возмущаются двадцать лет. Вы что-нибудь понимаете? Я ничего не понимаю...

И снова хочется спросить: если Октябрьская революция — катастрофа, своротившая Россию с цивилизованного пути, то почему же в эти два десятилетия, когда антисоветизм стал нашей потаенной государственной идеологией, не появились площади, улицы и переулки, носящие имена тех, кто противостоял надвигавшейся буре. Где улицы Победоносцева, Каткова, Суворина, Дубровина, Михаила Меньшикова? Где бульвар героев Ледяного похода? Что происходит? Почему в учебниках одна история, а на московских улицах другая? Кстати, в Первопрестольной не нашлось места многим великим русским историкам — Нестору, Татищеву, Соловьеву, Костомарову, Иловайскому, Бартеневу... «Минуточку, а Костомаровская набережная и улица Татищева?» — встрепенется бдительный москвич. Увы, эти названия сохранили фамилии бывших домовладельцев и к нашим «геродотам» отношения не имеют. Точно так же не имеют отношения к великому издателю Сытину, насытившему Россию доступными дешевыми книгами, Сытинские переулок и тупик. Все-таки частная собственность — великая вещь: прикупил домик и остался в Истории. К счастью, в центре сохранились улицы историков Ивана Забелина и М.П. Погодина, последняя даже с мемориальной избой. Да ещё имеется проезд Николая Карамзина, упирающийся в Московскую окружную дорогу. М-да, так далеко великого историографа власть не посылала даже после крамольной «Записки о новой и древней России».

И еще об истории. Конечно, за двадцать лет постсоветской власти в московских названиях поубавилось число революционеров-демократов и разных прогрессистов. Пострадали Герцен, Белинский, Грановский, Огарев, Некрасов. Некрасовская улица к автору «Русских женщин» отношения не имеет. Впрочем, зацепились и уцелели улицы-переулки революционеров-демократов Добролюбова и Чернышевского, анархистов Бакунина и Кропоткина. А вот их оппонентам-славянофилам не везло всегда: и при царях, и при коммунистах, и при демократах. Третье отделение за ними следило, тиранило, их даже сажали в Петропавловскую крепость, как и революционеров. За что? Вроде бы Русь к топору не звали, уповали на крестьянскую общину и ставили православие выше папизма. Одна беда: слишком большое значение придавали русскому народу. А если учесть, что высший слой в империи был интернациональным и поляков с остзейцами толпилось у трона едва ли не больше, чем лиц «титульной национальности», нелюбовь начальства к славянофилам понять можно. Но и после Октября эти старорежимные беды им не зачлись. Щедро воздав жертвам прежнего строя и увековечив их в городских названиях, большевики даже не вспомнили про братьев Аксаковых и Киреевских, Хомякова, Самарина. Самаринская улица к последнему опять же никакого отношения не имеет. За близость к славянофилам пострадал и самый московский из поэтов — Аполлон Григорьев, не получив прописки даже в малюсеньком переулке:

Поговори хоть ты со мной,
Гитара семиструнная...

Надо ли объяснять, что новый правящий слой, певший Интернационал при каждом удобном случае и порой плохо изъяснявшийся по-русски, зато сплоченный вокруг ЦК, вообще считал славянофилов просто разбавленными черносотенцами. Допустим. Но потом-то, после 91-го, когда все бросились восстанавливать храмы и атрибуты имперского прошлого, вплоть до двуглавого орла? Полноте! Достаточно вспомнить, что за публика внесла Ельцина в Кремль, чтобы сообразить: в «новой России» у славянофилов не было никаких шансов.

Зато в московской топонимике до сих пор широко представлен революционный интернационал. Я не говорю о титанах и классиках коммунизма: улицы Марксистская, Энгельса, Розы Люксембург, целых три — Бебеля... Заслужили, видимо. Но зачем нам в Москве столько мирового коммунистического, рабочего и прочих прогрессивных движений? Судите сами: мы ходим по улицам Вильгельма Пика, Улофа Пальме, Сальвадора Альенде, Иосипа Броз Тито, Хулиана

Гримау, Луиджи Лонго, Ле Зуана, Саморы Машела, Хо Ши Мина, Миклухо-Маклая... Уп-с-с... Извините, это наш русский путешественник. Кроме того, у нас есть площади Кабрала Амилкара — борца за свободу островов Зеленого мыса, Виктора Кадовилья — рабочего вожака Аргентины, Мартина Лютера Кинга, Джавахарлала Неру, улица Саляма Адиля... Есть даже улица первого президента Чехословацкой академии наук Зденека Неедлы. А вот улицы, названной в честь первого президента Российской академии наук княгини Екатерины Дашковой, нет и в помине. Чудеса!

Зато увековечены в городских названиях имена мастеров культуры тех советских республик, которые двадцать лет назад — кто с радостью, кто с неохотой — покинули «нерушимый союз народов». Можно прогуляться по бульвару Яна Райниса и улице Соломеи Нерис. Кстати, улицы Марины Цветаевой в Москве нет. Зато есть проезд Кристионаса Донелайтиса, литовского баснописца XVIII века. Вы думаете, мне жалко? Не жалко, пусть будет. Жалко, что в Москве нет даже переулочка нашего великого баснописца Ивана Андреевича Крылова. Общеизвестная русская всеотзывчивость не должна все-таки достигать градуса идиотического самозабвения. И сегодня, когда прибалтийские лимитрофы выскребли со своих улиц любые названия, напоминающие об изначальном русском, как, впрочем, и немецком присутствии в этих краях, возникает чувство недоумения. Мы, конечно, большой и добрый народ, но сколько можно отвечать на мелкодержавное хамство прежних братских республик широтой и великодушием? Может, последовать совету Достоевского и слегка сузиться?

Нет, я не призываю немедленно переименовать улицу Вилиса Лациса в улицу Виля Липатова. Пусть остается: все-таки человек был не только писателем, но и председателем Совета национальностей Верховного Совета СССР. И когда? В тяжкие времена «оккупации» Прибалтики Советским Союзом, который, кстати, подарил в 45-м гордым жмудинам их столицу — Вильно, этим городом прежде владели не менее гордые поляки. Кстати, за «оккупацию» литовская власть хочет с нас получить денежную компенсацию. А любопытно узнать: сколько стоит Вильнюс? Повторю: я не призываю убирать следы былой всеотзывчивости, я просто задаю вопрос: уместно ли такое интернациональное простодушие, когда множество выдающихся российских деятелей культуры никак не запечатлены на карте города. Где улицы Загоскина, Кустодиева, Шаляпина, Рахманинова, Петрова-Водкина, Салтыкова-Щедрина, Блока, архитекторов Мельникова, Весниных (была — теперь Денежный переулок), Прокофьева, Улановой, Чайковского (была — теперь Новинский бульвар), Мейерхольда, Тукая? Почему у нас есть улица Багрицкого и нет улицы Заболоцкого? Есть улица Дунаевского и нет улицы Шостаковича? Есть улица Симонова и нет улицы Леонова? Есть улица полузабытого писателя Панферова и нет улицы великого Андрея Платонова? Почему улица имени не самого выдающегося литератора Серафимовича находится в районе Якиманки, а улицу Шолохова, крупнейшего русского писателя XX века, сослали за Окружную, в Ново-Переделкино? Где логика? Где система? Где здравый смысл? Даже про Высоцкого забыли, а жил, кстати, он на Малой Грузинской, напротив кафедрального костела. Может, достаточно одной Большой Грузинской?

В предисловии к добротной книге «Москва. Именные улицы города» (М., 2010) читаем: «В Москве существует удивительное переплетение имен, которые захватывают исследователя, приоткрывают неизведанные факты. Некоторые имена забыты, и их значение современному гражданину покажется преувеличенным. Однако все это — наше достояние...» В самом деле, сегодня трудно понять, почему есть улица Асеева и нет улицы Пастернака, есть улица Демьяна Бедного и нет улицы Мандельштама, имеется улица полузабытого Корнейчука и не отыщешь улицу Булгакова. Существует улица странного, конспирологического дипломата-финансиста Ганецкого (Фюрстенберга), работавшего позже начальником Государственного объединения музыки, эстрады и цирка и расстрелянного в 37-м, надо полагать, не за погрешности в цирковом репертуаре. При этом никак не увековечен выдающийся советский государственный деятель Вознесенский, планировавший перестройку нашей экономики во время войны и сгинувший по «Ленинградскому делу». Зато у нас есть целых шесть Советских улиц, разбросанных в разных концах города!

Нет-нет, я вовсе не за то, чтобы снова все переименовать. Хватит — напереименовывались. Но, с другой стороны, отсутствие многих знаковых, исторически необходимых имён на стогнах столицы — это какое-то клиническое беспамятство. Представьте себе семейный фотоальбом, где есть снимки тети из Тотьмы и дяди из Ростова, но нет отца с матерью. Нонсенс! Это я снова про Ивана Калиту. Что же делать? Как исправить ситуацию, никого не ущемив? Очень просто. У нас в Москве множество названий, которые выполняют, уж простите, примерно ту же функцию, что и соя в докторской колбасе. Как понимать, например, Газгольдерную улицу, Факультетский переулок, Магистральный тупик и Федеративный пруд? Что такое Трудовая аллея? Куда прикажете девать три Новоостанкинских улицы, три Тишинских, четыре Стрелецких, пять Котельнических и шесть Новоподмосковных переулков? Ладно, так и быть, три Новомихалковских проезда можно зарезервировать за известным семейством, но к чему городу три Хорошевских, три Павелецких, четыре Волоколамских, шесть Рощинских проездов, россыпь Внуковских и Владимирских улиц, а также четыре Самотечных переулка? И если вернуться к цареубийству: зачем нам пять Войковских проездов? У нас целое гнездо Соколиных Гор и Соколиных улиц! Зачем нам несколько Полевых улиц и переулков в разных концах города? Я уже не говорю о сладких парочках, вроде 1-го и 2-го Волконского переулков, 1-й и 2-й Вольских улицах, 1-м и 2-м Вражских переулках. А 1-я и 2-я Рейсовые улицы! Вот ведь — так и чуешь дыхание седой русской истории: Ре-е-ейсовая! Да что там Рейсовая! У нас пять Кабельных улиц и два проезда! Но и это еще не все — наша топонимическая сокровищница неисчерпаема: три Сетуньских, четыре Красносельских, шесть Железногорских, семь улиц Лазенки, шестнадцать Парковых... Назвали бы хоть одну из них в честь академика Лихачева, исследователя дворянской парковой культуры России. Нет, мы будем упорно ходить по шестнадцати Парковым улицам и одиннадцати Радиальным, но принципами не поступимся! Кстати, в Москве есть четыре Лихачевских переулка, не имеющих отношения к академику-гуманисту.

Нет, я не против исторических корней, я и сам, если честно сказать, полупочвенник, встану грудью и не дам срыть Лихоборские Бугры или выкосить Кашенкин Луг! Но помилуйте: Строительный проезд, Технический переулок, Рабочая улица (бывшие Коломенки), Крестьянские площадь, улица и тупик, Ткацкая улица (бывшие Благуши), Товарищеский переулок (бывший Дурной), три переулка Тружеников (бывшие Воздвиженские)... Имеется также полный Заводской комплект: улица, шоссе, переулок, проезд и тупик. Скажите, это память о чем? О классовой солидарности? Тогда где Интеллигентский тупик? Вот шоссе Энтузиастов — это да, это я понимаю. Красиво! «Нам нет преград ни в море, ни на суше!» А улица Дружбы? Это еще что такое? Дружбы с кем? Против кого? Непонятно.

Конечно, все можно объяснить, а кое-что даже понять. Стремительный рост Москвы часто опережал фантазию ответственных лиц. К тому же именную топонимику столицы нужно согласовывать в Кремле, а там могут неверно понять, рассердиться, утратить доверие... Себе дороже. Лучше назвать улицу Ровной или Стандартной, а проезд Фармацевтическим или Трикотажным и спать спокойно. Конечно, я не специалист, и, вполне вероятно, записному москвоведу или городскому блюстителю мои заметки покажутся наивными, неточными, даже местами возмутительными. Заранее прошу прощения! Я просто хотел взглянуть на названия наших улиц с точки зрения здравого смысла, которого порой лишены эксперты, погруженные в свою специальность, как мыши в крупу. Убейте, но никто не убедит меня в необходимости трех Радиаторских улиц, а также Электродной улицы, Электродного переулка и Электродного проезда, если у нас не увековечены имена великих учёных и инженеров, например: зачинателя ракетно-космической техники Владимира Бармина, создателей лазера Александра Прохорова и Николая Басова (Басовская улица не про него), отца нашей электронно-вычислительной техники Сергея Лебедева... Зачем, скажите, нам аж три Балтийских переулка, если забыт великий флотоводец адмирал Кузнецов? А ведь он вопреки директивам, рискуя головой, подготовил и осуществил отпор фашистам на Балтике. Если бы остальные военачальники встретили Гитлера так же, как Кузнецов, ход войны мог быть иным, а жертв куда меньше. Но у нас нет улицы адмирала Кузнецова, зато есть Балтийская улица и три Балтийских переулка. Зачем, скажите, нам улицы и проспекты в честь 10–40–50–60-летия Октября? Может, довольно с нас Октябрьской улицы и Октябрьского Поля? А вот переулочек Февральской революции не помешал бы. Кстати, за исключением генерала Брусилова, герои и подвиги Второй Отечественной, сиречь Германской войны, никак не запечатлены в городских названиях. Видимо, тайная вина пораженчества скреблась в душе правящей партии и заставляла избегать лишних упоминаний об «империалистической бойне». Мол, какие на бойне герои?! Но коммунисты уже двадцать лет не при власти. Скоро столетие Первой мировой. Может, наконец очнёмся от исторической амнезии? Я не говорю уже о Сталинградской битве, оставившей след в топонимике многих столиц мира, кроме, понятно, Москвы. Имя Сталина в Первопрестольной — табу, как, впрочем, и имя Хрущева — его сподвижника-разоблачителя. Правда, странно?

А теперь попытаемся понять, почему мы живём в таком историко-топонимическом абсурде? Ведь, в сущности, гуляя по столице своей страны, гражданин должен как бы проходить по залам исторического музея, где продуман каждый стенд, каждая витрина, каждый экспонат. Однако шагая по Москве, ощущаешь себя человеком, попавшим в мозаичный бред. Думаю, главная беда в том, что у нас нет внятной государственной идеологии, а значит, и консолидированной версии отечественной истории. Поверженной во Второй мировой войне Японии запретили иметь армию. А России, кстати, единственной из частей поверженного и расчленённого СССР, запретили иметь идеологию. Не знаю даже, что хуже. Именно поэтому наша история не только непредсказуема, она — непримирима. Я не наивен и понимаю: на тот же советский период никогда не будет единого взгляда. Чудом уцелевший потомок обобранного дворянского рода, отпрыск пламенного троцкиста, расстрелянного в подвале НКВД, и правнук безземельного крестьянина, выбившегося в наркомы, — все они будут по-разному относиться к событиям, случившимся между 17-м и 91-м. И что? В Вандее до сих пор с омерзением и ужасом вспоминают Великую Французскую революцию, что не мешает им петь Марсельезу. Кстати, умолчание и замалчивание крупных исторических явлений и фигур началось не при советской власти. Взгляните на памятник тысячелетию Руси в Великом Новгороде: царя Ивана Васильевича вы там не найдете. Его первая жена Анастасия есть, его советник Адашев есть, а самого Грозного нет. Почему? А потому что монумент ставили при либеральном Александре II, который стеснялся своего крутого предшественника на троне. Вот так-то...

Конечно, нельзя ни в коем случае запрещать ученым спорить о роли Грозного или Сталина в истории, полемизировать о варягах, древности русского народа и других сложных вопросах. Не нужно мешать людям по вкусу любить «титанов» и ненавидеть «антихристов»: Петра Первого, Ленина или же Ельцина. Мы живем в свободной стране. Но при этом нам, как воздух, необходима непрерывная, преемственная история Отечества, без провалов, лакун и умолчаний. Нам нужна договорная, согласительная версия русской истории, пусть в чем-то сглаженная и спрямленная, но зато общегражданская — дающая внятную, последовательную картину развития государственности от зарождения до наших дней. Невозможно? Почему? Другие же страны с этим справились, те же Штаты, например. А уж у них, Соединенных, противоречия между потомками коренных индейцев, первопоселенцев, афроамериканцев и мексиканцев будут покруче, чем наше противостояние «белых» и «красных». Да, кому-то не нравится, когда ругают «палача» Сталина, а кому-то обидно, если начинают перечислять неславянские фамилии начальников ГУЛАГа. Что ж, надо договариваться, искать компромисс. Официальная история — это искусство умолчания ради национального единства. (Не путать с фундаментальной наукой, где примиряет лишь факт!) Если мы наконец обретем консолидированную, непрерывную версию отечественной истории, тогда станет понятнее масштаб событий и деятелей, станет яснее, кого следует увековечивать в городских названиях, а кого необязательно.

И начинать надо с Москвы. Хотим мы того или не хотим, но именно столица формирует мировоззренческие парадигмы и административный канон, по которому, нравится нам или не нравится, живёт вся страна — по крайней мере в общественной сфере. Едва появятся логика и осознанность в столичной топонимике, тогда, уверяю вас, с бескрайних просторов Отечества сами собой исчезнут бесчисленные улицы Розы Люксембург, Урицкого, Володарского, Коммунистические и Коминтерновские проспекты, а заодно с ними и Трикотажные, Электрические, Элеваторные, Слесарные, Монтажные переулки... Для них найдутся иные названия, укорененные в истории городов и весей, сразу отыщутся имена праведников, подвижников, благодетелей, мудрых руководителей, местных любимцев муз или забытых героев. А такими наша земля обильна. Пусть при этом обязательно останутся в топонимике следы потрясающей советской эпохи, но по возможности в той пропорции, в какой она, эта эпоха, соотносится с тысячелетней историей Державы. И когда-нибудь, я верю, гость Москвы, спросив прохожего аборигена или просвещенного гастарбайтера, как попасть на проспект Ивана Калиты, получит привычный ответ:

— Налево, потом — направо, а дальше — прямо!

«Литературная газета», июль 2012 г.

Два кризиса в одной стране

— Я литератор и воспринимаю нынешний кризис как явление скорее социально-нравственного порядка. Экономисты же, комментирующие этот мировой финансовый сбой, напоминают мне порой гинекологов, взявшихся рассуждать о тайнах любви. Беда, по-моему, заключается прежде всего в глобализации гедонистического образа жизни, о чем в свое время предупреждал философ Александр Панарин. Если опустить межрекламные паузы на ТВ и суммировать вдалбливаемое, то окажется, что у человека в жизни нет никаких других проблем, кроме как: купить свежий автомобиль, навороченный мобильник, отдохнуть у моря, подобрать правильный крем после бритья и надежную гигиеническую прокладку...

А ведь бездумный гедонизм верхушки, крошками которого по нисходящей питались все остальные слои общества, погубил уже не одну цивилизацию. Не случайно механизм кризиса был запущен именно в США, самой потребляющей стране, где все, начиная с Белого дома, живут в кредит, явочным порядком взятый у остального человечества. Есть выражение «красиво жить не запретишь!». Но не исключено, что вскоре мировое сообщество будет вынуждено принять какую-нибудь хартию о запрете красивой жизни, ибо тающие ресурсы нашей планеты уже сейчас напоминают холодильник российского пенсионера. Боюсь, «конец истории» закончился, и движущей силой бурного XXI века станет борьба за красивое выживание. Кстати, одно из значений греческого слова «кризис» — «поворот».

Конечно, в этой ситуации меня больше всего беспокоит судьба России. Во-первых, это моя страна, а во-вторых, кризис нас настиг в тот момент, когда мы, как говорится, от ворон отстали, а к павам не пристали. В самом деле, та общественно-экономическая модель, которая была навязана нам в 90-е не без помощи традиционной для отечественной истории пальбы по правительственным зданиям, по-настоящему так и не заработала. «Капитаны большого бизнеса» (сколько надежд на них возлагалось!) оказывались зачастую обычными пиратами. И не случайно по всем законам психоанализа их неудержимо влечет к обладанию яхтами, способными, судя по стоимости, нести на борту ядерное оружие. О какой социальной ответственности олигархов можно говорить, если добиться от них финансирования социально значимых проектов власть может, лишь пригрозив отобрать партбилет, сиречь контрольный пакет акций! Вероятно, я наивный человек, но мне не понятно, почему гражданин России на деньги, заработанные в нашей стране да еще не самым законным образом, строит в Турции гостиничный комплекс, по сравнению с которым Тадж-Махал — просто отельчик с двумя звездами. Да, разразился скандал... Но это потому, что застройщик оборзел да и кризис в стране. А если бы не кризис, а если бы не оборзел? Москва так бы и жила с мягким шанкром «Черкизона» на белокаменном теле?

Есть и еще одно тревожное обстоятельство: большинство россиян, привыкнув к ценностям «сувенирной демократии», так и не приняли нового социального устройства страны и не смирились с чудовищным расслоением, не ведомым ни одной из «цивилизованных стран», на которые мы равняемся так, что аж трещат геополитические позвонки. Моисей сорок лет водил свой народ по пустыне, чтобы соплеменники забыли, как сытно жили в Египте (см. «Исход», гл. 16, ст. 1–3). Нас уже без малого двадцать лет водят по зыбучим пескам монетаризма и барханам бюджетного предпринимательства, но скудные социальные гарантии и относительное равноправие советского социума еще в памяти десятков миллионов. Что ж, осталось всего-то лет двадцать помыкаться.

Однако, чем глубже экономический кризис, тем ясней историческая память народа! И поверьте мне (ведь писатель — это социальный соглядатай): та нелюбовь, которую советские люди испытывали к партократам, — всего лишь легкое раздражение в сравнении с тем, что сегодня большинство испытывает к обитателям Рубляндии и ее филиалов по всей стране. А ТВ, как нарочно, опять взахлеб сообщает о новом российском миллиардере в списке «Форбса». Так в 30-е годы прошлого века «Правда» торжествовала по поводу пуска новой ГЭС. Кстати, второе значение греческого слова «кризис» — «исход».

И вот что мне, бестолковому, еще не понятно. Почему даже в тучные нефтяные годы мы не восстановили хоть отчасти реальную экономику? Сельское хозяйство, например? Почему кризис мы встретили фактически на тех же руинах, оставленных нам младореформаторами? Неужели все «Форбсу» досталось? Я постоянно следую совету Гоголя, а он рекомендовал собратьям по перу «проездиться по России». Вот недавно побывал в одной русской губернии. Поехали в историко-культурный заповедник, в глубинку. Дорога такая, точно по всей трассе старательно отбомбились «мессеры». Обочь пустые разрушенные коровники и свинарники — памятники советской колхозной архитектуры. Ни одной новой сельхозпостройки и единственное стадо буренок на сто километров! Налево и направо не золотые хлеба, а желтые одуванчики, море одуванчиков. Я спросил сопровождавшее лицо: «У вас теперь только одуванчики?» «Почему же? — обиделось лицо. — Сойдут одуванчики — пойдут колокольчики. Тоже очень красиво!»

Ей-богу, я не шучу! И не до шуток мне вовсе. Что-то явно не срастается в Отечестве... Если свободные фермеры, допустим, не сумели воплотить аграрные грезы комиссаров умного рынка, то кто должен этим озаботиться? Компартия Китая? Или Госдеп, который давно уже намекает на то, что русские оказались неэффективными собственниками одной седьмой части суши? Мне кажется, в нашей стране теперь два кризиса. Первый, общемировой экономический, подкрался недавно. Второй, хронический, кризис тянется давно, и называется он «государственная недостаточность». Два кризиса в одной стране — не много ли будет? Кстати, у греческого слова «кризис» есть еще и третье значение — «решение»...

Газета «Известия», октябрь 2009 г.

День суверенных одуванчиков

Двадцать лет назад завершилась история самого большого государства мира — СССР. 12 июня 1991 года был избран первый президент Российской Федерации Ельцин. С тех пор страна отмечает День принятия декларации о государственном суверенитете РСФСР, переименованный в День России. По моим писательским и редакторским наблюдениям, большинство наших граждан 12 июня настоящим праздником не считают. Не потому, что не хотят иметь державный, объединяющий страну красный день календаря, — напротив, необходимость в таких датах очень велика. Но люди умеют думать и анализировать прошлое и настоящее...

Скажем, для прибалтийских государств, для той же Грузии, например, распад Советского Союза означал обретение собственной государственности. Для них слово «суверенитет» имеет реальный смысл. Ведь «суверенный» в переводе на язык улицы означает «сам себе начальник». Но какой суверенитет обрела Россия в 1991-м, от кого освободилась? От исконных своих территорий, от 25 миллионов русских, оказавшихся за границей?

Людей, недовольных своей нынешней жизнью, чтобы окоротить их, иногда спрашивают: «Вы, что, хотите назад — в СССР?» Вопрос лукавый. Конечно, если человек служит в столичном банке или «присосался» к нефтепроводу, он не захочет работать в скромной советской сберкассе или очутиться на буровой вышке. Но если он сидит без зарплаты в вымирающей деревне, где раньше был процветающий колхоз-миллионер, или его вышвырнули с нарочно обанкроченного завода, такой человек, поверьте, с удовольствием вернулся бы в СССР. «А как же свобода?» — воскликнет правозащитник. Свобода — это всего лишь приемлемая степень принуждения. Не более! Впрочем, так было всегда: при изменении строя или режима, как поется, кто-то теряет, а кто-то находит. Весь вопрос в том, кого больше: потерявших или нашедших?..

Как драматург, я много езжу по стране на премьеры своих пьес и давно заметил: по-настоящему что-то меняется, улучшается только в центральных городах. При каждом областном городе есть, конечно, своя «Рублевка» с особняками, которую не любят. Все остальное в чудовищном состоянии. Здания дореволюционной и советской постройки буквально сыплются на голову. Едешь по областной дороге, и такое ощущение, что тут недавно «мессершмитты» отбомбились. В мае проехал насквозь одну среднерусскую область и не увидел ни одного целого коровника, в полях — одни одуванчики. Зачем мне, внуку русского крестьянина, в полях суверенные одуванчики?

А что произошло с культурой? Из важной духовной сферы, из государственной скрепы она превратилась в нелюбимую попрошайку. И вот что поразительно: если государство и дает деньги на творческие проекты, то именно те, которые вырабатывают в людях комплекс национальной неполноценности, усиливают депрессивные настроения, превращают наше прошлое в выгребную яму истории. В стране нет закона о творческой деятельности и творческих объединениях. Союз писателей и Союз художников по своему правовому статусу равноценны обществу любителей морских свинок. Власть к искусству относится, как к сфере развлечений, в законе так и написано, что культурное учреждение оказывает населению «культурные услуги». Значит, президент оказывает народу «руководящие услуги»? Тогда так в Конституции и запишите!

Сегодня даже те, кто принимал непосредственное участие в разрушении Советского Союза, понимают: это была катастрофа. И тем не менее на наших глазах идет совершенно неумный процесс выдавливания, изгнания из жизни советских дат, знаков, святынь, символов. Думаю, это серьезная ошибка. Ту же ошибку допустили большевики, всеми силами избавлявшиеся от праздников, связанных с царизмом. Как говорится, не выдавливайте да не выдавливаемы будете! Оставьте в покое 7 ноября, этот праздник ничем не хуже 14 июля, который во Франции чтут даже потомки гильотинированных аристократов.

Помню, в коммунальной квартире, где жила моя бабушка, обитал бывший белый офицер, он так и ходил в старорежимном френче, пошитом, видимо, из хорошего, ноского сукна. Тогда было принято всей квартирой собираться на праздники по-соседски за одним столом. И однажды, 7 ноября, кто-то из моих подвыпивших рабоче-крестьянских дядьев бросил старику: «А ты-то чего, белогвардейская морда, пьешь за наше седьмое ноября?» Он спокойно ответил: «Да, я прежде не отмечал этот праздник. До 45-го. Но после Победы он стал и моим праздником». Октябрьская революция, расколовшая, обескровившая общество, получила окончательную легитимацию у всего народа после победы в Великой Отечественной войне. Все поняли: построенная большевиками система, при всей своей жесткости и жестокости, оказалась жизнестойкой и спасла страну. 12 июня пока такой легитимации не имеет. За минувшие двадцать лет не произошло ничего такого, что примирило бы народ с распадом страны и несправедливым перераспределением национальных богатств.

По-моему, 12 июня — вообще праздник поспешный, неудобный, неестественный. В этот день стал президентом Борис Ельцин, который первый же серьезный конфликт между ветвями власти, обычный для любой демократии, разрешил с помощью танковой пальбы по парламенту, на десятилетия, если не столетия, исказив путь России к народовластию и разумному государственному устройству. Я уж не говорю о его неадекватной безответственности в Беловежской Пуще, стоившей нам исконных земель и потери геополитических обретений, оплаченных кровью многих поколений русских. Вот и получается такая двойная неловкость, которую все чувствуют, но сделать ничего не могут. Власти неловко праздник отменить, народу неловко отмечать.

Праздники должны объединять, солидаризировать общество на почве надклассовых, надполитических идей. 12 июня, наоборот, нас разобщает. Те, кто выиграл от капитализации страны и ликует в этот день, напоминают мне иной раз оранжистов в Ирландии. Меньшинство торжественно марширует, большинство злится. 12 июня, по-моему, усугубляет наш и без того хрупкий социальный мир, лишний раз напоминает о том, что в результате развала и обнищания страны горстка людей стала безумно богатой и теперь бессовестно тычет свои деньги нам в глаза, скупая зарубежные спортивные клубы, яхты-авианосцы, яйца Фаберже... Один вот олигарх с простой русской фамилией недавно пожертвовал двести миллионов долларов на реконструкцию школ в Нью-Джерси. Он бы зашел в нашу сельскую школу... Видимо, кроме фамилии, с Россией его уже ничего не связывает. На днях я прочитал в газете, что в минувшем месяце из страны утекло двадцать с лишним миллиардов долларов. Если все это — результат суверенитета, что же мы тогда празднуем?

Итак, лично я 12 июня не отмечаю. И среди моих друзей почти нет таких, кто празднует День суверенитета. Конечно, отчего же не порадоваться лишнему выходному и не выпить? Но за дополнительную праздность невозможно простить то, что было сделано со страной в 90-е. Я вообще думаю: если бы не приход Путина, не резкое изменение разрушительного ельцинского курса, России бы уже не было. Мы с вами отмечали бы День суверенитета Московии, заканчивающейся километрах в трехстах от Кремля.

К счастью, жизнь развивается циклично, волнообразно. Если сегодня у нас проводится политика государственного антисоветизма, на следующем витке истории сформируется нормальное отношение к советскому периоду, но зато придет сверхкритическая оценка нынешнего времени. Ох и полютуют будущие Познеры над «ельциноидами» и «олигархатом», ох и поборются они за переименование проспекта Академика Сахарова в проспект имени ГКЧП. Но и это пройдет... Конечно, и от нашего времени что-то в истории Отечества останется, но едва ли это будет 12 июня — день суверенных одуванчиков.

Газета «Трибуна», июнь 2011 г.

Бузите — и обрящете!

Если правая рука не знает, что делает левая, это беда. Если голова не знает или не хочет знать, что делают руки, это катастрофа...

Несколько дней назад я побывал на Пекинской книжной ярмарке. Встретившись со своими китайскими читателями под обширной и «украсно украшенной» сенью стенда московского правительства, я пошёл скитаться по стадионным просторам, отданным разноязыким книгам... И невзначай набрёл на павильон Российской Федерации, удививший своей сиротской скромностью. Иные соседние павильоны, пропагандировавшие издательские успехи держав с госбюджетом Домодедовского района Подмосковья, выглядели куда достойнее. Впрочем, сколько денег выделила страна на пропаганду российской книги в Китае, а главное — сколько дошло по назначению, неизвестно, да и не моего ума дело, для этого у нас в Отечестве существуют палаты умов.

Но ещё более, чем приютская неброскость отечественного стенда, удивил меня подбор книг, представленный российской стороной. Скажу прямо: к литературно-издательской реальности современной России этот, извините, ассортимент имел такое же отношение, как дружеское пение под рюмку к академическому хору Большого театра. Я, увы, не обнаружил многих достойных имён, и наоборот... Ну скажите, почему, например, уважаемый литератор Дмитрий Липскеров представлен в Пекине во всех дуновениях своего легкокрылого таланта, а книг Белова или Распутина нет вообще? Распутин, между прочим, самый сегодня почитаемый и изучаемый русский писатель в Китае.

Разумеется, как всегда, организаторы напрочь забыли, что мы — страна многонациональная, а следовательно — многоязыкая. Даже странно господам из Агентства по печати напоминать, что книги у нас пишут не только на русском, но и на татарском, якутском, аварском... С большим трудом под грудой красочных Андерсенов и братьев Гримм удалось отыскать сборник ингушских сказок. И на том спасибо! Китай — страна со своими межэтническими проблемами, и я заметил, как удивило хозяев это равнодушие России «к всяк сущим в ней языкам».

«ЛГ», кстати, уже не раз писала о странной неприязни ведомства господина Сеславинского к литературам братских народов. Как-то не вяжется всё это с трубно провозглашённой задачей укрепления федеративных связей. Но что мнение свободной печати — Агентству по печати! Как говорил Чапай, наплевать и забыть. За последние пятнадцать лет я не припомню ни одной ярмарочной делегации, в которой были бы достойно представлены национальные писатели, зато бывших соотечественников, коротающих ностальгию сочинительством, в избытке. Одно радует: писатели-эмигранты на встречах с читателями бранят былое Отечество куда сдержаннее, нежели литераторы, имеющие российские паспорта. Эти уж (всегда примерно одна и та же компания) костерят Расею-матушку с её тандемами наотмашь... И заметьте, за казённый счёт!

Наблюдая это стойкое небрежение национальными литераторами, я задаюсь вопросом: «Неужели там, за зубчатой стеной, никто не помнит, что именно националистически настроенные писательские ватаги в советских республиках вывели и запустили идейный вирус распада СССР, а кое-где и возглавили штабы так называемых народных фронтов, выкинув чёрный флаг лютой русофобии. Сколько можно злить и унижать невниманием творческую элиту наших автономий? Неужели не понятно: чем меньше народ, тем большим авторитетом там пользуется писатель — гарант и хранитель национального языка. Зачем мы жонглируем тротиловыми шашками в нашем непрочном доме? Так и хочется, как в анекдоте, спросить: вы это нарочно или специально?

Пытаясь уловить хоть какую-то логику в подборе книг на стенде, я на самом видном месте обнаружил отдельный стеллаж, где в гордой самодостаточности выстроился чуть ли не весь длинный список «Большой книги». Тут уж организаторы никого не забыли, проявив любовную скрупулёзность: имелась даже сброшюрованная вёрстка романа Губайловского «Учитель цинизма», ещё до выхода в «Новом мире» двинутого на премию. «Странно, — подумал я, — почему на федеральном стенде эксклюзивно пиарится одна из многих литературных премий?» Допустим, её патронирует высокий чиновник Агентства по печати Владимир Григорьев. Ну и что? Ещё более высокий чиновник — президент Путин — патронирует дзюдо, однако книг об этом виде спорта я почему-то не нашёл. О том, что «Большая книга» давно выродилась в либеральный междусобойчик, а опусы внезапных лауреатов вызывают коллективную оторопь и у читателей, и у книготорговцев, пишет теперь не только «ЛГ», но, пожалуй, вся разумная пресса. Объясните мне, почему гости Пекинской ярмарки вынуждены получать представления о современной российской литературе, взирая на книжки номинантов этой подмоченной премии?

А ведь у нас, если кто забыл, есть правительственная премия в области литературы, которой отмечаются в самом деле значительные современные российские авторы. В этом году премию получили блестящие писатели разных поколений: Андрей Турков, Юнна Мориц, Владимир Личутин, Валерий Воскобойников, Игорь Волгин... Имена! Вы думаете, я нашёл их книги на федеральном стенде? Ничуть не бывало... Почему государственное учреждение пренебрегает авторами, заслуженно отмеченными государственной наградой? Загадка. Да, обладатели правительственной премии в отличие от баловней «Большой книги» обыкновенно не ходят на Болотную площадь, но разве это такой уж серьёзный недостаток, чтобы вот так открыто игнорировать авторов-лауреатов на федеральном книжном стенде? При этом, конечно, в избытке красуются книги сочинителей, «просящих бури», — Улицкой, Быкова, Акунина... Не будучи поклонником их творчества, я с уважением отношусь к их недавно проснувшимся мятежным чувствам, и, если им выпадет доля «пуссирайток», я грудью встану на защиту. Но мне милы также и те литераторы, которым белый лист бумаги дороже белой ленточки. А вот почему «мирные» писатели немилы Агентству по печати — это вопрос. Какой сигнал власть таким странным способом посылает литераторам? Бузите — и обрящете?

Ну-ну...

«Литературная газета», сентябрь 2012 г.

Зачем вы, мастера культуры?

Об эротическом ликбезе, и не только о нем

Недавно во время одного из популярных ныне телемостов (кажется, советско-американского) одна добрая наша женщина на простодушный заокеанский вопрос: «А как у вас в СССР дела с сексом?» — испуганно ответила: «Да что вы, никакого такого секса у нас нет!»

Надо ли объяснять, что она погорячилась? Несмотря на суровый социально-демографический эксперимент, поставленный в нашей стране и нашедший отражение даже в Книге рекордов Гиннесса (я имею в виду чудовищное количество жертв этого эксперимента), народонаселение у нас все-таки прибавляется, и это свидетельствует о том, что секс, извечное общение мужчин и женщин, обеспечивающее непрерывность рода человеческого, у нас все-таки есть.

Но испуг этой славной женщины, шедшей на телемост как на ответственный идеологический праздник, понять можно. Ее товарка из иной социально-экономической системы запросто, не краснея, заговорила про то, о чем у нас даже между близкими людьми принято изъясняться намеками, кивками, полуулыбками, в крайних случаях прибегая к всемогущему слову «это». Не будучи особым специалистом как в теории, так и в практике, я все же могу попытаться выстроить синонимический ряд, относящийся к рассматриваемому нами вопросу, исключив, разумеется, нелитературные пассажи. Ну вот, например: коитус — сексуальный контакт — интимная близость — соитие — обладание — сожительство — половая жизнь... Если не считать малоприличного «траханья», пришедшего в наш язык, видимо, с легкой руки синхронистов-переводчиков западных фильмов, то ни одно из приведенных слов и сочетаний в разговоре почти не встречается. Во всяком случае, мне трудно представить себе мужчину, который поутру спрашивает подругу: «Ну как, дорогая, тебе наше вчерашнее соитие?» Даже имеющаяся в нашем словаре эротическая лексика не освоена и неудобопроизносима. Конечно, отмахнувшись от «срамных» сказок Афанасьева и рискованных поговорок, можно объяснить все это исконным целомудрием народа. Но, как говорится, какая барыня ни будь, а все равно мужчины определенный интерес к ней испытывают...

Впрочем, шутки тут неуместны. К подобным проблемам нужно относиться серьезно, по-научному! К примеру, я уверен, что со временем появятся солидные монографии. Допустим: «Русь и Поле. К вопросу о диффузии славянских и тюркских сексуальных стереотипов». Или: «Влияние французской культуры на эротическое сознание русского дворянства XIX века». Наконец — «Сельская община и нормы интимной жизни русского крестьянства». Надо заметить, в минувшем веке в исторических и краеведческих, выражаясь по-нынешнему, трудах эти и подобные проблемы затрагивались.

В XX век Россия вступила не только чреватая революцией, но и озабоченная вопросами пола. Валерий Брюсов, например, пытался в стихах ощутить себя девушкой, только-только утратившей невинность:

Вся дрожа, я стою на подъезде,
Перед дверью, куда я вошла накануне...

Эротическую тему в русском искусстве Серебряного века нужно, как выражаются ученые, рассматривать особо. Но не могу не напомнить читателям о М. Арцыбашеве и так называемых неонатуралистах, отразивших каждый в меру своего таланта не только идейно-философские, но и эротические искания русского человека предреволюционной поры. Неонатуралисты были подвергнуты сокрушительной критике ортодоксов марксистской эстетики: «...Действия, склонности, вкусы и привычки, мысли общественного человека не могут найти в себе достаточное объяснение в физиологии или в патологии, так как обусловливаются общественными отношениями». Впрочем, тогда, до октябрьских событий, о том, что критика эта сокрушительна, кроме самих марксистов, по-моему, никто не знал.

Потом имя М. Арцыбашева было вычеркнуто из истории, и только одни специалисты, трясясь от негодования и обзывая «порнографом», вспоминали автора «Санина», когда давали характеристику общему кризису буржуазно-помещичьего строя и его культуре. Но вырвать страницу из учебника истории — еще не значит разрушить связь времен. Общеизвестен роман В. Пикуля «У последней черты». Многие знают, что это название заимствовано из ленинской оценки кризиса царизма. Но мало кто помнит, что наш вождь использовал для своей характеристики название нашумевшего романа М. Арцыбашева «Последняя черта», романа, который вызывал яростные споры и даже был предметом судебного разбирательства.

Считается, что в канун революции Российское государство совершенно прогнило и достаточно было просто ткнуть в него пальцем четырехлетней империалистической бойни... Считается, что повышенный интерес к вопросам пола в ту эпоху был результатом этого разложения, персонифицировавшегося в «сумасшедшей русской любовной машине» — Г. Распутине. Однако если все-таки отказаться от позиции человека, стоящего в белом фраке посреди всеобщей антисанитарии, то, вероятно, повышенный интерес к сексуальной проблематике в начале века не только в России, но и во всем мире возможно объяснить не только загниванием и разложением, а и некими общечеловеческими свойствами и законами развития общественной морали, ибо, простите за азбучность, до возникновения классового общества дети зачинались тем же способом, что будут зачинаться и после исчезновения классов вместе со всеми семью их признаками. Иначе как мы объясним тот факт, что и при диктатуре пролетариата проблема взаимоотношения полов стояла тоже достаточно остро, была предметом шумных дискуссий, экспериментов в сфере семейно-брачного законодательства, скандальных книг, впоследствии вытравленных из советской литературы? Кто, кроме тех же специалистов, помнит о недавно ушедшем от нас С. Малашкине, авторе «Луны с правой стороны», потрясшей общественность более полувека назад?

Между прочим, не осатаневшая от безделья великосветская «магдалина», но пламенная революционерка А. Коллонтай выдвигала и даже пыталась внедрить в массы концепцию «стакана воды». Нет, к драматургу Скрибу эта теория отношения не имеет. Упрощенно говоря, речь шла вот о чем: почему бы в новом, свободном от классовых, сословных и прочих предрассудков обществе гражданам не относиться к интимной близости как к стакану воды в жаркий день? Правда, мы знаем, что В. И. Ленин резко отрицательно относился к «поцелуям без любви» — именно так он именовал безответственные половые контакты, используя при этом строчку из стихотворения уже поминавшегося мной В. Брюсова. Кстати, читая периодику нашего времени, приходишь к трагическому выводу, что последние годы своей деятельности вождь занимался больше тем, что предостерегал от последствий совершенного.

Да, революция раскрепостила не только классовые инстинкты: по улицам обновленного и потрясенного Петрограда разгуливал футурист жизни В. Гольцшмидт в окружении таких же, как и он сам, обнаженных дам. Да, у революции были серьезные планы на буржуазный брак; она ставила своей целью раскрепостить женщину и уравнять ее в правах с мужчиной. В анкетах того времени не желавшие ни в чем уступать сильному полу комсомолки в графе «семейное положение» писали: «Холоста». Но красиво манифестированное равноправие довольно скоро превратилось в равное право женщины на тяжелый физический труд, не освобождавший, кстати, от не менее тяжкого труда домашнего, равноправие трансформировалось в равное право с мужчинами сгинуть за колючкой ГУЛАГа.

Если главный долг людей — стать исправными винтиками в отлаженной государственной машине, то у людей все должно быть одинаково — и душа, и тело, и одежда, и мысли... Чтобы общественное всерьез встало над личным (а только на основе такого мировоззрения может работать тоталитаризм), нужно объявить личное, куда входит и интимная жизнь, чем-то низким, малодостойным, даже постыдным. Боже, да появись в те времена какой-нибудь Лысенко от сексологии и предложи способ размножения советских людей при помощи социалистического почкования, его ждала бы такая слава и такая любовь властей предержащих, в сравнении с которыми триумф приснопамятного Трофима Денисовича с его дурацкой ветвистой пшеницей показался бы детским лепетом на лужайке!

Но такой способ даже в отдаленной перспективе не намечался — и пришлось идти другим путем. Все возрастающее обострение классовой борьбы рано или поздно с полей, заводов, пленумов, из наркоматов, красноармейских штабов должно было переместиться на брачное ложе. Интересная деталь: люди, в ту пору стоявшие у власти (про сексуального злодея Берию я даже не говорю), так вот, эти люди отличались весьма своеобычными брачными стереотипами. Чего только стоит традиция проверять партийного соратника на излом, ввергая его супругу в узилище! Мол, кого ты больше любишь, партию или жену? Такой, понимаете ли, идейно-половой мазохизм!

Не случайно в ту пору читателям и зрителям настойчиво предлагались для осмысления произведения, подобные «Любови Яровой» К. Тренева и «Сорок первому» Б. Лавренева. Напомню, в первом случае большевичка-подпольщица Любовь Яровая выдает красным своего любимого мужа, бывшего революционера, не принявшего октябрьских событий и связавшего свою жизнь с Белым делом. Во втором случае красноармеец Марютка убивает своего ненаглядного, голубоглазого подпоручика Говоруху-Отрока, выполняя приказ командира: в случае чего живым его белым не отдавать! «В воде, на розовой нитке нерва колыхался выбитый из орбиты глаз. Синий, как море, шарик смотрел на нее недоуменно-жалостно. Она шлепнулась в воду, попыталась приподнять мертвую голову и вдруг упала на труп, колотясь, пачкая лицо в багровых сгустках, и завыла низким, гнетущим воем...»

Для меня совершенно очевидно, что в обоих случаях авторы ведут речь о страшной трагедии братоубийственной резни, в слепом своем ожесточении заставляющей даже влюбленных уничтожать друг друга. Но в нравственной атмосфере той эпохи эта аномалия, это кровавое затмение выдавались за норму. Мало того, за образец поведения, ибо на самом-то деле под завесой идеологического камлания готовилась почва для тотального контроля над каждым человеком. От этого контроля — по замыслу организаторов — нельзя было скрыться нигде, даже в объятиях любимого человека. За пуританством диктатора (как правило, показным) всегда стоит не забота о нравственности управляемого им общества, но неослабная забота о подконтрольности подданных.

Эротика, пусть кому-то покажется это натяжкой, таила в себе вызов тоталитарному обществу, основанному на абсолютизации и даже обожествлении одного из многих элементов общественной жизни, насильно вырванного из хитросплетений бытия. Абсолютизированы могут быть классовые противоречия, национальные отношения, религиозное сознание... Окиньте мысленным взором диктатуры XX века в различных странах — и увидите: все они опирались на этот принцип. А эротика? Она, погружая подданного в тонкости взаимоотношений между мужчиной и женщиной, убеждая его, какое важное влияние оказывает сексуальная жизнь на судьбу, вольно или невольно заставляла сомневаться в правильности мифа о божественном абсолюте, на котором держится режим. Не потому ли советские люди лишь недавно стали узнавать, что, оказывается, Фрейд — не бранное слово, а имя великого ученого?

Кстати, примеры раскрепощающего воздействия эротики на умы и души можно отыскать и в других эпохах: тот же «Декамерон», на который неоднократно ссылается в своем эссе Лоуренс... «Сексапильные» святые отцы не просто забавны, это — смелый вызов всесильной церкви (я почти цитирую сразу несколько классических советских трудов о литературе Возрождения). Да, это вызов церкви, тоже некогда претендовавшей на тотальный контроль над духовной и физической жизнью паствы и, между прочим, своевременно от этого отказавшейся для того, видимо, чтобы атеисты прошли тем же самым путем и уперлись лбом в ту же самую стену. Но факт остается фактом: были времена, когда отцы церкви на высоких совещаниях и собраниях совершенно серьезно рассматривали вопрос, допустимо ли, чтобы добрый христианин для ублаготворения своей законной супруги использовал не только аксессуар, предназначенный для этого Богом, но и способствовал сему благому делу посредством собственного перста.

Однако воротимся на отечественную почву. Искусство, приравненное к штыку, решительно было направлено на формирование в сознании миллионов образа женщины-сподвижницы, по совместительству могущей также выполнить функции жены и матери. Вспомните, чем заканчивались так называемые лирические ленты того времени: обретя друг друга, влюбленные встают в общий строй, берут в руки знамена и с непременной маршевой песней шагают вперед... Нет, я не иронизирую, я просто пересказываю финал кинофильма «Цирк». Агитатор и горлан пролетарской государственности В. Маяковский учил:

В поцелуе рук ли,
губ ли,
В дрожи тела
близких мне
Красный цвет
моих республик
тоже должен пламенеть...

Без тени улыбки скажу: это — уникальное слияние высокой эротики и советского патриотизма. Более того, данная традиция уходит в глубь русской поэзии, не однажды сближавшей возвышенное чувство к женщине с любовью к Родине. Но, увы, очень часто именно художественная дерзость легче всего огрубляется, оглупляется и используется идеологической машиной в качестве прямой противоположности тому, что имел в виду автор.

А пройдите-ка по подземному дворцу станции метро «Площадь Революции» и свежим, «незамыленным» глазом осмотритесь кругом! Отлитые в бронзе товарищи по борьбе женского пола вызывают любые ассоциации, вплоть до горящих изб и скачущих коней, но только не мысли о трепетном женском начале. Если народ построен в колонну и поведен на штурм сияющих вершин, деление по половому признаку рождает массу трудностей. А трудностей у организаторов наших побед и так хватало.

Конечно, презрение к «изячной» жизни и сопутствующим ей любовным томлениям было рождено переломным временем и азартом отказа от всего, чем дорожил старый мир, который предполагалось разрушить «до основанья, а затем...». Но этот истошный ригоризм молодости был сознательно поддержан и развит людьми, понимавшими, что не только «изячной», но простой нормальной жизни народу они пока дать не могут. Странно было бы настойчиво культивировать «науку страсти нежной» среди граждан, живущих по преимуществу в ульеподобных коммуналках и общежитиях.

Но, поведя наступление на эротику как на составную часть здравого мироощущения и раскрепощенного сознания, власть была далека от того, чтобы искоренить и, так сказать, грубо материальную базу этой самой эротики, ибо, поизведя население в разного рода кровавых экспериментах, была горячо заинтересована в повышении рождаемости. Будущие специалисты еще разберутся, как повлияло на сексуальные стереотипы советского человека запрещение абортов и противозачаточных средств. Человек во френче строго смотрел с портрета, заменившего во многих домах икону, и как бы сурово предупреждал супругов: «То, чем вы собираетесь заняться, дело не личное, но государственное! Имейте в виду!» Впрочем, и сегодня, будучи легализован, аборт в нашей стране остался своеобразной и жестокой формой наказания женщины за нежелание выполнить свой долг перед государством. Что же касается противозачаточных средств, то презервативы — это единственное, видимо, в нашей стране изделие, которое от Бреста до Владивостока выпускается в единой, неколебимой модификации!..

В чем-то я согласен с Л. Петрушевской: рассказывать советским людям об эротике — то же самое, что объяснять различие между последней моделью «пежо» и предпоследним выпуском «рено» человеку, который, кроме кустарного самоката на подшипниках, в своей жизни ничего не видел. Если предположить, что существовала античная, ренессансная, барочная эротика, то нашу эротику я бы назвал «барачной». Нашего соотечественника за границей сразу можно обнаружить, во-первых, по привычке угрюмо смотреть на витрины, одновременно перебирая в кармане смехотворную валюту, а во-вторых, по нездоровому хихиканью и толканию друг друга в бок при виде на прилавке тамошней «Союзпечати» журнала, с которого улыбается милая девушка, обнажившая грудь не для кормления, а ягодицы не для инъекции.

Одержимые установкой на воспитание народа в соответствующем духе, наши командармы идеологического фронта напоминали чем-то недалеких родителей, скрывающих до самой брачной ночи от своего отпрыска, для чего предназначены природой те или иные части тела. В книгах, приходивших к советскому читателю из-за рубежа, где процесс легализации эротики в общественном сознании шел своим чередом, вымарывались все неподобающие подробности. Даже в ущерб сюжету и здравому смыслу. Исключения делались, да и делаются, лишь для академических текстов; впрочем, и тут находят способы смягчить зарвавшегося классика при помощи «щадящего» перевода. Из собраний сочинений вслед за произведениями, отражающими так называемые «реакционные» взгляды титанов духа, вылетают и сочинения, отмеченные ненужным нашему читателю интересом к взаимоотношениям между полами. Так, например, в последний десятитомник Бальзака «Озорные рассказы» почему-то не вошли. Карандаш редактора охраняет лишь те пикантные эпизоды в книгах западных писателей, которые иллюстрируют глубину нравственного разложения буржуазного общества. А сколько зарубежных писателей вообще к нам не дошли из-за своего, как говорится, нездорового увлечения эротикой? Достаточно назвать американца Генри Миллера... Хотя, разумеется, если исходить из того, что книга-бестселлер — это всего лишь коварный способ одурачить доверчивого западного читателя-потребителя, тогда произведения названного автора и других его коллег можно и в дальнейшем не переводить на русский язык. Зачем?

А зарубежные кинофильмы? После первоначального объятия героев кадр конвульсивно дергается... «Вырезали!» — с пониманием переглядываются зрители. Лента, которую довелось увидеть на фестивале, так же отличается от прокатной копии, как фунт стерлингов от фунта лиха.

Если бы телевизионщиком был я, непременно раскопал бы все эти пикантные вырезки (ведь не выбрасывали же?!), смонтировал бы, оснастил хорошим закадровым текстом... Если начать со сцен, купированных еще из трофейных лент, а потом просто соблюдать хронологию, вышел бы замечательный, по всем правилам дидактики, эротический ликбез. Отдаю эту идею телевидению безвозмездно, прошу только сердечно поблагодарить меня в титрах.

Но давайте снова вернемся к отечественному опыту!.. Что мы все, право, про импорт да про импорт! В советской литературе, по-моему, происходило следующее: представьте себе страну или даже планету, где самое неприличное — это вслух говорить о пище и даже намекать на то, что люди вообще едят. Вот такие странные нравы! Теперь вообразите себе литературу этой планеты. Тот факт, что в художественных произведениях действуют полноценные герои, а не дистрофики, неизбежно должен наводить читателей на мысль об их питании. Читатели, конечно, догадываются, что он, герой, заторопившись после службы домой, хочет (о, я краснею!) плотно поужинать или что он, герой, любит свою жену (и как только язык поворачивается!) за ее умение прекрасно готовить... И я представляю, какая буря поднялась, если бы автор попытался написать, что герой выходит из столовой, вытирая после еды губы! Но самое удивительное заключается в том, что изящная словесность этой планеты ломится от сочинений, посвященных страданиям голодающего человека! Думаю, нет нужды продолжать весьма прозрачную аллегорию: для того чтобы попасть на эту удивительную планету, не нужно никуда летать — достаточно зайти в библиотеку. Писатели, все-таки обращавшиеся к эротическим проблемам, выглядели в нашей литературе поистине как инопланетяне. Напомню, что сексуальная заостренность некоторых вещей, вошедших в свое время в «Метрополь», возмутила «общественность» чуть ли не больше, чем сам факт создания неподцензурного альманаха.

Но гласность, как любили выражаться в прошлом веке, обнимает все сферы нашей жизни. Обняла она и эротику. Вот на страницах «Огонька» печатается (правда, под иным названием) «Маленький гигант большого секса» Ф. Искандера — самая сильная, по-моему, прозаическая вещь в «Метрополе». Вот маленькая Вера в позе наездницы обсуждает со своим милым разные семейно-бытовые проблемы. Вот и ленинградское телевидение по вечерам показывает нам художественно обнаженных девушек. Вот начинают выходить в свет книги, о которых не могли даже мечтать те, кто не знает языков, а это основной удел людей, выросших за железным занавесом или за пыльными кумачовыми портьерами.

Разумеется, не все идет гладко. Приведу один близкий мне пример. Режиссеру Сергею Снежкину, экранизировавшему мою повесть «ЧП районного масштаба», пришлось решительно отстаивать свое право на введение в фильм достаточно «крутых» интимных сцен, необходимых, по его убеждению, для художественной концепции ленты. Киноначальство спорило, возражало, но не вырезало. Теперь спорит, соглашаясь или возражая, зритель. По-моему, так и должно быть в обществе, где деятель культуры — творец, а не инженер человеческих душ, ибо над инженером всегда можно поставить главного инженера...

Однако все чаще и чаще раздаются встревоженные голоса: «Неужели из-за мутных потоков непотребства, затопивших книги и экраны, мы не убережем исконное народное целомудрие?!» Ну, это — преувеличение: никаких потоков нет, пока мы имеем дело лишь с первой капелью. Но ратующим за «исконное целомудрие» я бы советовал поговорить с врачами соответствующих лечучреждений. Они расскажут, что речь идет не о целомудрии, а об элементарной физиологической безграмотности, даже дремучести, о полном отсутствии культуры интимных отношений — эдакие сексуальные Пила и Сысойка... Встречаются опасения, что легализация эротики будет способствовать более раннему приобщению молодежи к половой любви. Не волнуйтесь, товарищи, резкое «помолодение» интимных контактов началось у нас задолго до сегодняшнего дня. Кстати сказать, в некоторых странах, где давно отказались от истошного пуританства, весьма высок процент молодых людей, вступающих в интимные отношения только после двадцати лет, семьи там крепче и долговечнее, нежели у нас, да и детей в этих семьях поболее нашего...

Есть и другой важный аспект. Говорят, когда-то японцы не ведали лобзаний, не знали, что такое поцелуй, — и все тут! Но с приобщением Страны восходящего солнца к мировому сообществу ситуация резко изменилась: целуются! Эротика в той или иной степени стала важным элементом культуры тех развитых стран, с которыми мы, соответствуя новому мышлению, затеяли плодотворное общение. Влияние — верю, что взаимное, — неизбежно. Ну и как будем общаться? С ножницами и красным карандашом в руке? Будем наших туристов инструктировать на предмет эротических диверсий, как раньше инструктировали по поводу диверсий идеологических?

Эротическое сознание как романтизированное, эстетизированное, если хотите, отражение сексуальной жизни человека существовало всегда. Образно говоря, эротика соотносится с физиологией, как искусство с жизнью. Здесь есть и свои законы отражения, и свои условности, и свои тайны, и своя — уж извините! — воспитательная функция. Грубо выражаясь, молодые люди, посмотревшие хороший эротический фильм, наверное, уже не захотят общаться в пропахшем кошками подъезде. Говорят, и детишки, зачатые по-людски, красиво, — лучше получаются, полноценнее... Или за нашими рассуждениями о нравственности продолжает скрываться обыкновенная неспособность создать человеку нормальные условия для существования? Молодожены годами дожидаются собственного угла, а гостиничное хозяйство не управляется даже с командированными, не то что с влюбленными, озабоченными классической проблемой единства места и действия... Запретный плод все равно будет сорван и съеден. Но есть его можно с удовольствием, красиво, по всем правилам веками вырабатывавшегося этикета. А можно сожрать, давясь, запихивая в рот грязными руками и чавкая...

Без сомнения, очень скоро и у нас встанет вопрос, где проходят границы между эротикой и порнографией, между откровенностью и непристойностью. Уверяю, что эта проблема волнует не только нас. Я где-то читал, что картина Рубенса «Зачатие Марии Медичи» не выставляется из соображений нравственности. В Англии, например, совсем недавно приняты законы, охраняющие мораль юношества. Проблема границы между эротикой и порнографией существовала всегда, но ведь это не повод для войны на уничтожение! А поправить тех, кто переступает границы здравого смысла, мы всегда сумеем — с запретительством у нас все в порядке.

Однажды с одним моим товарищем я разговаривал об эротических мотивах у Пушкина. Он с упоением декламировал знаменитое «Нет, я не дорожу мятежным наслажденьем...». «Вот ведь — и дерзко, и нежно, и откровенно, и целомудренно! — восклицал он и продолжал:

О, как милее ты, смиренница моя!
О, как мучительно с тобою счастлив я,
Когда, склоняяся на долгие моленья,
Ты предаешься мне, нежна без упоенья».

После разговора я никак не мог избавиться от ощущения, что в цитате была какая-то неточность, и, воротясь домой, проверил. Так и оказалось:

О, как мучительно тобою счастлив я!

Чувствуете разницу? В первом случае — прозаизм, во втором — высокая, прекрасная эротика!.. Почему я вдруг решил закончить мои заметки этим случайным воспоминанием, ей-богу, и сам не знаю...

Журнал «Иностранная литература», № 4,1998 г.

Право на одиночество

«Раньше в Тульской губернии был один писатель, но Лев Толстой... А теперь? В масштабах страны вообще их прорва. Графоманы... Печатают друг друга — “взаимное опыление” называется, деньжищу лопатой гребут, а на Булгакова бумаги не хватает... Кончать надо с литературными генералами. Если папа писатель, детки — тоже. А если вступил в союз, никаких проблем... И вообще у них там в Союзе писателей одни евреи и черносотенцы...»

Вот так или примерно так осели в рядовых советских мозгах те страсти, которые уже пять лет бурлят на писательских пленумах и съездах. И от литераторов ждут или самороспуска, или покаяния, давно уже ставшего формой приспособления к политической ситуации, или последнего, решительного боя с главным злом, которое каждый понимает по-своему.

Отпеть и похоронить явление, не вписывающееся в твою собственную картину мира, — это, как сказал бы Вик. Ерофеев, уегуеазу. Но, к сожалению, соответствует печальной отечественной традиции, в противном случае нашим сегодняшним гербом мог оказаться двуглавый орел с серпом и молотом в лапах. Вряд ли кто-нибудь и ныне будет оспаривать монстроватость феномена, имя которому — советская литература. Но ведь и на монстра можно смотреть по-разному, прикидывая наметанным глазом, какую яму копать под это чудище, или соображая, как же его так изуродовала жизнь, за что?!

Во всяком случае, если выбирать между позицией В. Ерофеева и позицией М. Чудаковой, мне ближе вторая. Хотя точка зрения В. Ерофеева на сегодняшний день выигрышнее, товарнее, что ли...

В самом деле, поворотившись к текущему моменту, как любили выражаться основоположники, обнаружим: особенность нынешних литературных схваток заключается в том, что одни писатели вообразили себя могильщиками, а другие никак не хотят смириться с ролью мертвого тела, готового к погребению. Положение, по-моему, совершенно бесперспективное, и судьба приснопамятного могильщика буржуазии тому доказательство.

Но дыма без огня не бывает. Нынче да наших глазах заканчивается — отсюда и похоронные настроения — целый период, эпоха в истории отечественной словесности. Я бы назвал ее малой коллективизацией, в отличие от коллективизации большой, лишившей страну крестьянина-кормильца. Малая коллективизация — это в какой-то мере душераздирающее возмездие за 100 000 разгромленных помещичьих усадеб. История неразборчива в способах мести...

Сегодня, когда выясняют, почему такое могло стрястись с «умным, бодрым нашим народом», известную долю ответственности, и не впервой, берут на себя деятели культуры, писатели в частности. Общеизвестно, что у буревестников революции крылья опустились довольно скоро. Они поняли: новым властителям страны не нужны властители дум. Им нужны проводники идей. Вместе с тем «капитаны Земли» умело воспользовались исторически сложившейся склонностью российских деятелей культуры к тому, что я назвал бы «поводыризмом», и решительно придали ему четкую политическую направленность взамен традиционно мучительного нравственного поиска.

Мало того, культура, и в частности литература, стали коллективными поводырями. У крестьян отняли и обобществили землю, у писателей — свое, личное, суверенное понимание смысла бытия и назначения искусства. Любые попытки отстоять право на единоличность в этом разгуле коллективизма пресекались, и чем дальше, тем жестче. Но прискорбнее всего тот факт, что многие мастера художественного слова согласились на этот коллективный, идейно выверенный «поводыризм» без особых терзаний, ведь гораздо проще увивать гирляндами художеств генеральную линию партии, нежели страдать, мучиться, искать свою собственную правду да потом еще отвечать за нее перед людьми. А тут всю полноту ответственности берет на себя новая власть, разве что перед смутной идеей, но это, как говорили в детстве, не считается. И в красивом соцреалистическом заклинании: «Мы пишем по велению сердца, а сердца наши принадлежат партии» («...и народу» в литературном обиходе обычно опускалось) — скрыта огромная разрушительная сила, в конечном счете почти низведшая великую культуру до положения политической приживалки. А как быть приживалке, лишившейся патронессы? Одно из двух: или учиться жить одиноко и самостоятельно, или искать новую барыню.

А теперь, возможно, я возражу сам себе. Презрительно-уничижительный взгляд на «совковую» литературу эффектен, но не эффективен. Во-первых, упускается из виду тот факт, что произрастала эта литература на почве естественного послереволюционного оскудения и упадка культуры. Стоит ли уж так презирать тех, кто вынужден был начинать почти с нуля? Во-вторых, это была пусть уродливая, но форма приобщения «внутреннего варвара» (С. Франк) к еще недавно громимой им культуре. В-третьих, развивалась эта литература в железной идеологической клетке, задуманной так, чтобы и без того уродливого младенца превратить вообще в монстра. Остается лишь поражаться тому, что советская литература сохранила в себе хоть что-то из родовых черт отечественной классики.

Необъяснимо другое: почему сегодня выпущенные из огромной общей соцреалистической клетки писатели стремительно разбегаются по клеткам маленьким? Почему, избавившись от навязанного коллективизма, они тут же начинают исповедовать коллективизм добровольный?

Если еще недавно писатель имярек издавал свои никем не читаемые книги благодаря активной работе в руководящем органе писательского союза, то теперь он издается благодаря своей активной работе в руководящем органе какого-нибудь новейшего движения. С политической точки зрения разница огромная. С эстетической — никакой. Если в застойный период критика, наиболее изгибчивый жанр изящной словесности, в основном обслуживала амбиции литчиновников и занималась алхимическими поисками соцреалистического камня, то нынче мы имеем почти ту же самую критику (и критиков), на тех же самых принципах обслуживающую амбиции тех или иных литературных команд. Те же умные, тонкие рецензии на дурацкие тексты, те же трепетные ссылки на имена, которых читатель и знать не хочет, то же священнодейственное выстраивание обойм с холостыми литературными патронами. Нет, я не наивен, я понимаю: командам нужны авторитеты, лидеры, срочно нужны, вот их и генерируют по тем же самым методикам, что и некогда столпов соцреализма: «Есть мнение, что Н. — большой художник». Если одна писательская стенка идет на другую, о какой широте и корректности оценок тут можно говорить; на войне как на войне!

Если смыть боевую раскраску, станет понятно: почти все борются за идеи, вполне имеющие право на существование. Вряд ли кто-то будет утверждать, что возрождение народа, серьезные сдвиги в материальной и духовной сферах возможны без роста, даже взрыва национального самосознания. Или спорить с тем, что интернационализм, доведенный до беспамятства, губителен, а патриотизм — мощный источник созидательной энергии... С другой стороны, едва ли кто-нибудь будет спорить и с тем, что национальная спесь, тупой шовинизм — вещи страшные, что за идею превосходства одной нации над другой заплачено очень дорого. А поди ж ты, две эти взаимодополняющие точки зрения развели по разные стороны баррикад несколько хороших и множество разных писателей. Почему? А потому, что наша литература на тех же коллективистских принципах, на каких она ранее старательно обслуживала власть, теперь включилась в борьбу за нее. Точнее, принялась обслуживать силы, борющиеся за власть. Затем, видимо, чтобы еще раз убедиться, что любая революция исчерпывается строчками известной песенки:

За столиком нашим
Сидят комиссары
И девочек наших
Ведут в кабинет...

Белый и красный цвета могут мирно соседствовать на одном флаге, а могут стать символами противоборствующих сил. Дело не в цвете, дело — в цели. Вот и нынче не так уж важно, что твои убеждения по сути не противоположны убеждениям противника, главное — представить их противоположными в глазах публики. Так было, так есть, так будет. Ибо всегда отыщется множество тружеников пера, способных существовать только в окололитературной сваре. Вытащенные наверх, в собственно литературу, они гибнут от творческого удушья. Мне даже иногда кажется, что само писательство для них лишь пропуск туда, где можно посражаться, неважно даже с кем... Это как в модном казино, куда пускают только во фраках. Нет, я никого не осуждаю, каждый живет в литературе, как умеет. Хочешь жить в ватаге — ради бога. Но не надо доставать других осточертевшим за советский период многозначительнейшим вопросом: «С кем вы, мастера культуры?», от которого всего шаг до другого вопроса, очень нехорошего: «А с кем это вы, мастера культуры?» С кем... с кем... Да ни с кем!

Обдумывая эти заметки, я так и хотел назвать единственно возможную, на мой взгляд, для художника позицию «неприсоединения». Но пока я обдумывал, группа писателей, чтобы ловчей было не присоединяться, соединялась в группу неприсоединившихся. Тогда я понял, что попросту нашел неточное слово — «неприсоединение». Наверное, правильнее — «одиночество». В том смысле, в котором одиноки были Гоголь, Достоевский, Толстой, Чехов, Ахматова, Булгаков, Пастернак, Солженицын, Пушкин конечно же:

Ты царь: живи один. Дорогою свободной
Иди, куда влечет тебя свободный ум...

Свободный. Нашей пропаганде всегда было милее «свободолюбивый», нежели «свободный». Оно и понятно: свободолюбивый человек безопаснее, чем свободный. Глумливая мудрость бытия заключается в том, что, ступив на путь борьбы за свободу, человек тут же попадает в зависимость от законов этой борьбы. И он уже идет не туда, куда влечет его свободный ум, а куда влечет логика политической схватки.

Мне кажется, с высот свободного ума застойное единомыслие мало чем отличается от единомыслия перестроечного: так угрюмо преданный принципам ретроград тождественен обаятельно-беспринципному прогрессисту. По конечному, так сказать, результату... Разумеется, никто и не помышляет о башнеслоновокостном варианте: не зависеть от происходящего в стране невозможно, но независимо оценивать происходящее можно и должно. Именно в этом смысле свободный ум одинок, именно в этом смысле одиночество — единственная нравственная позиция, позволяющая художнику давать гуманистическую оценку происходящему. Классическая русская литература достигла горних высот именно потому, что ее создавали люди, знавшие цену одиночеству.

Не стоит думать, будто такая позиция наиболее комфортна, мол, «двух станов не боец». Напротив, те, кто объединен в команды, говоря современным языком, лучше социально защищены. Достаточно напомнить, что все наши литературные полемики проходят по принципу «Наших бьют!». Не участвуя в этой азартной игре, литератор оказывается предоставлен сам себе, и в хорошем, и в плохом смысле этого состояния. Он упоительно одинок в творчестве, и он тяжко одинок в литературе. Но, наверное, только этой дорогой можно от шумливого свободолюбия прийти к подлинной внутренней свободе, а значит, и к серьезным художественным результатам.

Заканчивая, хочу сделать чистосердечное заявление: у моих заметок об одиночестве есть крупный недостаток. Они неоригинальны. Очень похожие мысли я сам неоднократно встречал у самых непохожих авторов, живших в самое разное время. Общим у этих авторов было одно — все они остались в литературе, если оценивать их в соответствии с одной любопытной классификацией писательских судеб. Каждый писатель имеет возможность остаться или в истории литературной борьбы, или в истории литературы, или в литературе. В первом случае о нем вспоминают, во втором — его знают, в третьем — читают. Последнее — самое трудное, почти невозможное, испепеляюще непредсказуемое. Но только ради этого стоит садиться за письменный стол и пытаться. В одиночестве...

Газета «День», ноябрь 1990 г.

Почему я вдруг затосковал по советской литературе

Сознаться сегодня в приличном обществе, что тоскуешь по советской эпохе, — примерно то же самое, как в году 25-м сознаться, что скучаешь по царизму. Расстрелять не расстреляют, но на будущее обязательно запомнят...

И все же.

Я не стану рассуждать о России, которую мы потеряли. Это тема необъятная, и об этом еще будут написаны тысячи томов стихов, прозы, публицистики, следственных дел. Я хочу немного поговорить о литературе, которую мы потеряли. О советской литературе. Согласен, само определение — «советская» — довольно нелепо. Почему в таком случае не «нардеповская» или «совнаркомовская»? Но, с другой стороны, ведь не вычеркиваем мы из мировой истории коренных обитателей Американского континента лишь потому, что в результате навигаторской ошибки их назвали «индейцами»! Хотя, кто знает, может, это и было первопричиной их печальной судьбы?..

Мы все в неоплатном долгу перед советской литературой. Говорю это совершенно серьезно, отбрасывая в сторону столь милую лично мне и моему поколению «мировую иронию». Именно она, советская литература, волей-неволей восприняв художественную и нравственную традицию отечественной классики, смогла противостоять той «варваризации» общества, которая неизбежна в результате любой революции. А известные заслуги литературы перед революцией обеспечили ей даже некоторые послабления: Священное Писание в атеистическом государстве было фактически запрещено, а «Воскресение» или «Двенадцать» включались в школьную программу. Да и вообще «преодоление большевизма» началось уже тогда, когда красноармеец Марютка завыла над бездыханным белогвардейцем Говорухой-Отроком, а профессор Преображенский взял да и вернул Шарикова в первобытное состояние. И если бы большевики, опамятовавшись, не начертали «Россия, единая и неделимая» симпатическими чернилами на своем красном знамени, то, вполне возможно, возвращение в лоно цивилизации происходило б не сегодня по записочкам Бурбулиса, а полвека назад по задачам И. Ильина. Кстати, не этим ли «симпатическим» лозунгом объясняется обилие красных флагов на митингах нынешней оппозиции, в своем большинстве совсем не мечтающей о возвращении в развитой тоталитаризм?

Да, девяносто процентов из написанного в советский период отечественной литературы сегодня читать невозможно. Точно так же, как невозможно сегодня читать девяносто процентов из всего написанного за последние семь десятилетий во Франции или в США. Эти книги устарели вместе со своей идеологией, которая есть в любом обществе, независимо от того, есть ли в нем идеологический отдел и вообще ЦК. Там тоже были свои комиссары в пыльных шлемах, свои павлики морозовы, свои целинники и ферапонты головатые. Кстати, «Золотая фильмотека Голливуда», показываемая ныне по нашему ТВ, самое удивительное тому подтверждение! А социализм... Социализм был общепланетарным наваждением заканчивающегося века, а мы народ отзывчивый, увлекающийся. Знаете, как бывает: втянули ребята постарше простодушного паренька во что-нибудь, но сами-то вовремя опомнились, а паренек за всех и отдувался. И великая литература с ним тоже вместе отдувалась...

Всем еще памятно, какая у нас была цензура и как она охотно в отличие от своей дореволюционной предшественницы владела шпицрутеном! Тотальная была цензура: уйти от нее можно было, только эмигрировав, а преодолеть — только художественно. И ведь преодолевали! Борясь за свободу слова, советская литература была вынуждена выдавать тексты с такой многократной степенью надежности, что цензура была бессильна. Знаменитый подтекст Хемингуэя — забава в сравнении с подтекстами советских писателей. Это была мощнейшая и сложнейшая криптоэстетическая система, понятная читающей публике, да и цензуре тоже. Однако произведения, где инакомыслие достигало градуса художественности, входили (не всегда, но чаще, чем нынче изображают) в правила той странной игры, которая завершилась падением постылого режима и распадом горячо любимой страны.

Советская литература была властительницей дум в самом строгом и упоительном смысле этого слова! Это настолько очевидно, что даже не буду доказывать, а просто предлагаю припомнить общественный трепет, связанный с выходом новой повести Ю. Трифонова или романа В. Астафьева, книги стихов Владимира Соколова или постановкой пьесы А. Вампилова... Имена подобраны в духе личных пристрастий, но каждый может длить этот список по своему вкусу. А обязательный ответственный работник ЦК КПСС, сидящий на писательских собраниях и строчащий что-то в своем служебном блокноте, — это и фискальный знак эпохи, но это и знак уважения власти к литературе, к ее власти над умами...

Тут я, что называется, подставляю горло любому критику с большой дороги: мол, вот она, рабская натура, вот она, тоска по кнуту. Грешен, недовыдавил из себя раба, но иногда мне кажется, что человек, родившийся и сложившийся в тоталитарном обществе, может выдавить из себя раба только вместе с совестью. Во всяком случае, исторически и психологически мне понятнее А. Фадеев, визирующий присланные с беспощадной Лубянки списки приговоренных, чем седоусый «апрелевец», призывающий набычившегося всенародно избранного «власть употребить».

Но пойдем дальше. Советская литература, особенно если брать ее последнюю золотую четверть века, была той редкостной сферой, где осуществилось почти все, декларированное, но не воплощенное в жизнь большевиками. (Не путать с коммунистами — они у нас у власти никогда не были.) Но история ждать не любит, поэтому объяснения нынешних политиков, исповедующих коммунистические ценности, напоминают обещания отвергнутого мужа не изменять и носить на руках. С одной стороны, очень хочется поверить, а с другой — обидно второй раз оказаться в дураках. Итак, в литературе мы имели жизнь, где в конечном счете побеждали или хотя бы, погибая, показывали свое нравственное превосходство люди честные, добрые, талантливые, бескорыстные... А что касается книжек про кулаков и вредителей, то это тоже наднациональная черта любой литературы — образ врага. Только мы самокритично нажимали на врага внутреннего, а те же американцы — на врага внешнего. Сегодня, когда идет обвальный перевод средней американской литературы, этот факт очевиден. Кстати, может быть, именно поэтому они остались сверхдержавой, в то время как мы спихнулись с дистанции.

А привитая у нас в стране любовь к художественному слову! Где это, интересно знать, не сотня-другая эстетов, а сотни тысяч обыкновенных людей читали бы интеллектуальную прозу А. Битова или разгадывали историко-литературные шарады мовиста В. Катаева? Или покупали из-под полы долгожданную первую книжку Олега Чухонцева? Не-ет, иногда мне кажется, что развитой социализм — это лучший строй для обеспечения читательского досуга. Если б он еще изобилие обеспечивал — цены б ему не было! Однако серьезные ученые уверяют, что мировая цивилизация будет развиваться в сторону ограничения потребительской разнузданности. Раз так — к опыту социализма, запечатленного, в частности, в советской литературе, человечество еще вернется.

А вспомним Дни советской литературы! Писатели, подавленные местным гостеприимством, влекутся вдоль бесконечного конвейера того же КамАЗа и вяло слушают объяснения главного инженера. А вечером — многотысячный зал, и заводчане, как тогда выражались, слушают гостей-писателей, а наиболее любимых узнают и хлопают заранее. И если во время такого вечера Сергей Михалков в президиуме наклонится к первому секретарю горкома и попросит дать квартиру местному талантливому поэту — через месяц-два новоселье! Я не любил Дней литературы: мне было стыдно похмельно шататься среди работающих людей, мне была смешна организованная местным агитпропом всенародная любовь к литературе. Но нынешнее забвение и равнодушие, оно не смешно, а страшно. Девочке, которая хочет «во-от такой миллион», неинтересен Том Сойер, если он не находит в конце клад. Сегодня в литературе, как мне приходилось уже писать, «кафейный период» — был такой в Гражданскую войну, когда все остановилось, и чтобы обнародовать свое новое творение, писатель заходил в литературное кафе, заказывал на последние морковный кофе и ждал кого-нибудь в слушатели. На заваленных всем чем угодно — от Сведенборга до «Счастливой проститутки» — книжных прилавках современных российских писателей вы почти не найдете. Их издавать невыгодно — и поэтому у них «кафейный период». Заметьте, я говорю не об идейно выдержанных бездарях, они-то как раз устроились и рьяно обслуживают теперь каждый свою крайность. Я говорю о талантливых писателях, которых читали, обсуждали, покупали... Они стали хуже писать? Нет, просто люди стали хуже читать. Привычка к серьезному чтению — такое же достояние нации, как высокая рождаемость или низкое число разводов. Добиться трудно — а утратить очень легко. Ведь добро должно быть не с кулаками, а с присосками, чтобы не соскользнуть по ледяному зеркалу зла в преисподнюю. Восстановление поголовья серьезной читательской публики — общенациональная задача на ближайшие десятилетия.

Но как же случилось, что отечественная литература оказалась в брошенках именно тогда, когда она, к счастью, духовно обеспечила победу демократии и, к несчастью, победу демократов?! Ну подумайте сами: на площади людей выводило истошное чувство социальной справедливости, воспитанное, между прочим, этой самой советской литературой. Вроде как и поблагодарить надо. Ан нет, какой-нибудь косноязычный партократ, брошенный с коксохимии на культуру, заботился о писателях поболе, чем наши нынешние деятели, которые совершенно справедливо в графе «профессия» могут писать «литератор». Да, литераторы — и по результатам политической деятельности, и по вкладу в родную словесность: жанр мемуаров быстрого реагирования изобретен ими.

В чем же дело? Руки у них не доходят? Возможно... Но я подозреваю, дело в другом: литература — властительница дум — может снова вывести людей на площади, на этот раз с прямо противоположными целями. Допустить этого нельзя, но снова затевать цензуру — глупо. Во-первых, сами промеж собой недодрались, а во-вторых, снова у писателей появится ореол мучеников — и, значит, влияние на умы. Все можно сделать гораздо проще. Горстью монет, ссыпанной в носок, можно прибить человека, а можно и литературу. Надо только знать, куда ударить...

Написал — и засомневался: сгустил по российской литературной традиции краски. Потом подумал, еще поозирался кругом и понял: ничего я не перебрал. Одни писатели (в количестве, даже не снившемся застою) работают, чтобы прокормиться, сторожами, грузчиками, лифтерами, но западные журналисты не заезжают к ним, чтобы узнать, как идет работа над романом-бомбой. Другие ушли в политику, но там, сами понимаете, вовремя разбитые очки важнее вовремя написанной поэмы. Третьи стали международными коммивояжерами и мотаются по миру, чтобы с помощью родни и друзей пристроить свой лет двадцать назад написанный роман, про который и в России-то никто слыхом не слыхивал. Четвертые ушли в глухую оппозицию, пишут в стол, но ящик стола уже не напоминает ящик Пандоры, а скорее свинцовый могильник, да и за несуетную оппозицию теперь не дают госдач в Переделкине, как прежде. Пятые... На похоронах пятого, моего ровесника, я был недавно.

А когда я думаю о советской литературе, у меня на глаза наворачиваются ностальгические слезы, как если б я зашел в мою родную школу.

Газета «Комсомольская правда», июль 1993 г.

«Я НЕ ЛЮБЛЮ ИРОНИИ ТВОЕЙ...»

Начну, как это ни предосудительно, с самоцитирования. Лет пять назад я опубликовал в «ЛГ» статью, где были, между прочим, и такие строки: «Блистательный щит иронии! Мы закрывались им, когда на нас обрушивались грязепады выспреннего вранья, и, может быть, поэтому не окаменели...» Сегодня от этих слов я не отказываюсь. Да. Ирония вкупе с самоиронией была средством психологической, нравственной защиты от нелепого жизнеустройства, а автор этих строк был именно за ироничность своих повестей и бит, и хвалим. Напоминаю все это не из тщеславия, а лишь для того, чтобы неискушенный читатель не подумал, будто имеет дело с эдаким Угрюм-Бурчеевым, которому вообще не нравится, когда люди улыбаются, а тем более смеются.

Это преамбула. А теперь суть: за последние годы, на мой взгляд, ирония из средства самозащиты превратилась в важный и весьма агрессивный элемент государственной идеологии. Если оттолкнуться от лозунговой классики, то можно сформулировать так: «Капитализм есть частная собственность плюс иронизация всей страны». Выглядит поначалу неожиданно, но — порассуждаем.

Помните, при социализме сатира была эдакой смешливой Золушкой, которая, старательно начищая хозяйские позументы, иногда прыскала в ладошку? Но Золушка вышла замуж за принца, а принц в результате дворцового переворота стал королем. И вот сатира-золушка становится чуть ли не главным действующим лицом нашей жизни, заполняет эфир и печать, без сардонической усмешки теперь вроде как и слово-то сказать неудобно. Сатирик вместо генсека поздравляет теперь народ с Новым годом. Тенденция...

Смеясь, человечество расстается со своим прошлым. Хоть и сказано классиком, ныне не почитаемым, но сказано в принципе верно. Но ведь можно взглянуть на это и с точки зрения управляемых процессов. Заставить общество забыть о своем прошлом, а лучше даже возненавидеть его — задача любой революции, особенно если воплощение ее идеалов в жизнь идет неважнецки.

А теперь постарайтесь вспомнить смысл юмористических и сатирических произведений, слышанных и читанных вами за последние годы. Смысл таков: какая постыдно смешная жизнь была у нас ДО, как нелепы люди, тоскующие о прошлом, как омерзительны те, кто пытается сопротивляться тому, что наступило ПОСЛЕ. Но ведь это как две капли воды похоже на пресловутое «одемьянивание» литературы, предпринятое в свое время большевиками. И суть та же. Сидя в измордованном, голодном Петрограде, обыватель не должен был вспоминать о прошлом как об относительно спокойной и безбедной жизни, пусть даже и с квартальным. Он должен был вспоминать исключительно о проклятом царизме с фабрикантами-кровососами, попами-пьяницами и т. д. История, увы, повторяется, и не в лучших своих эпизодах. Поговорите сегодня с пенсионеркой, роющейся в мусорном баке! Она между делом охотно поведает вам про злодеев-партократов, сховавших народные денежки за границей, а может быть, и расскажет неприличный анекдот про Брежнева, слышанный давеча по телевизору в передаче, посвященной вопросам организации детского питания. Этот тотальный иронизм напоминает мне массовый забег партхозактива в городе, где первый секретарь увлекается бегом трусцой...

Тут я хочу сделать небольшое мемуарное отступление, имеющее, впрочем, отношение к нашим рассуждениям. Однажды в пору моей комсомольской юности (а у меня была-таки именно комсомольская юность) мне дали поручение — пригласить на вечер отдыха молодежи какого-нибудь профессионального юмориста. Я отправился в Москонцерт, но там мне объяснили, что в связи с праздничными мероприятиями всех мастеров веселого жанра расхватали, остался один, но брать его не советуют. Почему? В ответ только отвели глаза, как отводят родители, когда их чадо испортит за столом гостям аппетит. Я же все-таки пригласил и получил в результате выговор, правда без занесения. Дело в том, что мой юморист, лепетавший какую-то хреновину про тещу, про пиджак с брючинами вместо рукавов, про «диван с матросом», был освистан и позорно согнан со сцены... К чему я это? Объясню, но сначала еще одно воспоминание.

Когда я был молодым писателем (существовала такая категория трудящихся, коварно опекаемая тоталитарным государством, а ныне честно, без сюсюканий умертвленная государством демократическим), так вот, когда я был молодым поэтом, мы организовывали небольшие литературные бригады и ездили на заработки по линии бюро пропаганды по городам и весям, выступая перед рабочими, колхозниками, трудовой интеллигенцией и т. д. Сатирик-юморист был непременным членом такого скоротечного трудового коллектива, и поэтому за несколько лет передо мной прошел тогда почти весь веселый цех отечественной словесности. Обратил я внимание на одну любопытную деталь: обычно сатирик во время встречи исполнял одну-две-три собственные вещицы, остальное же — шутки, репризы, хохмы, даже экспромты — были у всех совершенно одинаковые, слово в слово. Да и сами они не стесняясь именовали это «коммунальным юмором», объясняя, что добрая острота в голову приходит редко, а жить-то надо да и народ смешить тоже.

Теперь о том, к чему это я, сравнительно молодой еще человек, вдруг впал в мемуаристику. Того самого освистанного юмориста я нынче чуть ли не каждый день вижу по телевизору, острит он так же бездарно — только теперь не про «диван с матросом», а про «неверного Руслана» или про сталинские усы... Только освистать его теперь нельзя, разве что ящик выключить. Попадаются и былые спутники давних поездок на заработки. Юмор все тот же — коммунальный, но только теперь все, как один, шутят про «страну, которую путчит», про «парламент, который можно преобразовать в дурдом простой сменой вывески», и т. д. В общем, в смысле качества ничего не изменилось. Изменилось лишь — разительно! — количество людей, охватываемых этим неприличным качеством. Плохонький юмор, да свой! Ильич ведь тоже Демьяна невысоко ставил, а жил он, Бедный, между прочим, в Кремле. Параллели, думаю, проведете сами.

А я, раз уж коснулся телевидения, продолжу эту тему. Да, раньше, при социализме, у нас было очень серьезное телевидение. Юмор строго дозировался, точно критические абзацы в партийном докладе. Да, это было телевидение со сжатыми зубами. Сегодня мы имеем зубоскалящее телевидение. Что лучше, право, не знаю... Ну почему, например, я должен выслушивать последние вести из уст дикторши, которая непрестанно кривит эти самые уста в саркастической усмешке? Мне нужна информация, а не личное отношение к этой информации служащего(ей) ТВ. Оно меня абсолютно не интересует, как не интересует, что думает о жизни и политике кассир Сбербанка, куда я ношу мои деньги.

Нет, конечно, я не младенец и понимаю: идет политическая борьба, где основной прием — представить противника одновременно дураком и жуликом. Как соединяются в человеке эти два достаточно разнонаправленных качества — не важно. Ладно, есть специализированные передачи, где политики, как в известных западных шоу, могут на глазах у всей страны вывалять друг друга в грязи. Ведь сказано же: политика — дело грязное. Но ухмыляющийся диктор! Ведь, как я понимаю, в его задачу входит по возможности с выражением и без речевых ошибок донести до рядовых налогоплательщиков, среди которых могут быть и горячие сторонники президента, и не менее горячие противники, текущую информацию. И все? И все. Но нет: он, диктор, скорее будет запинаться, путаться, разевать по-рыбьи рот, позабыв нажать какую-то кнопку, но никогда не забудет съязвить по поводу того, что Руцкому здорово пришлось бы раскошелиться, найми он носильщиков, чтобы перетащить свои чемоданы с компроматом. Стоило корячиться, ломать советскую империю лжи, чтобы дикторы снова были у нас бойцами идеологического фронта да еще отличниками боевой и политической подготовки! Да что там дикторы... Я накануне референдума в метро слышал, как дежурная при эскалаторе говорила в микрофон: «Не ставьте вещи на ступеньки. Держитесь за поручни. ДА — ДА — НЕТ — ДА...»

Если б я писал статью специально об иронизации ТВ в рамках иронизации всей страны, то я, конечно, остановился бы подробно на появлении особого типа телеинтервьюера, которому важно не выспросить «гостя студии», а высмеять его. Зачем? Старший приказал. Эти журналисты отличаются друг от друга лицом, полом, интеллектом, но есть неизменно общее: ангажированность под видом правдолюбия и хамство под видом ироничности.

По моему глубокому убеждению, ирония приличного человека предполагает прежде всего самоиронию. Это как бы нравственное условие, дающее право смеяться над другими, точнее — и над другими. Этот маленький союзик «и» имеет огромное моральное, этическое значение! Потеряй его — и тогда можно иронизировать, а верней, уже глумиться над чем угодно, даже над тем, что по крайней мере в христианской этике табуировано, например, над смертью, пусть даже врага. «Ликовать — не хвастливо в час победы самой» (А. Твардовский).

Впрочем, хвастливость и глумливость могут поначалу просто мелькать в литературном эксперименте и выглядеть как тонкая игра насмешливых реминисценций, без чего и сам я, грешный, честно говоря, не представляю себе творчества. Но есть «заветная черта» — ее лучше не переступать, даже эпатируя публику:

О страна моя родная,
Понесла ты в эту ночь
И не сына и не дочь,
А тяжелую утрату.
Понесла ее куда ты?

Д. А. Пригов

Это позже, спустившись с горних высот литературного эксперимента, эта «некротическая» ирония превращается в пошлое газетное зубоскальство. Очень мне запомнился один случай. В разделе «Происшествия» заголовок «Генерал — в лепешку!». Едучи в черной, естественно, «Волге», какой-то генерал врезался в КрАЗ. Оказывается, даже генералы разбиваются в лепешку. А в следующем номере — абсолютно искреннее прощание с «давним другом и автором нашей газеты» генералом имярек, «погибшим в результате трагической случайности». Просто генерал своим оказался. А если б чужим?

Потом, вырвавшись на простор политической борьбы, этот «некротический иронизм» уже не знает удержу. Достаточно напомнить читателю постоянные остроты в СМИ по поводу самоубийства Пуго. Лично недавно видел по телевизору передачу, где явно неприличные стихи приличного в общем-то поэта иллюстрировались почему-то портретом бывшего министра внутренних дел в траурной рамке. Зачем? Ведь самоубийство после неудавшегося политического замысла — поступок, заслуживающий если не подражания, то уважения. А может, именно затем... Ведь у нас есть политики, наворотившие такого, что не застрелиться — четвертоваться впору, а они живут припеваючи и организуют что-то среднее между фондами и фрондами...

Обобщим. Превращение иронии в госидеологию, точнее, в идеологию правящей политической партии ведет в конечном счете, какие бы цели оно ни преследовало, к снижению нравственности в обществе. От насмешки над чужой смертью до бессмысленного убийства случайного прохожего не так уж и далеко. Ирония — это форма инакомыслия, свойственная человеку, если верить некоторым ученым, с предысторических времен. У нас в стране за последние годы ирония превратилась в форму борьбы с инакомыслием. Причем осмеянию подвергается не суть инакомыслия, а сам его факт. Точно так же, как партократы боролись не с причинами диссидентства, а лишь с его явными проявлениями. Но они-то, упертые, делали это всерьез, а нужно, оказывается, шутя. Гораздо эффективнее...

«А что, — спросите вы, — разве нынешняя оппозиция не насмешничает, не иронизирует, не издевается?» Без сомнения! И если, придя к власти, она тоже захочет сделать иронию госидеологией, я напишу новую статью. И начну ее, быть может, такими строчками классика:

Я не люблю иронии твоей.
Оставь ее отжившим и не жившим...

Н. Некрасов

«Литературная газета», август 1993 г.

Реалист

Вы держите в руках первый выпуск литературного альманаха «Реалист». Это название для нового периодического издания выбрано нами не случайно, оно отражает взгляды редакционной коллегии и авторов на социально-нравственную ситуацию в стране и на роль литературы в нынешнее, трудное для России, поистине «Бусово время», если пользоваться выражением автора «Слова о полку Игореве».

Мы живем в пору, когда на смену разрушенной (не без помощи отечественной литературы) советской мифологии спешно конструируется новая мифологизированная идеология, призванная закрепить в общественном сознании те геополитические и социальные перемены, что произошли за последние годы. Растаскивание единой страны, обнищание основной части населения, упадок культуры — все это подается как естественный и даже необходимый для переходного периода процесс, а не результат — бездарности, близорукости и безответственности политиков, готовых ради власти пожертвовать будущим отечества. Новая социальная мифология культивирует в людях комплекс исторической неполноценности, а нынешний развал трактует как возмездие за «первородный грех» социализма. При этом умело умалчивают, что экспериментаторская модель социализма была навязана в свое время России примерно теми же методами и тем же типом политиков-гостомыслов, которые «отменили» в стране социализм как раз в тот момент, когда произошло, по формуле Н. Бердяева, «преодоление большевизма». Когда возникли небывалые возможности для эволюции «советского» социализма в необходимый России уклад, сочетающий социальные гарантии и экономическую инициативу, демократические свободы и державную мощь. Страна снова пошла по пути великих потрясений, которые ведут только к крови, несправедливости и краху государственности. Вот что стоит за новой мифологией. Мы это видим, сознаем и хотим противопоставить «новому агитпропу» реальный взгляд на вещи.

Именно поэтому наш альманах называется «Реалист».

Мы живем в пору мощнейшего, гунноподобного натиска западной массовой культуры, являющегося составной частью общей политико-экономической экспансии против России. Мыльная пена, хлещущая с телевизионных экранов, миллионные издания бездарного западного чтива, пошлая клоунада, выдаваемая за смелое творчество, сочетаются с очевидной поддержкой направлений искусства, которые никогда не были ведущими в отечественной культуре. Антисоциальность, равнодушие к судьбе страны, к ее национальным ценностям, вымученный модернизм — навязываются ныне как признаки хорошего тона и включенности в систему общечеловеческих ценностей. Все это старательно поддерживается различными премиальными фондами, сознательно дезориентирующими творческую молодежь, и не только молодежь. Вместе с идеологической заданностью социалистического реализма за борт выбросили и сам реализм как творческий метод. Реализм в искусстве, глубоко анализирующий духовное и материальное состояние общества, никогда не поощрялся сторонниками силового социального эксперимента. Так было сразу после Октября. Так происходит и сегодня. Реалистическая литература, продолжающая традиции «золотого» девятнадцатого века и развивающая лучшие достижения «железного» двадцатого века, с трудом прокладывает себе дорогу на страницы периодических изданий. Рупором писателей-реалистов и должен стать наш альманах.

Именно поэтому он называется «Реалист».

Процесс сознательного вытеснения реализма на периферию художественного процесса, объявление маргинальных течений генеральной линией отечественной культуры привели к резкому искажению шкалы эстетических ценностей. Из общественного сознания старательно вытесняются имена серьезных писателей, в своем большинстве не поддерживающих экономическое и политическое насилие над обществом. Ангажированной прессой и телевидением насаждаются новые кумиры, не обременённые подчас ни талантом, ни даже сколько-нибудь заметными текстами. Выведение таланта за скобки — прием, часто используемый при тотальной смене интеллектуальных элит, когда власти не нужна совестливая и честная интеллигенция, а только — группа интеллектуальной поддержки, а то и просто группа визгливого скандирования, как это было в октябре 93-го. Став ареной отработки новых политических мифов, официально поддерживаемая литература стремительно теряет свой уровень, а тем временем многие серьезные мастера обречены на вынужденную немоту. В эпоху высоких информационных технологий не нужно устранять оппонента — достаточно отключить микрофон. Восстановить в общественном сознании реальную расстановку сил в литературном процессе, показать, кто есть кто на самом деле, помочь смолкшим писателям вновь обрести голос — задача нашего альманаха.

Именно поэтому он называется «Реалист».

Многие издания, кормящиеся возле финансовых структур и партий, всячески маскируют эти связи, подчеркивая свою независимость, в которую никто не верит, и прежде всего они сами. Мы этого делать не станем. Идея альманаха возникла в общественно-политическом движении «Реалисты», объединяющем политиков, деятелей культуры, ученых, хозяйственных руководителей, предпринимателей, журналистов, стоящих в оппозиции к тем силам, которые ныне определяют курс страны. «Реалисты» сегодня — это десятки региональных организаций, тысячи граждан, готовых преобразовывать, но не перемалывать созданное предшественниками. Нет, мы не политическое издание, но нам близки левоцентристские взгляды, исповедуемые движением «Реалисты», мы считаем: это движение, в союзе с другими позитивными силами, способно начать реальное, а не «фуршетное» возрождение Отечества, обеспечить благосостояние всего народа, а не кучки дорвавшихся до общенациональной сокровищницы дельцов.

Именно поэтому наш альманах называется «Реалист».

Наконец, мы сознаем, что многообразие точек знания и идейно-эстетических ориентиров — необходимое условие расцвета культуры. Мы открываем свои страницы писателям и мыслителям разных направлений и пристрастий. Художник — сложнейший организм, подверженный метаниям и заблуждениям, без которых, в сущности, невозможны истинные творческие открытия. Мы за полифонию в искусстве, но не за какофонию. «Нам дороги все речи», как писал поэт, но главное, чтобы за этим стояла искренняя, реальная забота о Родине, о нашем многонациональном народе, а не сладострастное желание вбить очередной осиновый кол в обескровленное тело страны.

Именно поэтому наш альманах называется «Реалист».

Альманах «Реалист», 1995 г.

Призрение или презрение?

В годы, когда нашему доверчивому народу дали в руки погремушку гласности, было много язвительных слов сказано об «остаточном» принципе финансирования культуры. Остаточный принцип ликвидировали. На смену ему пришел «отметочный» принцип — другое слово просто трудно подобрать! Чтобы выжить, наука и культура должны сегодня, по подсчетам специалистов, иметь бюджет, в двадцать раз превышающий нынешний...

Поговорите сегодня с любым ученым или деятелем культуры, и он скажет вам: да, прежде был унижающий идеологический контроль, даже диктат, но был и другой контроль — обеспечивающий: режиссерам — возможность ставить новые спектакли и фильмы, писателям — выпускать новые книги, художникам — создавать и выставлять новые полотна, а ученым — заниматься исследованиями. Против такого обеспечивающего контроля, между прочим, никто и никогда не протестовал. Это естественно. К примеру, в Великобритании бюджет искусства почти наполовину обеспечивается из казны, существуют многолетние программы, планы. Неужели наши пропагандисты «умного рынка» с дипломами Академии общественных наук при ЦК КПСС не знали об этом? Конечно, знали, как знали и о многом другом. Но эти их знания не принесли отечественной культуре, как, впрочем, и всему национальному организму, ничего, кроме многих печалей.

Удручающий пример — книжное дело. Ведь мы были не просто читающей страной, мы были одной из самых серьезно читающих стран! Да, имелась цензура, которую иногда удавалось обойти. Ее ныне, кстати, с успехом заменяет финансирование по политическим соображениям, которое уже не обойдешь... Была, если помните, и серьезная государственная программа книгоиздания, поддержка талантливой литературы. Сегодня же мы просто захлебнулись в чудовищном книжном ширпотребе. Навыки серьезного чтения прививаются десятилетиями, а теряются очень быстро. Между прочим, наш старший черно-белый брат, Соединенные Штаты, бдительно следит, чтобы развлекательная продукция не вытесняла из издательских планов литературу серьезную, и материально обеспечивает ее появление на книжных прилавках. Американцы знают счет не только деньгам, но и хорошим книгам!

Самофинансирование в культуре — такая же нелепость, как «самораскручиваемость» при выращивании картофеля. Недавно я разговаривал с директором одной московской детской библиотеки. Так вот, от них постоянно требуют введения так называемых платных услуг. При нынешнем общем снижении интереса к серьезному чтению ребенок, придя в библиотеку, должен еще и заплатить хоть за туалет! И это при том, что не в каждой семье сегодня на хлеб-то хватает! Государственное равнодушие к духовному воспитанию юношества — вещь, чреватая самыми тяжелыми последствиями для будущего страны. От молодого человека, выросшего исключительно на «Поле чудес», никаких чудес в области науки или культуры мы не дождемся. Да и в цивилизованном бизнесе тоже. Похоже, руководство нашего, под пистолетную пальбу акционирующегося телевидения об этом забыло! К сожалению, в Уголовном кодексе не предусмотрена статья о забывчивости. Впрочем, тогда по статье «забывчивость в сфере государственных интересов» пошло бы столько народу, что наш политический Олимп сразу опустел!

Еще один важный вопрос — воспитание творческой молодежи. Прежде существовала разветвленная система, которая при всех своих недостатках обеспечивала постоянное пополнение рядов творческой интеллигенции. Талант дается, конечно, от Бога, но готовит талант к деятельности вполне конкретная система, которая начиналась, скажем, с бесплатной детской изостудии и заканчивалась академией художеств. Теперь такой системы у нас нет — обломки. А в США, опять-таки, ежегодно художественные факультеты государственных университетов и колледжей заканчивают четверть миллиона человек! И если бы сегодня Василий Шукшин приехал в Москву с Алтая, «Калины красной» мы бы с вами не дождались. В лучшем случае он мыл бы автомобили или торговал в коммерческом киоске — и Фонд Сороса им вряд ли бы занимался... Много говорено о тяжкой доле таланта при социализме. Даже пагубную склонность мятущихся творческих душ к крепким напиткам — и это на тоталитаризм списывали. Но мало кто знает, что скончавшийся недавно замечательный актер, народный артист, чтобы прокормиться, пошел работать в литейный цех, оттого, возможно, и умер в расцвете сил...

У тех же, кто в это трудное время поставлен отвечать за развитие культуры, ответ всегда один: нет денег. Их и не будет, если в стране политические проблемы будут решаться танковой пальбой по парламенту с последующим миллиардным ремонтом и бесконечными «молниеносными» войнами. Не будет денег на культуру, если итогом российской приватизации в духе проголодавшегося Винни-Пуха станет тотальная скупка престижной западной недвижимости так называемыми «новыми русскими». И вообще, по своей гуманитарной наивности, я никак не могу постичь одной вещи: когда хватает на оборону, но не хватает на культуру, — это плохо, но понятно. Но когда не хватает ни на оборону, ни на культуру, — это не просто плохо или непонятно, это очень подозрительно!

Но примем как данность: денег нет. Почему же власть и наши законодатели не способствуют возрождению такой богатой традициями российской системы благотворительности и меценатства? К 1902 году в России насчитывалось около 11 тысяч действующих благотворительных обществ и учреждений — как универсальных, так и специализирующихся на отдельных видах помощи. Имелась строгая законодательная база. А в 1909 году открылся «Всероссийский

Союз учреждений, обществ и деятелей по общественному и частному призрению». «Бескорыстное служение позволило многим из них участвовать в решении исторических задач национального масштаба... Все эти русские мужики Алексеевы, Мамонтовы, Сабашниковы, Сапожниковы, Щукины — какие все это козыри в игре нации!» — писал Федор Шаляпин. Общество, кстати, высоко оценивало заслуги меценатов: Бахрушин, например, за свой знаменитый музей был удостоен потомственного дворянства.

К сожалению, забота о культуре, или, как тогда выражались, «призрение», у нынешних преуспевающих россиян часто оборачивается высокомерным презрением к национальной культуре... Есть и немало подставных благотворительных фондов, помогающих коммерческим структурам просто укрывать прибыль или отмывать неправедно нажитые деньги. Но, слава богу, есть и люди, которые готовы переложить непосильную для государства ношу финансирования культуры на свои плечи. Однако мало подставить плечи, нужно еще, чтобы государство дало тебе такую возможность. А что получается? Благотворительная сумма облагается дважды — сначала как прибыль у благотворителя, а потом как прибыль у благотворимого! Проект же закона «О благотворительной деятельности и благотворительных организациях», принятый недавно Думой в первом чтении, ни слова не говорит о разумном налогообложении в естественной связке «пожертвователь — учреждение, получающее благотворительность». Не скоро мы при подобном отношении дождемся своих Третьяковых...

И еще об одной больной проблеме сегодняшней духовной жизни я хотел бы поговорить — о своеобразном разделении творческой интеллигенции на «чистых» и «нечистых», которое всячески демонстрируется властями. А ведь, по сути, это просто вывернутая наизнанку приснопамятная «теория двух культур», с которой так самозабвенно боролись наши либералы, сидючи и в андеграунде, и в эмиграции. Такого беспредела не было даже в прежние времена, когда диалог интеллигенции велся из президиумов съездов и пленумов, а то и в кабинетах КГБ. Коммунистический режим, конечно, по-своему, в рамках господствовавшей идеологической модели, хоть изредка старался учитывать мнение всех направлений общественной мысли. Сегодня достаточно открыто сказать о своем неприятии чудовищных геополитических просчетов, о своем несогласии с вивисекторскими методами реформирования страны, чтобы оказаться в «нечистых». В услужении властных структур мы видим сегодня одну компактную, но боевитую группу персонажей, использующих эту свою близость к кормилу в основном для того, чтобы одобрять нелепые действия политиков, подвигать власть на непродуманные силовые решения (чего стоят только призывы «добить гадину!») в октябре 93-го для того, чтобы сеять недоверие к основной части интеллигенции, скептически относящейся, как и весь народ, к происходящему в Отечестве. Это стремление снова стать «скандирующей группой», вместо того чтобы быть интеллектуальным и нравственным ориентиром власти, просто поразительно, особенно у тех, кто себя под Сахаровым чистит, чтобы плыть к общечеловеческим ценностям дальше...

Как справедливо замечено, Россия во многом страна идеократическая. И в наши дни выбор государственной идеи для державы не менее важен, чем выбор веры во времена святого князя Владимира. Но о каком выборе может идти речь, если точки зрения основной части интеллигенции попросту игнорируются? На мой взгляд, важнейшая из нынешних задач — опираясь на пока еще не уничтоженный культурно-интеллектуальный потенциал России, учитывая все многообразие позиций и интересов, — выработать идеологию созидания, которая обеспечит духовное и материальное возрождение страны, процветание ее экономики и культуры, преемственность лучшего, а не худшего из того, что было в нашей истории.

И хватит интеллигенции, в том числе творческой, быть фомкой для политических взломов российской государственности!

Газета «Культура», апрель 1995 г.

Прозрений дивный свет

Есть боговдохновенные поэты. К их строкам обращаешься всю жизнь: в любви, в радости, в тоске — и всякий раз находишь если не ответ на вопрос, то, по крайней мере, врачующее созвучие своему сердцу. А это и отличает подлинное искусство от бесчисленных подделок и поделок, к которым современники норовят привешивать ценники со многими нулями, превращающимися со временем просто в ноль.

К таким боговдохновенным поэтам принадлежит и Сергей Александрович Есенин. Его стихи не столько факт русской литературы, сколько фактор, определяющий и формирующий своеобычие духовного мира русского человека XX века. Если сделать фантастическое допущение и изъять Есенина из нашего культурного обихода, то лишь по одной этой причине следующие поколения людей, думающие по-русски, будут резко отличаться от своих предшественников. И подозреваю: не в лучшую сторону...

Много сказано и написано о простоте есенинской поэзии, о «моцартовском» начале в его творчестве, позволявшем как бы в обход книжного знания, «премудрости скучных строк», находить путь к людским душам. Это — миф, который в известной мере лукаво поддерживал и сам поэт, по образованию стоявший вполне «с веком наравне», но в своих поэтических озарениях намного опережавший современников.

Талант — самый короткий путь к истине. Навязывание литературных авторитетов (явление, характерное для переломной эпохи с ее попыткой тотальной смены художественной элиты) очень задевало Есенина, видевшего в этом то, что мы сегодня называем «манипуляциями общественным сознанием». И он писал:

Я вам не кенар!
Я поэт!
И не чета каким-то там
Демьянам.
Пускай бываю иногда
я пьяным,
Зато в глазах моих
Прозрений дивный свет...

А прозрения Есенина очень беспокоили людей, которые в ту пору калифствовали над страной, ибо они, прозрения эти, были связаны с главной болью эпохи — трагедией «отчалившей Руси». Честно говоря, эту боль поэта долгие годы трактовали упрощенно, в духе «смешного duралея», жеребенка, неспособного догнать «стальную конницу». Любили приводить признания поэта о том, что он «остался в прошлом одной ногою...». И только теперь, пережив это страшное состояние, когда не понимаешь, «куда несет нас рок событий», и только теперь, увидев страну, «вздыбленную на пики звездные», гораздо глубже осознаешь смысл исторической тоски автора «Анны Снегиной». Консерватизм — всегда от глубины. Радикализм — всегда от поверхностности. И нет на свете ничего страшнее людей, стоящих в будущем обеими ногами!

Сергея Есенина мучил не страх перед «электрической лихорадкой» преобразований, его терзала мысль, почему любой рывок России к новизне происходит за счет необратимых утрат того, что делает Россию Россией. Почему обещания поднять Отечество на небывалую высоту неизменно заканчиваются тем, что страну опускают на колени? Почему за приобщение к очередной версии прогресса необходимо расплачиваться отчими землями, целыми сословиями, миллионами загубленных жизней?! Расплачиваться выморочными судьбами, которые

...несжатой рожью
на корню
Остались догнивать и рассыпаться.

Эти строки мне часто приходят на ум, когда сегодня я вижу на улицах бесчисленных нищих стариков, честно проработавших всю жизнь и оказавшихся вдруг никому не нужными. Есенин одним из первых задался вопросом, который и сегодня мучает любого совестливого человека: почему каждый раз ценой страшных лишений нужно подгонять народ под прогресс, а не наоборот и почему всякий раз на крутых поворотах истории мы оказываемся бессильны перед Чекистовыми и Рассветовыми, для которых

Россия пустое место,
Россия лишь ветер
да снег.

Не стоит, правда, впадать в другую крайность и представлять себе поэта яростным врагом революционных перемен, одно время он называл себя «самым яростным попутчиком». Колоссальные исторические сдвиги всегда завораживают, и появляется чувство: если это случилось, если в этот вихрь вовлечены миллионы, то должна быть в этом какая-то правота, обязана быть. И этой правоте можно и должно служить.

Хочу я быть певцом и
гражданином,
Чтоб каждому как
гордость и пример
Быть настоящим,
а не сводным сыном
В великих штатах СССР!

Но видел поэт и другое: стремление людей к лучшему почему-то чаще всего используется как таран для разрушения хорошего. Что это — глумливый закон истории? Или подобно тому как сам Есенин не смог спастись от своего «черного человека», так и мы не можем спастись от «черных людей», живущих в нас самих?

О мучившей и жегшей поэта любви к родному краю написано очень много. Но вспомним: о своей любви к Отечеству он настойчиво и безоглядно писал в те годы, когда многими Россия мыслилась всего лишь как огромная вязанка хвороста, приготовленная для мирового революционного костра, когда все, что составляло славу дореволюционной державы, было объявлено позорным историческим хламом, когда за отчетливый и даже безотчетный патриотизм можно было угодить в ЧК, что, собственно, и случилось с поэтами есенинского круга. Сегодня, когда многое повторяется, совершенно по-особенному воспринимаются слова, вложенные Есениным в уста одного из обитателей «Страны негодяев»:

Страна негодует на нас.
В стране еще дикие нравы.
Здесь каждый Аким и
Панас
Бредит имперской славой.
Еще не изжит вопрос,
Кто ляжет в борьбе
из нас.
Честолюбивый росс
Отчизны своей не продаст...

Эти «дикие нравы» через шестнадцать лет после гибели поэта спасли Отечество в войне с фашизмом, когда мировой пожар все-таки взметнулся, но совсем не тот, на который рассчитывали. Полагаю, и ныне эти же «дикие нравы» вызволят Россию из теперешней вялотекущей катастрофы. Если переводить поэзию Есенина на современный политический язык (иногда, очень редко, это стоит делать!), можно сказать: наш национальный гений никак не хотел смириться с тем, чтобы во имя «общечеловеческих ценностей» жертвовали интересами страны, ее геополитическими константами, укладом жизни, культурой. Просто в те годы под «общечеловеческими ценностями» понимались социализм и революция, а сегодня — как раз наоборот. Поэт отчетливо сознавал: общечеловеческие и национальные ценности противостоять друг другу не могут. Если они противостоят, то какая-то одна из «ценностей» фальшива... Даже в моменты оптимистического очарования, в минуты готовности «идти по выбитым следам», даже допуская счастливое завершение начатого большевиками социального эксперимента, Есенин был непреклонен в одном:

Но и тогда,
Когда на всей планете
Пройдет вражда племен,
Исчезнут ложь и грусть,
Я буду воспевать
Всем существом в поэте
Шестую часть земли
С названьем кратким
«Русь».

И еще об одном трагическом парадоксе мучительно размышлял поэт: на самых крепких цепях, как правило, вычеканено красивое слово «Свобода». Вообще у Есенина, человека, пережившего развал Российской империи, уничтожение сформировавшего его жизненного уклада, были непростые взгляды на те противоречивые, порой взаимоисключающие явления общественной и духовной жизни, которые мы обыкновенно объединяем одним словом — «свобода»:

Еще закон не отвердел.
Страна шумит,
как непогода.
Хлестнула дерзко,
за предел
Нас отравившая свобода...

Нет, речь не о свободе личности на выбор пути и символа веры. Этой свободы не было с самого начала, когда штурвал взял в руки «застенчивый и милый» капитан Земли. Хотя, впрочем, и те времена, которые поэт именует «царщиной», тоже слишком уж идеализировать не стоит.

Есенин ведет речь совсем об иной «свободе» — страшной свободе от нравственности, от долга перед Отечеством, замененного на партийную или мафиозную дисциплину. И он остро предчувствовал, что наследники Ленина «страну в бушующем разливе должны заковывать в бетон», ибо диктатура, даже тирания — это не козни отдельного прорвавшегося к трону властолюбца, а возмездие народу, вольно или невольно пренебрегшему своей исторической миссией.

Именно об этом горько думаешь сегодня, перечитывая многие строки Есенина. Ведь и мы с вами живем в пору «неотвердевшего закона» и «хлестнувшей за предел свободы». И все-таки Есенин не был бы для нас тем, чем он стал, если б от его поэзии, несмотря на всю ее трагичность, не исходил целительный ореол надежды и веры в торжество добра. Наверное, это самое главное в нем, этом, быть может, самом русском гении из всех гениев, рожденных на нашей земле.

...В первый раз я
от месяца греюсь,
В первый раз от прохлады
согрет,
И опять я живу и надеюсь
На любовь, которой уж
нет.
Это сделала наша
равнинность,
Посоленная белью песка,
И измятая чья-то
невинность,
И кому-то родная тоска.
Потому и навеки не скрою,
Что любить не отдельно,
не врозь —
Нам одною любовью
с тобою
Эту родину привелось.

«Российская газета», октябрь 1995 г.

Словоблуждание

Сегодня журналист в России — больше чем журналист. В частности, потому, что в течение многих десятилетий был меньше чем журналист.

До известного перелома в судьбе нашего Отечества он был зачастую литобработчиком спускавшихся сверху политических указаний, и если проявлял неуместную самостоятельность, то получал по рукам, а иногда и — по голове. Это не значит, скажем, что застойная «Правда» не могла снять с политического пробега крупного функционера. Могла. Но чаще всего только в том случае, если его уже решили снять с пробега еще более крупные функционеры. Бывали, конечно, исключения, но погоды они не делали. Это время у всех на памяти, поэтому не буду углубляться, подчеркну лишь: журналист эпохи застоя (точнее сказать, эпохи устоев, многие из которых, но не все, к тому времени уже обветшали) мог выражать свои личные политические взгляды только у себя дома на кухне. Приходя в редакцию, он превращался в рядового совслужащего, на своем участке работы прилагающего усилия для выполнения общегосударственного плана строительства социализма.

А потом наступила гласность, задуманная, очевидно, и первоначально воспринимавшаяся многими как попытка привести государственную идеологию в соответствие с исторической и социальной реальностью. У нас сложилось такое количество невнятных табу, священных животных и кровавых идолов, требовавших постоянного принесения им в жертву здравого смысла, что дальше так жить было нецелесообразно. Насчет «нельзя» — это Говорухин, конечно, талантливо погорячился. С наступлением гласности Бухарин и Бердяев, не ужившиеся в свое время в одной России, стали соседствовать в журналах, а сами журналисты сначала вполголоса, а потом все громче начали говорить городу и миру то, что прежде позволяли себе лишь на кухне. Именно таким неожиданным образом воплотилось в жизнь предвидение Ленина о кухарках, управляющих государством. Пишущая братия бурно прорвалась в политику. По массовости и плачевности результатов этот прорыв можно сравнить — и то лишь приблизительно — со знаменитым призывом ударников производства в литературу в сталинские времена.

Помните знаменитые утренние очереди к газетным киоскам во второй половине восьмидесятых? Да, журналисты стали властителями дум, но не потому, что умели думать и понимать происходящее лучше остальных, а потому, что наступила эпоха легализации кухонных споров. А «письменные» люди как раз и оказались обладателями средств, необходимых для этой самой легализации, — газетными полосами и микрофонами. Свою приватизацию они начали еще тогда, когда Чубайс только торговал цветами в Ленинграде.

Вы никогда не задумывались, почему первыми звездами перестроечной прессы стали в основном журналисты-международники? Конечно, они знали многие приемы западных СМИ, непривычные и заманчивые для неискушенного советского потребителя информации. Но есть и другая причина: они в силу своей специальной идеологической подготовки лучше других владели черно-белым методом подачи материала, незаменимым в любой политической борьбе. Только объектом этого метода стала теперь не западная «империя зла», а собственная страна, для которой даже не потрудились придумать какие-то новые определения, механически перенеся на нее все «прибамбасы» советской международной журналистики. Характерно, что, отбомбившись по собственной стране, ставшей вдруг «империей зла», отстрелявшись по обитавшим в ней «совкам», многие из буревестников «нового мышления» мирно отлетели с родного пепелища собкорами в более благополучные страны. Оно понятно: копаться в соблазнительно-грязном белье принцессы Ди куда приятнее, чем копошиться на обломках державы, разваленной не без твоей помощи.

Но, может быть, я злостно преувеличиваю роль журналистов в разгроме страны? Сходите в библиотеку и полистайте газеты за декабрь 91-го, когда бабахнуло Беловежское соглашение: восторг, переходящий в исступление. Почти никто из газетных аналитиков не заметил, что Россия в одночасье лишилась своих исконных территорий, а русские превратились в разделенную нацию. Зато «письменный» люд очень забавлялся тем фактом, что столицей СНГ стал Минск, а не Москва. Тогда это называлось изживанием комплекса «старшего брата». Справедливости ради нужно заметить, что и депутаты в своем большинстве тоже особенно не огорчались, а на немногих, доказательно протестовавших (на того же С. Бабурина), смотрели как на ненормальных. Правда, депутатов потом за это вместо Бога — а может быть, как раз и по поручению — президент покарал. Вообще, наш президент напоминает мне чем-то гегелевский Абсолютный Дух, который творит историю во всей ее неприглядной непредсказуемости для того, чтобы лучше познать самого себя. Но это тема отдельной статьи.

Была у стремительной политизации журналистов и другая причина. Начавшаяся в верхах борьба за власть и влияние не могла уже вестись по старой схеме: Политбюро присудило, ЦК приговорил, а пресса обнародовала. Пресса стала приговаривать, ибо тогда, при определенном равновесии разнонаправленных сил наверху, при двоевластии, это был иной раз единственный способ избавиться от политического противника, по-другому мыслящего пути реформирования. Людей, в принципе не желающих никаких реформ, за эти десять лет я ни разу не встречал. Более того, именно либеральные журналисты начали формирование новой политической элиты — «птенцов гнезда Борисова», а также выбраковку тех, кто за реформами старался видеть и людей. Тогда-то и ушло в прошлое советское бесправие прессы и началось ее триумфальное вхождение во власть. СМИ постепенно как бы соединили в себе функции двух отделов ЦК КПСС — агитпропа и кадрового. Делалось это так. Один, не совладавший с собой на трибуне, тут же превращался в «плачущего большевика». Второй, заикнувшийся, что Крым хоть и далеко, но нашенский, сразу становился «ястребом».

А третий, имеющий мозги и внешность ярмарочного попугая, не совладавший ни с одним из порученных дел и собиравшийся подарить Курилы японцам, как пасхальное яйцо, был и остается ну просто светом в телевизионном окошке. Такого не то что снять с должности — отругать-то по-настоящему нельзя: пресса сразу же заревет, как ребенок, у коего отбирают любимую игрушку!

И то обстоятельство, что первым главным реформатором стал Е. Гайдар, член редколлегии журнала «Коммунист» и сотрудник «Правды», — не случайное совпадение. Это исторический символ. Если вы, кстати, мысленно переберете фамилии людей, вломившихся во власть в те годы, то непременно заметите: многие из них, как и Ленин, могли бы в графе «род занятий» написать — «литератор». Это повторение истории — тоже характерная, а возможно, и целенаправленно сформированная особенность эпохи. Ведь у «письменных» людей особое отношение к реальности. Я называю это эффектом «скомканного листа». Не получилось — выдрал лист из каретки пишущей машинки, бросил в корзину и вставил новую страничку. И вся недолга! С такой психологической установкой гораздо легче начинать шоковые реформы, даже если окончательный их смысл до конца не внятен. Некоторые из «литераторов», по-моему, так и не поняли до сих пор, что скомканным листом оказалась Держава, а вместе с ней — миллионы человеческих судеб. А если поняли и помалкивают, то Бог им судья. Пока...

Именно журналисты в значительной мере привели к президентству Бориса Ельцина. Страна в него влюбилась как бы заочно, точно провинциальная девушка в немногословного дембеля, за которого любовные письма писал ушлый военкор из солдатской многотиражки. И теперь, когда эти самые «военкоры» говорят нам, что президент их разочаровал, мне хочется воскликнуть: «Да хрен с вами — сами виноваты! А вот что теперь делать доверчивой провинциальной девушке, замышлявшей родить от любимого «дембеля» социально сориентированный рынок, а забрюхатевшей монстром дикого капитализма?!» Да и разочаровывает их, «военкоров», Б. Ельцин почему-то именно тогда, когда временами вспоминает о своей первоначальной профессии строителя... Теперь даже клиническому «демократу» стало ясно: к грандиозному реформированию страны мы приступили без серьезного плана. Наши западники (а чтобы стать западником, в советское время достаточно было родиться в номенклатурной семье, окончить спецшколу и постажироваться на Западе) с какой-то совершенно почвеннической авосистостью предположили, будто умный рынок решит все наши экономические проблемы, а пресса, еще вчера бывшая партийной, сначала демонтирует советскую идеологию, а потом также энергично смонтирует новую, общечеловеческую. Увы... «Умный рынок» бывает только у умных реформаторов, не выпускающих из рук вожжи госконтроля. А с идеологией получилось то же, что у слесаря-интеллигента Полесова из «Двенадцати стульев» вышло с расклепанными воротами — вновь склепать их он так и не сумел... Но Полесова за это били. Прессу же бить нельзя — она как бы ребенок, у которого помимо любимых игрушек есть еще рогатка — и дитятко, осерчав, может запросто вышибить глаз любому взрослому политику. А еще может наябедничать строгим заокеанским дядькам про нарушение в России прав обычно какого-нибудь конкретного и — желательно — со здоровым диссидентским прошлым человека, ибо нарушение прав большого количества людей, даже всего народа, на языке политических лидеров называлось и называется не иначе как революционным реформированием общества.

Есть ли тут злой умысел? Очевидно, у кого-то есть. Любое государство, тем более такое огромное, потенциально мощное и богатое, как наше, всегда имеет геополитических недоброжелателей, а иностранные спецслужбы встречаются не только в фильмах про Джеймса Бонда. Но этой проблемой пусть занимается наша контрразведка, которая, хочется верить, осталась у нас не только в сериале «ТАСС уполномочен заявить...». Я о другом: общественное сознание стало жертвой если не словоблудия, то по крайней мере словоблуждания СМИ, а за ними следом по кривым постсоветским дорожкам побрел и наш газетопослушный соотечественник. Чтобы не тратить времени на многочисленные примеры, я вновь отсылаю вас к газетным подшивкам. Прочитайте подряд статьи какого-нибудь вашего журнально-эфирного любимца, написанные в течение буквально одного года, и вы убедитесь: его взгляды и оценки недолговечнее дешевых женских колготок. Неизменны лишь визгливо-самоуверенный тон и нетерпимость к думающим иначе.

Поэтому нынешние сетования прессы на политическую наивность, даже тупость избирателей явно нетактичны. Это как если к Митрофанушке для разъяснения демократических ценностей приставить все тех же Кутейкина, Цифиркина и Вральмана, а потом удивляться, что парень так и остался, по сути, крепостником. Более того, ведь и кликушеский антикоммунизм многих журналистов очень смахивает на ненависть вынужденно завязавшего гражданина к тем, кто продолжает выпивать и закусывать. Неужели так трудно понять, что проголосовавшие за коммунистов совсем не хотят вернуться в унизительное прошлое? Они просто-напросто не желают жить в омерзительном настоящем! И если популярный ведущий дебильной телеигры при социализме ездил на трамвае, а теперь пересел на джип и построил себе виллу, это совсем не означает, будто реформы в России удались. Даже в блокадном Ленинграде были люди, евшие на завтрак черную икру.

Я далек от мысли обвинять свободолюбивую прессу в целенаправленном и злонамеренном разрушении государства. В большинстве случаев речь идет о другом: наша пресса оказалась не подготовленной к роли политической силы, а уж тем более — «четвертой власти». Возьмите хотя бы ее постыдно-науськивающую роль в сентябре — октябре

93-го, причем независимо от того, чью сторону она принимала. Это было очень похоже на подлое шпанистое подзадоривание: «А ну — дай ему! А вот и не подеретесь!» Подрались. До крови. Когда я читал газеты и смотрел телевизор в страшные дни, то мысленно как бы составлял список журналистов и деятелей культуры, которым теперь просто нельзя подавать руки. Но вскоре я сообразил, что проще было бы вообще отменить рукопожатие, как это делалось во время эпидемий чумы.

Я убежден, даже трагедия Чечни во многом связана со странной позицией нашей прессы, заголосившей о правах человека лишь тогда, когда президент решил повторить испытанную танковую атаку, но теперь уже на Кавказе. Если бы «четвертая власть» вспомнила о правах человека еще тогда, когда суверенитет предлагался национальным элитам в качестве легко усваиваемой пищи, когда сотни тысяч русских были согнаны с обжитых мест, сотни убиты на месте, а оружие бесконтрольно шло в Чечню и не только туда, — все бы сложилось, возможно, иначе. Почему же молчали? Где была совесть российской интеллигенции, в том числе и пишущей? Или думали, в случае открытого возмущения обобранных (чаще их называют почему-то «красно-коричневыми») можно будет обратиться за помощью к «дикой дивизии» — способ, еще царями испытанный. Взяли бы в заложники, например, роддом имени Грауэрмана, что рядом с парламентом, — и дело с концом! Но так или иначе, теперь перед многострадальным чеченским народом, как и перед не менее страдальным русским, — надо бы не за три другие власти извиняться, изображая федеральных солдат карателями, а признать и собственную вину. Да куда там! Это в торговом бизнесе всегда прав покупающий. В журналистском бизнесе всегда прав продающийся.

Мы все, люди пишущие, вольно или невольно очень виноваты перед своим Отечеством. Мне, например, до сих пор не дает покоя то обстоятельство, что моя повесть «Сто дней до приказа», написанная в 1980 году и опубликованная в 1987-м, была активно использована не для борьбы с недостатками армии, а для борьбы с самой армией как неотъемлемой частью государственности. Помню, через какое-то время после ее публикации в журнале «Юность» мне позвонили сверху и предложили возглавить — ни больше ни меньше — газету «Красная звезда». Я ответил, что не подхожу по званию — рядовой запаса. Тогда мне предложили возглавить какой-то общественный комитет по борьбе за профессиональную армию. На мой вопрос, а есть ли у страны с ее немереными границами возможность содержать профессиональную армию, мне ответили, что не в этом суть, главное — начать. В отличие от Горбачева ударение в слове «начать» поставили правильно. Но тем не менее я отказался. И тем не менее когда я видел потом, как армию втравили в кровавые маскарады суверенизации, когда видел в «Новостях» сожженные танки на улицах Грозного, трупы наших солдат и наших же мирных жителей, а все это еще сопровождалось глумливыми комментариями, — я не мог отделаться от чувства собственной вины.

Да, конечно, нам не дано предугадать, как слово наше отзовется. Но если нам наплевать на то, как оно отзовется, народ еще не раз будет, пусть даже подзадориваемый штатными провокаторами, ходить на штурм Останкино, а может, и возьмет когда-нибудь.

И еще одно соображение: объявив себя «четвертой властью», пресса действия трех прочих ветвей, но особенно законодательной, самой беззащитной, воспринимает с пренебрежительным сарказмом. Вот, мол, косорукие! Скажу больше, СМИ вообще усвоили некий насмешливо-капустниковый тон домжуровских тусовок, особенно когда речь заходит о явлениях и фигурах, не укладывающихся в ту цеховую концепцию прогресса, которая в данный момент возобладала в журналистской среде. Впрочем, наша пресса может быть и очень серьезной, но это если только речь заходит о ее корпоративных интересах. Вспомните, ведь разгул преступности она всерьез заметила, только когда погиб коллега В. Листьев. А прежде: ну что ж вы хотите — первичное накопление капитала, столкновение клановых интересов, об этом ясно в любом учебнике политэкономии написано!

Неясно, правда, почему же на эти самые учебники не ссылались, когда, захлебываясь, рассказывали людям, «чьи пироги пышнее»? Или другой пример. На экране жизнерадостный телекомментатор: «Убыточные предприятия? Значит, не умеют работать! Закрыть немедленно, а рабочие пусть переучиваются!» Логично? Вроде логично. Но спросите у него же про убыточные издания и в ответ услышите совершенно новую логику: «Ну, так это ж совсем другое дело! Журналистика в опасности!! Нужна государственная поддержка...» Но что же выходит? Вы, читающие, при капитализме корячьтесь, а мы, пишущие, свою четвертую веточку на социалистической деляночке обихаживать будем!

Кстати, заметьте, такое слово, как «справедливость», почти исчезло из словарей пишущих и вещающих людей! Зато все чаще стало появляться в речах политиков. Во власти все меньше (особенно в последние месяцы) становится «литераторов» и прочих «алармистов» — так В. Даль называл суетливых и безответственных крикунов. И наоборот, прибавляется число «заботников». Кого именно тот же Даль подразумевал под этим словом, полагаю, русскоязычному читателю объяснять не нужно. К чему бы это? Только ли к президентским выборам? Или дело в наметившемся обратном движении маятника российской истории?

И тут бросается в глаза одна знаменательная деталь: наша «четвертая власть» как личную опасность воспринимает малейшее укрепление трех остальных. Ведь, укрепившись и сработавшись, эти три могут резонно спросить: «А на черта нам четвертая? На троих как-то привычнее!» И понять их можно, ведь пресса сегодня норовит занять очень комфортную позицию: по отношению к обществу вела и ведет себя как власть — навязывает жесткий тип реформ, диктует геополитические симпатии и антипатии, контролирует кадровые вопросы, определяет законы поведения и даже мышления, а когда доходит до ответственности, вдруг оборачивается эдакой вольной художницей, подстригающей газон демократии и озабоченной исключительно процветанием свободы слова. Что же это за власть такая четвертая, если ни спросить с нее, ни переизбрать, ни назначить? Шалишь, быстроглазая!

Честно говоря, когда все начиналось, я по наивности думал, что пресса станет по отношению к руководству страны своего рода «свежей головой», замечающей ошибки и подсказывающей более верные решения. Но пресса решила сама пойти во власть, а во власти как во власти: первая может не только второй, но и четвертой так по сопатке дать, что только «шапки» с газетных полос посыпятся! Никакие заокеанские дядьки тогда не помогут... Тем более что свободе затыкать рот оппозиции «первую власть» учили не одуревшие от реорганизаций спецслужбы, а самые что ни на есть либеральные печать и ТВ. Кажется, научили-таки, запамятовав, наверное: те же Карл Радек и Михаил Кольцов пострадали не потому, что были плохими «коллективными пропагандистами и агитаторами», а потому, что хотели оставаться еще и «коллективными организаторами», когда этого от них уже не требовалось...

Нет, я не спорю, свобода слова — вещь замечательная, и эти мои заметки на газетной полосе — тому свидетельство. Но спросите онемевшего от утрат беженца или нищего, читающего только безумные ценники на недоступных витринах, спросите рабочего, полгода не получающего зарплату, или инженера, уволенного «по сокращению штатов» за полемику с директором, — нужна ли им свобода без цензурного слова. И узнаете, что если даже нужна, то исключительно для того, чтобы послать вас в самую нецензурную русскую даль. Да и какая это зачастую свобода слова? Скорее — полусвобода полуслова: выгодная с точки зрения «четвертой власти» информация печатается на первой полосе буквами величиной с кулак, а невыгодная — мельчайшей нонпарелью или вообще дается в игривом и абсолютно невнятном изложении. Тот же рабочий, воротившись с многотысячного митинга оппозиции и включив телевизор, вдруг выясняет, что, оказывается, побывал на «сборище нескольких десятков неуравновешенных люмпенов». А видный, но не показавшийся журналистам политик обнаруживает на экране такой монтаж своего выступления да еще с использованием таких спецэффектов, что не может узнать ни себя самого, ни собственных слов. Эффект «Буратино» на ТВ — далекая история. Теперь гораздо чаще прибегают к эффекту «Карабаса-Барабаса»...

От иных именующих себя «демократическими» или «патриотическими» изданий просто разит агитпропом. Кстати, не сомневаюсь: если завтра мы по прихоти Истории или по причине профнепригодности наших реформаторов снова проснемся при тоталитарном режиме, то на телеэкранах увидим все тех же людей, подводящих итоги или комментирующих подробности. Если профессия человека — полуправда, то ему, в сущности, не важно, какую половину утаивать, хотя, конечно, предпочтительнее ту, что подороже...

Вот один лишь пример. Но характерный. Журналисты любят пугать нас пушкинскими словами о «русском бунте, бессмысленном и беспощадном». Чаще пугают разве только фашизмом, что лично я воспринимаю как бессовестное вранье и прямое оскорбление собственного народа — антифашиста по самой своей сущности. И в этом пугании очень точно прослеживается основной метод управления, используемый «четвертой властью», — метод полуправды, полуцитаты, полуухмылки, полуинформации. Кстати, замечательный журналист, умнейший и честнейший человек А. Гостюшин, автор знаменитой «Школы выживания», незадолго перед смертью начал писать книгу о том, как уберечься от злокачественной полуинформации, полагая, что это — главное условие духовного, да и физического выживания. Есть о чем задуматься. А есть ли кому задуматься? Есть. Порядочных людей, простите трюизм, больше, чем непорядочных. И в журналистике тоже. Беда в другом: честная оценка происходящего для многих пишущих и вещающих в эфире людей снова стала делом кухонным. Приходя в редакцию, журналисты снова становятся рядовыми служащими, участвующими в выполнении общегосударственного плана строительства, но теперь уже — капитализма. И понять их можно. Раньше партийный журналист думал: самое страшное — лишиться партбилета. Теперь, став как бы беспартийным, он осознал: куда страшней — лишиться средств к жизни, которая становится все дороже, ибо быстрое создание класса собственников — дело дорогостоящее, может быть, даже более дорогостоящее, чем быстрая ликвидация того же самого класса после Октября 17-го. А перспектива нищеты сплачивает похлеще самой строгой партийной дисциплины!

Но вернемся к Пушкину, который, как известно, «наше все». В необрезанном варианте его знаменитые слова выглядят так: «Состояние края, где свирепствовал пожар, было ужасно. Не приведи бог видеть русский бунт — бессмысленный и беспощадный. Те, кто замышляет у нас невозможные перевороты, или молоды и не знают нашего народа, или уж люди жестокосердные, коим чужая головушка полушка, да и своя шейка копейка».

«Российская газета», февраль 1996 г.

Не чуя страны

Интеллигенция или интеллигентство?

В лихие времена надежда умирает последней, а культура — первой. С началом полуобморочного саморазрушения, которое на официальном языке именуется «реформами», в отношении отечественной культуры восторжествовал принцип: Каштанка, собачка умная, — сама себя прокормит. Разумеется, при советской власти Каштанка частенько зарабатывала себе на пропитание хождением на задних лапах. Однако нынешняя власть, плодотворно развивая эту традицию, обучила понятливую Каштанку в передних лапах носить еще и предвыборные плакаты типа «Голосуй, а то проиграешь!».

Незаметно население убедили в том, что мы в силу нехватки средств не можем позволить себе не только большую армию, но и великую культуру, которая без государственной поддержки невозможна. Насаждаемая идея самоокупаемости культуры — такая же нелепость, как самоокучиваемость картошки. В результате из самой читающей страны мы превратились в самую считающую: как дотянуть до зарплаты, каковую, может быть, дадут через полгода, или до очередного западного кредита, какового, скорее всего, так и не будет. Культура утекает из России, как нефть из переломившегося танкера.

Но так ли уж безвинны в сложившейся ситуации мы сами — служители и прислужники муз? И не возмездие ли это нам за тупое буревестничество, за то, что второй раз за столетие мы позволили использовать себя как фомку для взлома российской государственности? Не мы ли своими словами и поступками, творческими и общественными, понукали птицу-тройку снова свернуть на неведомую дорогу, вообразив, что эта дорога короче и скорее доведет до очередного рая? Объявив всероссийскую кампанию по выдавливанию раба, мы забыли людям объяснить, что человек, выросший в условиях привычной несвободы, может второпях выдавить из себя раба вместе с совестью. Не здесь ли нравственный источник захлестнувшей страну преступности: от безжалостных душегубов — до респектабельных пирамидостроителей?

Впрочем, что тут говорить, если постперестроечная эпоха одарила нас новым типом деятеля культуры, специализирующегося на «добивании гадин», причем «гадиной» может оказаться любой законопослушный гражданин, любой слой общества, оппозиционно настроенный к курсу, объявленному с неискоренимым большевистским задором единственно верным... Если под интеллигенцией понимать национальную элиту, радеющую о судьбе собственного народа, то в последнее время чрезвычайно ясно обозначился сформировавшийся еще при советской власти слой образованных людей, которых я называю «интеллигентством».

Именно к интеллигентству, как выяснилось, относится и один из гитарных кумиров 60-х, заявивший примерно следующее: «Конечно, в России нет никакой демократии, но меня издают, я езжу за границу и больше мне ничего и не надо!» Да, у интеллигенции и интеллигентства много общих ошибок, совершенных в первые годы перестройки, но как раз отношение к этим ошибкам резко и отличает их сегодня друг от друга. Интеллигенция всегда в оппозиции к тому, что вредно для Отечества. Интеллигентство всегда в оппозиции к тому, что вредно для него как сословия.

Всякий подлинный художник, если говорить об искусстве, — неизменен в своей оппозиции к любой власти, ибо любая власть — насилие. Но вот глубина и ярость этой оппозиции зависят от того, насколько целесообразно и осторожно власть пользуется этим своим извечным правом на насилие. И художник по-настоящему влияет на власть не тогда, когда советует ей бить оппозицию канделябром, и не тогда, когда рассказывает притчи про караван, во главе которого в случае поворота в обратную сторону оказывается хромой верблюд. Последнее по крайней мере не умно: на наших глазах уже происходил один поворот на сто восемьдесят градусов, и в этой связи не совсем понятно, кто же персонально подразумевается под хромым верблюдом? На тонком Востоке не очень хорошо продуманная льстивая аллегория порой стоила льстецу головы! Но мы, слава богу, в европах...

У деятелей культуры есть другое, на первый взгляд незаметное, но чрезвычайно мощное средство влияния на власть — нравственная оценка ее действий. С этой оценкой власть может не соглашаться, но не считаться с ней, пусть даже не показывая виду, не может. Не потому ли, кстати, исчезли с телевизионного экрана А. Солженицын и другие совестливые деятели культуры? На первый взгляд что за проблема для властей предержащих: слушай телевизионного толкователя кремлевских снов и радуйся! Однако тут есть неумолимая закономерность: как только власть перестает реагировать на честную нравственную оценку своих действий, она начинает стремительно терять нравственный, а следовательно, и политический авторитет. В начале века говаривали: «В России два царя — Николай Александрович и Лев Николаевич». И если мы сегодня не можем сказать: «У нас в стране два президента — предположим, Борис Николаевич и, допустим, Александр Исаевич», — то это означает лишь одно — у нас в стране, по сути, нет ни одного президента.

Нынче много рассуждают об отсутствии политической воли, деликатно намекая на нездоровье президента. Но дело совсем не в этом: умирающий Александр Третий твердо вел державу до последнего вздоха. Дело в полной утрате властью нравственного авторитета. Даже если бы Борис Николаевич крестился двухпудовиком и работал с документами двадцать четыре часа в сутки — ничего бы не изменилось. Возможно, даже наоборот: цветущий начальник нравственно истлевшей власти раздражал бы людей гораздо больше! Постоянно призывая хранителей обломков предыдущего режима — коммунистов — покаяться, нынешняя власть не покаялась ни в одной из своих многочисленных ошибок — а они чудовищны! Мы снова живем, под собою не чуя страны, — хотя и в ином, может быть, более страшном смысле. Как сказочный Иванушка кормил несущую его птицу кусками собственного тела, так мы скормили призраку общечеловеческих ценностей изрядные куски исконно российских земель. Но Иванушка-то хоть знал, куда летит. А мы?

Десятки миллионов русских людей оказались вдруг за границей, отрезанные от родной культуры, униженные и оскорбленные. Возвращая на родину плоды послеоктябрьского зарубежья, мы породили тем временем еще более многочисленное послебеловежское зарубежье. Неужели и оно вернется в Россию только стихами? И будет, как это теперь принято, презентация с фуршетом?! Пока в Москве гремят устричные балы, люди, чтобы не умереть с голода, объявляют голодовки. Они месяцами не получают зарплату, чему ухмыльчивый Лившиц всегда находит разумное объяснение. В некоторых областях до четверти детей школьного возраста не посещают школы и даже не умеют читать! Зато дети предпринимателей и интеллигентства учатся в гимназиях и лицеях с преподаванием современных и древних языков. Элита, понимаешь ли... Элита чего? Вымирающего и дичающего народа? В иных воинских частях до половины солдат имеют третью категорию здоровья, следом за которой, как я понимаю, идет третья группа инвалидности. Глядя на государственное телевидение, можно прийти к выводу, что чувство уверенности россиянину сегодня могут дать только надежные гигиенические прокладки. Между мыльными латиноамериканскими страстями и восторженными репортажами о бородатых героях чеченского сопротивления можно наткнуться на раздумчивую передачу о том, почему Калининград лучше вернуть Германии вместе с трофейными произведениями искусства и почему Украина не должна возвращать Севастополь России...

Уникальная ситуация, когда антигосударственная идеология поддерживается и финансируется государством!

Академик Сахаров был, конечно, великим ядерщиком и гуманистом, но зачем же державу ломать? И святое чувство патриотизма совсем не виновато в том, что в системе прежних ценностей именовалось «советским». Как говорится, называй хоть горшком — только в печь не суй! Сунули... Кстати, интеллигентству патриотизм не нужен, обременителен: он требует жертвенного служения если не народу, то государству, а следовательно — самоограничения и отказа от каких-то личных профитов во имя общей цели. Вот почему при малейшем усложнении обстановки самая распространенная в этой среде фраза: «Не-ет, из этой страны надо сматываться!» Я ее слышал даже от интеллектуала, работавшего в ту пору советником президента, а ныне находящегося в бегах!

Я допускаю, кому-то не по душе сравнение родины с кормящей матерью, но ведь это не повод, чтобы без конца сравнивать ее с дойной и к тому же запаршивевшей коровой! От казенного патриотизма метнулись к казенному антипатриотизму, сделав священный трепет перед отеческими гробами предметом бездарного хохмачества. Весь социалистический период нашей истории подается ныне как дурная болезнь, подхваченная в цюрихском борделе и привезенная в Россию в опломбированном вагоне. Над кем смеемся?

Никто не хочет назад в прошлое. Но умело пугая прошлым, нас уже наполовину лишили будущего! Мы живем в обстановке вялотекущей национальной катастрофы. Чтобы поправить дело, нужны колоссальная политическая воля и небывалый взлет нравственного авторитета власти. Лично мне надоели байки пресс-папье-секретарей о крепком рукопожатии. Людям надоело криво усмехаться, видя политиков с глазами, скошенными от постоянного вранья. Люди хотят искренне уважать национальных лидеров, доказавших свою преданность Отечеству и свое умение не разрушать, но созидать в сложнейших постсоветских условиях, учитывая интересы всех групп населения! (А ведь такие лидеры есть!) Только тогда люди, как бедные, так и богатые, пойдут на самоограничение, на сознательный ригоризм, отзовутся на мобилизационные программы выхода из кризиса. А основная программа уже, в сущности, всем понятна: восстановить то хорошее, что выстрадано при социализме, и сохранить то полезное, что с такими лишениями наработано в последнее десятилетие. Перефразируя замечательного Георгия Иванова, можно сказать, что Россия возродится и под серпом, и под орлом...

Газета «Судьба России», март 1997 г.

Фабрика гроз

«На зеркало нечего пенять, коли рожа крива!» — буквально так и возражает эфирная публика на любую критику в свой адрес, уверяя при этом, что телевидение — есть зеркало современного российского общества. Это не так. Я берусь утверждать, что сегодняшнее российское ТВ за некоторыми исключениями абсолютно не справляется с ролью «говорящего правду стекла» — ежели воспользоваться известной строчкой В. Ходасевича. Нынешнее ТВ — это даже не кривое зеркало, ибо кривым, мутным, покрытым черными пятнами умолчаний зеркалом было позднее советское телевидение. Нынешнее ТВ — это зеркало разбитое, точнее, пустая рама от него.

Помните замечательный эпизод из комедии Макса Линдера «Семь лет несчастий», использованный, кстати, в виде изящной цитаты В. Меньшовым в «Ширли-мырли»? Лакей случайно разбивает зеркало и, чтобы скрыть это, пока принесут новое, начинает работать «отражением»: старательно повторяет все движения хозяина... Мутное советское телевидение — особенно в последние годы своего существования — все-таки отражало реальные общественные процессы. Доблесть эфирного люда как раз и заключалась в том, чтобы, имитируя лояльность режиму, показать народу правду о происходящем. Именно поэтому стал возможен феномен Ельцина. Волна, внесшая его в Кремль, имела по преимуществу эфирное происхождение. Сегодня же основная доблесть заключается в том, чтобы, имитируя правдивость, продемонстрировать власти свою лояльность.

Почему же телевизионщики так легко отдали то, ради чего, собственно, отечественное интеллигентство позволило разворошить, распатронить, растерять страну? Я имею в виду свободу слова. Почему? Ну, во-первых, потому, что из всех природных богатств России эфир оказался самым выгодным в смысле добычи и продажи. Так что даже рядовой «бурильщик» не внакладе, не говоря уж о «мастерах», «начальниках буровых» и «владельцах вышек»... А во-вторых, сработал эффект «второго брака». Можно, впервые разведясь, всем докладывать, каким чудовищем была твоя супруга — в нашем случае советская власть. Но вот уже и вторая жена — демократия. И снова мерзавка? А может, ты сам... не того? Статистика показывает, за второй брак люди держатся крепче, даже если он и устраивает их меньше первого, расторгнутого... Кстати сказать, демократия оказалась дамой куда более прагматичной и строгой, нежели ее увядшая предшественница, и требует ежедневных многократных доказательств любви и уважения.

Свободным по-настоящему наше телевидение было дважды — в периоды двоевластия. Я имею в виду противостояния «Горбачев — Ельцин» и «Ельцин — Верховный Совет». Оба раза оно свободно выбрало Ельцина. И этот свободный выбор телевизионной общественности обусловил совершенно несвободный выбор всей страны. Удивительно, но антикоммунистическое телевидение в точности сымитировало советское голосование за единственного кандидата, ведь в эфире Б. Ельцин был практически один — по крайней мере возникало такое ощущение. Я говорю об этом не из злопамятности, а потому что не хочу, чтобы это повторилось во время новых выборов, к которым уже все готовятся морально и материально. Мне иногда кажется: если деньги, которые уходят на покупку голосов избирателей, пустить, как говорится, в экономику, то их хватит на то, чтобы вовремя отдавать зарплаты, пенсии, детские пособия обладателям этих самых «голосов». Возможно, еще и на культуру с наукой останется...

Сегодня, по-моему, уже все испытывают чувство удручающего безначалия или, как мог бы сказать Солженицын, «бесхозяинья» в Отечестве. Но давайте сознаемся, за надоевшим риторическим вопросом «А кто тогда?» стоит не отсутствие в России серьезных политиков, способных возглавить страну. За этим вопросом стоит отсутствие оных в виртуальной реальности телевидения. Нет, они могут появляться на экране, и даже довольно часто, но именно в виде умело смонтированной иллюстрации к роковому дефициту общенациональных лидеров. С другой стороны, кому в каком похмельном сне до отставки Черномырдина грезился на посту премьера неведомый Кириенко — лысоватый улыбчивый юноша со стальным взглядом фининспектора? Хватило трех телевизионных дней, чтобы превратить его в гиганта мысли, отца русской демократии и надежду простых россиян. Настоящий политик — это алмаз, созданный, «спрессованный» чудовищными перегрузками нашей нынешней жизни. Конечно, без средств массовой информации, и особенно ТВ, занимающихся огранкой каждого публичного алмаза, тут не обойтись. Но если огранщик сам начинает изготавливать «диаманты» в нужное время и в нужном количестве, называется это по-другому: подделка.

А сколько таких «подделок» шагнуло с телеэкрана в реальную политику, экономику, культуру! И что же в результате? Кто-то из них быстро прокололся на страсти к бесплатным элитным квартирам, халявным фазендам или литературным гонорарам, не снившимся даже Чейзу. Кто-то сам потихоньку сошел со сцены и красивенько живет на те самые деньги, которых так не хватает нынче казне и которые мы выпрашиваем у мирового сообщества с плаксивым занудством алкоголика, жаждущего опохмелиться. Кто-то, как Собчак, почуяв затылком ледяное дыхание уголовного кодекса, превратился в политического эмигранта. Кто-то просто отъехал из «этой непредсказуемой страны», как говорится, от греха... Но многие продолжают свою двойную жизнь — бодро-созидательную на телеэкране и бездарно-разрушительную в реальности. Что-то не стало, например, романтических репортажей из Нижегородской губернии. Оно и понятно: на этом испытательном полигоне рыночных реформ произошла катастрофа. Такая, что отчаявшиеся жители Нижнего выбрали себе мэром ранее судимого Клементьева. А зачинатель и руководитель ткнувшихся испытаний, Б. Немцов, в недавнем прошлом близкий друг и компаньон вновь осужденного Клементьева, перебрался в Москву, поближе к центру реформаторского смерча и ежедневно улыбается нам с телеэкрана. Недавно вот руководил захоронением царских останков и, разумеется, провалил порученное дело. Вместо общенационального примирения получилась общенациональная склока — с массовой неявкой на траурную церемонию и многомесячным нытьем о нехватке денег на «похороны века».

Удобным инструментом таких вот телевизионных подделок служат телерейтинги. Изготавливаются они, по-моему, там же, где и идеальное красящее средство «Титаник», с помощью которого незабвенный Остап превращал Кису Воробьянинова в Конрада Карловича Михельсона... Скажу больше: мне вообще иногда кажется, что некоторые рейтинги и даже целые аналитические программы делаются исключительно для Б. Ельцина, наподобие той «Правды» в одном экземпляре, которую собирались выпускать для больного Ленина. Телеаналитики, морща небогатые лобики, ведут с властью довольно сложную игру, делая вид, будто они, как тот нашкодивший лакей из комедии Макса Линдера, повторяют движения хозяина. Но на самом-то деле хозяин, не замечая того, начинает повторять движения гримасничающего в пустой раме слуги. В результате многие политические решения, как мне кажется, принимаются не на основе анализа реальной жизни, а на основе анализа ее телевизионной версии, порой очень далекой от действительности. Вот такая электронная дориангреевщина!

Посмотрим, к чему это привело! Что мы имеем не в «Итогах», а в итоге? А имеем мы после многолетней верности курсу реформ обобранное, нищее в своем большинстве население, убывающее со скоростью миллион человек в год. (И что им, в самом деле, не рожается, когда на экране столько памперсов?) Имеем два миллиона беспризорных детей, а каждый четвертый ребенок школьного возраста не умеет читать-писать. (Вот тебе, бабушка, и Всемирный день защиты детей!) Имеем в регионах истошный сепаратизм, горячие точки, сотни тысяч убитых и миллионы беженцев. (Зато суверенитета все нахавались на век вперед!) Имеем вставшие заводы и разоренное сельское хозяйство. (Заграница, очевидно, нас обует и накормит!) Имеем обескровленную науку и разгромленное наукоемкое производство. (Наш долгожданный новый Михайло Ломоносов наверняка перебрался уже куда-нибудь в Филадельфию и прозывается теперь, например, Майкл Брейкноуз.) Имеем деморализованную, стремительно теряющую боеспособность армию все с той же дедовщиной и добавившейся в последние годы бескормицей. (НАТО нас не тронет, а может, даже и защитит!) Имеем страшную криминализацию общества сверху донизу. (Глеб Жеглов с его прекраснодушной убежденностью, что вор должен сидеть в тюрьме, просто застрелился бы от позора.) Имеем шахтеров, легших на рельсы. (Вместо Б. Ельцина, надо полагать!) Имеем чудовищный внешний долг. (Потомкам в лаптях придется ходить, чтобы расплатиться!) Если это не общенациональная трагедия, то что же тогда?

«А разве телевидение об этом не сообщает?» — возразите вы. Сообщает. Может даже беспризорного мальчишку, живущего, как Маугли, в собачьей стае, показать. Более того, катастрофизм нашего времени подается на телеэкране с особой тщательностью и изысканностью. Но лично я все время ловлю себя на ощущении, что все это как бы вид на последний день Помпеи со стороны. Очень странно, ибо многие тележурналисты взаправду погибли под обломками нашей рушащейся уже не один год российской Помпеи. Откуда это принципиальное несовпадение мироощущений основной части населения и тех людей, которые определяют даже не содержание, а скорее — нравственно-эмоциональное состояние эфира?

Для того чтобы понять экономические причины такого несовпадения, достаточно посмотреть на автомобили, припаркованные рядом с Останкинским телецентром. Нет, я горячо за то, чтобы человек, работающий на телевидении, жил хорошо, тем более что я и сам веду передачу на ТВ. Но я так же горячо против того, чтобы профессор подрабатывал сторожем, шахтер спускался в забой голодным, офицер стрелялся от безысходности и позора, а безденежные учителя отказывались начинать учебный год. Впрочем, надо быть справедливым: на ТВ так же месяцами иногда не выдают зарплату, а на роскошных иномарках разъезжает верхушка. Рядовой эфирный люд добирается от метро «Алексеевская» до Останкино на маршрутке.

В чем же дело? Позволю себе высказать предположение: современный телевизионный деятель ощущает себя представителем и выразителем интересов так называемого благополучного «среднего класса», широко разрекламированного «младореформаторами», но так и не возникшего вследствие чудовищных ошибок, глупостей и преступлений, совершенных в процессе демонтажа совсоцсистемы, а также в результате определенных национально-исторических особенностей. Отсюда и это принципиальное несовпадение, ибо ТВ, опять-таки за некоторыми исключениями, основывает свое мировидение и вещание на идеологии тончайшей общественной страты, вообразившей себя вполне благополучным и многочисленным средним классом. И в этом смысле наше ТВ в самом деле фабрика грез.

Помните французскую королеву, впоследствии обезглавленную, которая народу, жаловавшемуся на отсутствие хлеба, советовала в таком случае питаться пирожными? Недавно Хакамада в телевизионной дискуссии царственно посоветовала шахтерам выживать с помощью сбора грибов и ягод. Оператор показал лица шахтеров крупным планом как раз в тот момент, когда популярная политесса призывала их вернуться в эпоху первобытного собирательства, и лично мне стало ясно: от фабрики грез до фабрики гроз — всего один шаг...

Сознание своей классовой правоты некогда гнало бойцов через гнилой Сиваш на штурм Перекопа. Такое же чувство, вероятно, позволяет сегодня человеку, читающему в эфире последние известия, совершать над нами ежедневное эмоциональное насилие, навязывая не только иерархию информационных ценностей, но и свою эмоциональную оценку происходящего. Это, кстати, не так уж безобидно и тяжко действует на психику. Иной раз даже затоскуешь по нейтрально-замороженной энергетике застойных дикторов. Между прочим, мой ризеншнауцер, пес нервный и чувствительный, как только на экране появляется одна чересчур нахрапистая и издерганная дикторша, просто, поскуливая, выходит из комнаты. Чует, собака!

Эмоциональное и информационное насилие над нами осуществляется разными способами. Но из всех способов важнейшим является ирония. Тотальная ирония. Отсюда пародийный модус повествования, усвоенный современным нашим ТВ. Незнакомка Крамского, ожившая для того, чтобы брезгливо смахнуть с плеча птичий аксельбант, — своеобразный символ этой постмодернистской чувствительности. Кстати, все эти бесконечные ремейки, эти старые песни на новый лад четко укладываются в постмодернистскую эстетику пастиша, цитатного пересмешничества и черного юмора. Виртуальная эсхатология, умозрительное восприятие «мира как хаоса» вообще характерны для молодежи стабильного и благополучного среднего класса. Но у нас-то значительная часть населения живет в предощущении вполне реальной социально-экономической катастрофы, в обстановке вполне реального хаоса... Им этот телевизионный постмодернизм абсолютно не понятен и даже вызывает раздражение. Ведь нынешнему телерепортеру ирония, как правило, заменяет то, что во времена застойного ТВ называлось «личным отношением», а иногда заменяет и просто знание предмета повествования. Ирония исчезает лишь в том случае, когда информация касается самих тележурналистов, шире — деятельности СМИ или нескольких священных коров и быков, которым позволено больше, чем Юпитеру.

Зато уж деятельность оппозиции для нашего ТВ совсем не предмет отражения, а объект пародирования. Достигается это самыми разнообразными способами. На снижение работает все — дебильный ракурс, неудачная оговорка, позевывание в заседании... Про такие элементарные вещи, как глумливый монтаж и пренебрежительный закадровый комментарий, даже не говорю. Если бы Чубайса хотя бы несколько раз показали с той саркастической нелюбовью, с которой показывают, скажем, Зюганова, рыжеволосого «общенационального аллергена» давно бы уже в политике не было. Понятно, что угодное власти мероприятие снимается оператором сверху, если много народу, и снизу, если мало. И наоборот, неугодное мероприятие снимается снизу, если много народу, и сверху, если мало. Но это уже даже бабушки на завалинках знают.

Чтобы ни у кого не возникло подозрения, что зеркальная рама давно пуста, ТВ постоянно знакомит нас с мнениями случайно встреченных на улице прохожих россиян. Делается это так. Не допустили президента Лукашенко, скажем, в Ярославль, и вот у ярославских молодоженов спрашивают, как они к этому возмутительному факту относятся. Молодоженам, торопящимся на брачное ложе, понятное дело, все равно... Хороший репортерский ход, не правда ли? Но лучше, конечно, было бы в первую брачную ночь из-под кровати с микрофоном вылезти да и спросить: могут и вообще — к радости противников воссоединения Белоруссии и России — даже не вспомнить, кто такой Лукашенко...

К некоторым политикам эфирный средний класс вслед за отдельными олигархами, разбогатевшими на абсурдистском разделе общенациональной собственности, испытывает совершенно явную и устойчивую неприязнь. Причем чем больше в этой фигуре государственнической энергии, тем неприязнь сильней. Ничего странного тут нет: восстановление мощной государственности неизбежно приведет к пересмотру раздела собственности и к переориентации телевидения с идеологии несуществующего класса на идеологию общенациональных интересов. А это, как ни крути, затронет судьбы многих людей, определяющих нынешний эфир, коснется это и тех персон, чьи политические судьбы определяются исключительно эфиром...

Со сказанным тесно связана и еще одна особенность современного российского эфира. «Младореформаторы», окончательно пришедшие к власти под звуки «Лебединого озера» (кстати, поставленного в телепрограмму за неделю до событий), в значительной степени «юниоризировали» ТВ, приспособив под интересы энергичной, перспективной, но не обладающей достаточным социальным и жизненным опытом части общества. Именно на них, смело шагающих в светлое капиталистическое будущее, рассчитаны ужастики про развитой социализм, дубовые американские боевики, клипы и интервью, взятые у простодушных звезд на диванах, на крышах, на кухнях, в автомобилях и в постелях... Кстати, внимание агитпропа первых лет советской власти тоже было направлено в основном на молодежь, которой предстояло жить при социализме. Впрочем, о большевистских методах нынешней власти я уже писал многократно...

Да простят меня члены самопровозглашенной телевизионной академии, но наше телевидение порой напоминает мне «классный подряд». Была, точнее, грезилась когда-то такая комсомольская инициатива: выпускной класс ехал в колхоз и брал под свою ответственность, скажем, свиноферму. Так вот, когда я переключаю программы, у меня иногда складывается впечатление, что выпускной класс московской английской спецшколы взял в подряд отечественное телевидение. Дело нашлось всем — и действительно способным, и тем, что с «фефектами фикции», и даже второгодникам... Что из этого вышло — перед глазами у каждого из нас, причем каждый божий день.

А если всерьез, произошла чудовищная деинтеллектуализация ТВ. Писателя на экране заменил скетчист, историка — журналист, кое-что почитавший по истории, ученого — полуневежественный популяризатор. Остались, конечно, еще реликты профессионализма, но я говорю о тенденции. Как стойкий оловянный солдатик, долго держался канал «Российские университеты», но и он сгорел в огне предыдущей президентской кампании. А ведь это была одна из лучших общеобразовательных программ в мире! Общественность, конечно, повозмущалась, было протестующее письмо творческой интеллигенции в «Труде», статьи в «ЛГ» — но власть их попросту не заметила... Впрочем, через некоторое время, одумавшись, президент одарил нас каналом «Культура». Спасибо, конечно! Но когда же мы изживем эту чудовищную традицию — сначала взрывать намоленный храм, а потом на его месте возводить точную копию?

Из эфира ушел серьезный разговор. Вы давно слышали с экрана стихи, если не считать Евгения Евтушенко? Крылатого Пегаса заменили прокладки с крылышками... Умер историк М. Гефтер. Умер для телевидения В. Распутин, шестидесятилетие которого вообще не заметили, хотя на пятидесятилетии выпускника кулинарного техникума Г. Хазанова, дай ему Бог здоровья, мы вместе с ТВ гуляли чуть не неделю! А удаление с телеэкрана хлопотливого литературного Саваофа Солженицына — вообще символ эпохи. Представьте себе Льва Толстого, приносящего статью, скажем, в «Ниву» и получающего ответ: «Низковат у вас, граф, рейтинг! Мы лучше на этом месте святочный рассказец напечатаем...» Заметьте и еще одну тенденцию: если прежде в эфире были нежелательны деятели культуры в основном государственно-патриотической направленности, то теперь та же участь постигла думающих и совестливых либералов. Самые противоположные люди сошлись в неприятии того, что сегодня творится в стране, и... исчезли с экрана. А что взамен? В качестве интересных гостей все чаще приглашаются в студию тележурналисты, шоумены, дикторы... Это как если б таксисты, вместо того чтобы возить пассажиров, начали бы катать друг друга!

Особо хочется сказать о кинофильмах, в основном американских, которые без конца крутят по ТВ. Об уровне даже говорить не хочется — наши рядовые «мосфильмовские» ленты смотрятся после них как высокое искусство. А уж от лент «Москва слезам не верит» или «Место встречи изменить нельзя» просто дух захватывает. Обилие «импорта» нам объясняют тем, что-де советский кинематограф в свое время не обеспечил нас достаточным для многочасового и многоканального вещания киноматериалом. Допустим... Но почему тогда так любовно и тщательно отбираются для нас американские боевики, снятые в самый разгар «холодной войны» и показывающие, как хорошие американские парни бьют, режут, стреляют, взрывают тупых монстров, одетых в странную форму — гибрид советского кителя и гусарского ментика времен войны 1812 года. (Звезда Героя Советского Союза величиной с орден Белого орла прилагается.) Не уверен я, что американцы при всей своей симпатии к интенсивно идущему в России процессу саморазрушения, освященному братской дружбой Билла и Бориса, показывают своим налогоплательщикам, скажем, весьма неплохой сериал «ТАСС уполномочен заявить»... Они же не идиоты, чтобы за свои деньги воспитывать у соотечественников комплекс национальной неполноценности. А мы? Идиоты?..

Телевизионщики любят показывать, как кто-нибудь закрывает растопыренными пальцами объектив камеры. Да, кто-то закрывает, потому что боится правды... Но очень многие закрывают, потому что боятся неправды. Покажут то, чего не было, да еще обсмеют мимоходом... Нет, нам не нужно ТВ упертых политинформаторов, но и телевидение бездумного хохмачества, взирающее на трагедию страны с позиций несуществующего эфирного класса, тоже не нужно... ТВ — одна из важнейших опор государства, а не агрегат по выкорчевке оных. А в комедии «Семь лет несчастий» события разворачивались следующим образом: хозяин, заподозрив, что лакей его просто-напросто морочит, сначала приставил к несуществующему стеклу свой зад, а потом быстро, так, чтобы «отражение» не успело среагировать, обернулся... Надо ли объяснять, что он увидел перед собой?! Разъярившись, хозяин (в исполнении Макса Линдера) схватил что-то тяжеленькое, чтобы прибить глумливца, а тут как раз внесли новенькое, серебряно-невинное зеркало. И тяжеленькое полетело в настоящее отражение. Бац! Звон осколков...

И снова — пустая рама.

«Литературная газета», август 1998 г.

Светоносный

Когда-то любомудр Дмитрий Веневитинов заметил: «Приписывать Пушкину лишнее — значит отнимать у него то, что истинно ему принадлежит». В праздничном бесновании мы горазды на приписки, излишние восторги и филологические фейерверки. А ведь если разобраться, нашему национальному гению в XX веке на юбилеи не везло. Грандиозно отпразднованное в 1937-м столетие со дня его гибели совпало с годом, ставшим символом послереволюционного террора. Да, в двадцатые годы народу извели куда больше. Да, как раз к середине тридцатых революция начала пожирать своих жестоких, запачканных кровью отцов и детей. Однако именно 1937 год, не самый кровавый год террора, в нашем общественном сознании и в нашем коллективном бессознательном стал черным нумерологическим символом... Кто знает, может быть, именно потому и стал, что был еще и 1837 год?

Но парадокс истории в том, что, устраивая грандиозные торжества в честь «солнца русской поэзии», склонный к знаковым поступкам Сталин в определенном смысле отмечал возвращение России на свой традиционный имперский путь из тупика интернационалистского прожектерства. И эта символика, конечно, многими современниками угадывалась.

Пушкин, мучительно размышляя о Великой французской революции и многое предвидя в будущей российской истории, писал в стихотворении «Андрей Шенье»:

Мы свергнули царей. Убийцу с палачами
Избрали мы в цари. О ужас! О позор!
Но ты, священная свобода,
Богиня чистая, нет, не виновна ты
В порывах буйной слепоты,
В презренном бешенстве народа.

Кстати, в годы послереволюционной «варваризации» и бешенства не столько народа, сколько интеллигенции, в годы, когда чуть ли не вся прежняя Россия признавалась позорным недоразумением, многое удалось уберечь, сохранить именно благодаря Пушкину. Все накопленное, как в сказке, скаталось в космическое яйцо пушкинианы и пережило трудное время, когда уже не нужно было «мстить за Пушкина под Перекопом», а если уж и судить Онегина, то не за крепостничество, а за потерю единственной в его жизни подлинной любви. Не случайно поэтому самые буйные обновленцы первым делом всегда норовили сбросить с парохода современности именно Пушкина. Уж пароходами этими забиты отстойники Истории, а Александр Сергеевич все на палубе:

Шуми, шуми, послушное ветрило!
Волнуйся подо мной, угрюмый океан.

Без Пушкина не смогли обойтись ни декабристы, ни самодержцы, ни революционные демократы, ни белые, ни красные, ни советские, ни антисоветские, ни постсоветские... В строках Пушкина, в этом, по известному выражению, «светском евангелии», во все эпохи искали не только «тайны вечности и гроба», но и ответы на иные, порой до смешного сиюминутные вопросы. Для власти Пушкин был авторитетом, чья правильно истолкованная строка могла оправдать любой поступок, даже такой, за который вспыльчивый африканец надавал бы по щекам. К сожалению, борцы за свободу обходились с Пушкиным почти так же.

Двухсотлетие национального гения мы отмечаем в пору, когда Россия до обидного похожа на село Горюхино. Но почему-то все нынешние наши беды приноровились списывать на народ и революции, а не на дурных управляющих. И Пушкиным, «горевшим свободой», предвидевшим обломки самовластья, особенно восхищаться теперь не принято. Не принято сегодня восхищаться и Пушкиным-«империалистом», радовавшимся славному виду бегущего врага, Пушкиным, гордо скакавшим с пикой в рядах русской армии, завоевывавшей турецкий Кавказ. В «Путешествии в Арзрум» есть строки, которые обычно приводят в подтверждение того, как горевал «невыездной» поэт: «...Арпачай! Наша граница! ...Я поскакал к реке с чувством неизъяснимым. Никогда еще не видал я чужой земли. Граница имела для меня что-то таинственное; с детских лет путешествия были моей любимой мечтою. Долго вел я потом жизнь кочующую, скитаясь то по Югу, то по Северу, и никогда еще не вырывался из пределов необъятной России. Я весело въехал в заветную реку, и добрый конь вынес меня на турецкий берег. Но этот берег был уже завоеван: я все еще находился в России». Пушкинская простота всегда сложна и неоднозначна, и в этих строках досадливой самоиронией сочинителя политических эпиграмм прикрыта гордость автора «Полтавы» за могуче расширяющуюся державу.

Современники отмечали в Пушкине особенную черту — «патриотическую щекотливость». Он не спустил своему другу Адаму Мицкевичу, который в поэме «Дзяды» представлял Россию эдакой уродливой империей зла, где даже «лица пусты, как окружающие их равнины»:

Рим создан человеческой рукою,
Венеция богами создана;
Но каждый согласился бы со мною,
Что Петербург построил сатана.

Великий сын Польши, как мы бы сейчас сказали, в виртуальном мире поэтического слова служил своему расчлененному Отечеству. Иные невеликие, но «продвинутые» сыны России, как это бывает и сегодня, ему поддакивали. Пушкин служил своему Отечеству. И в свете этой давней, забытой полемики двух славянских гениев лучше понимаешь смысл, казалось бы, хрестоматийных строк:

Красуйся, град Петров, и стой
Неколебимо как Россия!..

Отвечая Чаадаеву, Пушкин писал: «...Я далеко не восторгаюсь всем, что вижу вокруг себя; как литератора — меня раздражают, как человек с предрассудками — я оскорблен, — но клянусь честью, что ни за что на свете я не хотел бы переменить отечество или иметь другую историю, кроме истории наших предков, какой нам Бог ее дал...» Иной раз любят лукаво эти слова столкнуть с другими, из письма к жене: «...Чорт догадал меня родиться в России с душой и с талантом!» При этом забывают напомнить, что в первом случае мы имеем дело с принципиальными историософскими размышлениями поэта-патриота, а во втором случае с жалобой «раздраженного литератора», издающего подцензурный журнал. Как говорится, почувствуйте разницу! Кстати, многие друзья, даже Жуковский, не увидели «ни на грош» поэзии в знаменитых «Клеветниках России». А жаль, ведь это была особенная, державная, если хотите, даже «геополитическая» поэзия, вдохновляющая ратное сознание соотечественников и выжигающая в душах «врагоугодничество»:

Иль Русского Царя еще бессильно слово?
Иль нам с Европой спорить ново?
Иль русский от побед отвык?
Иль мало нас? или от Перми до Тавриды,
От финских хладных скал до пламенной Колхиды,
От потрясенного Кремля
До стен недвижного Китая,
Стальной щетиною сверкая,
Не встанет Русская Земля?

Особенность «геополитической» поэзии в том, что в годы державного могущества (как в пору написания «Клеветников») она наполняет души законной гордостью и святым патриотическим восторгом, а в пору упадка и оскудения, напротив, язвит гражданскую совесть, полнит сердца негодованием. Не знаю, как другие, а я процитированные выше строки не могу сегодня читать без скорби и стыда. Известно, что в сюжете «Медного всадника» Пушкин использовал популярный по тем временам исторический анекдот. Медный Петр I явился к Александру I, сдавшему Москву Наполеону, и возмущенно заявил: «Молодой человек, до чего ты довел мою Россию!» Впрочем, медный Пушкин, сойдя с пьедестала и явившись в сегодняшний Кремль, мог бы гневно воскликнуть то же самое...

Гоголь романтически мечтал: «Пушкин есть явление чрезвычайное и, может быть, единственное явление русского духа: это русский человек в его развитии, в каком он, может быть, явится через двести лет». До срока, означенного автором «Мертвых душ» (статья написана в 1832 году), осталось уже недолго, и, полагаю, тех, кто доживет, ожидает разочарование. Русский человек почти через двести лет черпает национальную духовность в пушкинском прошлом. В этой же статье у Гоголя есть строки, которые цитируют значительно реже: «Поэт даже может быть и тогда национален, когда описывает совершенно сторонний мир, но глядит на него глазами своей национальной стихии, глазами всего народа, когда чувствует и говорит так, что соотечественникам его кажется, будто это чувствуют и говорят они сами...»

Много сказано об оторванности дворянской интеллигенции от народа. Но сегодня мне иногда кажется, что просвещенные современники Пушкина, говорившие порой по-французски лучше, нежели по-русски, «чувствовали и выражали» свой народ лучше людей, называющих себя нынче «российской элитой», а на самом деле являющихся все той же неистребимой «светской чернью». И далеко не случайно смертельный удар по поэту был нанесен из нессельродевского окружения, совершенно лишенного русского национального самосознания. Именно эти люди во многом подготовили катастрофу Крымской войны, именно о них в стихах, навеянных пушкинскими «Клеветниками», писал Лермонтов:

Да, хитрой зависти ехидна
Вас пожирает; вам обидна
Величья нашего заря;
Вам солнца Божьего не видно
За солнцем Русского Царя.

Итак, Пушкин-вольнолюбец и Пушкин-державник не нужен сегодня людям, старающимся всеми силами «царю Борису сдержать венец на умной (так в оригинале. — *Ю. П.*) голове». Те, кто внимательно следил за публикациями и передачами, посвященными 200-летию, наверное, заметили, что на первый план во время этой «предпраздничной вахты» выдвигался Пушкин-повеса, Пушкин-эротоман, Пушкин-балагур, Пушкин-эпатажник, Пушкин-чернокнижник... Например, по Москве расставили стенды, где под цитатой «Мне скучно, бес!» собраны все многочисленные черти из пушкинских рисунков. Странно еще, что на телевидении не поставили стриптиз-шоу «Царь Никита и сорок его дочерей», а в буквари не включили матерные места из переписки с друзьями! Нет, я не ханжа и «ненормативный» Пушкин и мне так же дорог. Но это стремление оправдать слабостями, метаниями и озорством гения наше сегодняшнее нравственное и государственное ничтожество — вещь отвратительная. Почему ж тогда не облечь в мрамор и не воздвигнуть подле храма Христа Спасителя страшный пушкинский рисунок — Сатану, распятого на кресте?

Александр Блок писал: «Великие художники русские — Пушкин, Гоголь, Достоевский, Толстой — погружались во мрак, но они же имели силы пребывать и таиться в этом мраке: ибо они верили в свет, они знали свет. Каждый из них, как весь народ, выносивший их под сердцем, скрежетал зубами во мраке, отчаянье, часто злобе. Но они знали, что рано или поздно *все будет по-новому*, потому что *жизнь прекрасна*».

Да, Пушкин знал свет! Этим светом пропитаны его сочинения, да и вся жизнь его светоносна. Когда мы читаем его строки, этот свет льется нам в душу, освещая самые ее потайные глубины. Свет мысли «умнейшего мужа России» помогает нам сегодня отвечать на мучительные вопросы о судьбе Отечества. Пушкин старался понять и Петра, который «уздой железной Россию поднял на дыбы», и несчастного Евгения, крикнувшего отчаянное «Ужо тебе!..» безжалостному царю-окнорубцу, и Пугачева, ведь через его «окаянство» Бог наказывал Россию... Прежде всего в этом всепонимании и заключена знаменитая всеотзывчивость Пушкина.

Пушкин — световой код, с помощью которого Россия сама себя открывает, разгадывает, расшифровывает. Кто знает, быть может, пушкинский «либеральный консерватизм», как определил взгляды своего гениального друга П. Вяземский, и есть наша столь безуспешно искомая национальная идея...

Газета «Слово», июнь 1999 г.

Слово — не птеродактиль

ВМЕСТО МАНИФЕСТА

То, что слово не воробей, общеизвестно и даже записано в словаре Даля. То, что слово не голубь с оливковой веточкой в клюве, для нас, обитателей современной России, увы, очевидно. А вот в том, что слово не птеродактиль, несущий в двухметровой пасти связку розог для общественной порки, сегодня читателей надо долго убеждать. Давайте сознаемся: мы живем в эпоху нарастающего антиСМИтизма (не путать с антисемитизмом — явлением непростительным!). И этот антиСМИтизм объясним. Во-первых, «четвертая власть» долгое время была, извините за выражение, информационным спонсором многих ошибок и даже преступлений минувшего десятилетия. Потешаясь над былым академиком Лысенко и его ветвистой пшеницей, пишущие и говорящие в эфире высокообразованные граждане с юннатской непосредственностью навязали обществу столько бредовых проектов под видом реформ и столько проходимцев под видом реформаторов, что полуграмотные селькоры первых лет советской власти, как говорится, отдыхают. Нет, я понимаю: хотели как лучше... Но и Лысенко хотел как лучше. Между прочим, еще у древних индоевропейцев был миф о пшенице со ста колосьями. Но какая-то архетипическая мамаша подтерла второпях этим высокоэлитным злаком попку младенцу, и Творец осерчал... Так что академик со своим проектом просто умело воспользовался генетической памятью вождей и обывателей. Тоже ведь был пиарщик!

Во-вторых, «четвертая власть», как это ни печально, подобно КПСС, очень уж жаждала быть «руководящей и направляющей силой общества», при этом перекладывая всю ответственность за неудачи на остальные ветви власти и неуспешный народ. Белые одежды медиакратов посреди всероссийской антисанитарии выглядели вызывающе, как реклама «Мерседеса» в вымирающем шахтерском поселке. Политзанятия того же Евгения Киселева, который еженедельно поучал подданных телезрителей с неторопливостью полупарализованного Брежнева, в конце концов утомили. Кстати, упомянутый мной антиСМИтизм связан еще и с тем, что многие труженики информационного поля, ведя неустанную битву за политический урожай, упорно, иной раз даже вопреки внутренним убеждениям, навязывали соотечественникам идеологию так называемого среднего класса. Но вот беда: идеологию создали, а класса нет — не возник по ряду обстоятельств. Вот и получалось: у одних щи пустые, а у других общечеловеческие ценности мелковаты... Не с этими ли обстоятельствами связан тот факт, что за прежнее НТВ в дни недавних эфирно-классовых боев вступилось немногим больше народу, чем за КПСС в 91-м? Есть о чем задуматься людям с блокнотами, микрофонами и камерами, да и автору этих строк в том числе.

В-третьих, произошла одна крайне неприятная вещь. Рядовым налогоплательщикам, иногда в просторечье именуемым народом и озабоченным поисками хлеба насущного в условиях рыночного изобилия, осточертело наблюдать бесконечный залоговый аукцион, на котором состоятельные господа борются за право приватизировать свободу слова в нашем Отечестве. Тем более что свобода слова в том смысле, как она понималась в минувшее десятилетие, имеет к свободе такое же отношение, как свободная любовь к любви. Под свободой слова подразумевалось неоспариваемое право навязывать обществу свою точку зрения, при этом старательно оберегая эфир и газетные полосы от иных взглядов, идей, концепций.

Помнится, в пору, когда шумно обсуждался закон о наблюдательных советах на ТВ, меня пригласили поучаствовать в судебном телешоу. Я был за наблюдательные советы. Мне вообще непонятно, как можно протестовать против контроля общества над СМИ, ведь в эпоху высоких информационных технологий возможны фантастические манипуляции общественным сознанием. Скоро марионетки будут в своих поступках свободнее нас с вами! Кроме того, наблюдательный совет, состоящий из авторитетных профессионалов, способен не только указать на недобросовестность коллеги, но и поддержать журналиста, скажем, в его конфликте с властью или, допустим, с работодателями, имеющими, как мы знаем, иной раз весьма специфический, производственно-прикладной взгляд на свободу слова. Теперь, в новых политических условиях, многие об этом призадумались, а тогда в пылу дискуссий, чтобы окончательно убедить российскую общественность в том, что на образцовом Западе нет и не может быть никаких наблюдательных советов, на запись передачи пригласили руководителя русской службы влиятельной зарубежной радиостанции. И дали, как говорится, маху: честный англосакс встал и спел хвалебную оду наблюдательным советам, чрезвычайно влиятельным на его островной родине. Надо ли объяснять, что в эфир передача вышла без этой оды. Кстати, главного редактора популярной газеты, председательствовавшего на том телепроцессе, я потом неоднократно встречал в эфире в качестве неутомимого борца за свободу слова. Я понимаю, что выскажу сейчас мысль, которая у многих вызовет негодование, но я скажу и даже сознательно ее обострю: никто, на мой взгляд, за минувшее десятилетие не нанес такого ущерба идее свободы слова в России, как сами журналисты. Готов выслушать возражения и предоставить страницы «ЛГ» для серьезной дискуссии на эту тему...

Есть и еще одна важнейшая проблема. Ренан говорил: скопище людей нацией делают две вещи — общее великое прошлое и общие великие планы на будущее. Мы пережили эпоху чудовищного общегосударственного кризиса, страшного идейно-нравственного раскола, стремительного и зачастую вызывающе несправедливого имущественного расслоения. Лет через пятьдесят, наверное, уже можно будет рассказывать красивые легенды о начитанном джинсовом мальчике, удачно перепродавшем свой первый блок «Мальборо» и ставшем в этой связи миллионщиком. Но мы-то с вами видели воочию, как формирование нынешней элиты шло по незабвенному чичиковскому принципу: «Зацепил, поволок, сорвалось — не спрашивай...» И все-таки... Историческая судьба страны, как поняли это наши соотечественники в 20–30-е годы минувшего века и как осознают многие сегодня, — значительно шире классовых перипетий и экономических пертурбаций. Даже коммунисты нынче, заметьте, больше говорят об утраченном величии Державы, нежели о провороненной социальной справедливости. Можно сколько угодно иронизировать по поводу долгожданной общенациональной идеи и снова уносить «зажженные светы» на интеллектуальные московские кухни, но не лучше ли сообща, забыв взаимные обиды, принять участие в формировании и формулировании наших общих великих планов на будущее? Ведь в противном случае жить нам придется по чужим формулам. Это как гимн: нравится — не нравится, а изволь встать и снять головной убор. Не хочешь? Сиди дома.

Сейчас много разговоров о взаимоотношениях российской интеллигенции и российской власти. По моему глубокому убеждению, человек думающий, а тем более пишущий вынужден, как правило, быть в оппозиции к власти — силе надчеловеческой. В споре несчастного Евгения с Медным всадником лично я сочувствую Евгению. Русская литература всегда старалась быть на стороне слабого и противостояла рвущимся, как пел Окуджава, «навластвоваться всласть». Впрочем, тут все дело в степени этого противостояния: у разумной власти — разумная оппозиция, и наоборот. Но вот к чему, по-моему, нельзя быть в оппозиции никогда и ни при каких условиях — так это к российской государственности. К сожалению, декларирующие свою оппозицию к власти на самом деле иной раз пребывают в оппозиции именно к российской государственности. Поясню метафорой. Останкинская башня ни в коем случае не должна становиться двадцать первой башней Кремля. Но, с другой стороны, разве может она быть штурмовой башней, оборудованной стенобитными машинами, рушащими все то, что создавалось трудом, талантом и лишениями десятков поколений?

Речь, конечно, не о введении нового единомыслия в России. Речь о том, что хватит, пожалуй, груды умственного мусора, наваленного за перестроечные и постперестроечные годы, всерьез выдавать за баррикаду, навеки разделившую российское общество, и в особенности нашу интеллигенцию. У самого отвязного либерала и самого укорененного почвенника при всех непримиримых различиях есть хотя бы одно общее. Но какое! Это общее — Россия, страна великих слов и великих дел. И если это общее не станет поводом к долгожданному диалогу, компромиссу, сотрудничеству и сотворчеству, то спилберговский «Парк Юрского периода» с его динозаврами и птеродактилями покажется нам вскоре райскими кущами...

«Литературная газета», май 2001 г.

Триста лет вместе

ЮБИЛЕЙНАЯ ИНВЕКТИВА

Круглая дата — вполне уважительный повод для славословия. Можно, конечно, повосхищавшись цивилизационным прорывом, который совершил триста лет назад Петр Великий, пожелать российской прессе новых побед в борьбе за демократию, свободу слова, политкорректность и прочую общечеловеческую бижутерию. Однако отечественная пресса в последнее десятилетие выработала довольно своеобычный подход к торжественным датам, сводящийся к формуле: «Мы, конечно, поздравляем, но...» Например, никогда широкий читатель не был так подробно осведомлен о человеческих слабостях и недостатках Пушкина, как в год его недавнего 200-летия. Грядет юбилей победной Курской битвы, и будьте уверены: журналисты приложат все усилия, чтобы теперь, спустя 60 лет, мы не узнали, кто в ней победил! Таким образом, делясь с читателями некоторыми нерадостными соображениями о нашей трехсотлетней молодице, я всего лишь следую канонам, выработанным ею самой.

Лучшие российские умы весьма сдержанно и без восторгов относились к роли печати в обществе. Основатель «Литературной газеты» великий Пушкин писал, между прочим: «Никакая власть, никакое правление не может устоять противу всеразрушительного действия типографического снаряда. Уважайте класс писателей, но не допускайте же его овладеть вами совершенно». (Увы, допускали — и в 17-м, и в 91-м.) Почти через сто лет после Пушкина Розанов вновь отмечал именно разрушительные, а не созидательные свойства прессы: «Печать — это пулемет, из которого стреляет идиотический унтер. И скольких Дон-Кихотов он перестреляет, пока они доберутся до него. Да и вовсе не доберутся никогда...»

Те, кто еще не забыл перестройку конца прошлого века, согласятся со мной, что процитированные слова классиков отнюдь не поэтическая гипербола. Советско-коммунистическая цивилизация на наших глазах была сметена восстанием журналистов, правда, приказ о начале восстания поступил, как ни странно, из ЦК КПСС. Поэтому видеть причину краха исключительно в мятеже пролетариев петита и батраков прямого эфира так же нелепо, как видеть причину падения Российской империи в залпе «Авроры». Просто отечественная пресса на всех крутых поворотах нашей истории до самоиспепеления воодушевлялась очередной «окончательной» версией прогресса, страстно навязывала ее обществу, выставляла сомневающихся, в том числе и журналистов, воинствующими неандертальцами, и все это для того, чтобы спустя несколько десятилетий потешаться над теми, кто в поте лица трудился, материализуя воздушные замки пожелтевших передовиц. Впрочем, может быть, именно таким довольно подловатым способом воплощается в жизнь великая и вечная парадигма развития. Но трудно при этом не заподозрить, что первым журналистом на земле был змей-искуситель, крупно подставивший наших прародителей.

Из своих трехсот лет почти двести восемьдесят российская пресса действовала в условиях жестко-централизованных систем — сначала монархической, затем советской. В известной степени она выполняла функции отсутствовавшей официальной политической оппозиции — отсюда ее необъятные амбиции и претензии на власть, хотя бы четвертую. Это вечное, но, по сути, безысходное противостояние испортило характер отечественной прессе: она сделалась по преимуществу оппозиционной не власти и даже не государству, а самой российской государственности. Государственник в медиасреде похож на «натурала», по оплошности забредшего в гей-клуб.

С другой стороны, долгие годы существования в исторических обстоятельствах, когда могли выпороть, сослать, а позже и попросту расстрелять, выработали у российской прессы еще одно качество, необходимое для выживания. Я имею в виду самозабвенный сервилизм, который живет в душе отечественного журналиста по соседству с отчаянным либерализмом. Вот почему наша пресса, потряся своим свободолюбием одну шестую часть суши и поспособствовав ее уменьшению до одной седьмой, потом вдруг куртизанисто расселась по коленям олигархов, вполне удовольствовавшись ролью относительно благополучной части обманутого и обобранного общества. Эта сервильная оппозиционность, или оппозиционная сервильность (кому как нравится), и составляет «лица не общее выраженье» нашей юбилярши.

Надеюсь, никого не обижу, если скажу, что пресса сама по себе не производит идей, точно так же, как почта не пишет писем — она их пересылает. Как бы ни морщили в интеллектуальном изнеможении лбы телекомментаторы, как бы назойливо ни мудрствовали газетные обозреватели, даже самые глубокие, оригинальные их мысли, за редчайшим исключением, — это «версаче», пошитые в стамбульском подвальчике. Ничего постыдного тут, кстати, нет: производить идеи — работа других, дело прессы — эти идеи распространять, по возможности выбирая те, которые поднимают и облагораживают жизнь. Почему российская пресса чаще всего выбирает и навязывает идеи, опускающие общество, способствующие усугублению комплекса национальной неполноценности, — вопрос интересный и заслуживающий отдельного исследования.

Мое же, как заметил читатель, весьма субъективное мнение таково: свое трехсотлетие наша отечественная пресса встречает охваченная тяжким недугом, имя которому — информационная агрессивность в сочетании с изумительной социальной безответственностью. «Делать новости», подгонять реальность под свое очередное заблуждение, создавать параллельную виртуальную действительность, сбивающую с толку людей, — вот главное занятие нынешней прессы. Медиасообщество на наших глазах превращается в особый, весьма эгоистичный народец — «медийцев», распоряжающихся информацией, как сырьевые атаманы приватизированной нефтью. Вероятно, поэтому разговоры о священной свободе слова рождают сегодня у простого человека ту же усмешку, какую вызывали недавние плакаты «Вперед, к победе коммунизма!». Справедливости ради надо признать: это не чисто российская, а общепланетарная проблема, которой серьезно озабочены честные интеллектуалы, такие, как автор «ЛГ» итальянец Джульетто Кьеза.

Конечно, журналистам обидно читать эту мою юбилейную инвективу, но я сознательно ужесточил ситуацию: пусть и они хоть однажды почувствуют то, что слишком часто ощущает рядовой российский гражданин, разворачивая газету или включая телевизор. А нашу юбиляршу, вступающую в свое четвертое столетие, хочется напутствовать гиппократовским пожеланием: «Исцелись сама, российская пресса, и не навреди!»

«Литературная газета», январь 2003 г.

Ярмарка тщедушия

Чартерный рейс из Внукова задержался на семь с половиной часов, и потому наша огромная делегация, насчитывавшая около ста пятидесяти литераторов, журналистов, издателей и книгопродавцев, непоправимо опоздала на торжественное открытие Франкфуртской ярмарки, а заодно и презентацию российской экспозиции в роскошном павильоне «Форум». Не знаю, огорчило ли наше отсутствие обозначенных в пригласительном билете министров — Михаилов, Лесина и Швыдкого, а также директора ярмарки ФолькераНоймана. Нас это, конечно, огорчило. Хотелось послушать, например, что скажет на открытии от имени многотысячного российского писательского сообщества Владимир Маканин. Потом я слышал разные мнения о маканинском выступлении, одни называли его «гениальным», другие — «занудством». Вот и гадай теперь, кто прав!

Но вернемся в ТУ-154, который, безнадежно опаздывая, приближался к Франкфурту. Всем, конечно, знакомо это трусливое самолетное ощущение бренности и беззащитности, но на сей раз я был почти спокоен: в салоне, тесно сидя, выпивали и спорили столько знаменитых творческих индивидуальностей, что если, не дай Бог, отвалилось бы крыло, отечественным литературным изданиям несколько месяцев пришлось бы печатать исключительно некрологи, а ущерб, нанесенный родной словесности, перекрыл бы все ленинские, сталинские и брежневские литературные чистки, вместе взятые. Именно невероятность такого поворота российской литературной истории и внушала мне пассажирский оптимизм.

Однако, осмотревшись вокруг, я пришел к выводу, что в случае чего непоправимый урон понесет прежде всего, скажем так, либерально-экспериментальная ветвь отечественной словесности, а консервативно-традиционная окажется почти целехонькой. Что же касается здравствующих и активно работающих советских классиков, то их гипотетическая катастрофа и вообще не затронет. Кстати, об этом явном перекосе при формировании ярмарочной делегации наша газета писала еще несколько месяцев назад, аналогичную критику высказывали и другие средства массовой информации, ответ же организаторов сводился к тому, что делегация не резиновая и число участников строго ограничено.

О том, что во Франкфурт отправляется ограниченный контингент российских литераторов, конечно, все и так догадывались. Тем не менее хотелось бы задать один вопрос организаторам. Допустим, вы летите в командировку и ввиду строгого ограничения веса багажа можете взять с собой только четыре пары обуви. Неужели вы возьмете восемь левых башмаков, а восемь правых оставите дома? Не думаю. Однако именно по этому странному принципу оказалась составлена делегация. Впрочем, осерчали не только традиционалисты, оказавшиеся в абсолютном меньшинстве, мрачная жаба эстетической несправедливости явно душила и правящий литературный класс — постмодернистов. Ведь если смоделировать глобальную неприятность, в результате которой из всех артефактов нашей словесности останутся только проспекты и программы Франкфурта-2003, то грядущие исследователи неизбежно придут к неожиданному выводу: самыми крупными и безусловными величинами русской литературы начала третьего тысячелетия были Виктор Ерофеев и Дарья Донцова (конечно, при условии, что их тексты тоже не сохранятся).

В результате события, развернувшиеся на фоне роскошных и дорогостоящих книжных стендов российской экспозиции, напоминали мне литературно-кухонные посиделки 70-х годов, достигшие размаха первомайской демонстрации. Кстати, одна из дискуссий так и называлась — «Российский андеграунд как эстетический мейнстрим». К счастью, географический семинар на тему «Волга как приток Переплюйки» пока еще невозможен даже в Германии. Вообще, темы дискуссий отличались какой-то подростковой хамоватостью в отношении к нашей стране — почетному гостю выставки. Например: «После империи: Россия в поисках новой идентичности». (Воля ваша, но человека, утратившего идентичность, как можно скорее направляют к психиатру.) Или: «Сколько России вынесет Европа?» Или: «Может ли вернуться советское прошлое?»... Поскольку мозговые центры ЦРУ заняты сейчас в основном Ираном и Ираком, остается полагать, что темы этих дискуссий родились в московских интеллектуальных гнездилищах, с чем нас всех и поздравляю.

Должен заметить, стойкая неприязнь к советскому периоду нашей истории и литературы пронизывала многие дискуссии и авторские выступления. С особенным знанием дела об ужасах «литературного ГУЛАГа», как я заметил, повествовали авторы, активно при коммунистах печатавшиеся, получавшие премии и даже занимавшие кое-какие посты. Слушатели, в основном из российских эмигрантов, воспринимали все это с некоторой растерянностью: они, конечно, знали, что уехали из тяжелой страны, но о том, из какого ада им на самом деле удалось своевременно вырваться, по-видимому, узнали, только придя в российский павильон, где им популярно объяснили — эту страну, эту прореху на человечестве не излечит ни рынок, ни демократия, ни благая весть академика Сахарова...

Или вот еще характерный эпизод. Иду по ярмарочному лабиринту и вижу небольшую толпу, пробираюсь к центру всеобщего внимания и обнаруживаю такую сцену: поэт-карточник Лев Рубинштейн бьет то ли в бубен, то ли в кастрюлю, лауреат Государственной премии главный редактор «НЛО» Ирина Прохорова вопит и бегает с пионерским галстуком на шее, а третий не установленный мной персонаж, но чуть ли не Пригов, чем-то острым наносит удары по сооружению, напоминающему супрематического снеговика.

— Что это они делают? — удивленно спрашиваю соседа.

— По-моему, ритуально разрушают империю... — неуверенно отвечает он.

— Какую империю?

— А какая разница? Людям нравится...

Интересно, когда Германия станет гостем Московской книжной ярмарки, догадаются ли немецкие писатели устроить в павильоне ВДНХ потешное взятие рейхстага или ограничатся бутафорским самосожжением фюрера? Честно говоря, ярмарка оставила у меня ощущение окололитературной суеты и государственного тщедушия, а также лишний раз подтвердила то, о чем все давно уже знают: внятная, взвешенная, определяемая долгосрочными национальными интересами государственная политика в области культуры и, в частности, в области литературы у нас отсутствует. Иначе чем объяснить тот факт, что в программе нашлось место для пресс-конференции Дмитрия Емца, автора весьма сомнительной во всех отношениях «Тани Гроттер»? А вот Ольге Тарасовой, представлявшей на ярмарке свой первый в новом столетии перевод на русский язык «Фауста» Гёте, места не нашлось — и малолюдная импровизированная презентация этого уникального издания напоминала похороны пенсионера.

В заключение моих весьма субъективных заметок могу только добавить, что автобус, призванный отвезти нас из отеля в аэропорт, прибыл на полтора часа позже назначенного времени, но на рейс мы все-таки успели, ибо чартерный авиалайнер тоже вылетел с опозданием...

«Литературная газета», октябрь 2003 г.

Возвращение Горького

Я думаю, выход 22 апреля 1929 года первого номера возобновленной «Литературной газеты» был воспринят видавшей всякие виды советской общественностью примерно так же, как если бы мы с вами, включив второй, государственный, канал, обнаружили там в качестве ведущего политобозревателя не законсервированного либерала Николая Сванидзе, а, например, консервативного революционера Александра Дугина. Или кого-то другого, воспринимающего многонациональную Россию не как историческое недоразумение, а как самостоятельную и уникальную цивилизацию. «Ага! — сказали бы мы с вами. — Что-то произошло!»

Вот и 75 лет назад «что-то» произошло. Для начала напомню, что Научный отдел Наркомпроса РСФСР в 1919 году высказался о «желательности введения латинского шрифта для всех народностей, населяющих территорию Республики». Сторонников Мировой Революции (так называлась тогдашняя модель глобализации) можно понять: если дело идет к Всемирной республике, то чего уж там! Отказ же от кириллицы поможет российским пролетариям теснее сплотиться с рабочим классом Германии, Америки, Франции и так далее, а заодно скорее позабыть постыдное имперское прошлое. Конечно, к концу 20-х несбыточность многих перманентных устремлений стала очевидна, но историческая инерция велика: о царской России еще долго продолжали говорить как об омерзительно отсталой, а о пролетариате как о восхитительно передовом.

Чтобы понять атмосферу тогдашней литературной жизни, достаточно вспомнить названия некоторых периодических изданий той эпохи: «Красный дьявол», «Гильотина», «Пролетарская культура», «Зарево заводов», «Искусство коммуны», «Октябрь», «Печать и революция», «Красная новь», «Новый мир», «Литература и марксизм», «Молодая гвардия»... Кроме того, творческие споры между писателями, разбившимися на многочисленные враждовавшие между собой группы, в те годы носили очень специфический характер: мастера художественного слова как к высшему эстетическому арбитру постоянно апеллировали к ГПУ. Не случайно ехидный Булгаков, который на собственном опыте многократно испытал доносную принципиальность товарищей по ремеслу, иные свои фельетоны подписывал псевдонимом «Г.П. Ухов».

Вот на этом революционном фоне (и, заметьте, в день рождения Ленина) в свет выходит новое издание с простеньким названием «Литературная газета». Разумеется, даже рабкор, месяц назад призванный в литературу, догадывался, на что намекали и за что агитировали инициаторы нового «коллективного агитатора, пропагандиста и организатора», ведь первая «Литературная газета» вышла в 1830 году по инициативе Пушкина, которого еще недавно так хотели сбросить с парохода современности вместе со всей тысячелетней православной историей и культурой России. Было ясно: эпоха интернациональных мечтаний, дорого стоивших стране, заканчивается, начинается самовосстановление державы с опорой на свои ресурсы, на свой народ, на свою историю. Вместо жестокого разрушения началось жестокое созидание, проклинаемое кое-кем и поныне. И очень редко кто-нибудь сознается в том, что ужасы реставрации — это всего лишь неизбежное и логическое завершение ужасов революции. (Вот и сегодня передовая эфирная интеллигенция пугает полицейским государством народ, десятилетие проживший и выживший при государстве бандитском. Ну не смешно ли!) А то далекое, тяжкое, кровавое, героическое время не нуждается в нашем оправдании, его оправдала победа в страшной войне. В оправдании нуждаемся мы, прожившие, проболтавшие и прохихикавшие плоды этой победы, оплаченной миллионами жизней.

Как и следовало ожидать, очередное обновление нашего Отечества в конце 80-х годов прошлого века снова началось с намерения отбросить весь предшествовавший период истории как мрачный, постыдный, неэффективный. Первыми сорвали с себя советские погоны и встали под общечеловеческие знамена, конечно, бойцы идеологического фронта. Наверное, они давно уже поняли неэффективность марксизма-ленинизма, что, впрочем, не мешало им защищать диссертации, писать книги и руководить научными учреждениями в ожидании, когда же придет настоящий день. Такой день пришел вместе с Горбачевым, заговорившим, к нашей радости, без бумажки. Увы, мы слишком поздно поняли: он также без бумажки (то есть без сколько-нибудь внятного социально-экономического проекта) пустился реформировать страну. О том, что, оказывается, бывают еще президенты не только без бумажки, но и без царя в голове, мы узнали несколько позже...

В 1990 году, получив очередной номер «Литературки», читатель не обнаружил на логотипе профиль Горького. Жест, что и говорить, символический, ведь именно Алексей Максимович своими книгами, своей жизнью, ошибками и озарениями как бы связывал воедино две эпохи — дореволюционную и послереволюционную. Пришло время сбрасывать с парохода современности Горького. Примерно тогда же исчезла улица Горького и станция метро «Горьковская». А вот станция «Войковская», названная так в честь цареубийцы, осталась. Странная забывчивость, которая вдумчивому человеку многое говорит о тайных пружинах русской истории XX века.

Полным ходом шло массовое, санкционированное сверху отряхивание с ног праха советского прошлого. Но ведь, согласитесь, смотреть на весь советский период только сквозь призму «Архипелага ГУЛАГ» примерно то же самое, что оценивать американскую историю исключительно на основании «Хижины дяди Тома». Читатель может не поверить, но я, придя в «Литературку» в 2001 году, застал еще в ней сотрудника, который отказывался брать у автора сенсационный материал о Шолохове на том основании, что автор «Тихого Дона» — «сталинский подголосок». Любопытно, но тот факт, что Пастернак был едва ли не первым поэтом, воспевшим в своих стихах Сталина, напротив, в глазах этого сотрудника придавал Борису Леонидовичу некую амбивалентную величественность...

Сегодня, кажется, стало ясно даже наверху: превратить Россию в Запад с помощью самооплевывания, а тем более саморазрушения невозможно. Не место в юбилейном номере останавливаться на чудовищных, ничем не оправданных утратах подавляющего большинства, которыми сегодня обеспечено процветание неподавившегося меньшинства. Скажу лишь, что, на мой взгляд, ситуация 1929 года и нынешняя в чем-то схожи. Во всяком случае, период саморазрушения явно заканчивается. Конечно, мы еще не созидаем, но, кажется, уже сосредотачиваемся. И в этом смысле возвращение профиля Горького на наш логотип, конечно же, акт символический, восстанавливающий связь времен, ибо царство, разделившееся во времени, неизбежно распадется и в пространстве...

«Литературная газета», 2004 г.

Живая плоть камня

1

Человек, долгие годы проживший в одном городе, например, в Москве, выходя за порог своей квартиры, скажем, прогуляться, на самом-то деле отправляется в путешествие по времени. Даже не по времени, а по временам. Попробую пояснить эту мысль моим давним стихотворением, возможно, несовершенным, но прошу читателя учесть, что написано оно двадцатилетним москвичом, молодым поэтом, черпающим, как и многие городские стихотворцы, вдохновение в том урбанистическом пейзаже, который окружает их с детства:

Старичок бредет по новой улице:
Все дома равны как на подбор.
Под ноги глядит себе, любуется:
Старый парк, особняки, собор.
Следом я иду, сосредоточенно,
Думая про ту, что всех милей.
Замечаю: домик скособоченный,
Несколько старинных тополей.
А за мною мальчуган, уверенно
Едущий на папе в детский сад,
Видит, как шумит большое дерево,
Срубленное год тому назад...

Да, в моей памяти, в памяти человека, родившегося в 50-е, живет некая множественная во времени Москва. Разумеется, тот, кто появился на свет раньше, в 1920—30-е годы, хранит в себе более многообразную и разноликую, разновременную Москву. И для него, и для меня прогулка по нашему городу — это постоянный, возможно, неосознанный процесс инвентаризации ушедшего. Для кого-то процесс автоматический, не анализируемый, в лучшем случае окрашенный роман-совой тоской по прошлому. Для человека же, знающего историю, задумывающегося о законах поглощения одной историко-культурной эпохи другой, это мучительный, постоянный перечень утрат, которых могло не быть, и обретений, которые зачастую хуже утрат.

Надо ли объяснять, что «дерево, срубленное год тому назад», будет существовать до тех пор, пока будет жить мальчик, став сначала юношей, затем мужчиной-отцом, наконец, стариком... А потом? Передавая детям свой жизненный опыт, он при всём желании не может оставить им эти клубящиеся видения, внутридушевные фантомы разновременной, исчезнувшей Москвы. Сделать это может только искусство. Настоящее.

А теперь цитата: «...Исчезнувшая Москва основательно вошла в мое сознание. Я изучил ушедшее тщательно. Кое-что я видел сам, и виденное сохранила память, поэтому, проходя по нынешней Москве, я отчетливо вижу ее такой, какой она была когда-то. И без труда могу прогуляться по воображаемому городу, сидя в кресле...»

2

Это строки мемуарных заметок «По поводу...» народного художника России Евгения Куманькова, который значительную часть своего творчества посвятил именно тому, чтобы «тленье убежало» и образы ушедшей Москвы пережили прах поколения очевидцев. Смолянин по рождению, он приехал в столицу перед войной, поступил на художественное отделение Киноинститута, воевал в московском ополчении и один из немногих в своем поколении остался жить, став со временем знаменитым кинохудожником, живописцем, графиком.

В уже упомянутых заметках он пишет: «Как ни пытаюсь, не могу объяснить мое пристрастье к городскому пейзажу, его истоки. Помню лишь одно: чем дальше, тем острее и острее я стал чувствовать и понимать, что дом — это не просто строение, что он — след человека, его биографии, его душа, его отголосок, память о нем, наконец. Что дома не похожи один на другой, и чем больше их непохожесть, тем они любопытнее. Дома несут в себе характеры, биографии, неуловимые особенности, нравы, принадлежности. Наблюдать эти особенности и любоваться ими так же интересно, как наблюдать человеческие лица. А “лица” старых домов интересны особенно, так как они несут на себе отпечатки большого и сложного опыта, необыкновенных судеб и особой непохожести. И как нет двух одинаковых лиц (даже у близнецов), нет двух одинаковых домов (даже в Черемушках). Наблюдать эти непохожести для меня радость. Тут я уподобляюсь Мечтателю из “Белых ночей” Достоевского, с тою лишь разницей, что тот не спеша прогуливался по петербургским набережным, а я почему-то все время бегу...»

Как тут не вспомнить строчки Николая Заболоцкого, трактующие об этой же тайне запечатленного бытия, но увиденной, осмысленной как бы с противоположного берега:

Есть лица подобные пышным порталам,
Где всюду великое чудится в малом.
Есть лица — подобия жалких лачуг,
Где варится печень и мокнет сычуг.
Иные холодные, мертвые лица
Закрыты решетками, словно темница.
Другие — как башни, в которых давно
Никто не живет и не смотрит в окно...

Вообще, должно сказать, что искусство Евгения Куманькова чрезвычайно литературно. Я, конечно, понимаю, что с точки зрения внутрицеховой этики высказал смертельно опасный комплимент, ибо под литературностью часто подразумевается стремление художника «жанровостью», культурологическими аллюзиями возместить дефицит изобразительности. Но я говорю о совсем другой литературности. Куманькову нечего возмещать — он выдающийся мастер в своем деле. Кстати, на мой взгляд, в искусстве есть единственный способ самовыражения — через мастерство. Прав был Сен-Санс, когда предупреждал: «Поиски оригинальности смертельны для искусства». Попытки объявить мастерством самовыражение заводят искусство (в любой сфере — в литературе, в театре, в живописи) в совершенно неприличный тупик. Да и вообще, подлинное искусство — это крошечный полустанок на пути от Объективности к Субъективности. Большинство людей, севших в Паровоз Искусства, или не доезжают до этого полустанка, или промахивают, даже не заметив...

Но вернемся к литературности Куманькова. Он художник глубокой и разносторонней культуры, воспитанный на идеях великой русской литературы, умеющей вместить «как» в «зачем», а не наоборот. Задача, с которой, кстати, не справились иные западные литературы. Его живопись и графика, помимо созерцательного счастья, вызывают в душе настоящий ассоциативный взрыв, своего рода внутреннее озарение. Иногда художник сам дает зрителю подсказку, как в пастели «Томик Чехова», но чаще он просто уверен, что человек общей с ним культуры поймет и почувствует то, что за холстом, без всяких подсказок. Как писал ровесник Куманькова поэт Владимир Соколов: «Мне важно видеть то, что за стихами!»

Эту высокую литературность изобразительного творчества тонко почувствовал один из лучших писателей советского периода Юрий Нагибин, посвятивший своему сверстнику и однокашнику обширное эссе, где есть и такое наблюдение: «Московские рисунки Евгения Куманькова прекрасны сами по себе, их главный смысл вовсе не утилитарен и уходит корнями в ту вечную тайну человеческого сердца, где лишь искусство правит свой праздник, но все же чистой эстетикой дело не исчерпывается. Куманьков неутомимый собиратель тех московских ценностей, что легко ускользают от поверхностного взгляда. Много незаметной красоты рассеяно по московским улицам, и художник сдергивает с наших глаз повязку равнодушной неприметливости. О, как всем нам нужна сейчас зоркость!»

Говоря о творческом пути художника, нельзя не сказать о том периоде, когда эта мужественная зоркость вышла из мастерской и стала участницей бурной общественно-духовной жизни нашего отечества 80-х годов. Я веду речь о знаменитой статье Евгения Куманькова «Ради будущего», появившейся в 1986 году на страницах «Правды» и впервые за многие десятилетия прямо, остро, глубоко поставившей вопросы сохранения исторического облика Москвы. Но дадим слово самому автору.

«...Я вдруг оказался знаменитым, пошли письма тысячами... — от самых разных людей, молодых и старых, пенсионеров и школьников. Меня ввели в комиссию при главном архитекторе Москвы, и я начал драться за уничтожение “красных линий”, за запрет всякого сноса (в то время существовала такая лавочка — комиссия по сносу). Однажды меня даже избили. Некий человек, дотошный книгочей, как-то вслух произнес цифру: мол, по всем актам Госкомиссии, которая оценивала потери в Великую Отечественную войну, получается, что война уничтожила меньше памятников, чем мы сокрушили своими руками в Москве. Я этой цифрой как-то козырнул и потом, на пленуме Московского союза архитекторов, понял, что такое толпа. Мне кричали, что я враг, что я “оскорбил советских архитекторов, сравнив их с фашистами...”».

Читая нынешние интервью художника, полные горечи и несбывшихся надежд, понимаешь, что вместе с уходом в небытие советской архитектурной доктрины, где, наверное, дольше всего задержался антиисторический пафос интернационал-большевизма, отнюдь не ушла в прошлое угроза культурному наследию России. Просто она видоизменилась: теперь это тороватая постсоветская бюрократия, умеющая обойти любой закон, это нувориши, готовые ради того, чтобы освободить в центре столицы местечко под офис очередных «Рогов и копыт», сжечь уникальный особняк позапрошлого века...

Размышляя о судьбе Евгения Куманькова, о его «хождении» в большую культурную политику, с особой остротой понимаешь, что искусство само по себе не способно победить зло, в том числе и социальное, но оно способно воспитывать людей, которые когда-нибудь научатся злу противостоять...

3

Когда я смотрю на давнюю, 59-го года, пастель Куманькова «Первая зелень (Плотников переулок)», то чувствую, как на глаза наворачиваются слезы. Наверное, потому что сам я вырос в Балакиревском переулке, где тогда еще сохранились вот такие же купеческие особняки — с каменным первым и деревянным вторым этажом, — украшенные резными наличниками. Сохранились еще и высокие дощатые заборы, из-за которых поднимались старинные липы и вязы. А у ворот нашего особняка, отданного под заводское общежитие, стояла на приколе точно такая же «Победа», единственная на весь переулок. Я даже до сих пор помню фамилию ее владельца — Фомин. В «Первой зелени» не видно бетонно-стеклянной Москвы. Она тогда еще только задумывалась в архитектурных мастерских, только начинала проявляться в городских очертаниях.

Но в более поздних работах художника тема столкновения в едином пространстве старой и новой Москвы становится ведущей. Характерно, даже символично это выражено, на мой взгляд, в работе «Реконструкция» (1976). На переднем плане, взбираясь на груду мусора, оставшуюся от снесенного дома, экскаватор заносит громящий ковш над старомосковским особняком, дворянским гнездом, с которого уже полусорвана вывеска «Парикмахерская». (Вот, кстати, типичная куманьковская «литературная» деталь, вбирающая в себя сложнейшую коллизию отечественной истории!) Далее, за особняком, мы видим нагромождения

Москвы четырех-пятиэтажной: доходные дома начала XX века и те здания, что строили после революции, в годы индустриализации, когда деревенская Россия хлынула в города. Кстати, именно в эти годы из Рязанской губернии перебралась в столицу и моя родня. И опять-таки совершенно не случайно в отличие от особняка, решенного в золотисто-теплой цветовой гамме (Золотой век?!), здания пореволюционной поры хранят на себе красные тени великого социального пожара. И, наконец, над всем этим поднимаются, уходя в небо, холодные, бело-синие, единообразные многоэтажки Калининского проспекта.

Конечно, проще всего теперь, задним числом, объявить: вот как художник в годы всесилия Совдепии боролся с бездумным поруганием отечественного зодчества. Но все на самом деле гораздо сложнее: Евгений Куманьков прежде всего стремится выразить, перенести на полотно новый, противоречивый облик меняющейся столицы, в котором есть и какофония насильственной модернизации, и гармония неизбежного обновления. Достаточно вспомнить рисунок «Вид на Новый Арбат» (1971), где старинная Москва покорно упирается в белые, тысячеоконные человейники, закрывающие горизонт.

Между прочим, эта мучительная проблема «совместности» гения старины и злодейства современности волновала в ту пору не только художников. В доказательство приведу свое стихотворение, написанное в конце 70-х. Оно о том же, о тех же сомнениях и о поисках путей примирения времен:

Как неярким апрелем припрятанный снег
От лучей посторонних,
Я ищу девятнадцатый век
В подворотнях.
Старый дом. В нем уже не зажжется окно.
Новоселье — поминки.
Мне шагать через век. От Бородино
До Ходынки.
Есть в модерне какой-то предсмертный надлом.
Переулки кривые.

Революция за поворотом. Потом сороковые.
Где-то рядом автомобили трубят.
И дрожит мостовая.
И Мне в глаза ударяет стеклянный Арбат.
Я глаза закрываю...

И еще одно наблюдение. В последнее десятилетие Евгений Куманьков плодотворно продолжает свою столичную тему, в частности, работает над удивительным циклом «Москва, которой не будет». В этом цикле проявился новый, ностальгический, кустодиевский мотив в творчестве мастера. Или вот передо мной пастель «Праздничный вечер в Плотниковом переулке» (1995).

На первый взгляд это, как сейчас модно выражаться, «ремейк» давней работы 1959 года, о коей шла речь выше. Тот же особнячок. Та же машина «Победа» на приколе. Да и огненные буквы «XXXV Октябрь», горящие на уступах высотки, отсылают нас в давние 50-е годы. Но почему же нет ощущения оппозиционности старого и нового? А потому, что знаменитая сталинская башня, когда-то казавшаяся пиком новизны, теперь, спустя полвека, стала частью привычной, в сущности, старой уже Москвы. Высотка, повинуясь замыслу художника, даже словно чуть накренилась в ту же сторону, что и особнячок...

Примиряющая мощь времени.

Гармонизирующая сила большого художника.

Живая плоть священных московских камней...

2006 г.

Писатели и пипы

Бедным людям не до «Бедных людей»

Некоторое время назад состоялся конгресс в поддержку чтения. Что и говорить, мероприятие нужное и своевременное, ибо общая варваризация общества, неизбежная при любых революционных ломках, самым печальным образом отразилась на судьбе книги в нашем Отечестве, а специалисты говорят сегодня даже о катастрофе чтения в России.

«Как! — воскликнет иной читатель. — Да вы пройдитесь по книжным магазинам! Настоящее изобилие! Никогда не было столько названий и авторов!»

Так-то оно так. Однако есть цифры, заставляющие взглянуть на эту проблему шире — с точки зрения общенародной, а не общечеловеческой, ибо общечеловеческие ценности в нашей стране нынче мало кому по карману. Итак, почти 40 процентов наших соотечественников сегодня вообще не читают, а 52 процента никогда не покупают книг, 34 процента не имеют дома ни одной книги. Далее, тиражи газет и журналов по сравнению с 1990 годом сократились в 6 раз, и всего лишь каждый пятый сегодня берет в руки периодику. Почему это случилось, понятно: скажем, в позднюю советскую эпоху средняя цена книги составляла рубль с небольшим, а это значило — на обычную зарплату можно было купить около двухсот томов. Сегодня средняя цена книги перевалила за сто рублей. Например, мой новый роман «Грибной царь» в магазинах после всех накруток стоит от 180 до 280 рублей. А это уже почти Европа, где доходы у населения, между прочим, на порядок выше наших. Теперь посчитайте, сколько книжек может сегодня купить на зарплату, допустим, учитель — один из главных и традиционных в прежние времена приобретателей издательской продукции! А ведь ему еще надо платить немалые деньги за квартиру и коммунальные услуги, что раньше составляло почти символическую сумму.

«Ага! Сравнил! — возразит мне другой читатель. — Купить бы он купил. Да кто б ему дал! В стране был жуткий книжный дефицит!»

И с этим никто не спорит. Сам помню, как рассчитывался с дантистами детективами, а за «Нерв» Высоцкого добыл недоставаемую в принципе вагонку для дачестроительства. Но прежде это был дефицит наличия, а теперь это дефицит наличных. Поясню мысль: с недостатком мяса можно бороться с помощью серьезного увеличения и удешевления производства данного продукта питания, а можно с помощью превращения населения в невольных вегетарианцев. Мы двинулись вторым путем: потребление мяса в сравнении с прежними временами резко сократилось, и проблема недоедания, прежде всего белкового, теперь, как известно, весьма актуальна на просторах России. Хотя чисто внешне нынешние мясные прилавки отличаются от советских так же, как мандариновые субтропики от Голодной степи.

С книгами случилось примерно то же, и для подавляющей части губернской России роскошные новые книжные магазины по доступности мало чем отличаются от застойных «Березок». Увы, бедным людям не до Федора Михайловича с его «Бедными людьми». В результате произошла парадоксальная вещь: книжный рынок в России процветает, поражая многообразием обложек, а массовое чтение увядает. В подтверждение еще одна цифра: половина всей книжной продукции так и остается на издательских складах невостребованной...

Тот, кто хоть однажды презентовал свои сочинения на ярмарках, конечно, обратил внимание на особую и довольно многочисленную категорию посетителей — «книжных нищих». Обычно это старые, бедно одетые люди с хорошими умными лицами — интеллигенты. Явно стыдясь своего нынешнего состояния, они ходят от стенда к стенду и робко просят пищу — духовную, без которой не могут жить, но купить которую сегодня не в состоянии. Иногда им подают. Книгу. Но чаще гонят прочь...

Дурацкое чтенье — нехитрое

Все помнят гордый, часто повторяемый советский слоган: «Мы самая читающая страна в мире!» Не знаю, вполне возможно, агитпроп и погорячился, но вот в том, что мы были самой серьезно читающей страной, сомнений нет. Достаточно вспомнить, как мгновенно исчезали с прилавков гигантские тиражи философских и исторических сочинений. Когда, будучи в командировке, я обнаружил на полке дальневосточного сельпо федоровскую «Философию общего дела», то чуть не заплакал от счастья. А разве можно было в середине 70-х завести разговор с приличной девушкой, не прочитав, скажем, в «Новом мире», допустим, «Алмазный мой венец»? Один мой литературный знакомый покорил не одно девичье сердце и овладел не одним дамским телом, растолковывая, кто под каким прозвищем зашифрован в этом сочинении почти забытого ныне Валентина Катаева, из «мовизма» которого, как из шинели Гоголя, и вышел, между прочим, весь неблагодарный российский постмодернизм. «А кто такой Колченогий?» — «Не догадываетесь?» — «Не-ет...» — «Нарбут!» — «Нарбут? Надо же... И откуда вы только все зна-аете?.. Ах!»

Сегодня принято объяснять особенную начитанность советских людей тем, что прежняя система сковывала реальную инициативу человека и ему оставались только книги. Отчасти это верно, как верно и то, что в застойном, иначе говоря, стабильном обществе читается лучше, нежели в стране, где тебе постоянно стучат по башке колотушкой реформ и обирают с помощью инфляций-дефолтов.

Но есть и еще одна историческая правда, которую подзабыли: большевики при всех их грехах собирались строить новое общество с просвещенным (да, по-советски просвещенным) народом. А советская образованность (что бы нам теперь ни говорили перепрофилировавшиеся выпускники ВПШ) при известной ограниченности была тем не менее версией — и не самой худшей — общемировой образовательной нормы. Государство на просвещении народа, как, впрочем, и на пропаганде, не экономило! Отсюда тогдашняя, культивировавшаяся мода на серьезное чтение. Отсюда государственное внимание (в том числе и со стороны КГБ) к человеку умственного труда. Отсюда же гигантский интеллектуальный потенциал СССР, не исчерпанный до сих пор при всей утечке мозгов и унижениях постсоветских интеллигентов, объявленных чуть ли не начитанными дармоедами. Сегодня же не экономят только на пропаганде...

Всем памятна «книжная революция» конца 80-х годов. Тогда начал бурно развиваться издательский бизнес, в магазинах появились книги, о которых прежде серьезный читатель мог только грезить, — Ильин, Мережковский, Шпенглер, Бердяев, Флоренский, эмигрантская литература. Владельцы одного из самых крупных нынешних издательств сделали начальный капитал на том, что космическим тиражом на газетной бумаге журнальным форматом в мягкой обложке издали избранного Фрейда. К примеру, мой «Апофегей» в 1990 году Литфонд РСФСР, никогда прежде не занимавшийся книгопечатанием, выпустил миллионным тиражом и мгновенно распродал. Серьезный читатель мог ликовать: за Рильке не нужно идти к барыгам на Кузнецкий Мост, теперь Рильке продавали в обычном газетном киоске. Это был первый шаг к десакрализации хорошей литературы, ибо Булгаков, стоящий на витрине рядом с «Бешеным», уже немножко не Булгаков.

Надо признать: социализм был строем серьезным, развлечения считал делом второстепенным, а следовательно, и развлекательная литература: детективы, фантастика, приключения, любовная проза — занимала в книжной номенклатуре, определяемой государством, достаточно скромное место. Кстати, такое же отношение к авторам, работавшим в «легких» жанрах, сохранялось и в писательском сообществе: какой-нибудь нудный сочинитель производственных эпопей считался вдвое значительнее обоих братьев Стругацких, вместе взятых. А вышедший на трибуну Юлиан Семенов, самый, наверное, тиражный советский автор, удостаивался в лучшем случае снисходительной усмешки собратьев: «Ну, и что скажет Юстас Центру?» Зато трудно говорящий и еще труднее пишущий литератор, бросивший в своей последней книге еле заметный вызов социалистическому реализму, приковывал восторженное внимание товарищей по мукам творчества. Где они теперь, эти шепотливые обличители? Увы, там же, где их книги...

Понятно, как только издатели и книгопродавцы получили вольную от КПСС, они бросились наверстывать упущенное: прилавки накрыла цветастая волна кровавых детективов, эротических, а то и эротоманских романов, разнузданной фантастики и противоестественных приключений... Как известно, хорошего много не бывает, а развлекательной книжной продукции должно быть очень много, иначе не заработаешь, ибо в книжном бизнесе, как и в сексе, только новизна способна заменить качество. Правда, ненадолго. И начала формироваться целая система навязывания потребителю абсолютно бессодержательной, одноразовой книжной продукции, возникла своего рода торговля обложками. Конечно, и при Советской власти имелась своя обложечная литература, но такого вала книг, которые не просто не стоит, а категорически не следует читать, никогда еще не было! Потребность рынка — закон: в мгновение ока, откуда ни возьмись, нахлынули сотни авторов, готовые заполнить промежутки между обложками необременительными текстами. Еще вчера одни из них были безнадежными графоманами, отвергнутыми всеми издательствами, вторые томились в бесперспективных НИИ, третьи уныло домохозяйничали. Но возник спрос — и они стали ПИПами!

Пипизация страны

В самом факте существования развлекательно-коммерческой литературы ничего уникального нет, она процветала и при Пушкине, и при Достоевском, и при Чехове... Но процветала на своем, развлекательном месте. Уникально то, что в постсоветской России она начала вытеснять из общественного сознания настоящую литературу, традиционно в нашей стране ценимую и простыми, и руководящими читателями. Почему у нас серьезное слово пользовалось почти религиозным поклонением — вопрос отдельный, уходящий корнями в наши историко-культурные глубины. Скажу лишь, что в пору абсолютизма и диктата литература отчасти заменяла обществу политическую оппозицию, а в период насильственного атеизма — религию. За это славилась, за это же и страдала...

Власть за столетия выработала два основных способа взаимодействия с сей чересчур влиятельной особой — русской литературой. Верхи ее или просто душили, или душили в объятиях, но всегда при этом внимательно прислушивались к мнению отечественной словесности. И вдруг в начале 90-х возник третий способ: традиционное место писателей, властителей дум, заняли ПИПы — *персонифицированные издательские проекты*. Именно они насслили телеэкран, их саженные портреты появились в витринах магазинов, они начали произносить спичи на общенациональных торжествах, балагурить насчет реформ и выборов, им стали посвящать подножные звезды на тротуарах, новая власть, лаская их, принялась демонстрировать миру заботу об отечественной культуре... Поначалу ПИПы слегка ошалели от этой предложенной им роли, на которую они не смели надеяться даже в своих самых интимных грезах. Но потом быстро вошли во вкус — какой же Лейкин не хочет слыть Чеховым!

Повторюсь для ясности: возникновение ПИПов — явление рыночное, стихийное. А вот вытеснение с помощью ПИПов писателей — продуманная акция, исполненная по всем правилам манипуляции общественным сознанием. По своим целям эта акция сродни безуспешным попыткам в 20-е годы вытеснить из литературы влиятельных «попутчиков» с помощью безупречных в классовом отношении борзописцев. Но прежде чем задаться вопросом: «Зачем это было сделано?» — поговорим немного о смысле и назначении ПИПов.

Думаю, нет необходимости объяснять, что персонифицированный издательский проект — это не всегда бригада литературных негров, которым для удобства присвоили некое условное имя, ставшее после рекламно-маркетинговых усилий раскрученным брендом. Брендовая литература создается иногда и вполне конкретным человеком, который в свободное от выполнения пиповских обязанностей время может сочинять вполне нормальные тексты. Яркий пример — Борис Акунин, который под своим настоящим именем Григория Чхартишвили выпустил любопытное исследование о писателях-самоубийцах. С другой стороны, не всякий автор, сочиняющий детективы, — пип. Пример: Виктор Пронин. По его повести «Женщина по средам» Станислав Говорухин снял свой замечательный фильм «Ворошиловский стрелок».

Чем же отличается писатель от ПИПа? Писатель сочиняет литературу, иногда очень талантливую, иногда среднюю, иногда бесталанную. ПИП изготавливает коммерческий книжный продукт (ККП), плохой или хороший. Но даже самая неудачная литература отличается от самого удачного ККП так же, как самый глупый человек отличается от самой умной обезьяны. Ведь в основе художественного творчества, даже убогого, лежит стремление понять жизнь, познать изображаемую реальность, найти для этого адекватные формы, донести это познание до читателей. В основе же того, чем заняты ПИПы, — только стремление изготовить товар, который купят. Это не значит, что серьезная литература не может иметь коммерческого успеха. Тот же Булгаков, сочиняя «Мастера и Маргариту», ставил перед собой сложнейшие философско-художественные задачи, а, поди ж ты, скольких книгопродавцев обогатил и продолжает обогащать! «Тихий Дон», кстати, до сих пор одна из самых раскупаемых книг. Я уже не говорю о Библии.

Но здесь важно другое — мотивация литературного труда. Именно она в конечном счете определяет отношения сочинителя с публикой. Писателя с читателями связывает своего рода идейно-нравственный завет: я буду всерьез, по-взрослому, разбираться в жизни, но вы будете относиться к моим книгам и словам не как к словесности, а как к социально-нравственному пророчеству. Выполняя этот завет, писатель часто идет на конфликт со своим временем, властью, зато к его мнению, его оценкам и прогнозам общество прислушивается с доверчивым трепетом, не прощая при этом лукавства и заискивания перед сильными мира сего. Помню, как моя любимая учительница, услышав, что я увлекся поэзией Межирова, презрительно пожала плечами: «Да, талантлив, но он сочинил стихи к съезду партии... "Коммунисты, вперед!"». «Но это же хорошие стихи!» — возразил я. «Хорошие. Но к съезду партии...»

У ПИПа же нет никакого завета, кроме заветного желания, чтобы продалось как можно больше экземпляров, а гонорар был как можно выше... Кстати, кто-то может заподозрить, будто к написанию этой статьи меня подтолкнуло чувство зависти к более успешным в рыночном смысле сочинителям. А вот и нет, ибо тиражи моих книг, как известно, вполне сопоставимы, а то и превосходят по массовости пиповские издания. Итак, ничего личного, а только желание объективно разобраться в этом социально-культурологическом явлении.

Пипл хавает ПИПов

А теперь давайте зададимся вопросом, почему в начале 90-х в нашем культурном пространстве неандертальцы вытеснили кроманьонцев, другими словами — ПИПы вытеснили писателей. И это несмотря на то, что у многих мэтров, например, у Ю. Бондарева, В. Богомолова, В. Пикуля, Е. Евтушенко, П. Проскурина, А. Рыбакова, Ф. Искандера и других, тиражи были вполне коммерческие. Почему с экранов телевизоров (а это самый чуткий индикатор присутствия деятеля культуры на информационном поле) сначала исчез серьезный писатель-консерватор, а через несколько лет и приличный писатель-либерал?

Взамен эфир заполонили ПИПы, похожие на покемонов и рассказывающие в утренних и вечерних шоу о том, что они едят на завтрак, как обставили новую квартиру, как любят отдыхать и как избавляются от лишнего веса или целлюлита... Собственно литературные передачи исчезли вообще со всех каналов, если не считать «Культуру», ставшую своего рода эфирной резервацией с явным преобладанием экспериментальных автохтонов. Но даже это благо! А последняя поэтическая передача «Стихоборье», которую автору этих строк довелось вести на «Семейном канале», была закрыта в 1996-м. Сразу после того, как в благодарность за поддержку на выборах распадавшегося прямо на глазах Б. Ельцина НТВ полностью отдали четвертую кнопку.

Итак, почему? Увы, без политики тут не разберешься. На мой взгляд, писатели пали жертвой своей традиционной для отечественной литературы (не важно, почвеннической или либеральной) привычки делиться с обществом тревогами и прогнозами, а также обидами за Державу. «Не могли молчать!» Консерваторы, упорно верившие в возможность модернизировать социализм, были удалены именно за это, ведь отечественные либералы, пришедшие тогда к власти, при слове «эволюция» зверели, предпочитая строить новое исключительно на руинах. Однако и писатели-демократы, повинуясь профессиональному завету, вдруг через какое-то время озаботились: «А куда, собственно, девался наш замечательный либерально-рыночный проект, которым мы хотели осчастливить недостойный народ России?» И в самом деле, то, что начала лепить команда «младореформаторов», с либерализмом имело общего не больше, чем садомазохизм с садоводством. Стоило совестливым писателям-либералам задать этот вопрос — и они выпали из телевизионного (а значит, и из глобально-информационного) пространства вслед за своими супостатами.

Конечно, в эфире сохранили для приличия несколько знаковых литературных фигур, которым антисоветизм давно заменил как первую, так и вторую сигнальные системы. Но даже Солженицыну с его идеями обустройства России в телевизоре места не нашлось. Ведь, если помните, сопротивление подавляющей части общества «гайдарономике» и «прихватизации» в начале 90-х было настолько мощным, что выплескивалось на улицы, собирая многотысячные митинги, и закончилось танковой пальбой в центре Москвы. В этой «реперной» точке новейшей российской истории достаточно было воздействия какой-то неучтенной, дополнительной силы — и развитие страны, не исключено, пошло бы по другому сценарию, например, по китайскому. Именно такой силой и могла, по-моему, стать отечественная словесность, писатели... Погодите снисходительно улыбаться над альтернативными фантазиями автора, а лучше-ка припомните, какую незаменимую роль сыграли писатели в крушении однопартийной политической системы да и в дискредитации советского проекта! Вспомнили? То-то...

Вот тогдашняя верхушка и решила: «Ну их, этих непредсказуемых властителей дум! Пусть пипл хавает ПИПов!» Ведь они абсолютно безвредны с политической точки зрения и даже полезны. Если какая-нибудь ПИПа и не может молчать, то исключительно о том, что сделала удачную подтяжку или разбила миленький газон перед загородным домиком. Не случайно, кстати, прочитав книжку какой-нибудь Дунайцевой, ты готов немедленно обнять и расцеловать всех богатых, даже заработавших свои деньги вопреки всем людским и божеским законам. А закончив очередной исторический детектив, хочется немедленно сменить родину или, на крайний случай, поменять прошлое «этой нелепой страны».

Очень похоже на манипуляции с тайным, 25-м, кадром, внушающим зрителю не просто жажду, а жажду пива, и не какого-нибудь, а определенной марки — от конкретного производителя. Кстати, ПИПы в своих книжках за дополнительную плату осуществляют product placement, т. е. рекламируют товарные бренды. И это давно уже никого не возмущает, даже наоборот — считается похвальной предприимчивостью автора, вполне возмещающей ему отсутствие литературных способностей. Один известный глянцевый журнал для мужчин, поместивший рецензию на «Грибного царя», совершенно серьезно отругал меня за неточно указанное название фирмы, пошившей рубашку, в которую одет мой герой. Поразительно, но то, что это сознательная, пародийная, антирекламная неточность, рецензенту даже не пришло в голову. Увы, литературоведы, специализирующиеся на ПИПах, невольно превращаются в товароведов.

Но, допустим, какой-то ПИП вдруг ощутил в сердце писательский зов и восхотел, согласно профессиональному завету, глаголом жечь сердца людей. Пустое. Достаточно прекратить рекламно-маркетинговую поддержку — и он исчезнет с читательских глаз внезапно, как ложная беременность. А если еще учесть, что права на имена-бренды зачастую принадлежат не авторам, а издателям, то и говорить тут не о чем! Никто даже не узнает, что под именем Алины Пташковой теперь пишет Устинья Татьяничева или наоборот. Вообще ПИПы напоминают мне специально выведенную породу абсолютно домашних кошек, у которых пушистость и мурлыкость доведены до идеала, но при этом полностью атрофированы когти и зубы. Однако это не мешает им занимать все новые и новые культурные ниши.

Недавно мне случилось выступать перед читателями в областной библиотеке, и, повинуясь самолюбивому писательскому интересу, я заглянул в каталог, естественно, в ящичек с буквой П. Там я с огорчением обнаружил, что самая свежая моя книжка поступила в фонд чуть ли не в начале 90-х. Тогда я стал просматривать персоналии своих товарищей по перу — Ю. Бондарева, В. Белова, В. Распутина, Ю. Козлова, С. Есина, П. Крусанова, М. Веллера... Результат тот же. Несколько лучше обстояло дело с постмодернистами, черными метафизиками, копрофагами и певцами наркотического расширения сознания, а также литераторами, имеющими особые заслуги перед общечеловеческими ценностями. Но и их книжки перестали поступать примерно с конца 90-х, когда Сорос прекратил свою странную, заслуживающую специального разбирательства поддержку российских библиотек. Зато легион ПИПов оказался представлен в каталоге всеми своими изданиями, переизданиями, доизданиями, в том числе и теми, на которых еще не просохла типографская краска. А ведь речь идет в основном о книжках, которые после одноразового пролистывания попросту выбрасывают. Почему наши библиотеки превращаются в «пипотеки» — отдельный вопрос. Я надеюсь, заинтересованные читатели «ЛГ», в том числе и библиотекари, выскажут свои соображения по этому поводу на страницах нашего издания...

Даешь дедебилизацию эфира!

Итак, казалось бы, дело сделано: традиционная литературоцентричность российского общества разрушена. Писатель из властителя дум превратился в полумаргинального, плохо обеспеченного чудака, сделался чем-то вроде Эйнштейна без теории относительности. Но не надо забывать, что «опускание» писателей и возвышение ПИПов случилось в ту пору, когда воцарилась либеральная моноидеология, когда многим казалось, будто умный рынок вот-вот осчастливит глупый народ. Еще оставалась иллюзия безболезненного врастания нашей страны в западную цивилизацию, а все разговоры про «особый путь» считались проявлением ксенофобского скудомыслия или черносотенной мечтательности. Но историческая реальность оказалась гораздо сложнее и мучительнее. Конечно, все пути ведут в глобальный мир, но каждая страна придет туда своей особой дорогой и займет там свое особое место. Не ясно это сегодня только людям, страдающим острой формой либерального слабоумия.

Да, сдача всех и всяческих позиций, геополитических, культурных, экономических, растаскивание общего достояния на куски, мгновенно заглатываемые новым широкогорлым классом, не требуют от народа ни моральной стойкости, ни размышлений, ни серьезного чтения... Достаточно лишь длительного пребывания в состоянии паралитического изумления. Именно это состояние общества и обеспечивали в 90-е годы российские СМИ при самом активном участии телекидал, именуемых экспертами, смехачей, ПИПов и некоторых писателей-беспочвенников. Зато возвращение утраченного потребует, как писал Пушкин, «мыслей, и мыслей истинных». А живая мысль в России традиционно обитает именно в литературе и смежных с ней областях. К политологам, и особенно к политтехнологам, мысль залетает лишь изредка — подивиться тому, что этим людям с мозгами развратных тинейджеров доверена судьба страны.

Кстати, в отличие от своих великих предшественников большинство нынешних политиков (хотя есть и исключения) почти не читают серьезную отечественную литературу. А если и читают... Причины кошмара 90-х мне стали гораздо понятнее, когда Б. Ельцин сообщил в телеинтервью, что «прочитал всего Сорокина». Читать, однако, следует нормальную современную художественную литературу, она (и российская история это многократно подтвердила) является столь чутким социально-экономико-морально-политическим сейсмографом, что может предсказывать будущие социумотрясения намного раньше, чем все эти фонды и институты, удивительно напоминающие незабвенную контору «Рога и копыта».

Вопреки известной пословице у входа в будущий глобальный мир встречать нас будут не по демократической одежке, а по уму, по тому культурно-интеллектуальному потенциалу, которым обладает страна, разумеется, если он подкреплен и прочими потенциалами, особенно тем самым, который в предыдущий период так лихо резали автогенами «на иголки». А развернуть российское общество к «созидательному реваншу» с помощью кодирующих увеселений не удастся. Это невозможно в принципе. Надо снова научить общество думать, серьезно читать и принимать консолидированные решения, ибо осознанный выбор — источник могучей исторической энергии, а выбор, навязанный по принципу «да — да — нет — да», рождает лишь запоздалую и потому особенно разрушительную ненависть.

Но как раз этим — обучением людей серьезному, вдумчивому и ответственному отношению к жизни — всегда у нас занималась литература, которая неизбежно снова становится приоритетной областью национальных и государственных интересов. Кажется, и за кремлевскими елями начали задумываться о снятии высочайшей опалы с отечественной словесности. Во всяком случае, членами Общественной палаты, смысл коей пока туманен, как взор затомившейся дамы, стали все-таки несколько писателей, хоть и разновеликих. Подчеркиваю, не ПИПы, а именно писатели. И на том пока спасибо!

Следующий шаг — возвращение думающего и честно говорящего писателя (шире — просветителя) на экраны телевизоров. И это не частность, а главное, ибо, увы, мы теперь живем в таком мире, где люди едят, пьют, надевают и читают именно то, что видят по телевизору. Значительная часть общественной, политической, экономической и культурной жизни переместилась в виртуальное пространство, и это важная особенность современной цивилизации. Если тебя нет в эфире, то тебя почти нет в жизни. Пока, слава богу, почти! Нынешняя телевизионная номенклатура определяет в нашей жизни не меньше, а возможно, и больше, чем в советский период определяла номенклатура партийная. И так же, как партноменклатура, теленоменклатура не хочет нести никакой ответственности за страну, на жизнь которой влияет столь решительным образом.

Все опасения теленачальников, что зритель заскучает от мудреных разговоров и рейтинг упадет, как потенция, поддерживаемая исключительно виагрой, абсолютно беспочвенны. Всякому нормальному человеку гораздо интереснее слушать умного и подготовленного собеседника, нежели детский лепет на отвлеченные темы поп-звезды, не научившейся толком петь даже под фанеру. Это не значит, что на экране не должно быть развлекаловки, конечно, должна! Но воля ваша, человека, запевшего на похоронах: «А ты такой холодный, как айсберг в океане...», тут же поведут к врачу. Зато телебарона, пускающего в эфир всем осточертевшего смехотронщика сразу вслед за сообщением о гибели в Чечне отряда спецназовцев, считают почему-то вполне нормальным и перспективным менеджером.

Кстати, о нормальности. Например, патриотизм — это норма, антипатриотизм — отклонение. Если не верите, спросите хоть американского негра преклонных годов, хоть нашего соотечественника, переехавшего на историческую родину. Так вот, один из парадоксов современного российского телевидения в том, что горстка людей, страдающих антипатриотическими отклонениями, вот уже скоро пятнадцать лет вещает на миллионы людей, обладающих нормальным патриотическим сознанием. Что в итоге? Ничего хорошего. В том числе — экстремистские сборища и ростки фашизма в многонациональной стране, победившей Гитлера... Вынужден тут самопроцитироваться. Лет двенадцать назад в одной статье я написал, что, смеясь над патриотизмом, очень легко досмеяться до фашизма. Так и вышло. На меня, честно говоря, сильное впечатление произвели слова Сергея Иванова о дебилизирующей роли ТВ в современном российском обществе. Нет, не в силу их оригинальности. А в силу того, что он с властных вершин наконец произнес то, о чем из своих маргинальных низин с начала 90-х вотще кричала серьезная отечественная литература. Может, это всего лишь частное мнение министра обороны, иногда заглядывающего в телевизор и тихо столбенеющего? Или все-таки услышали! И это долгожданное проявление коллективного государственного разума, осознавшего наконец, что с задураченным, нечитающим, разучившимся думать народом нельзя воплотить никакие серьезные национальные проекты, а можно лишь играть в «Поле чудес». Но если наша историческая будущность — «поле чудес в стране дураков», то и следующим президентом тогда уж пусть будет у нас Якубович с подарками...

«Литературная газета», 2005 г.

Открытие моего поколения

Николай Дмитриев был и остается самым значительным открытием моего поэтического поколения. Его первая книжка «Я — от мира сего» вышла в издательстве «Молодая гвардия» в 1975 году, когда автору, только-только окончившему Орехово-Зуевский педагогический институт и работавшему сельским учителем, исполнилось всего двадцать два года. При тогдашней неторопливо-плановой системе выпуска сборников современной поэзии это был не просто ранний, а сверхранний дебют, ибо, как правило, в ту пору первую книгу поэтам удавалось «пробить» после тридцати, а то и после сорока. Иным эти трудности старта испортили литературную биографию и характер. Но очень многих уберегли от профессии, на которую у них попросту недоставало таланта.

Я хорошо помню эту тоненькую, в один авторский лист, брошюрку на тетрадных скрепочках из серии «Молодые голоса», потому что все мы, юные и не очень юные «бескнижные» поэты, внимательно ее читали и бурно обсуждали между собой.

Общеизвестно, творческая ревность — один из важнейших движителей литературного процесса, и всякий поэт склонен объяснять успех собрата по перу любыми, самыми фантастическими обстоятельствами, но только не талантом. Однако в случае с Николаем Дмитриевым все было как раз наоборот: его дар оказался настолько очевидным, органичным и столь рано стилистически оформился, что оставалось только недоумевать, гадая, как, каким образом наш ровесник в то время, когда мы ещё только учимся вгонять смысловую внятность в рифмованный размер, пишет стихи, словно взятые из какой-то будущей хрестоматии:

За окном проселок хмурый
Да кротами взрытый луг.
Я — полпред литературы
На пятнадцать верст вокруг.
Много теми, много лесу,
Всё трудней проходят дни,
А в дипломе — что там весу!
Только корочки одни.
И девчонка (вы учтите),
Лишь под вечер свет включу,
«Выходи, — кричит, — учитель,
Целоваться научу!»

Прошло без малого тридцать лет, а во мне до сих пор живет светлая, почти счастливая оторопь от первого прочтения стихов Николая Дмитриева. Я вдруг понял, что столкнулся с одним из тех редких случаев (известных мне в основном по классике), когда слова не сбиваются в стихи усилием филологической воли, а таинственным образом превращаются в поэзию, как вода — в вино. Возникало даже странное, брезжащее откуда-то из потемок родовой памяти ощущение, будто когда-то очень давно люди вообще свободно разговаривали и мыслили стихами, потом этот дар был утрачен и совершенно неожиданно вновь обрелся у этого молодого учителя словесности из подмосковного города Руза:

Напомню: я — зимний Никола,
Полжизни стихи бормочу,
Толкаю судьбы своей коло,
По замятя коло качу.

Не шибко счастливое коло,
Да разве другое найти!
Ну вот и старайся, Никола,
Стихи бормочи и — кати!

Но не только «органикой поэтического языка», как сказал бы специалист, Николай Дмитриев привлек к себе в середине 70-х внимание читателей, ровесников-стихотворцев и таких знаменитых поэтов, как Николай Старшинов, а позднее — и Юрий Кузнецов.

Напомню, это были последние годы торжества могучей советской цивилизации, казавшейся в ту пору еще незыблемой. Так вот, «советизм» — совершенно искренний, талантливый у одних, и бездарный, подхалимский у других — пронизывал весь тогдашний поэтический «мейнстрим», если выражаться нынешним языком. Огромным художественным и нравственным авторитетом пользовались «стихотворцы обоймы военной», не выдвинувшие, по точному замечанию Сергея Наровчатова, поэта, равного Пушкину, но все вместе, в совокупности, ставшие таким вот Пушкиным XX века. Ещё вполне искренне пели «Гренаду» и читали со сцены по праздникам «Стихи о советском паспорте». Сейчас это кажется невероятным, но советская версия русского патриотизма обладала тогда огромной пассионарной мощью и вдохновляла таких разных поэтов, как Е. Евтушенко, Р. Рождественский, А. Межиров, Ф. Чуев, Л. Васильева, В. Соколов.

Впрочем, уже набирала силу и поэзия, строившаяся на уклонении от «совка», молчаливом неприятии советских мифологем, а то и на зашифрованном, убранном в подтекст их осмеянии. Из этого направления потом вырос, вырвавшись из-под цензуры, литературный соц-арт, именуемый почему-то «концептуализмом». Противостояние двух мироощущений очень забавно отражалось в поэтической тематике и атрибутике, наполняя стихи одних бамовскими спецовками и комиссарскими кожанками, а строчки других — фонарщиками и крысоловами с дудочками. Впрочем, были и такие, которые вполне непринужденно писали и о крысоловах, и о пыльных комиссарских шлемах.

Так вот, стихи Николая Дмитриева каким-то непостижимым образом выпадали из этого противостояния, предлагая некий третий путь, иную форму мировосприятия:

«Пиши о главном», — говорят.
Пишу о главном.
Пишу который год подряд
О снеге плавном.

О желтых окнах наших сел,
О следе санном,
Считая так, что это все —
О самом, самом.
Пишу о близких, дорогих
Вечерней темью,
Не почитая судьбы их
За мелкотемье...

Собственно только одно слово в этом стихотворении — «мелкотемье» — возвращает нас к литературной борьбе, которая разворачивалась тогда. И надо сказать: слово это у Николая Дмитриева означает совсем не то, что означало оно в сердитых критических статьях, распекавших тогдашних поэтов за уход от проблем советского варианта глобализации в «бытовую лирику». Это вовсе не свидетельствует о том, что поэта не волновали те проблемы, которые тревожили его сверстников. Например, у тогдашних молодых поэтов было немало стихов, посвященных Великой Отечественной войне. Кто-то, мысливший себя вне героики русской истории, считал это «ковырянием в чужих ранах». Большинство полагало здоровым литературным патриотизмом. Но мало кто догадывался, что на самом деле это — приобщение к духовному опыту выстоявшего поколения победителей накануне сокрушительных испытаний, которые вскоре вновь обрушатся на Россию. Именно знаменитое, вошедшее во все антологии стихотворение Николая Дмитриева «В пятидесятых рождены...» стало символом этого приобщения — приобщения не ритуально-идеологического, а глубинного, если хотите, на нравственно-генетическом уровне:

В пятидесятых рождены,
Войны не знали мы, и все же
Я понимаю: все мы тоже
Вернувшиеся с той войны.
Летела пуля, знала дело,
Летела тридцать лет назад
Вот в этот день, вот в это тело,
Вот в это солнце, в этот сад.

С отцом я вместе выполз, выжил,
А то в каких бы жил мирах,
Когда бы снайпер папу выждал
В чехословацких клеверах?..

Но главной темой дмитриевских стихов, с которой он пришёл в литературу, была, конечно, тема деревни, не уходящей, как у его предшественников и учителей — Есенина, Клюева, Рубцова, — а уже фактически ушедшей. Деревни, поглощенной городом, ставшей «как все внутри кольцевого шоссе» или стремительно теряющей обаяние исконности, пораженной «духом безволья, духом распада»... Именно к этой, утрачиваемой малой родине обращен крик-мольба: «Не исчезай, мое село! Твой берег выбрали поляне... Ты будто “Слово о полку” — в одном бесценном экземпляре...» Тематические, интонационные, даже метрические созвучия можно уловить, сравнивая Дмитриева с поэтами есенинского круга, с Сергеем Клычковым, например:

У окон столб, с него на провод
Струится Яблочкин огонь...
...И кажется: к столбу за повод
Изба привязана, как конь!..
Солома — грива... жерди — сбруя...
Всё тот же мерин... тот же воз...
Вот только в сторону другую
У коновязи след колес.

Конечно же, мощной есенинской традицией определена и другая ведущая тема стихов Николая Дмитриева — тема возвращения на Родину, которая у поэта тесно переплетена с трагическим мотивом неумолимого ветра времени, неузнаваемо меняющего родное и привычное, сметающего с земли дорогих людей:

Когда в каникулы домой
Вернулся в хмурый час, —
Увидел ельник молодой
На вырубке у нас.
В один из сумасшедших дней

Заехал на чаек —
Услышал — от реки моей
Остался ручеёк.
На третий мне открыла дверь
Уже старухой мать,
И вот на родину теперь
Боюсь я приезжать.

Заметной особенностью стихов Николая Дмитриева является постоянное обращение к фольклорным, сказочным мотивам, органично вплетающимся в его лирику. Но в отличие, скажем, от Юрия Кузнецова, у которого обращение к сказочной образности — это непременный выход на космогонический символ, на заиндевевший от дыхания Вечности архетип, у Николая Дмитриева фольклорный образ непременно вплетен в нашу земную, запутанную, неустроенную, но такую щемяще родную жизнь:

Ой, зерно непроходимое, бобовое,
Ты туда ль, сюда однажды протолкнись!
Ой ты, сказка, сказка русская, нсновая,
Ты концом своим счастливым повторись!

Давно замечено, что глубина и, так сказать, разрешающая сила таланта по-настоящему проверяется в переломные эпохи, когда жизнь стремительно меняется, рушится привычное и на глазах строится новый порядок вещей. А новизна, особенно социальная, всегда жестче, агрессивнее и несправедливее прежнего, обжитого и вследствие этого более очеловеченного мироустройства. Если бы не произошел трагический слом начала 90-х, возможно, Николай Дмитриев так и остался бы последним советским деревенским лириком, неспешно уклоняющимся от настырных социальных заказов и пишущим о своем негромком «самом-самом». Но случилось то, что случилось...

У Николая Дмитриева есть жесткое, больное стихотворение о неумении сохранить и приумножить то, что щедро отпущено человеку Творцом. На первый взгляд этот горький упрек обращен поэтом к самому себе, причем с характерным для него использованием образа сказочного «дурака», вечно попадающего впросак. Именно так, как грустную, ироничную констатацию своей личной житейской, да и литературной нераспорядительности, я поначалу и воспринял эти строки. Но, вчитавшись, понял: в стихах есть и другой, обобщающий план, есть печальная мысль о целом поколении русских людей, а шире — о народе, который опять, в какой уже раз, не смог и не сумел спасти и сохранить родное:

Мне было все дано Творцом
Без всяких проволочек:
И дом с крыльцом, и мать с отцом,
И складыванье строчек.
Россия — рядом и — в груди,
С мечтой о новом Спасе,
С тысячелетьем позади
И с вечностью в запасе.

...И вот теперь сказать могу
(Не за горами старость),
Что все досталось дураку.
Все — дураку досталось...

В 90-е годы у разных поэтов, даже прежде благостно камерных или либерально настроенных, появилось много страстных, буквально кровоточащих стихов, рождённых гневом, скорбью и отчаяньем от происходящего в стране. Взять того же Юрия Разумовского:

Разделившись с Серпом и Молотом,
Живем под властью той же нечисти, —
Живем в сообществе расколотом,
Живем в разваленном отечестве.
...Чиновничья пирует братия,
Способная лишь только к «братию»...
И если это — демократия,
Я проклинаю демократию.

Такая инвективная поэзия была направлена против поругания прежних святынь, против нищенства и унижений, которым подверглась большая часть народа. Главная, воспаленная мысль этих сочинений: «За что?» В стихах же Николая Дмитриева, написанных в эти же годы, мне слышится иной вопрос, даже два вопроса: «Почему?» и «Что дальше?». Один из самых пронзительных и запоминающихся образов гибнущей, разламывающейся, как Атлантида, Большой России, именовавшейся СССР, я нашел именно у него в стихотворении о гармонисте, собирающем милостыню в подземном переходе:

...Бомж зеленый маялся с похмелья,
Проститутка мялась на углу.
Цыганята, дети подземелья,
Ползали на каменном полу.
Что-то там из шмоток продавая,
Зазывала, отирая пот,
Чудь да черемиса луговая —
Этот вечный разинский оплот,
А вверху гуляла холодина,
И была Москва, как не своя,
И страна трещала, словно льдина,
И крошились тонкие края.
...Мимо люди всякие сновали,
Пролетали, а куда? — Спроси!
Но все чаще лепту подавали —
Как на собирание Руси.

Следуя нынешней аналитической моде, в этом стихотворении можно выделить два ключевых для нового, постсоветского Дмитриева словосочетания: «Москва как не своя» и «собирание Руси». Сначала поговорим о первом, а потом вернемся и ко второму. Сквозь лирику последнего десятилетия, вышедшую из-под пера героя этих заметок, мучительно проходит тема утраты своей страны, на глазах превращающейся в другую, чуждую страну, где столица «похожа на Париж времен фашистской оккупации», где «есть ощущенье срамоты и длящегося унижения». И снова, как в начале творческого пути, поэт обращается за поддержкой к своему главному нравственному судье — фронтовику-отцу, уже ушедшему из жизни и являющемуся своего рода потусторонним протагонистом героического поколения, сохранившего, отвоевавшего Отечество. О чем же диалог отца и сына, говорящего от имени поколения, не сохранившего свою страну?

И спросит он не без усилья
Вслед за поэтом, боль тая:
— Так где теперь она, Россия,
И по какой рубеж твоя?
Нет у меня совсем ответа.
Я сам ищу его во мгле,
И темное безвестье это
Удерживает на земле.

Это жгущее чувство вины нашего поколения, которое так точно и просто, без повинного позерства, выразил Николай Дмитриев, неизбежно заставляет его отвечать на вопрос «Что дальше?» и выводит на другую важнейшую тему — «Собирания Руси». А для начала — «Сохранения Руси». Именно так развился и преобразился в новое время прежний «деревенский» мотив поэта, мотив «неупиваемой чаши осенней родины...». Но теперь речь о другом — о сохранении средствами поэзии не только русской деревни, но самого русского способа жить, чувствовать, мыслить, понимать жизнь по-русски. Теперь вечная голограмма стиха сохраняет для будущего не просто родную «тропинку от крыльца», но сам русский путь, до неузнаваемости искажаемый агрессивным натиском чужого и чужих — везде: в политике, в экономике, в культуре, в поэзии, наконец. Лично для меня самое главное в этих строках — русская оценка происходящего и стремление «не добавлять миру зла», а также верность своим корням, которые иным, продвинутым, кажутся ныне заблуждениями:

Под чертов чох, вороний грай,
Свою домыкивая долю,
Я уношу с собой не фрай,
А русскую тугую волю.

И последнее. Размышляя о стихах Николая Дмитриева, я старался показать, как в его творчестве отразилась одна из самых героических и в то же время одна из самых трагических страниц российской жизни. Как почти любой крупный поэт, он дает для этих раздумий поразительный и пронзительный материал. Но бывают поэты (и талантливейшие!), чьими строчками сподручно иллюстрировать и даже обозначать эпоху, но для сердца, для врачевания душевной смуты мучительной гармонией стиха книги таких поэтов не предназначены. Николай Дмитриев принадлежит к совсем другому поэтическому племени. В его стихах есть то щемящее совершенство, та влекущая сердечность, та словесная тайна — в общем, все то, что заставляет вновь и вновь возвращаться к его строчкам, которые постепенно, неуловимо и навсегда становятся частью души читателя, облагораживая и возвышая ее. А ведь, по сути, для этого и существует Поэзия.

...Когда я писал это предисловие к сборнику избранных произведений Николая Дмитриева (книга вышла в издательстве «Молодая гвардия», в 2004 году), мне и в голову не могло прийти, что моему ровеснику, едва переступившему порог пятидесятилетия, жить осталось чуть больше года. Он умер ранним летом 2005-го на своей даче, которую очень любил, от сердечного недуга, умер ночью — именно так, как и предсказал в стихотворении «Последняя ночь». А написал он его в 1979-м, будучи совсем еще молодым, полным сил человеком:

В желтых сумерках липа цветет,
Вязкий запах дыханье спирает,
И привычная дума придет:
Кто-нибудь в эту ночь умирает.
И под звон комариный, под стон
Коростелей, цикад и лягушек,
Перед бездной — что чувствует он
Над издевкой лекарств и подушек?
Что природа творит? Забытье?
Пышны проводы в сырость и стылость!
Этот вечер — жестокость ее
Или вера, и тайна, и милость?

Вера в то, что за той пеленой,
За прощальною гранью суровой
Сон привидится в вечность длиной
О Земле — золотой и лиловой.

Кто-то из исследователей литературы заметил: чем талантливее поэт, тем точнее и подробнее он предсказывает свой уход. Не уверен, что эта формула универсальна, но в отношении Николая Дмитриева она работает универсально. Его земной путь закончился, он больше не напишет ни одного нового стихотворения. Но его творческий путь продолжается. Нет, эти мои слова не дань трафаретному оптимизму, в каковой обычно впадают люди, едва заходит речь о неизбежном. Открылся Музей Николая Дмитриева, в честь него в Балашихе названа улица, учреждена премия его имени, он и сам посмертно удостоен премии Антона Дельвига.

Но это все лишь внешние проявления позднего, даже опоздавшего, признания. Есть внутренние, куда более глубокие приметы. Суть в том, что подлинно художественные произведения обладают одной важной особенностью: единожды войдя в сознание людей, они продолжают там жить самостоятельной жизнью. Их заново открывают, переосмысливают, обнаруживая в них все новые и новые глубины. Они становятся неотъемлемой частью вечной духовной симфонии человечества. И там стихи Николая Дмитриева соседствуют со строками Александра Блока, Николая Рубцова, Сергея Есенина, Николая Заболоцкого...

Нет, дорогой читатель, это не преувеличение и не посмертная, ни к чему не обязывающая лесть ушедшему собрату по перу. Это — правда, потому что там, в этой симфонии, нет иерархий и степеней славы, а есть вечное созвучие, перетекание смыслов и чувств.

Именно это, по-моему, имел в виду Николай Дмитриев, когда писал: «Но я уйду — и музыка вернется...»

2004—2008 г.

Зачем вы, мастера культуры?

Молчание кремлят

Вы будете смеяться, но в многочисленных обращениях российской власти к народу, в том числе в посланиях Федеральному собранию, прозвучавших в последние годы, нет ничего об отечественной культуре. Ни слова! Про борьбу с бедностью есть, а про борьбу с духовной нищетой (не путать с «нищими духом»!) нет. Про обуздание инфляции имеется, а про обуздание взбесившегося масскульта ни-ни! Даже про нравственность недавно заговорили, а про культуру, собственно, формирующую и поддерживающую моральные устои общества, снова забыли!

Напомню: при Советской власти в отчетных партийных докладах непременно имелась (правда, поближе к концу) главка, так сказать, про культурное строительство, а значит — про духовную жизнь общества, разумеется, в тогдашних ее формах. Вот и соображай: когда мы были в большей степени «материалистической скотиной» (Гоголь) — при «безбожной» власти или теперь, когда аббревиатура РПЦ встречается в газетах почти так же часто, как КПСС в советской печати? Однако православие, как и другие вероучения, не собирается да и не должно подменять собой светскую духовность. В результате складывается ощущение, что в сегодняшней России культура отделена от государства. Почему же?

Есть причины. Во-первых, сказался тинейджерский позитивизм лаборантов-реформаторов, занесенный ими в начале 90-х на вершины власти и залежавшийся там, точно несъеденная рождественская индейка в холодильнике. Нам продолжают твердить: будет рыночная экономика — будет процветающая культура. Но ведь это же типичное «надстроечное», вульгарно-материалистическое мышление, усвоенное еще в ВПШ или, на худой конец, в ВКШ. А именно оттуда большинство наших капитализаторов, которым в голову не приходит, что самоокупающаяся культура — такая же нелепость, как самоокучивающаяся картошка.

Во-вторых, не прошел бесследно и обкомовский макиавеллизм Ельцина, ценившего в «творцах» прежде всего готовность горячо поддерживать и одобрять очередную «рокировочку», прилюдно жечь партбилеты устаревшего образца, бить канделябрами оппозицию и давить классово чуждую гадину. Тогда никакой государственной политики, никакого направления в духовной сфере и не требовалось, достаточно было точечной финансовой поддержки отдельных культпособников — и все в порядке. Да и вообще, какое государственное направление в стране, вышедшей в те годы на геополитическую панель?!

Но времена изменились, началось восстановление державы, настолько странно-мучительное, что некоторые полагают, будто это всего лишь лукаво замаскированное продолжение разрушения. Но так или иначе, а духовная мотивация «сосредоточения» страны встала на повестку дня. Глубокий мыслитель Александр Панарин заметил по этому поводу: «Цивилизационное одиночество России в мире создает особо жесткие геополитические условия, в которых выжить и сохранить себя можно только при очень высокой мобилизации духа, высокой вере и твердой идентичности». Кажется, яснее не скажешь, а власть продолжает ходить вокруг да около культуры с опаской, как вокруг осиного гнезда. И понять власть можно.

О жутком идеологическом иге, царившем в советской культуре, сказано и написано (в основном деятелями, недонагражденными в тот период) столько, что в хорошей компании неприлично даже заводить речь о политике государства в духовной сфере. «Снова в ГУЛАГ захотели?!» — следует мгновенный окрик, и человек, озаботившийся взаимоотношениями культуры и власти, краснеет и коричневеет буквально на глазах общественности. Не отсюда ли нежелание руководства страны ввязываться в это липкое дело? Скажешь что-нибудь, а тебя те же «Московские новости» сразу в Ждановы и запишут. И люди, понятия не имеющие о том, кем был на самом деле Андрей Александрович и какую роль играл в советской истории, будут потом дразниться: «Жданов, Жданов...» Еще неизвестно, что опаснее, за что чернее «упиарят»: за обещание «мочить террористов в сортире», за осаживание олигархов, примеряющихся к «Мономашапке», или за намерение «построить» мастеров культуры!

А Запад, устав от временно-вынужденной любви к России, возвращается к своему традиционному восприятию, когда-то очень точно сформулированному маркизом де Кюстином: «Все, чем я восхищаюсь в других странах, я здесь ненавижу, потому что здесь за это расплачиваются слишком дорогой ценой». Заметьте, при этом цена, заплаченная за революцию французами, придумавшими гильотинирование в общенациональном масштабе, остается за скобками. Промчались, как говорится, века, и вот уже американцы, бомбящие все, что стоит не на коленях, сурово критикуют нас за сворачивание свободы слова. Но извините: Фила Донахью погнали с работы всего лишь за робкий антиамериканизм в телеэфире в связи с началом войны в Ираке. Зато Владимира Познера за неутомимый американизм на ОРТ никто даже пальцем ни разу не тронул.

Так что Запад такой оплошности нынешней российской власти, как вмешательство в культурные сферы, только и дожидается. Но с другой стороны, оставить все как есть — значит обречь на провал, может быть, последнюю реальную попытку вывести страну из исторического кризиса, ибо моральное состояние российского народа в конечном счете всегда определяло его экономические и геостратегические успехи.

Разные думы об одном былом

Прежде всего нам необходимо духовное единение общества, раздербаненного приват-реформаторами, а это невозможно без сколько-нибудь солидарного взгляда на наше недавнее прошлое. Но с помощью известных информационных технологий людей заставляют глядеть на советскую цивилизацию примерно теми же глазами, которыми в 20-е годы рабфаковцы, обучаемые красными профессорами, смотрели на дореволюционную Россию. Ведь если, например, выборочно почитать Герцена, покажется, будто вся тогдашняя империя — это пыточный застенок для творческих персон и порядочных личностей: «Да будет проклято царствование Николая во веки веков, аминь!» Однако сегодня, когда ушла политическая острота, когда опубликованы документы эпохи и объективные исторические исследования, выяснилось, что «думы» об одном и том же «былом» бывают разными до противоположности, и правда находится не посредине, конечно, а где-то между этими двумя крайностями. Ближе к тому или иному краю...

Полагаю, то же самое постепенно произойдет (уже происходит) и в отношении к советской цивилизации. Прежде всего надо перестать морочить людей и, заламывая в телеэфире руки, оценивать жестокость и непримиримость революционного периода с точки зрения норм стабильной государственности. Никто же не оценивает Варфоломеевскую ночь или гражданскую войну в Америке с точки зрения уголовных норм нынешнего Евросоюза! Надо признать (если брать сферу культуры), что такие разные по происхождению и взглядам литераторы, как Н. Гумилев, М. Меньшиков, А. Ганин, В. Шаламов, И. Бабель, М. Кольцов и многие другие, стали жертвами одной и той же революции, но только разных ее этапов, растянувшихся, как и во времена Великой французской, на десятилетия. Поэтому на Соловецком камне, установленном при Лубянке, следует честно и прямо написать: «Сожранным революцией. Со скорбью. От потомков». А может быть, на месте Железного Феликса как раз и воздвигнуть горький монумент всем жертвам Смуты — и белым, и красным, и просто тем, кто волей случая угодил в жернова обновления. И затягивать с этим не следует, так как неумолимо приближается то время, когда решительно встанет вопрос о строительстве другого печального мемориала — жертвам перестройки и рыночных реформ.

Но для начала неплохо бы объявить хотя бы временный мораторий на обличение тоталитаризма. Нет, не потому что он был хорош. Он был ужасен. А потому, что при оценке той эпохи берется в качестве «объективной» не точка зрения дворян, крестьян или пролетариев и даже не условно-собирательное мнение народа, а позиция тех «советских элитариев», в своем большинстве «пламенных революционеров», которые, запустив в 20-е маховик репрессий, в конце 30-х проиграли политическую схватку с «замечательным грузином» и отправились из просторных арбатских квартир в подвалы Лубянки. Собственно, именно точка зрения выживших и воротившихся в элиту арбатских детей была сначала робко обозначена «шестидесятниками», а позже, в 90-е, стала почти государственной идеологией.

При этом как-то забылось, что есть и другие точки зрения. Например, у наследников профессора, выгнанного из той самой арбатской квартиры в 1918-м и сгинувшего потом в нищей эмиграции. У потомков белого офицера, поверившего советской власти и вероломно расстрелянного в Крыму Розалией Землячкой, мемориальная доска которой до сих пор висит в двух шагах от Кремля. У тамбовского крестьянина, восставшего за обещанную землю и потравленного газами. У них на кровавый крах «комиссаров в пыльных шлемах» в 30-е имеется совершенно иной взгляд, у них иные обиды, умело вытесненные из нынешнего общественного сознания жупелом Сталина, ибо претензии исторические имеют особенность превращаться в претензии материальные...

Мало кто знает, что, пожалуй, единственный человек в России, получивший назад собственность, экспроприированную после революции, — это актер Александр Пороховщиков: ему вернули родовое дворянское гнездо. А вот моя хорошая знакомая, потомица московских купцов, чудом сохранившая все необходимые документы, отправилась в гавриило-поповский Моссовет, чтобы заявить права на дедов дом в Немецкой слободе. Длинноволосые джинсовые демократы, еще не остывшие от баррикадной августовской романтики, но уже успевшие занять номенклатурные кабинеты, попросту подняли ее на смех: «Да вы с ума сошли! Народ может неправильно понять реституцию!» Зато народ правильно понял и чудовищную инфляцию 92-го, сожравшую все сбережения, и чубайсовскую ваучеризацию, и жульнические залоговые аукционы...

Я заговорил об этом не потому, что верю в возможность реституции в нашей стране и считаю ее необходимой. Я просто хочу напомнить легковерным: двуглавый орел, ставший гербом нынешней России, вылупился не из белого старорежимного яйца, чудом хранившегося в народной почве семьдесят советских лет, а из революционного яйца, снесенного (да простится мне эта птицеводческая вольность!) безумным красным петухом, испепелившим в 1917-м Российскую империю...

Впрочем, есть и еще одна причина для демонизации советского периода. Только постоянное напоминание о чудовищном ГУЛАГе в какой-то степени оправдывает то насилие, какое было совершено над обществом в 90-е годы. У вас отобрали пенсии и зарплаты, ваши заводы и НИИ позакрывали, ваших детей отправили в Чечню, вас лишили социальных гарантий, а теперь вот еще монетизировали льготы и готовят жилищную реформу... Ужас? Ужас. Но что это по сравнению с кошмарами Колымы! Ведь в лагерную пыль вас не превратили? Так что живите и радуйтесь!

Однако забывают добавить, что в системе ГУЛАГа (эти данные опубликованы) единовременно тогда томилось немногим больше, чем сегодня только в российских тюрьмах, причем политических сидело гораздо меньше, чем уголовников. Кстати, многие «герои Октября» пострадали не за взгляды, а за хищение госсобственности и разные нэповские махинации. Когда еще при Советской власти об этом мне рассказывал один старый мудрый писатель, я ему не верил. Теперь, понаблюдав, в каких акул превратились «герои Августа», верю. Да и кое-что с тех пор опубликовано. Или вот еще любопытная подробность. Промелькнула информация о том, что легендарный Григорий Котовский контролировал мукомольное производство в том регионе, где дислоцировалась его дивизия, и некоторые исследователи связывают явно заказное убийство героя в 1925 году не с политической, а с хозяйственной деятельностью. Увы, террор гораздо сложнее и многообразнее, чем милосердие...

Как известно, немало зависит от идеологической установки. Если когда-нибудь, не дай бог, президентом России станет журналистка Политковская, то вдруг выяснится, что во времена Путина мы, оказывается, жили при страшном полицейском режиме, когда тюрьмы были забиты благородными борцами за незалежность Ичкерии! Поверьте, я не идеализирую советское время, но я против того, чтобы гулагизировать эту сложнейшую, кровавую, героическую эпоху — и таким образом воспитывать в нации комплекс исторической неполноценности. Сегодня эта проблема мало кого волнует. А зря, если мыслить не избирательными сроками, а серьезной перспективой! Черчилль говорил: «Политик думает о следующих выборах, а государственный деятель — о следующем поколении...»

Осведомительная муза

При нынешней, откровенно отрицательной оценке культурной политики Советского государства никто не осмеливается утверждать, что ее вообще не было. Я сознательно оставляю в стороне такие важнейшие направления, как борьба за грамотность, развитие образовательной системы, музейного дела, библиотечной сети, театра, кинематографа, народного творчества и т. д. Но напоминаю об этом специально для тех, кто зациклился на «философском пароходе», взорванных храмах да порушенных усадьбах, но прочно забыл про то, что в двадцатые годы, на которые пришелся пик революционного варварства и классовой нетерпимости, культурой зачастую распоряжались «постмодернисты» в кожаных тужурках, презиравшие традиционную Россию и всерьез болевшие мировой революцией — тогдашней версией глобализации. Кстати, тяжелый академизм соцреализма следует рассматривать еще и как жесткую реакцию на тот период, когда авангард по-кавалерийски командовал культурным процессом.

Забывают, кстати, что еще задолго до сталинского единовластия среди деятелей культуры вошло в обычай использовать силовые структуры для скорейшего разрешения идейно-эстетических споров. Из литераторов, травивших Булгакова и сигнализировавших органам о его «белогвардействе», многие потом стали жертвами тех же самых органов. Историю отечественной литературы XX века нельзя считать написанной, пока не будет опубликовано полное собрание доносов писателей друг на друга. И хотя эти материалы теперь, в общем-то, доступны, никто не торопится их обнародовать, ибо многие белые одежды окажутся запятнаны кровью, а иные парнасские бессребреники предстанут платными агентами, вдохновляемыми осведомительной музой.

Анна Ахматова с горьким знанием дела писала о том, «из какого сора растут стихи, не ведая стыда». Но разве талант от этого перестает быть талантом? Нет, конечно! Кто-то разуважает Пастернака, узнав, что он чуть не первым воспел стихами Сталина. А кто-то, наоборот, зауважает! Конечно, нынешним фанатам «Черного квадрата» очень хотелось бы забыть о комиссарских художествах Казимира Малевича, представив его чистой, безукоризненной жертвой режима. Но, может, в таком случае не было бы никаких «квадратов», а только портреты, стилизованные под ренессанс? Да и «рерихнутым» гражданам, конечно, неприятно вспоминать о связях своего гуру с советской внешней разведкой. Но ничего не поделаешь, талантливый человек гораздо сильнее зависит от своего времени, нежели бездарный...

Советское не значит худшее

Надо наконец признать, что советская версия русской культуры, вопреки всему, а зачастую и благодаря этому «всему», достигла огромных высот. Иначе как объяснить полные соревновательного азарта послания эмигрантки Цветаевой своим совдеповским коллегам Маяковскому, Пастернаку? Как объяснить, что тяжелый на похвалы Бунин восхищался «Теркиным»? Не «Дунин Бунин», по меткому определению Михаила Рощина, а настоящий — Иван Алексеевич. А разве вернувшаяся на родину литература русского зарубежья заслонила, поглотила то лучшее, что было написано «под Советами»? Нет, скорее — наоборот. И не надо, живописуя ужасы совка, рассказывать, что Высоцкого «снаркотил» Брежнев. В таком случае писателя Кондратьева довел до самоубийства Ельцин, он же придавил деревом актера Ромашина, а поэта Рыжего повесил — страшно даже вымолвить — кто... Власть, увы, чаще любит тех, кого разлюбила Муза...

Признаем главное: кнутом и пряником, угрозами и посулами все-таки удалось объединить творческую интеллигенцию, достаточно сильно пострадавшую от обоюдоострого меча революционной бдительности, и направить ее энергию в созидательное русло, ибо страна была разрушена, а в воздухе пахло новой войной. В литературной молодости, болея, как и большинство моих ровесников, либеральным презрением к советской цивилизации, я был уверен, будто все эти производные от глагола «созидать» — просто красивые словесные фигуры, навязанные агитпропом. Надо было самому пережить революционную ломку, новое нашествие недоучившихся всезнаек, надо было перетерпеть разрушительные и хламообразующие 90-е годы XX века, чтобы понять: люди, уставшие от деструкции, готовы простить власти многое за ее решимость воплотить в действительность созидательный проект. Когда-то я иронизировал над «самым яростным попутчиком» Есениным и «большевевшим» Мандельштамом, потешался над строчками Пастернака про «ту даль, куда вторая пятилетка протягивает тезисы души». Теперь, хлебнув перемен, я этих поэтов понимаю, хотя «тезисы души» — все равно смешно...

По моему глубокому убеждению, мы, сегодняшние, вообще не имеем ни морального, ни исторического права судить советскую эпоху, ибо ломка начала 90-х была неоправданно жестока, нанесла стране непоправимый территориальный, а народу — страшный экономический, нравственный да и количественный урон. Других видимых результатов, кроме узкого слоя населения, вырвавшегося за счет других на европейский уровень потребления, эта ломка пока не дала. Что же касается судеб деятелей культуры в наше время, то они тоже не безоблачны. Разве смерть Светланова, по-хамски выгнанного из оркестра в наше либеральное время, не трагична? Разве не чудовищна гибель в середине 90-х народного артиста Ивашова, надорвавшегося в горячем цеху, потому что ему, «советскому кумиру», принципиально не давали ролей?!

В старорежимные годы подавляющая часть творческой интеллигенции была советской. Да, чуть ли не каждый второй был инакомыслящим. Но не надо путать инакомыслие с диссидентством. Инакомыслие — состояние духа. Диссидент — профессия, как правило, неплохо оплачиваемая, хотя временами рискованная. Наша интеллигенция, как и весь народ, была советской в том смысле, что искренне или вынужденно, восторженно или сцепив зубы разделяла советский цивилизационный проект и участвовала в его воплощении. И ничего постыдного в этом нет. Попробуйте получить в Америке кафедру или работу в театре, объявив, что вы не разделяете принципы открытого общества. Да вам не доверят даже класс с недоразвитыми неграми или роль «кушать подано»!

Что же произошло потом? А потом советский проект, действительно во многом уже не отвечавший вызовам времени, свернули. Свернули, если помните, ради ускорения развития, ради большей духовной свободы, ради социальной справедливости. Что из этого вышло, все мы знаем. Новый проект, если он и есть, нам вот уже тринадцать лет боятся показать, словно это голова Медузы Горгоны. Увидим — обледенеем. Ясно одно: произошедшее в стране — шариковщина наоборот. Ведь, в сущности, тоже отобрали и поделили. Но в отличие от событий семидесятипятилетней давности, когда многие отобрали у немногих, теперь немногие отобрали у многих и тоже поделили. Точнее, до сих пор делят со стрельбой, взрывами, а ухваченное норовят утащить за бугор и там зарыть, как кость. Шариковы ведь не только Каутского читают, но и Джеффри Сакса...

Грантократия

Кризис нашей культуры заключается не столько в ее материальной скудности и соответственно снижении социального статуса творческого работника, сколько в оторванности от исторических смыслов существования народа и государства. Подозреваю, власть старательно дистанцируется от культуры еще и потому, что сама для себя эти смыслы пока не сформулировала, а если и сформулировала, то боится объявить, опасаясь в одном варианте внутреннего, в другом — внешнего возмущения.

Думаю, в 90-е годы этот потаенный смысл предполагал полное подчинение России западной парадигме с последующей утратой нашей цивилизационной самости. Иногда деталь говорит очень многое. Помнится, крутили на ТВ рекламу конкурса молодых литераторов, организованного Минкультом РФ и призванного открыть новых Пушкиных, Есениных, Шолоховых. Тут же назывались и размеры денежных премий — в долларах, конечно. Можно ли себе представить, чтобы министерство культуры, скажем, Германии искало новых Гёте и Шиллера, обещая дебютантам вознаграждение в баксах? Надеюсь, причинами нашего унизительного бездержавья в последнем десятилетии XX века займутся когда-нибудь не только историки...

В 90-е годы государство было откровенно благосклонно в основном к российским деятелям культуры либерально-прозападного толка или к той распространенной разновидности творческих деятелей, которые охотно признаются в самом предосудительном пороке, но придут в неописуемый ужас, если их заподозрят в любви к своему Отечеству. Достаточно проанализировать списки государственных лауреатов и орденоносцев того времени, чтобы все стало понятно. Людей, открыто переживавших за страну, в этих списках почти нет. Кстати, брезгливое равнодушие к судьбе государства в сочетании с болезненной страстью к государственным наградам — родовая черта российского либерала.

Но если власть не имеет никакого серьезного культурного проекта, направленного на укрепление державы, то это совсем не значит, будто процессом никто не руководит. Просто когда этого не делает наше государство, это делают другие государства в своих интересах. Кроме того, в работу активно включаются отечественные чиновники и трудятся в поте лица на себя, а также во благо дружественных политических и эстетических кланов. Да, у нас теперь нет в культуре партократии, но зато расцвела грантократия. И еще не известно, что хуже!

Время сломов и кризисов всегда связано с трудностями в жизни творческой интеллигенции, за исключением той ее части, которая активно занята идеологической поддержкой новой власти. Так, в голодном Петрограде пробольшевистская богема по указанию Зиновьева снабжалась не только продуктами, но и кокаином, необходимым некоторым творческим персонам для вдохновения. Когда государственный самолет, который, по справедливому замечанию Юрия Бондарева, взлетел, не зная, куда сядет, не только сбился с курса, но еще и разгерметизировался, одним пассажирам достались кислородные маски, а другим — нет.

Своего рода «кислородными масками» для деятелей культуры, оказавшихся в тяжких условиях, стали фанты, выделяемые как некоторыми отечественными учреждениями, так и многочисленными фондами вроде соросовского, обметавшими страну, словно грибы упавшее дерево. «ЛГ» неоднократно писала о том, как в самые сложные времена для журналов «Знамя» и «Новый мир» нашлись гранты не только у Сороса, но и у Минкульта, а для «Нашего современника», «Москвы» и «Невы» — нет. Почему одни получали, а другие нет — понятно: малейший намек на патриотичность и государственность делал человека «грантонеполучабельным».

В середине 90-х мы с режиссером Розой Мороз снимали для «Семейного канала», поглощенного впоследствии НТВ, единственное на тогдашнем телевидении поэтическое шоу «Стихоборье». Деньги добывали сами. В трудную минуту Роза Михайловна объявила, что знает, как поставить передачу на твердую материальную базу, и отправилась, наивная, за помощью к нашим доморощенным «соросятам», возглавляемым, насколько я знаю, писателем Григорием Баклановым. Конечно же, ничего не дали. А вот если бы мы делали передачу, например, о том, как вредно в школе читать слишком много стихов и прозы, обязательно дали бы да еще на ТЭФИ бы выдвинули! Надо сказать прямо, за редким исключением тогда материально поддерживались именно те, кто так или иначе работал на понижение традиционных ценностей и разрушение национального архетипа.

Узники «Букервальда»

В результате сформировалась новая культурная номенклатура, в которую вошли частично уставшие от подполья андерграундники, отчасти остепенившиеся диссиденты, в известной мере эмигранты, наезжающие в Россию, когда соскучатся по уличной узнаваемости, но в основном, конечно, в нее набежали баловни прежнего режима, отказавшиеся от своего прошлого с простодушием кота Матроскина. Их непреходящие обиды на Советскую власть сводятся в основном к тому, что вместо обещанного Трудового Красного Знамени им к юбилею вручили всего-навсего «веселых ребят» — орден «Знак Почета». Любопытно, но такие знаковые фигуры диссидентства и инакомыслия, как Солженицын, Зиновьев, Синявский, Бородин, Кублановский, Максимов, Мамлеев и многие другие, в эту новую элиту не вошли. Оно понятно: либеральному номенклатурщику так же непозволительно сомневаться в правильности выбранного курса, как прежнему партноменклатурщику в верности ленинского учения. А возможно, еще непозволительнее.

Особенно эта новая номенклатура заметна в писательской среде. Достаточно проследить, как в минувшие годы формировались официальные делегации на различные культурологические конгрессы, книжные ярмарки, творческие конференции. Человек с государственно-патриотическими взглядами в этих делегациях такой же нонсенс, как на свадьбе геев — гость, желающий молодым детишек... Западные литераторы и издатели, кажется, абсолютно уверены, будто на Руси нет других писателей, кроме стабильного десантного взвода постмодернистов, полудюжины детективщиц, похожих друг на друга, как маникюрные флаконы, парочки порнографов-копрофилов и нескольких авторов, озабоченных исключительно проблемой отъезда на историческую родину... Когда была устроена встреча кабинета министров с фандорствующим Акуниным как главным современным российским литератором, стало ясно: это не случайность, а политика, направленная на максимальное снижение нравственного авторитета и мировоззренческого воздействия литературы на российское общество. Ведь правительство встретилось не с могучей творческой личностью, влияющей своими идеями и образами на власть и мир, а просто с успешным издательским проектом.

Все сказанное подтверждается ситуацией, сложившейся с литературными премиями. В последние тринадцать лет их вручали (даже чаще, чем при Советской власти) не за творческие успехи, а за благонамеренность. Многие получили за своевременную политическую переориентацию или одобрительное молчание. Это, кстати, чисто большевистская традиция. Так, одним из первых звание Героя Труда получил Валерий Брюсов, жестко полемизировавший с Лениным по поводу статьи «Партийная организация и партийная литература», а потом, в 20-м, вступивший в РКП(б) и руководивший не только Высшим литературно-художественным институтом, но и коневодством. Постперестроечные литераторы, правда, предпочли архаическому коневодству работу в комиссии по помилованию...

Жажда премий, ставших для многих единственным источником доходов, дисциплинирует авторов, кстати, похлеще 5-го управления КГБ, превращая их в своего рода узников «Букервальда». Писателя, которому пообещали премию, видно издали, он становится унизительно осторожен и чем-то напоминает больного гемофилией, больше всего страшащегося резких движений и всяческой остроты. Я знаю одного романиста, которого в последний момент вычеркнули из шорт-листа только за то, что накануне он неосторожно выпивал в ЦДЛ с идейно-предосудительным коллегой по литературному цеху. Для многих дорога в безвестность оказалась буквально вымощена премиями. Маканин фактически променял творчество на перманентное лауреатство. Тень лукаво посуленной Нобелевки омрачила и исказила последние годы даже такого непокорного писателя, как Виктор Астафьев.

Государственная премия, как известно, долгие годы находилась в надежных руках либеральной тусовки и только в последнее время, кажется, подает надежду на некоторую объективность. То, что первым литературным лауреатом обновленной и обогащенной Госпремии стала Ахмадулина, не случайно и таит в себе глубокий смысл. Надеюсь, это своего рода дипломатическая пауза, рассчитанная на тот период, пока идут осмысление и выработка новых принципов взаимодействия власти с самым политизированным видом искусства — литературой. А Изабелла Ахатовна всегда была столь безусловно талантлива и трогательно аполитична, что ее имя не способно испортить ни советскую, ни постсоветскую награду.

Негосударственные премии до сих пор жестко разделены по политическому признаку и во многом служат системой опознавания «свой — чужой». Когда Чубайс, экономя на трансформаторах, вместо обезвалютевшей премии имени Аполлона Григорьева учредил пятидесятитысячную премию «Поэт», можно было смело ставить все свое имущество и спорить, что никогда ее не получат ни Виктор Боков, ни Владимир Костров, ни Лариса Васильева, ни Константин Ваншенкин (год 60-летия Победы как-никак!). Так и случилось: ее получил Александр Кушнер, что совсем даже неплохо, потому что могли дать и Рубинштейну за карточные махинации в области поэзии. Литературные проходимцы чаще всего выдают себя за литературных первопроходцев. Но если вы полагаете, что патриотические премии, контролируемые, допустим, Союзом писателей России, присуждаются по иному принципу, вы ошибаетесь. То же самое! Кстати, общечеловечески мыслящему читателю, наверное, показалось, что автор весь свой критический пафос сосредоточил на либерально-экспериментальном крыле нашей культуры. А вот и нет!

Подполье за стеклом

Либеральная интеллигенция препятствует оздоровлению страны тем, что в любом решительном действии власти, направленном на укрепление государственности, видит покушение на права человека, имперские амбиции и спешит наябедничать Старшему Западному Брату. Патриотический лагерь делает фактически то же самое, но жалуется он народу, который на своей шее вынес российское капиталистическое чудо и которому жаловаться, в свою очередь, уже некому. Творческие патриоты абсолютно убеждены, что за любым усилием власти могут скрываться только лукавство, мондиалистско-масонская подоплека и тайный, враждебный стране умысел, родившийся уж, конечно, не в Кремле...

Надо признать, позорная «козыревщина», да и многие другие «рокировочки» дают основания для такого недоверия. Но времена объективно изменились, страна вступила в пору, которую Александр Панарин назвал «реваншем реальности», когда воля тех, кто железной метлой загоняет людей в очередное светлое будущее, натолкнулась на естественное сопротивление жизненного уклада и нравственных норм, складывавшихся веками. Да и Запад вместо обещанного места в «общеевропейском доме», на чем делали свой пиар приват-реформаторы, в конце концов предложил нам хорошо проветриваемый стационар за забором, но у калитки. Оно и понятно: их эксперты наверняка читали русскую народную сказку про медведя, которого зверушки пустили пожить в избушку. Так или иначе, перед нынешней властью встал выбор: или разрушительный конфликт внутри обманутого общества, или новый, компромиссный курс. «Ага, так вам в “Вашингтонском обкоме” и разрешили!» — возразит мне патриотический пессимист, помахав газетой «Завтра». Не знаю, не знаю... Даже в самые жестко-директивные советские времена многое зависело от самостоятельности первого секретаря райкома и специфики местности...

Патриотическая интеллигенция, прежде всего гуманитарная, столкнулась сегодня примерно с той же дилеммой, что и старая интеллигенция в двадцатые годы: помогать новому режиму «вытаскивать республику из грязи» или ждать, пока он, не справившись, рухнет, возможно, вместе со страной. Вопрос непростой. Если помогать — значит разделить с властью ответственность за все, что случилось в Отечестве с конца 80-х, включая «реформачество» и нетрезвое дирижирование державой, в результате чего оказались утрачены исконные земли исторической России и резко снижено качество жизни основной части населения. Если же терпеливо ждать обвала, можно в итоге радостно отпраздновать свою победу в столице суверенного Московского княжества, посылая жаркие приветы братской Дальневосточной республике, доцветающей под японским протекторатом.

Вообще наши нынешние патриоты напоминают мне чем-то партизанский лагерь, раскинутый на Красной площади. Своего рода глубокое подполье «за стеклом». И если для прогрессистской богемы художественный талант равнозначен либерально-вненациональному менталитету, то для патриотов он очень часто равен племенному православию и поиску во всем инородчества, что заканчивается обычно неприятием любого инакомыслия. А зря! Ведь это только плохие писатели делятся на русских и евреев. Хорошие писатели делятся на хороших и очень хороших.

Кроме того, этот партизанский лагерь неплохо обустроен и недурно снабжается, ибо среди «красных директоров», красных партийных вождей и руководителей «красного пояса» есть щедрые люди, готовые жертвовать творцам, не пошедшим в услужение к «антинародному режиму», с которым сами жертвователи общий язык давно нашли. Но беда в том, что у негасимого патриотического писательского костра, который горит в Москве на Комсомольском проспекте, греются всего два-три десятка литературных функционеров, чьи имена — за редким исключением — мало что говорят широкому читателю. Да еще забредают на огонек несколько советских классиков, несправедливо разжалованных в пенсионеры. Смешно, но эти функционеры даже гордятся тем, что «антинародная кремлевская власть» относится к ним, как к прижившемуся по соседству бомжатнику, не разгоняет, но и близко старается не подходить.

Надо сказать, литераторы губернской России решают ту же проблему гораздо мудрее и практичнее, нежели товарищи из центра. Они давно уже сотрудничают с местной властью, стали силой, с которой нельзя не считаться, по крайней мере при решении культурно-образовательных вопросов. Правда, в провинции это сделать проще, ибо там писателей меньше, они на виду, да и управленческий корпус консервативнее и ближе к почве. Клинические либералы там, конечно, тоже встречаются, но в количестве, не опасном для народной жизнедеятельности, чего, к сожалению, не скажешь о столице.

Мое глубокое убеждение: патриотическая творческая интеллигенция, особенно московская, должна свернуть свой партизанский лагерь и стать легальным участником культурно-политической жизни страны, прежде всего для того, чтобы представлять интересы «молчаливого большинства», материально и морально пострадавшего от реформ. Сегодня в информационно-духовном пространстве реальный диалог с властью ведет только либеральная интеллигенция, болеющая в основном за тот «золотой миллион», который сформировался в стране после приватизации. Вот пример: с кем только не встречался наш президент за шесть лет, но с лидерами патриотического движения никогда. Почему? Не комильфо. С орущими, точно на привозе, правозащитниками — комильфо. А с патриотами — не комильфо. Это искусственно созданное предубеждение необходимо преодолеть. И не ради себя, а ради дела!

Нужно добиваться равного доступа на телевидение, куда сегодня патриотически мыслящие деятели культуры если и допускаются, то в качестве хитро смонтированного наглядного пособия по черносотенству. Нужно требовать равной удаленности власти от всех направлений отечественной культуры, создания условий для честного соревнования за умы и души. Наконец, надо добиться участия традиционалистов в общественном контроле за теми государственными денежными средствами, которые расходуются на культуру. Если учесть, что на недавний московский биеннале, который напоминал сбывшуюся сексуальную грезу сортирного маньяка, ухлопали два миллиона долларов, то средства эти не такие уж маленькие.

Да, это требует напряжения, ибо обжитая ненависть гораздо комфортнее компромиссных усилий, направленных на то, чтобы возобновить диалог с властью и либеральной ветвью отечественной интеллигенции, без чего невозможна выработка новой, объединяющей идеологии. Да, сидеть у партизанского костра и, утирая слезы, петь: «Едут-едут по

Берлину наши казаки!» — спокойнее и духоподьемнее. А можно еще вдосталь поскрежетать зубами, когда в очередной раз на телевизионном экране возникнет повторяющийся, словно попугай, Хазанов или Жванецкий, не смешной, как «Крокодил» 30-х годов... Но так ведь можно досидеться до того, что по Москве поедут уже совсем не наши казаки...

Интерфекальность

В давнем романе Милана Кундеры «Невыносимая легкость бытия», кстати, очень популярном в России, особенно у молодежи, есть среди прочих многочисленных ядовитостей в адрес нашего Отечества и такое место: «Все предшествовавшие преступления русской империи совершались под прикрытием тени молчания. Депортация полумиллиона литовцев, убийство сотен тысяч поляков, уничтожение крымских татар — все это сохранилось в памяти без фотодокументов, а следовательно, как нечто недоказуемое, что рано или поздно будет объявлено мистификацией. В противоположность тому вторжение в Чехословакию в 1968 году отснято на фото- и кинопленку и хранится в архивах всего мира...»

Что здесь не так? Может быть, для тех, кто образовывался по учебникам, слепленным после 91-го в пароксизме глобального российского самооговора, или для того, кто изучает историю по телепередачам Сванидзе, все и правильно. Но на самом деле мы имеем дело с откровенным пропагандистским мифом о нашей стране, весьма органично вплетенным в ткань знаменитого романа. Нелюбовь Кундеры к русским понять можно: он бежал от советских танков за границу. Кстати, в Чехословакию вошли войска и других стран Варшавского договора, в том числе восточные немцы, ведшие себя по отношению к мятежникам особенно жестоко, гораздо суровее советских солдат. Об этом тоже сохранилась масса документов, но они не нужны автору, так как мы имеем дело не с попыткой постижения истории, пусть и средствами беллетристики, а с чисто политическими оценками событий.

Но разве танки в Праге — это хорошо? Да чего уж хорошего! Разве это не ошибка? Наверное, ошибка, наподобие оккупации Ирака. Правда, Саддам в НАТО не входил, а ЧССР в Варшавский блок входила. Но это так, между прочим... Важно другое: Кундере, писателю образованному и глубокому, даже в голову не пришло, что это вторжение, возможно, — историческое возмездие. Некогда Чехословацкий корпус, сформированный из военнопленных и по-хорошему отправленный из России домой, решил, явно не бескорыстно, вмешаться в чужую смуту, в конечном счете сдав Колчака и поспособствовав победе Советской власти, которая впоследствии не только восстановила, но и расширила империю. Кстати, русским людям тоже не нравились вооруженные чехи, врывавшиеся в города и села, но их об этом никто не спрашивал.

Есть и еще один любопытный момент. Кундера до судорог душевных не любит Сталина и охотно на страницах романа повторяет совершенно нелепую западную утку о том, будто Яков Джугашвили, которого чешский писатель почему-то считает сыном Надежды Аллилуевой, покончил с собой в фашистском плену по глупо-унизительным причинам. Английские военнопленные постоянно корили сына советского диктатора за то, что он якобы неаккуратно справлял большую нужду в лагерном сортире, и Яков вместо того, чтобы освоить общечеловеческую фекальную гигиену, от обиды бросился на колючую проволоку, по которой шел электрический ток. Далее у Кундеры следует довольно замысловатое метафизическое эссе о «г...не» как философской категории, во многом повлиявшее на пути и формы становления российского постмодернизма.

Но привел я этот пример не для иллюстрации интерфекальности постмодернизма, а по иным соображениям. Итак, Кундера считает Сталина злейшим врагом своего народа. Имеет право? Имеет. Была возможность отстранить тирана от власти? Была. Например, если бы удался заговор Тухачевского, реальность которого теперь, когда опубликованы материалы дела «Клубок», сомнений не вызывает. Но кто же сдал Сталину Тухачевского? Оказывается, в 1937-м это сделал президент Чехословакии, преследуя определенные политические выгоды для своей страны. О знаменитом «досье Бенеша» давным-давно всем известно, в том числе и Кундере. Выходит, многонациональный советский народ еще пятнадцать лет изнывал под игом «кремлевского горца» по вине Чехословакии?! Как говаривал Глеб Жеглов, наказания без вины не бывает.

Конечно, осведомленный читатель сразу заметит, что в своих контраргументах я некорректен с исторической точки зрения: замалчиваю одни факты, выпячиваю другие, иными словами, поступаю точно так же, как и Кундера. Но это я специально, чтобы показать: дурацкое дело нехитрое. Черный миф о любом народе строится просто: жесткие, силовые акции или просчеты, которые бывают у любого, самого раздемократического государства, абсолютизируются и подаются в отрыве от исторического контекста. Были расстреляны по приказу Берии в Катыни польские офицеры? (А именно их, мимоходом увеличив число жертв на порядок, имеет в виду чешский прозаик.) По одной из версий, окончательно не доказанной, да! Но ведь были и, без преувеличений, сотни тысяч красноармейцев, попавших в плен после проваленной Тухачевским Варшавской операции и замученных поляками с изобретательной жестокостью. Однако для черного мифа о русской империи это не имеет никакого значения.

Как не имеет значения и то, что среди литовцев, высланных в Сибирь, было немало явных пособников фашистов, участвовавших, между прочим, в тотальном уничтожении евреев на территории Прибалтики. Кроме того, как-то забылось, что и сами литовцы, получив по пакту Молотова — Риббентропа Виленский край, рьяно изгоняли поляков, еще недавно считавших эту землю своей. Да и чехи, завладев по итогам не ими выигранной войны Судетской областью, жесточайшим образом вышвырнули более миллиона веками живших там немцев. Помнил об этом Кундера, когда сочинял процитированный абзац? Конечно, помнил. Но покаяние за жестокость собственного народа в его планы не входило. У него была гораздо более важная, почетная и поощряемая задача — обличение СССР, в пору написания романа еще не распавшегося.

Нет, разумеется, я не оправдываю депортацию целых народов, тех же крымских татар, часть которых действительно сотрудничала с немцами. Однако, например, США, на землю которых не ступала нога оккупантов, после Перл-Харбора, не моргнув глазом, посадили всех своих японо-американцев в концлагеря. Надо ли объяснять, что татары не только не были уничтожены, как пишет Кундера, напротив, перед ними со временем всенародно извинились, и они получили возможность вернуться на родину. Кстати, достаточно побывать в нынешнем Крыму, чтобы понять: скоро, судя по всему, они снова, как во времена Блистательной Порты, станут хозяевами полуострова. Между прочим, чехи перед судетскими немцами, насколько мне известно, так и не извинились и уж тем более не вернули их домой... Почувствуйте, как говорится, разницу!

Кривоногая Россия

Зачем, спрашивается, я вдруг вспомнил про эти антироссийские мотивы знаменитого романа? А затем, что они типичны, и подобной «черной мифологии» в нашем культурно-информационном пространстве сегодня пруд пруди. Когда сломали железный занавес (заодно с советской пропагандистской машиной), к нам хлынули не только долгожданные запретные шедевры западной культуры, но и пропагандистский ширпотреб, а также талантливые произведения, проникнутые по тем или иным причинам русофобией. Лишенное какой-либо внятной государственной идеологии, население, особенно молодежь, оказалось абсолютно беззащитно перед этой агрессивной недружественностью. Более того, многие усвоили чужой взгляд на собственную страну, а это — первый шаг к цивилизационному краху.

Что же делать? А что в таких случаях делают везде, где есть свобода слова? Например, опытный литагент решительно отказался даже предлагать французским издательствам мою повесть «Небо падших», так как в ней сатирически изображен авиасалон в Ле Бурже и местный министр транспорта. «Ну что вы! — объяснил агент. — Они про себя такое не переводят!» Однако не будем брать пример с оглядчивой западной демократии. В условиях российского разгула свободы слова достаточно снабжать подобные неоднозначные сочинения предисловиями или комментариями. Об этом, кстати, должны заботиться издатели, если они не хотят, чтобы будущие граждане России выросли ненавистниками своей родины. А вот о заботливости издателей обязано заботиться государство, выдающее им лицензии...

«Так уж теперь все и комментировать?» — иронически спросит пессимистический эстет, помахивая «Новым литературным обозрением». Конечно же, не все. Например, кундеровский пассаж о пражанках, вышагивавших «на длинных красивых ногах, каких в России не встречалось последние пять или шесть столетий», комментировать не стоит: неадекватность автора понятна каждому, кто хоть раз видел русских женщин.

Впрочем, ситуация осложнена еще одним обстоятельством. Борясь с советской системой, а значит, и с имперским патриотизмом, наша либеральная интеллигенция взяла себе в союзники сонм идеологических монстров, которых веками выращивали в закордонных ретортах геополитического противостояния. Советский строй давно сломан, империя распалась, а эти черные виртуальные гоблины продолжают пожирать иммунную систему народа — естественный, уходящий корнями в века патриотизм. Запретить монстров невозможно, от запретов они только множатся и крепнут. Единственное, чего они боятся, — луча истинного исторического знания: мгновенно лопаются, как вампиры на солнечном свету. Но для этого нужна продуманная, опирающаяся на серьезную научную базу государственная информационная политика. А ее тоже нет!

Чтобы убедиться, достаточно включить телевизор и обнаружить на экране очередную оскверняющую байку о Великой Отечественной войне, услышать пространные рассуждения какого-нибудь законченного интеллектуала о неизбывной вине русских перед всеми народами. Или посмотреть на Первом канале американский фильм начала восьмидесятых, где будущий губернатор со сложной австрийской фамилией гвоздит из пулемета мерзких шибздиков в советских шинелях, которые, падая, кричат на ломаном русском: «Мама!»

Необязательность таланта

А что же происходит сегодня в нашей культуре? К счастью, период, когда маргиналы устроили из Парнаса Лысую гору, все-таки заканчивается. Праздник непослушания, во время которого приготовишки и подмастерья объявили себя мастерами, а мастеров — ретроградами, закончился тем, чем и должен был закончиться: снижением общего уровня современного российского искусства. Обратите внимание: советский фильм какой-нибудь третьей категории по уровню сценария, качеству режиссуры, точности актерских работ сделан, как правило, лучше, нежели самая раскинотавренная лента. Это — естественная послереволюционная «варваризация», если пользоваться выражением Семена Франка. Поэты «Кузницы» писали хуже, чем поэты «Аполлона». Хотя синтез «кузнецов» и «аполлонов», надо признать, со временем дал фсномен фронтовой поэзии — высочайшего явления мировой литературы.

Несмотря на то, что процесс восстановления начался, в отечественном искусстве все еще главенствует принцип обедняющей новизны, характерный для авангарда последних десятилетий. Суть его в том, что непохожесть на предшественников достигается не за счет приращения смыслов и формальных открытий, а исключительно за счет эпатирующего оскудения идей и приемов. Нынешний изготовитель артефактов зачастую похож на циркача, который разучился жонглировать семью тарелками, с трудом уже управляется с тремя, но зато при этом весело сквернословит и справляет малую нужду прямо на манеж перед зрителями.

Уродливо гипертрофированный моноприем стал основным методом, благополучно избавляющим автора от самого трудного, «энергоемкого» в работе художника — согласования, гармонизации всех уровней произведения. Зато появляется масса свободной энергии, и «творцы» гораздо больше времени проводят на пиар-тусовках, нежели у холста или за письменным столом. Все это оправдывается волшебным словом «самовыражение», которое и объявляется мастерством. На самом деле не самовыражение есть мастерство, а наоборот, мастерство есть самовыражение.

Еще одна тревожная примета художественной жизни страны — ошеломляющая необязательность таланта, который перестал быть необходимым условием творческой деятельности, как, скажем, в спорте стартовые физические данные. Впрочем, десакрализация дара вполне вписывается в новую гедонистическую модель мира. Хочешь стать талантливым? Нет проблем! Для начала найми себе пиарщика и стилиста... Конечно, отчетливее всего это проявляется в массовой культуре, где широкую известность получают безголосые статисты, разевающие рот под «фанеру», напетую для них неграми вокала. Мы уже не возмущаемся, когда в телевизионной версии концерта бурные аплодисменты монтируются после выступлений артистов, на самом деле оставивших зрителей равнодушными. И еще одна забавная, но типичная примета целенаправленной девальвации дара и профессионализма — запели все: и Шифрин, и Жириновский, и Лолита... Не нравится? Переключитесь на другой канал. Но там поет Швыдкой...

Принципиально новая ситуация: не талант стал пропуском в эфир, а эфир стал своего рода сертификацией несуществующего таланта. Сюда же можно отнести и другое явление: массовый набег в культуру молодых деятелей, наследующих творческие профессии и даже должности своих родителей, словно это семейные ларьки у станции метро «Выхино». Чтобы стать нынче, скажем, кинорежиссером, не требуется никаких особых способностей, достаточно родиться в семье киношника и в детстве хотя бы раз посидеть на коленях у Ролана Быкова. Нет, это уже не номенклатурная клановость былых времен, а самая настоящая новая сословность, перекрывающая доступ в искусство талантам из простонародья и устраняющая реальную творческую конкуренцию.

Во многом схожая ситуация и в словесности. Но тут есть своя особинка: наплыв в писательские ряды филологов, сравнимый по своей массовости и безрезультатности разве с призывом ударников в литературу в 20-е годы прошлого века. Тогда полагали, будто производственный опыт легко заменяет талант, сегодня уверены, что его заменяет знакомство с трудами корифеев структурализма. В итоге литературная продукция разделилась на два неравноценных потока: экспериментально-интеллектуальные сочинения, которые все хвалят, но никто не читает, и массолит, который все ругают, но читают. Меж ними теснится относительно небольшая группа авторов, пытающихся, упорно и почти бескорыстно следуя отечественной традиции, сочетать художественность с доступностью широкому читателю. Но их за редким исключением не поддерживают ни издатели, которым нужны авторы, варганящие по шесть романов в год, ни «грантократы», у которых от слова «традиция» начинается приступ эпилептической аллергии.

Особая заморочка, как выражается молодежь, — так называемая интернет-литература. С одной стороны, она вывела сочинителя из-под вековой зависимости от редакторского и издательского произвола, дав возможность обратиться к читателю напрямую. Но, с другой стороны, Интернет стал глобальной легализацией черновика, чаще всего графоманского. Суть литературного творчества — это мучительное, обогащающее текст движение от черновика к чистовику, готовому стать книгой. Сегодня самый необязательный черновой набросок нажатием кнопки можно сделать достоянием неограниченного числа пользователей, что создает, особенно у начинающих, ощущение ненужности работы над текстом. А тут еще и постмодернизм ободряет гуманным принципом «нон-селекции». Как писал классик: «Тетрадь подставлена. Струись!» Но ведь это то же самое, как если бы в зал Чайковского продавали билеты не на концерты, а на репетиции или даже на разучивание партитур. Кстати, интернет-неряшливость перешла уже в «бумажную» литературу.

Соцзаказ на соцотказ

Или вот еще незадача: куда-то исчезла сатира, не «аншлаковое» зубоскальство, а серьезная сатира уровня Зощенко, Ильфа и Петрова, Булгакова, Эрдмана. Куда? Ведь наше время вызывающе сатирично, буквально сочится чудовищным гротеском! А сатиры нет. Более того, откровенно третируется и маргинализируется извечная функция отечественного искусства — социальная диагностика. Происходит это, думаю, потому, что правящая элита сама прекрасно знает свой диагноз — «кастовый, антигосударственный гедонизм» — и очень не хочет, чтобы эта болезнь стала предметом художественного анализа. Ведь настоящая сатира если уж припечатает, так припечатает на века!

По той же причине почти не стало традиционной для нашей культуры острой социально-психологической драматургии, уцелевшей даже в цензурное советское время. Просто не востребованы такие пьесы, их почти не ставят, а значит — и не пишут. Они тоже опасны, потому что в них с жанровой неизбежностью перед зрителем обнажатся главные конфликты современности: между обобравшими и обобранными, между теми, кто сохранил совесть, и теми, кто вложил ее в дело. Почти у каждого театра есть свои спонсоры и попечители, разбогатевшие, понятно, не на том, что нашли залежи марганца на садовом участке. Как они посмотрят? Дадут ли после этого еще денег? Потому-то вместо «Детей Ванюшина» и появляются «Дети Розенталя». Это своего рода соцзаказ на отказ от традиционной социальности нашего искусства.

Когда-то, двадцать лет назад, Марк Розовский хотел, но не решился инсценировать мою повесть «ЧП районного масштаба» в своем театре. Это сделал Олег Табаков. А не решился он, потому что горком комсомола подарил ему списанные кресла для зрительного зала. Мастеру было неловко перед спонсорами (хотя такое слово в ту пору не употребляли, а говорили: «шефы»), и понять его можно. Но тогда это казалось забавным недоразумением. Сегодня это — «мейнстрим»...

Нынче много и ветвисто размышляют о причинах неудачи российского постмодернизма как национально значимого культурного явления. По-моему, все очевидно. Хочу снова сослаться на Кундеру, но в хорошем смысле. Можно не принимать его «русохульства», но следует признать: его постмодернистская проза, насыщенная социальной болью и оскорбленным национальным чувством, перешагнула рамки внутрицехового эксперимента и захватила широкого читателя. Бесплодность и неувлекательность российского постмодернизма объясняется прежде всего тем, что он оказался совершенно равнодушен к социальным катаклизмам и национальной трагедии, которые потрясли Россию в 90-е годы, остался игрою в литературно-философские шарады, потому и не востребован обществом, а только — премиальными жюри. Верно, конечно, и другое: многие традиционалисты, страдающие за Державу, не нашли для своих страданий адекватного творческого выражения и тоже оказались не интересны читателю. Но лично мне их малохудожественный социальный надрыв по-человечески ближе и дороже худосочной иронии постмодерна.

Иногда в оправдание «герметизма» высказывается мысль, что теперь в открытом обществе литература, перестав быть латентной политической оппозицией, утратила свою общенародность, стала делом частным, избавилась наконец-то от вековой общеполезной барщины. Ерунда! Певец с «несильным, но приятным голосом» всегда будет уверять, что шаляпинский бас — опасное излишество. Неспособность влиять на современников — это отнюдь не качество новой литературы, а напротив, отсутствие качества, превращающего приватный текст в настоящую литературу.

Надо иметь смелость сознаться: значительная часть современной российской культуры выполняет и вполне успешно конкретную задачу. Несколько огрубляя из полемических соображений и предвидя негодование некоторых коллег, я бы сформулировал ее так: максимальное разрушение традиционных для нашей страны социально-нравственных норм и дискредитация историко-культурного наследия российской цивилизации. Звучит, согласен, сурово, но что же делать, если такова реальность, которую нас просто приучили не замечать.

Например, ни для кого не секрет, что на Западе весьма благосклонно относятся к сепаратистским настроениям в РФ, хотя у себя-то они любой сепаратизм беспощадно давят в зародыше. Исторически сложившийся в Евразии диалог разноконфессиональных и разноэтнических культур — одна из цементирующих особенностей российской цивилизации. А теперь вопрос на засыпку: «Вы давно видели на центральном телевидении передачу о современной татарской или якутской литературе, о современном чувашском или калмыцком театре?» «Литературная газета» за два месяца до Парижского книжного салона писала с возмущением о том, что в официальную делегацию не включен ни один литератор, пишущий на языках народов Российской Федерации. Исправились, включили? Ничего подобного. Вы думаете, это специально? Нет. Это нарочно! Проблема в том, что культуру и информационное пространство у нас все еще продолжают разруливать (именно разруливать!) комиссары, донашивающие кожаные тужурки образца августа 1991-го — года развала СССР. Таким образом, общественное сознание как бы заранее готовят к распаду России.

Конечно, меня можно обвинить в том, что несколько совпадений я выдаю за тенденцию. Но тогда объясните мне, почему в недавней экранизации не самого, прямо скажем, светлого чеховского рассказа «Палата № 6», показанной на Гатчинском фестивале, земская больница выглядит, как подпольная скотобойня, а русские врачи — как монстры? Этого же нет у Чехова! Этого вообще никогда не было. Но модного постановщика абсолютно не волнует историческая достоверность или верность Чехову. Его волнует верность черному мифу о прошлой и нынешней России. Именно верное служение этому мифу, по сути, духовный коллаборационизм, становится пропуском для российского деятеля культуры на западные фестивали, выставки, конференции.

Создалась идиотская ситуация, когда значительная часть отечественной культуры работает как своего рода коллективный поставщик аргументов и фактов для мирового сообщества в пользу решения о закрытии «неудавшейся» российской цивилизации, наподобие бесперспективной деревни. Самое нелепое, что эта работа нередко оплачивается из российской же казны...

Но хватит об этом. Иначе придется назвать статью «Почем вы, мастера культуры?».

Так что же делать?

Прежде всего следует прекратить вкладывать государственные деньги в духовное саморазрушение страны. Достаточно того, что наша смута оплачивается зарубежными налогоплательщиками! Надо также перестать морочить себе и другим голову, выдавая презрительное равнодушие к судьбе Отечества за современный интеллектуальный дискурс. Это не дискурс, а дипломированное свинство.

В статье «Государственная недостаточность» («ЛГ», 2004) я уже писал про «Герострату» — специфический слой, страту нашего общества, нацеленную — вольно или невольно — на разрушение российской цивилизации. В период сворачивания советского проекта и ликвидации СССР политическая, экономическая и культурная активность «Геростраты» была использована сокрушающе успешно и щедро вознаграждена. (Обычная, кстати, ситуация для революционной ломки в любой стране.) Но дальше случилось необычное: власть, перед которой стоят теперь противоположные, восстановительные задачи, продолжает по инерции или по странному простодушию опираться, во всяком случае в сфере культуры, в основном именно на «Герострату». Доходит до смешного: создан, например, специальный госфонд для улучшения имиджа России за рубежом. Но по миру с этими благими целями командируются, как правило, именно те деятели, которые последние пятнадцать лет только тем и занимались, что ухудшали образ нашей страны в глазах мирового сообщества. Кому пришло в голову, образно говоря, формировать службу безопасности курятника исключительно из хорьков?

В период явочной приватизации и политических разборок 90-х был целенаправленно, с помощью СМИ и деятелей культуры, специализирующихся на «гадодавлении», беспрецедентно понижен порог этической чувствительности народа. Лет десять назад я даже придумал для этого опаснейшего процесса специальное словечко — «десовестизация». Тех, кто пытался тогда оценивать происходящее с традиционных позиций: «честно — нечестно», «справедливо — несправедливо», «патриотично — непатриотично», высмеивали и вытесняли. Именно тогда из информационного пространства исчезли, например, писатели, озабоченные судьбой страны, зато в изобилии возникли их коллеги, озабоченные исключительно личным успехом и правами всевозможных меньшинств, вплоть до террористов. Конечно, бывали исключения, но я о тенденции.

Начинающим литераторам, жаждущим самореализации, стали внушать: нравственная отзывчивость — качество старомодное, «совковое», а социальный оптимизм — вообще дурной тон. Главное — усвоить, что всякая мораль относительна, а задача писателя состоит в том, чтобы научиться различать как можно больше оттенков грязи. Почитайте сочинения молодых, удостоенные за последние годы престижных премий, и вам многое станет ясно. Это не значит, что надо навязывать новую «лакировку действительности» и требовать от литературы непременного положительного героя. Нет, следует для начала перестать поощрять романтику аморализма и социальную фригидность. Нам не до героизации, остановить бы героинизацию юношества, осуществляемую не без помощи молодежной субкультуры. Мое глубокое убеждение: всю систему работы с творческой молодежью нужно срочно выводить из-под влияния «грантократии», для начала взяв хотя бы под контроль Совета по культуре при Президенте РФ. В противном случае через несколько лет «сеять разумное, доброе, вечное» будет просто некому. Вместо творческой интеллигенции мы получим корыстную ораву грязеведов и наркотрегеров.

Сегодня власть наконец-то задумалась о «совестизации» общества, и не случайно президент Путин в последнем послании заговорил о нравственности. В деморализованной, приученной к торжеству кривды стране удобно делить собственность и недра, раздавать суверенитеты, устраивать заведомые выборы, но очень трудно повышать рождаемость, запускать механизмы модернизации, собирать налоги, повышать обороноспособность и восстанавливать нормы преданной госслужбы. Общественная нравственность невещественна, ее нельзя пересчитать и спрятать в бумажник, но ее крушение приводит к тяжелейшим материальным последствиям для большинства. У власти, озабоченной «совестизацией», сегодня остается последнее прибежище — традиционная российская культура.

Я уже предвижу, как либеральный пессимист, махнув газетой «Известия», усмехнется: «Вы что же, хотите, чтобы государство покупало у мастеров культуры исторический оптимизм и моральную чистоту? Оптом или в розницу?..» А почему бы и нет?! Ведь покупало же оно столько лет историческую безысходность и аморализм? В американских боевиках «грязный» полицейский в конце концов получает по заслугам не потому, что так всегда бывает в жизни, а потому, что в жизни так должно быть! Или «Мосфильм» глупее Голливуда?

Зачем вы, мастера культуры?

Но все перемены, о которых я говорю, невозможны, если российское телевидение останется рассадником нравственного «пофигизма» и социального раздрая. Нет, я не о сокращении развлекательных передач, упаси бог1 Развлекайтесь . Я о том, что электронные СМИ, хотим мы этого или не хотим, — информационный каркас державы. Они должны объединять все слои, группы и классы, а на самом деле разъединяют, выпячивая интересы одних и замалчивая или высмеивая интересы других. Вот частный, но характерный пример. За редким исключением, все ведущие теле- и радиопередач, посвященных культуре, — земляки, почти родственники, и происходят они из соседних деревень Нижнее Эксперименталово и Малая Либераловка. Понятно, что в эфир они тащат лишь то, что им близко. И если они не любят, скажем, актрису Доронину, певицу Смольянинову или писателя Белова, вы никогда не увидите этих людей на экране. «Землякам» плевать, что у названных мастеров миллионы почитателей, «земляки» варганят свою собственную виртуальную версию современной российской культуры. Так, если смотреть телевизор, создается впечатление, будто «ерофеизация» охватила всю отечественную литературу, хотя на самом деле это всего лишь узенький, малопочтенный и малочитаемый сектор российской словесности.

Кстати, эта «автономность» электронных СМИ от общественных предпочтений и реалий, а часто и от здравого смысла осталась с той поры, когда «Останкино», словно огромный шприц, «обезболивало ложью» тело страны, которую ломали и резали по живому. Времена, повторяю, изменились, а телевидение и телевизионщики — нет или почти нет. Они все еще «делают» новости и не понимают, почему окружающую жизнь, в том числе и духовную, нельзя обкорнать и перемонтировать, как хочется. На ТВ должны прийти новые люди, объективные, социально ответственные, такие, у которых светлеют лица не только тогда, когда они рассказывают о чем-то хорошем, случившемся в Америке, Японии или Израиле, но и тогда, когда они говорят о России. Уверяю, если это произойдет, если эфир станет оздоровляющим, рождаемость в нашей стране без всяких усилий со стороны Минздрава подскочит как минимум процентов на десять!

Да, мы народ, которому необходим позитивный проект, непременно охватывающий все общество и учитывающий чаяния всех его слоев, а не только бизнес-инфантов, «играющих» в футбольные клубы, пасхальные яйца и партстроительство. Блага, добытые за счет обездоливания других, в нашей так и не разрушенной до конца системе ценностей не вызывают уважения, а только углубляют социально опасную пропасть. Отсутствие футурологического проекта, сплачивающего общество, — главная и очень болезненная проблема современной России.

Таким проектом, на мой взгляд, может стать идея созидательного реванша. Замечено, что после серьезных геополитических поражений (взять, к примеру, Германию и Японию) жажда исторической реабилитации, направленная в разумное русло, дает энергию для замечательного цивилизационного прорыва. Конечно, если не повторять народу каждый день, что он неудачник и самое большое, на что способен, — подавать Америке ее имперские тапочки. Так вот, именно творческая интеллигенция благодаря интуитивно-опережающей специфике культуры может и обязана начать формировать идеологию и эмоциональную атмосферу этого созидательного реванша. А политики потом присоединятся да еще и все заслуги себе припишут... Я все-таки надеюсь, что у нынешних «насельников Кремля» есть естественное историческое честолюбие, желание остаться в людской памяти спасителями, а не ликвидаторами Отечества.

Интеллигенция же должна начать с искупления собственных грехов перед страной. Я прежде всего имею в виду унизительный, парализующий волю черный миф о России, внедренный в общественное сознание не без участия нашей продвинутой креативной интеллигенции. А ведь для светлого, мобилизующего мифа в отечественной истории, культуре, быте гораздо больше поводов и оснований. Хватит ставить на черное! Даже расчлененные немцы после Гитлера смогли провести деморализованную, обескровленную страну между Сциллой унылой депопуляции и Харибдой губительной милитаристской эйфории. Да, это было трудно. Гораздо спокойнее и выгоднее выискивать в своем распростертом Отечестве приметы «вечной рабы», празднуя каждую вновь обнаруженную примету на «устричных балах» и оглашая на международных конференциях...

Но в таком случае возникает жесткий и справедливый вопрос: «Зачем вы, мастера культуры?»

«Литературная газета», 2005 г.

Шолохов и «шелуховеды»

Опыт юбилейной апологетики

Строгое имя — Шолохов. Оно входит в сознание каждого человека русской (да и не только русской) культуры с самого детства. Григорий и Аксинья стали такими же мировыми символами, как Тристан и Изольда, Ромео и Джульетта, Онегин и Татьяна. Достаточно произнести — и не надо ничего объяснять. Для каждого мало-мальски образованного человека за этими именами клубится художественный космос, искрящийся звездами разной величины. Солдат Соколов, Давыдов, Нагульнов, дед Щукарь и многие другие герои шолоховских произведений живут в этом космосе рядом с Печориным, Сорелем, Болконским, Растиньяком, Раскольниковым, Обломовым, Пиквиком, Живаго, Швейком...

Прочитав эти строки, читатель сразу определит жанр моих заметок — юбилейный панегирик. Да, именно юбилейный панегирик. И это нормально! Ненормально то, что в последнее десятилетие у нас в отношении крупнейших общенациональных дат, событий и личностей утвердился совсем иной жанр — юбилейный пасквиль. Год шолоховского столетия месяц в месяц совпал с 60-летием Великой Победы. И конечно, к этим датам готовились не только ревнители, но и хулители. Иной раз на полосах газет соседствовали публикации, где, с одной стороны, доказывалась художественная слабость «Судьбы человека», а с другой — утверждалась стратегическая бездарность Прохоровского сражения. В сетке государственного телевещания порой рядком стояли передачи про то, кто же на самом деле написал «Тихий Дон», и про то, кто же все-таки выиграл войну — мы или союзники...

Нет, это не совпадение, а закономерность, ибо Шолохов как художественное явление — ярчайшая победа русской словесности в мировой литературе XX столетия. Утратить Шолохова означает для нас в известном смысле примерно то же самое, что потерять Победу во Второй мировой войне, а ведь последнее частично уже произошло. Отказ от многих констант послевоенного мироустройства, оплаченных кровью миллионов, обрушил геополитический статус нашей страны. И вот уже номенклатурная американская пенсионерка сомневается в справедливости того, что огромная Сибирь принадлежит одной России. Пока сомневается только пенсионерка... Свержение таких знаковых фигур, как автор «Тихого Дона», неизбежно приведет к утрате духовного авторитета нашей страны в общечеловеческой цивилизации. А духовный авторитет — тоже сдерживающий фактор, как мощная армия и атомное оружие.

Вокруг многих писателей при жизни и после смерти велись споры: Веселый, Замятин, Пильняк, Булгаков, Пастернак, Леонов, Астафьев... Но таких долгих и жестоких разборок, как вокруг имени Шолохова и его наследия, еще не было. Конечно, есть тут причина чисто идеологическая: тогда, в 20–30-е годы, Шолохов, обладая уникальным даром скатывать (да простится мне это рискованное фольклорное сравнение!) противоречивую бескрайность жизни в «яйцо» художественной реальности, неизменно выходил за рамки навязываемых политических схем.

Но выходил, запечатлевая великую обновляющую катастрофу не идеологически, как большинство его литературных современников, а художественно, и не просто художественно, а обезоруживающе художественно! Какой же агитпроп потерпит такое самостоянье?! Думается, если бы не интерес Сталина к литературе, интерес специфический, но глубокий, великий писатель не пережил бы жестокой политической усобицы 30-х, клубок которой только сегодня начинают распутывать.

...Объявилась перестройка, красный миф о российской истории XX века был брезгливо отброшен. Но вот незадача: Шолохов с его укорененностью в революционной эпохе опять не вписался в новый идеологический «дискурс», который в буквальном смысле «гулагизировал» всю советскую цивилизацию. Более того, громадный жизненный материал, «скатанный» в его книгах, не позволял совершить вроде бы простенькую (с точки зрения манипуляции общественным сознанием) операцию — переименовать «черное» в «белое» и наоборот. Какой же политтехнолог такую неманипулируемость простит?! Вот вам причина новых гонений на гения, развернувшихся в перестроечные и последующие годы. Кстати, в этом шельмовании нобелевского лауреата, объявленного чуть ли не «сталинским подголоском», в 90-е ретиво поучаствовала и «Литературная газета», пребывавшая тогда в состоянии белой либеральной горячки. Был такой грех... Простите, Михаил Александрович!

Но у этого перманентного «антишолоховства» есть и еще один непреходящий мотив — профессиональная ревность, в основе которой таится неприятие сакральной, надчеловеческой природы художественного дара. В свое время иному литератору-марксисту с дореволюционным стажем, прочитавшему почти всего Троцкого и Ленина, было непонятно и классово подозрительно явление чуда «Тихого Дона», написанного молодым станичником, хлебнувшим полной грудью братоубийственного лиха. И сегодня сочинитель, вполне усвоивший Дерриду и Фуко, смотрит на писателя, шагнувшего в великую литературу без посвящения в филологическую талмудистику, с откровенным раздражением, ибо феномен Шолохова вновь и вновь заставляет задуматься о том, что гений гораздо чаще зарождается в чистой степи, нежели в университетской реторте.

Ныне в искусстве царствует принцип обедняющей новизны. Общеизвестный, даже банальный прием, по-школярски гипертрофированный, объявляется художественным открытием. Слово «талант» стало почти неприличным, и чтобы критика заметила писателя, он должен быть таким, как все. Понятно, что в этих «предлагаемых обстоятельствах» многосложный, многоуровневый, ассоциативно бескрайний, не поддающийся клонированию Шолохов просто бесит всех, кому важно не ядро художественного откровения, а перформансная шелуха вокруг него. Вот почему сегодня «шелуховедов» едва ли не больше, чем шолоховедов.

Кстати, у маниакальных поисков «подлинного» автора великого романа есть вполне простое объяснение: таким образом, по известным психоаналитическим законам вытесняется подспудный трепет перед грандиозностью центральной русской эпопеи XX века, вызывающей у литератора-прагматика, не верующего в таинство дара, чувство глубокой собственной неполноценности. А какой же сочинитель такое унижение простит! Проще говоря: если не дано самому вставить ногу в стремя «Тихого Дона», то хотя бы, уцепившись за него, поволочиться по горним высям словесности. Обидчивая иррациональность этого атрибутивного зуда подтверждается и тем, что он продолжает свербить «шелуховедов» после того, как найдена рукопись «Тихого Дона», а значит, главный аргумент сомневающихся разбился вдребезги. Но дело ведь не в том, что им нужен подлинный автор великого романа, а в том, что им не нужен Шолохов!

Сам не заметил, как юбилейный панегирик перетек в юбилейную апологетику. И это тоже нормально! К святыням национальной культуры, к «отеческим гробам» следует относиться с предвзятой любовью. Только так, по крайней мере, в это смутное, не наше время можно противостоять предвзятой нелюбви.

«Литературная газета», 2005 г.

Битва за память

Когда-то, во времена моего детства, отрочества, юности и даже зрелости, День Победы в самом деле был «праздником со слезами на глазах». Причем если выделять ключевое слово (как теперь модно), то, конечно же, это — «праздник». Правда, когда появилась знаменитая песня Владимира Харитонова, я слышал от некоторых фронтовиков ворчливое несогласие: мол, слезы-то тут при чем? Мы же победили, радоваться надо, а не плакать! Но большинство — воевавшие и не воевавшие — приняли и благодарно запечатлели в сердце эту поэтическую формулу, окрыленную замечательной мелодией Давида Тухманова. Но если мы сегодня попытаемся определить пресловутое «ключевое слово», то с удивлением обнаружим: теперь это — «слезы». Почему и что за этим стоит? Давайте разбираться...

Первоначальный образ войны в общественном сознании стал меняться давно, несколько десятилетий назад: победительно-агитационный пафос уходил на второй план, а на первый выступали страшные жертвы и лишения, которые были принесены нашим народом на алтарь Победы. В прозе и стихах литераторов-фронтовиков становилось все больше жестокой правды, прежде беспощадно вымарываемой военной цензурой, не выпускавшей в свет ничего, что может нанести вред замыслам командования и боевому духу личного состава. К осмыслению нравственного, исторического опыта войны подключилось и поколение людей не воевавших, наследников Великого Одоления. Конечно, часто «ужесточение» темы сталкивалось с ужесточением контроля. Известно, как трудно шел фильм Алексея Германа «Проверка на дорогах», как не сразу пробилась к читателям окопная проза Вячеслава Кондратьева, как тяжело возвращал в историю Иван Стаднюк генерала Павлова. Добавлю, что спустя тридцать лет после смерти Дмитрия Кедрина мы все еще не могли опубликовать в «Московском литераторе» его стихи о хлебных очередях в военной Москве.

А вот случай, произошедший со мной, типичный для той эпохи. В моем сборнике, готовившемся в 1980 году в издательстве «Современник», было стихотворение о командире, отказавшемся выполнять губительный приказ начальника и расстрелянном за это:

Тут справедливости не требуй:
Война не время рассуждать.
Не выполнить приказ нелепый
Страшнее, чем его отдать...

Главлит не просто снял эти стихи — тираж книги был сокращен в три раза, а редактор, поэт Александр Волобуев, получил строгий выговор и от расстройства слег с сердечным приступом. Конечно, можно за это, как, например, режиссер Смирнов, которому помотали нервы с фильмом «Белорусский вокзал», возненавидеть Советскую власть заодно с местом своего рождения. Это, кстати, стало ныне просто каким-то заболеванием. Подобно тому, как иной охтинский хулиган, получавший в свое время по шее от городового, объявлял себя после Октябрьской революции участником штурма Зимнего или на худой конец жертвой режима, так сегодня множество писателей-лауреатов и режиссеров-делегатов оказались вдруг жертвами коммунистов и жестоковыйными диссидентами с партбилетами в карманах.

Но ведь на те же трудности, связанные с утверждением нового слова о войне, можно взглянуть и по-другому. Страшная угроза уничтожения потребовала выработки и внедрения в умы воюющих людей особенного, победножертвенного мировосприятия, ставшего, между прочим, таким же оружием, как «катюши» и «тридцатьчетверки». Но человек устроен так, что, выжив и сняв гимнастерку, он порой до конца жизни донашивает в душе психологию «передовой», которая оказывается сильнее более передовой идеологии мирного времени. Я вырос в заводском общежитии, где обитало, наверное, человек десять фронтовиков, и хорошо помню их «неформальные» рассказы о войне, которые почти один к одному совпадали с «формальными» рассказами, скажем, на пионерских сборах или комсомольских собраниях, куда их постоянно приглашали. Теперь это принято объяснять синдромом поколения, «напуганного Сталиным». Вряд ли все так просто! Ведь, например, Егор Гайдар не производит впечатления напуганного человека, а тем не менее по сей день продолжает упорно нести все тот же либеральный ликбез, хотя страна и мир за пятнадцать лет кардинально переменились.

Но в нашем случае консервация победно-жертвенного мировосприятия в общественном сознании объясняется еще поворотом мировой политики. Сейчас, наверное, только Познер и Сванидзе всерьез уверены, будто угроза, нависшая над СССР после Победы, всего лишь плод сталинских параноидальных глюков. Тот, кто мало-мальски интересуется историей, знает: наша страна в те годы, омраченные знаменитой фултонской речью, оказалась лицом к лицу с консолидированным и непримиримо настроенным к нам Западом, который, на полную катушку использовав наш «тоталитаризм» для разгрома Гитлера, вдруг прозрел и озаботился «коммунистической угрозой». А каким агрессивным, беспардонным и безнравственным может быть консолидированный Запад, чувствуя свою безнаказанность, мы сегодня, после известных событий в Югославии, Ираке да и в бывших советских республиках, прекрасно знаем.

Все это привело к тому, что психология «передовой» законсервировалась и старательно поддерживалась средствами агитации и пропаганды. Конечно, со временем она вступила в противоречие с реальным, страшным и противоречивым военным опытом народа. И литература как наиболее чуткий и идеологизированный вид творческой деятельности начала нащупывать, готовить, вырабатывать новый взгляд на прошлое, более широкий, гуманистический, более соответствующий исторической реальности. Естественно, это вызывало сопротивление. Писатель, чьи книги не вызывают поначалу сопротивления, просто плохой писатель.

Сопротивлялся прежде всего, так сказать, идеологический актив, которому, как правило, наплевать на то, что общество в своем большинстве давно думает по-другому. Кстати, такой трудный механизм преодоления отживших мировоззренческих схем характерен не только для советской цивилизации, а для любого общественного устройства. Вот и сегодня большинство населения нашей страны абсолютно уверено в том, что экономическое и политическое реформирование в 90-е годы, как и коллективизация в 30-е, проводились преступными методами. Однако телевизор, контролируемый нынешним идеологическим активом, предлагает нам совершенно иную, почти благостную оценку этого времени. А люди (те же писатели), в своих оценках пытающиеся выйти за рамки устаревшего либерального мифа, попросту устраняются. Слава богу, не из жизни, а из информационного поля. И на том спасибо!

Но вернемся к военной теме. Она усложнялась, углублялась, все больше внимания уделялось драме человека, вовлеченного в страшные обстоятельства, порой чудовищно несправедливые к конкретной человеческой судьбе. Маятник качнулся в другую сторону. В какой-то момент трагедия личности вступила в противоречие с историческим смыслом Великой Победы и даже начала заслонять его. Это нормально, это закономерный этап осмысления исторического опыта. Постепенно страшная правда каждого кровавого шага и высокий смысл пройденного победного пути пришли бы в равновесие, став героическим, опорным мифом исторической памяти. Ну в самом деле, сколько вероломства, предательства, крови вокруг Куликова поля! Разве не было русских князей, что отказались участвовать в битве или даже сражались на стороне татар? Были. Но ведь никто же из-за этого не ставит под сомнение историческое значение Куликовской победы!

Но тут случилось непредвиденное. В конце 80-х и начале 90-х новая российская власть не просто отказалась от прежней, советской идеологии, она вообще отказалась от собственной государственной идеологии, позаимствовав вместе с учебниками по рыночной экономике западную парадигму со всей ее мифологией. А в западной мифологии Вторая мировая война выглядит совсем иначе, нежели в отечественной традиции. Там все по-другому: там коварный Сталин — зло, а вероломный Черчилль — благо. Там заградотряды — преступление, а не менее жестокая полевая жандармерия — необходимая мера. Там власовцы — свидетельство антинародности Советской власти, а коллаборационисты вообще никакое не свидетельство. Там уничтожение евреев немцами — холокост, а почти окончательное решение еврейского вопроса в Латвии, Эстонии и Литве местными силами — всего лишь малоисследованная страница войны. Там неоказание помощи Варшавскому восстанию — подлость, а промедление с открытием Второго фронта — мудрость...

Всем еще памятны времена, когда Зою Космодемьянскую российские журналисты объявляли шизофреничкой, а Александра Матросова — напившимся буяном. Ну в самом деле, можно ли в здравом уме и трезвой памяти лезть в петлю и бросаться на дот ради «этой страны»! Кстати, те же журналисты буквально на соседних полосах восхищались израильтянками, служащими в армии, и умилялись подвигом рядового Райана. Дошло до того, что даже в наши школьные учебники проникла точка зрения, что Гитлера победили союзники при определенной помощи СССР, воевавшего, как всегда, бездарно и преступно расходуя человеческий материал.

В древности, повергнув врага, завоеватели первым делом уничтожали тех, кто был хранителем исторической памяти, державшейся прежде всего на героических мифообразах. В сознании любого здорового народа то, чем можно гордиться, всегда преобладает над тем, чего следует стыдиться. Сегодня мы живем в век гуманизма, и дело обходится без смертоубийства. Достаточно с помощью манипуляции общественным сознанием вытравить из исторической памяти народа то, чем можно гордиться, а то, чего надо стыдиться, сохранить и упрочить. И нет народа. Приходи и владей. Представьте себе на секунду американцев, которые помнят лишь то, что их предки истребляли индейцев, гноили негров и бомбили вьетнамцев. Долго ли после этого простоит Америка?

Конечно, теперь у нас не так, как в ельцинские времена, — помягче. Но предъюбилейное обострение антипобедной аллергии все равно чувствовалось. Развернулась настоящая битва за нашу историческую память о Великой Отечественной. Если отбросить частности, то многочисленные сериалы, исследования, статьи, оплаченные порой разными замысловатыми соросоидными фондами, но чаще нашим родным государством, старались внушить нам, что победили мы так кроваво, так бездарно, так постыдно, что гордиться, по сути, нечем. Такую победу между интеллигентными людьми и победой-то считать неприлично. В общем, рассказывая о тяжелейших, смертельно опасных родах, сосредоточились на крови и слизи, а про то, что ребенок все-таки родился и вырос, сказать как-то и позабыли...

Что ж, это уже было и в 1995-м, и в 2000-м. Народное сознание тогда пошатнулось, но выдержало. Выдержали мы, кажется, и очередное юбилейное очернительство образца 2005 года... Однако скоро уйдут последние ветераны, потом уйдет поколение, выросшее на учебниках истории, может быть, не таких общечеловеческих, но зато учивших гордиться своей страной. Постепенно количество «правды» о войне одолеет правду о Победе, и новому президенту России, боюсь, придется извиняться не только за поруганных немок, но и за убитых фашистских солдат, которые всего-то хотели принести в дикую страну традиции пивоварения и культуру колбасоедства.

Но я все-таки надеюсь, что этого никогда не случится и битву за историческую память мы выиграем так же, как выиграли битву за Берлин!

«Литературная газета», 2005 г.

Песней — по жизни

Орало эпохи

Когда-то, еще на советском телевидении, существовала передача «С песней по жизни». Название, кстати, удачное, довольно точно передающее важную мысль: песня сопровождает человека на всем его земном пути. К тому же с разными песнями идут по жизни по-разному: с «Муркой» в одну сторону, а с «Монтажниками-высотниками» — в другую. Давно замечено, что у каждого времени — свои песни. «Песня о встречном» («Не спи, вставай, кудрявая...») могла быть сочинена только на заре советской эпохи, а вот «Песня про зайцев» («А нам все равно...») — только на закате. Перепутать невозможно.

Однако песня — не только голосистый свидетель эпохи, она, и это очень важно, мощнейший инструмент формирования общественного сознания, выстраивания системы нравственных ценностей и жизненных ориентиров. «Перепахать» человека, причем почти незаметно для него самого, может не только книга, но и песня. Скажи мне, что ты поешь (или напеваешь), — и я скажу тебе, кто ты. Вся страна не просто так подхватывала: «Первым делом, первым делом самолеты...» Люди и в самом деле ставили общую задачу, в данном случае победу в войне, выше личного обустройства. И как бы сегодня над этим ни издевались наши телевизионные витии, народ в своей коллективной мудрости оказался прав: без общей победы над фашистами не было бы частного счастья. Как, кстати, не было бы и большинства нынешних телевитий — их родовые ветви просто сгорели бы в огне «окончательного» решения одного из вечных вопросов.

Почему же тогда, спросите, не падала рождаемость, если «девушки потом»? Отвечу полусерьезно: наверное, потому, что при этом слушали еще и Козина, и Юрьеву, и Шульженко, и Плевицкую, и Лещенко, и Лялю Черную... Как писал Александр Межиров:

Вечеринка молодая —
Времени бесшумный лет.
С временем не совпадая,
Ляля Черная поет...

Песня была важнейшим оружием в политической борьбе. Во время Гражданской красные не только оперативно перехватили военное имущество царской России, включая легендарные маузеры, кожанки, «богатырки», ставшие «буденовками», броневики, но и позаимствовали мелодии некоторых старорежимных песен, присочинив к ним новые слова. Это можно рассматривать как плагиат и осуждать, а можно расценивать как пассионарную переимчивость новой цивилизации. В самом деле, не осуждаем же мы заокеанцев за то, что они быстренько изготавливают свой, американский «ремейк», переиначивая под себя почти каждый нашумевший европейский фильм вроде «Никиты». Главный признак перспективной цивилизации — плодотворное освоение достижений предшественников или поверженных противников.

Но вернемся к теме нашего разговора. Что сыграло большую роль в деле Победы над фашизмом — Т-34 или «Вставай, страна огромная!», — вопрос спорный. Мне кажется, что «ярость благородная», которую поднимала в людских душах эта замечательная песня, вполне сопоставима с мощью военной техники. Странно, но никто пока не написал исследование (мне, во всяком случае, не попадалось), посвященное сравнительному историко-культурологическому анализу германских и советских фронтовых песен, их значению в страшном военном противостоянии. Думаю, такое исследование показало бы: мы одолели врага не только на передовой, в конструкторских бюро, мерзлых цехах, в штабах, но и в студиях, где композитор и поэт священнодействовали или же попросту мараковали у рояля, напоминающего огромную черную глянцевую птицу...

И в результате Алексей Фатьянов смог написать:

Майскими короткими ночами,
Отгремев, закончились бои...

Да, кстати, здесь и далее я за редким исключением опускаю имена создателей музыки. Нет, я очень уважаю композиторов, но герои этих заметок не они, а авторы песенных текстов. О них и речь.

Черный кот — враг народа

Время шло. Страна вырастала из мобилизационных форм существования и жесткой политической дидактики, возможно, необходимой на занятиях кружка «Долой безграмотность!», но совсем уж излишней для народа, пережившего культурную, в хорошем смысле, революцию. Советская идеология начинала непоправимо запаздывать и проявлять опасную нечуткость к реальным запросам страны, не только материальным, но и духовным. Так плохая жена осознает, что муж недоволен, лишь в тот момент, когда супружеский кулак стремительно приближается к ее глазнице.

Я хорошо помню трансляции концертов 60-х. Конферансье, похожий на заведующего отделом Министерства иностранных дел, выходил к микрофону и, словно извиняясь, объявлял: «Шуточная песня “Черный кот”». Или: «Лирическая песня “На улицах Саратова” из кинофильма “Дело было в Пенькове”». Слава богу, что из кинофильма, а то бы никогда не пропустили в эфир слова Николая Доризо:

«Парней так много холостых, а я люблю женатого». Женатого? Зайдите в партком!

Кстати, «Черного кота» перед тем, как реабилитировать и допустить в репертуар, травили всей мощью советской печати. «Как же так, страна перекрывает сибирские реки, летает в космос, осваивает целину! А вам, кроме как про озабоченное животное, и спеть не о чем? Позор!» Однако в моем родном общежитии маргаринового завода из комнат по воскресеньям доносилось:

Даже с кошкой своей за версту
Приходилось встречаться коту...

Любопытно, что тот же конферансье никогда не объявлял, например: «Партийно-пропагандистская песня “Ленин всегда живой!”» Зачем? Это был, как полагала власть, тогдашний песенный «мейнстрим», а все остальное — лишь допустимое или недопустимое отклонение от генеральной линии. Однако смысл истории и заключается в том, что со временем проселки становятся магистралями, а магистрали — проселками. Правда, уже в те времена начала складываться новая советская песня, сочетающая очеловеченную веру в коммунистические идеалы с легкой футурологической романтикой:

Я верю, друзья, караваны ракет
Помчат нас вперед от звезды до звезды.
На пыльных тропинках далеких планет
Останутся наши следы...

Это, между прочим, Владимир Войнович, будущий политсатирик и воинствующий нелюбитель всего советского. Именно в этом направлении впоследствии развивалась и молодежная песня. Точнее, в двух направлениях: открытое, вписывающееся в советскую парадигму жизнелюбие «Веселых ребят», «Песняров» или «Самоцветов» и карманное фрондерство «Машины времени», выдаваемое теперь чуть ли не за вооруженную борьбу с прежним режимом. Не случайно чуткий Виктор Астафьев, еще не омраченный недостижимостью Нобелевской премии, назвал свой фельетон о группе Макаревича «Рагу из “Синей птицы”». Но про творческих мучеников, спасавшихся от страшного социалистического террора, перебегая с посольского приема на кремлевский фуршет, мы поговорим как-нибудь в другой раз.

Любопытно, что эстрада, которая все еще дотошно контролировалась властью, тем не менее постепенно деполитизировалась: «Ты помнишь, плыли в вышине и вдруг погасли две звезды?» Или в лучшем случае: «Надежда, мой компас земной...» А вот кухонно-гитарная и походно-бардовская песня, напротив, политизировалась, становясь все более оппозиционной. Порой спохватывались, хмурили державные брови. «О чем поет Высоцкий?» — возмущенно вопрошала пресса. А он в конференц-залах бесчисленных НИИ пел про штрафные батальоны, про которые тогда по радио было нельзя, как сегодня нельзя по телевидению про то, что коммунисты и комсомольцы действительно шли в бой первыми.

Впрочем, чаще бардовская песня просто интеллигентно упрекала, нежели обличала, ибо обличители вроде Галича быстро оказывались там, где давно уже поняли, что «движенье направо начинается с левой ноги». Но ведь можно было и не обличать, а так, только намекать понятливым: «И заржал печально пони: “Разве, разве я не лошадь, разве мне нельзя на площадь?..”» И все, конечно, догадывались, кто тот несчастный пони, которому никак нельзя на площадь. И очень сочувствовали. А когда его, «непускальца», наконец-то пустили на площадь, мы получили табуны этих самых пони всех мастей — отощавших и утративших смысл жизни. Речь, разумеется, о советской кухонной интеллигенции, которая так любила «намекательные» песни, книги, фильмы... Вот такой парадокс истории!..

Впрочем, наблюдался какой-то период, когда в застолье, допев «Комсомольцев-добровольцев», затягивали: «А ты такой холодный, как айсберг в океане...», а потом — «Всем нашим встречам разлуки, увы, суждены...». Наверное, это и был тот самый застой, о котором теперь грезит добрая половина населения суверенной России, не желая туда тем не менее возвращаться. Еще один парадокс истории.

Однако даже власть, обладающая мощнейшими средствами политического контроля, не способна заставить людей петь и слушать то, чего они не желают, и, наоборот, запретить петь и слушать то, что хочется. Как в воду смотрели: «Эту песню не задушишь, не убьешь!» Эта песня, хоть «на ребрах», все равно дойдет и «останется с человеком». Были, конечно, еще попытки взять трудную идеологическую сферу под суровый контроль, даже нашли новые подходы и формы — клубы студенческой песни, где начинали многие нынешние гиганты Грушинского фестиваля. Одно время упорно старались заразить молодежь модернизированной революционной романтикой:

И вновь продолжается бой,
И сердцу тревожно в груди,
И Ленин такой молодой,
И юный Октябрь впереди!

«Как это? — простодушно поинтересовалась начитанная активистка у старшего комсомольского товарища. — Почему продолжается бой? Это же Троцкий: перманентная революция...» И старший глянул на нее так, как, наверное, библейский царь смотрел на свою семьсот первую жену, на которую у него уже не хватало ни сил, ни денег...

Помню глупейший скандал вокруг отличной песни Юнны Мориц «Когда мы были молодые и чушь прекрасную несли...». Комсомольцы 20-х, вполне заслуженные, добрые, но безнадежно отставшие от времени люди, возмутились, мол, когда они были молодые, то строили Магнитку, а не чушь пороли... (Хотя забыли — тоже, конечно, пороли, например, про мировую революцию!) Писали письма в ЦК, требовали принять меры... Но все это уже выглядело как форменное скалозубство, а интеллигентные люди лишь печально переглядывались: «Ну теперь-то вы все понимаете?..»

Когда же у костра запели: «Бьется в тесной печурке Лазо, на поленьях глаза, как слеза...», стало ясно: жить Советской власти осталось совсем чуть-чуть...

Рыбные олигархи

Сегодня мало кто знает, что при развитом социализме официальными олигархами были... поэты-песенники. В 30–50-е годы труд творческих деятелей, нашедших общий язык с властью, оплачивался очень прилично. Не хуже, чем труд военных, научных и «ответственных» работников. В частности, поэты-песенники получали за исполнение своих сочинений по радио и со сцены, за граммофонные записи. Механизм был, если в общих чертах, такой: артисты филармонии заполняли специальные рапортички. Скажем: «Концерт для участников слета передовых доярок Ставрополья. Песня “Казачья шуточная” (“Черноглазая казачка подковала мне коня....”). Исп. засл. арт. Кабардино-Балкарской АССР имярек...» И вот вскоре на сберкнижку автору стихов Илье Сельвинскому, в прошлом поэту-конструктивисту, капала скромная сумма. Но ведь таких филармоний в нашей огромной стране насчитывался не один десяток. Жить можно вполне безбедно, даже широко.

Так они и жили, поэты-песенники этого поколения: Г. Регистан, Е. Долматовский, М. Матусовский, В. Лебедев-Кумач, В. Гусев, А. Чуркин, М. Исаковский, Л. Ошанин, Г. Поженян, В. Боков, Р. Рождественский, М. Танич, М. Пляцковский, И. Шаферан и многие другие. Были шедевры, становившиеся народными песнями, были и «проходные» сочинения, однако ниже определенного уровня никто не опускался. Даже если славили то, во что не очень-то верили, или если верили в то, что не очень-то славилось... Впрочем (из песни слова не выкинешь), ходила и такая эпиграмма:

Обратился шах Ирана:
«Дайте песен Шаферана!»
Но ответил Хомейни:
«Обойдемся без х...!»

Тут пора сказать несколько слов о специфике песенного стихотворчества, как я его понимаю. Спеть, конечно, можно все что угодно, даже подзаконный акт. Но есть стихи, словно специально предназначенные для пения. Кстати, частенько именно такие строки встречаются у весьма средних поэтов. В том же XIX веке пели ведь не только Некрасова, Полонского и Григорьева, но и мало кому ведомых ныне Ратгауза, Риттера, Галину... И наоборот, в наши времена были восхитительные поэты, чьи стихи за редким исключением как-то не легли на музыку. Например, Б. Слуцкий и П. Васильев. А вот Рубцов лег и практически весь теперь поется, вплоть до шуточных экспромтов. Песенная, извините за выражение, конвертируемость стиха есть тайна, и тайна мистическая...

В моем поколении запомнился в этом смысле Владимир Шленский, поэт весьма скромного дарования. Вдруг он сочинил несколько песен на музыку А. Журбина, в частности, знаменитое «Послевоенное танго». Слава и благополучие уже вытирали ноги о коврик возле его двери, когда он внезапно умер, не выдержав перенапряжения очередных хлебосольных дней литературы. По моим наблюдениям, в песенных строчках должна присутствовать некая структурная внятность. Сейчас появилось выражение «шаговая доступность». Так вот, песенные стихи должны обладать «слуховой доступностью». И еще они должны быть как бы «музыкопроницаемыми», составлять с мелодией единое целое, тогда эмоционально-эстетическое воздействие самого незамысловатого текста необычайно усиливается.

Дело в том, что песня — искусство синтетическое, и если в поэзии стихи самодостаточны, то в песне они — лишь элемент. Важный, но элемент. Как сценарий в кино или либретто в балете. Тот, кто хоть однажды пробегал глазами сборники Высоцкого, Визбора или Окуджавы, понимает, о чем речь. Читаешь их стихи, не положенные на музыку, — одно чувство, а на следующей странице обнаруживаешь строчки, которые в сознании сопровождаются знакомой мелодией, и ощущение совершенно иное — будто из декораций леса попал в настоящую, живую рощу.

В середине шестидесятых размеренно-плановое процветание советской песни взорвал бум ВИА. Сотни вокально-инструментальных ансамблей, которые по недосмотру какого-то финансового органа были в гонорарном смысле приравнены к филармониям, обосновались на эстрадных и ресторанных подмостках. И теперь если ВИА запевали какую-нибудь песню, полюбившуюся народу, то автор, оставаясь часто безвестным, просыпался богатым человеком. Так случилось, например, с мясником московского рынка И. Юшиным, который между обвесами сложил строки:

Травы, травы, травы не успели
От росы серебряной согнуться...

Понятно, что, вдохновленные подобными примерами, в профессию тут же ринулись люди, плохо чувствующие слово, но зато очень хорошо улавливающие, где можно много заработать. Вскоре поэтов, сочиняющих песенные стихи, решительно потеснили текстовики. Именно тогда появилось выражение «рыба», восходящее к сатирической эстрадной миниатюре о таком вот деловитом изготовителе текстов. Тот, чтобы не забыть музыку, в которую ему надобно засунуть слова, запоминал ритм с помощью названия разных пород рыб. К примеру, первые две строчки «Подмосковных вечеров» в рыбном варианте выглядели бы так:

Караси, сомы, нототения,
Судаки, ерши, густера-а...

Попробуйте спеть! Получилось? То-то. Этот наплыв в профессию людей случайных или полуслучайных сразу же сказался на качестве новых песен, прежде всего на их содержании, или, как говорили в те годы, на идейно-художественном уровне. Помню, мы, молодые поэты, хохотали над простодушно-нелепыми строчками песни, которую пел блистательный Валерий Ободзинский:

Позвонить ты мне не можешь,
Чтобы тихо извиниться:
Нету телефона у меня...

Но то были пока еще эпизодические, всеми дружно осуждаемые профессиональные срывы. А тем временем продолжали сочинять свои песни замечательные мастера жанра: Е. Шевелева, В. Харитонов, А. Вознесенский, И. Кашежева, Н. Добронравов, С. Гребенников, М. Агашина, И. Гофф, К. Ваншенкин, Е. Евтушенко, А. Дементьев, Л. Дербенев...

Кстати, с именем выдающегося поэта-песенника Леонида Дербенева связана, одна история. Случилось же вот что. На трибуну грандиозного писательского пленума, а было это, кажется, в самом конце семидесятых, выскочил незапланированный повесткой дня Владимир Лазарев. Сведения о том, что в те времена простому человеку невозможно было прорваться на высокую трибуну, сильно преувеличены. Лазарев был талантливым поэтом, критиком, литературоведом, но еще он сочинял песни, однако из-за своего неуживчивого характера не вписался ни в одну из сложившихся тогда групп влияния песенного сообщества. Более того, он опубликовал статью о кризисе песни и кое-кого даже конкретно покритиковал. Это сегодня журналисты в глаза называют министра жуликом, а он в ответ только государственно улыбается. В прежние времена критику воспринимали очень болезненно, и товарищи по песенному производству не простили этого Лазареву, даже, как говорится, кое-где перекрыли кислород. Надо признаться, отомстил он им по-ленински.

Выйдя на трибуну, Лазарев, обращаясь к залу, сказал примерно следующее: «Вы помните, коллеги, как трудно жил Леша Фатьянов?» «Еще бы!» — отозвались вполне благополучные обитатели пленума. «А как нищенствовал Коля Рубцов, помните?» «Разумеется!» — подтвердили из зала даже те, кто прорабатывал Рубцова за антиобщественный образ жизни. «А знаете, сколько заработал за один только прошлый год поэт-песенник Дербенев?!» «Ну и сколько?» — иронически полюбопытствовал из президиума Сергей Владимирович Михалков, вполне сохранивший при Советской власти качество жизни своих дворянских предков. «Сто сорок шесть тысяч рублей!» — страшным голосом доложил Лазарев. Зал обледенел. А Михалков покачал головой.

Напомню, «жигули» стоили тогда пять тысяч рублей, и средний гражданин копил эти деньги полжизни. Случился жуткий скандал, финансовые органы резко сократили гонорары за исполняемые вокальные сочинения, а Лазарев уже никогда не писал песен, во всяком случае, я их больше не слышал. Однако, несмотря на тяжелейший материальный ущерб, никто из пострадавших не «заказал» разоблачителя, и во время перестройки он благополучно эмигрировал. Времена были гуманнее, а олигархи порядочнее и человеколюбивее...

О чем поет Газманов

Всякая революция — это, кроме прочего, мятеж дилетантов против профессионалов. Капитан круизного теплохода, лениво покачивающий штурвал, кажется порой пассажирам эдаким бесполезным и легко заменимым пижоном. Кому ж не хочется во всем белом постоять у руля? С этого понятного, в общем-то, чувства начинается лавинообразная, чудовищная дилетантизация, из которой страна потом выбирается десятилетиями. Кстати, именно этим наше Отечество сейчас и занимается. Потому-то людям и жалко отпускать Путина, только-только ставшего профессиональным президентом. Нечто подобное произошло и с песней. Зачем, решили многие певцы и композиторы, делиться славой и деньгами с какими-то там поэтами, можно ведь и самим подбирать слова. Говорю, конечно, не о тех, кто счастливо соединил в себе поэта и музыканта, речь не об Анчарове, Талькове, Башлачеве, Малежике, Антонове, Митяеве, Розенбауме, Пшеничном, Шевчуке, Городницком или Градском... Речь о тенденции.

В этом отношении меня всегда изумляли песни Олега Газманова, почти монополистически работающего сегодня в официально-духоподъемных жанрах. Кстати, в своем недавнем интервью он объявил, что считает себя прежде всего поэтом, а лишь потом музыкантом. Что ж, значит, и разбирать тексты автора «Есаула» будем именно так, как принято среди литературных профессионалов. Сам я эту школу стиха прошел в творческом семинаре поэта Вадима Витальевича Сикорского. Многие рифмующие даже не подозревают, что стихосложению, как и музыке, надобно учиться. И достаточно долго.

Мне многократно приходилось видеть, как во время исполнения песни «Офицеры» боевые командиры, звеня наградами, встают и даже подхватывают. Понять их можно: замороченные всеядным хохмачеством, достигшим государственного уровня, люди просто соскучились по здоровой патетике. Особенно люди военные, более других испытавшие на себе безжалостную глумливость постсоветского агитпропа. (Кстати, именно в этой простодушной, но востребованной патетике одна из причин популярности песен Олега Газманова.) Но что они подхватывают? Давайте разбираться:

Господа офицеры,
по натянутым нервам
я аккордами веры
эту песню пою...

На слух все вроде нормально, даже красиво. А если вдуматься! Объясните, пожалуйста, как можно «петь по нервам», да еще «аккордами веры»? Я, конечно, догадываюсь, что имел в виду автор слов. Мол, он поет эту песню, аккомпанируя себе на собственных нервах, натянутых, как струны, извлекая из воображаемого щипкового инструмента «аккорды веры». Сомнительный образ? Безусловно.

В любом литкружке, куда, видимо, Олег Газманов никогда не заглядывал, засмеют. Но ведь даже этот неудачный замысел не реализован, на деле получилась просто полная тарабарщина типа: «Замолчи свой рот!» И это только начало.

А теперь озадачимся, к кому обращается Олег Газманов? Он не скрывает, что поет

...Тем, кто выжил в Афгане,
свою честь не изгадив,
кто карьеры не делал
от солдатских кровей...
Я пою офицерам,
матерей пожалевшим,
возвратив им обратно
живых сыновей...

Оставим на совести педагогов, учивших будущего поэта синтаксису, неуклюжее и двусмысленное сочетание «пожалевшим, возвратив». (Когда именно они пожалели: до или после?) Но совсем уж непонятно, почему «от солдатских кровей»? Правильно ведь «на солдатской крови». «Кровь» во множественном числе — «крови» — в русском языке означает ежемесячные дамские недомогания. При чем тут воины-интернационалисты, состоявшие в основном из мужчин? А вот при чем: через строчку появляется слово «сыновей». Рифма. Возникает и еще один странноватый смысл: если автор специально обращается к офицерам, выжившим, «свою честь не изгадив», значит, предполагается наличие контингента командиров (ограниченного, хочется верить!), честь изгадивших, матерей не жалевших и потому сыновей им обратно не возвращавших. Виноваты в гибели солдат, выходит, не душманы и кремлевские стратеги, а лейтенанты и капитаны, которые, как известно, при выполнении боевых задач умирали и получали увечья вместе с рядовыми. Понимают ли все это военные люди, стоя подпевающие явной напраслине на былую Советскую армию, небезукоризненную, конечно, но отнюдь не бесчеловечную?! Это я утверждаю как автор «Ста дней до приказа».

Уверен: самопровозглашенный поэт хотел как лучше, и ни о чем таком даже не помышлял, но это, увы, следует из контекста. Еще герой Мольера сокрушался, что необходимость постоянно подыскивать рифмы заставляет некоторых сочинителей нести полную околесицу. У Олега Газманова содержание тоже часто определяется не намерением, а близлежащей рифмой или заданным размером. Эта детская болезнь в стихосложении одна из самых распространенных, что-то вроде кори или свинки. Но страдать поэтической свинкой в зрелом, орденоносно-лауреатском возрасте?! Очень редкий случай...

Однако продолжим анализ текста, который я взял для разбора не потому, что он худший из всех, что поют сегодня. Не худший. Просто он типичный и часто звучащий. Но самое главное — песня претендует на определенную государственную патетику и идеологическую установку. А это уже серьезно и заслуживает строгого смыслового анализа, к чему Газманов, любимец кремлевских концертов, уверен, явно не привык. Но если он считает себя поэтом и планирует в дальнейшем множить свои патриотические сочинения, то пора привыкать...

Думаю, все согласятся с тем, что от песен в нашем сознании остаются прежде всего припевы. Соответственно и требования к этой части текста повышенные. Увы, и тут у нас беда:

Офицеры, офицеры,
Ваше сердце под прицелом.
За Россию и свободу до конца!
Офицеры, россияне,
Пусть свобода воссияет,
Заставляя в унисон звучать сердца.

Кстати, иные творческие работники приняли за свободу ликвидацию в 1991-м художественных советов, которые в первую очередь отсеивали художественно слабые, а потом уже идеологически вредные сочинения. Был такой совет по песне и при Гостелерадио, его тоже упразднили. И свобода воссияла! Просто некому теперь объяснить автору, что сердца все-таки «стучат», а не «звучат», что если свобода «заставляет», то это очень подозрительная свобода, ведь именно «тоталитарные режимы» «заставляют в унисон звучать сердца», а свобода как раз предполагает вполне самостоятельные ритмы сердечных мышц.

Во втором куплете «Офицеров» тоже находим достаточно пугающей невнятицы.

Господа офицеры,
Как сберечь вашу веру?
На разрытых могилах
Ваши души хрипят...

Как сберечь офицерскую веру, всем давно ясно: не надо громить собственную армию — ни во имя общепролетарских, ни во имя общечеловеческих ценностей. И не надо вешать на офицерский корпус — в том числе и в песнях — грехи политического руководства страны. Неясно же другое: почему души офицеров «хрипят на разрытых могилах»? Наверное, имеются в виду свежевырытые могилы, куда в присутствии уцелевших командиров опускают тела павших солдат. Значит, так надо и писать, ведь из-за неверно подобранного слова опять возникает нечаянный смысл, а именно хичкоковская картина: кто-то зачем-то разрывает могилы воинов-интернационалистов... При чем тут кладбищенский вандализм и хрипы душ? Более того, Газманов нас предупредил, что он конкретно поет офицерам, возвратившим «живых сыновей». Тогда почему же снова появляется назойливая тема офицерской вины?

Вновь уходят ребята, растворяясь в закатах,
Позвала их Россия, так бывало не раз.
И опять вы уходите, может, прямо на небо.
И откуда-то сверху прощаете нас.

Сколько себя помню, в графоманских стихах всегда кто-то уходит или в зарю, или в закат, или в зеленя... Но это как раз мелочь. Вчитайтесь в текст! Получается, что юноши, откликнувшиеся на очередной призыв Отечества, отправляются не на охрану рубежей, не на борьбу с террористами и даже не в «учебку», а «может, прямо на небо...», видимо, вообще минуя воинскую службу. Ну и какая мать после этого захочет отпускать сына в армию? А как можно «прощать откуда-то сверху», я — убейте меня — совсем не понимаю! Вот уж верно говорят на Востоке: сто мудрецов не растолкуют то, что ляпнул один... немудрец.

Когда в следующий раз будете подпевать не в подпитии, просто-напросто вдумайтесь в смысл слов. Иногда помогает.

Песня как диагноз

И тут возникает главный вопрос: а о чем же, собственно, песня — об отнятых у матерей невинно павших мальчиках, которые «теперь вечно в глаза глядят» своим нерадивым командирам и всем нам — живущим? Или о славных российских офицерах, готовых «за свободу и Россию до конца», несмотря на то, что их «сердце под прицелом»? Получается, что припев и куплеты дают нам прямо противоположные ответы на этот вопрос. В психиатрии это называется раздвоением сознания и признается чрезвычайно опасным симптомом. Нет, я ни на минуту не сомневаюсь в отменном душевном здоровье Олега Газманова, просто у него так вышло...

Иной чувствительный читатель возмутится: «Как же можно столь кощунственно препарировать такую святую тему? И вообще это стихи!» Во-первых, это не стихи. Вас обманули. А во-вторых, разве не кощунство вываливать в сознание людей этот «сумбур вместо песни», хаотически спекулируя на памяти «ушедших прямо на небо»? Впрочем, вопрос еще серьезнее, чем кажется на первый взгляд. Если бы эту песню автор спел в узком кругу друзей — нет проблем. Сейчас многие сочиняют и напевают, «бардство» давно сделалось русским национальным развлечением. Но эта песня стала широко известна, постоянно исполняется, ее текст так или иначе вошел в сознание, засел в мозгах миллионов. А это уже называется «нейролингвистическое программирование». Почувствуйте разницу!

Наверное, многие, проснувшись поутру, не раз ловили себя на том, что некий песенный текст навязчиво крутится в голове. Наше мироощущение не в последнюю очередь зависит от того, какие именно тексты вращаются у нас в мозгах и какую работу они там — созидательную или разрушительную — выполняют. Вот почему всякое серьезное государство так или иначе заботится о том, какие песни поют и слушают граждане. Нет, не навязывает, как сегодня телевидение навязывает нам фабричную попсу, но заботится хотя бы о профессиональном уровне текстов. Песня, которая, с одной стороны, вбивает в наше сознание невнятный, несправедливый и по большому счету оскорбительный комплекс вины, а с другой — глуповато славит сияние столь же невнятной свободы, рождает в человеке очень опасную внутреннюю раздвоенность. Подробности о последствиях желающие могут почерпнуть из любого учебника психиатрии...

Такими же «нечаянными» смыслами полна, кстати, и «Москва» Олега Газманова. Мотив, что и говорить, запоминающийся. Но лучше бы это был вокализ! После «Дорогой моей столицы» Марка Лисянского, где, как говорится, «ни убавить, ни прибавить», диковато обнаруживать такие вот строки в песне, тоже претендующей на статус столичного гимна:

> В ярком злате святых куполов
> Гордо множится солнечный лик.
> С возвращеньем двуглавых орлов
> Продолжается русский язык.

Все вроде в рифму. И снова как бы красиво. Однако вдумаемся. Что значит «продолжается русский язык»? А что, до «возвращенья двуглавых орлов» — при серпе и молоте, в СССР, русский язык «не продолжался»? Или мы говорили не по-русски, а по-советски? Нет, по-русски говорили, а «советизмов» в языке было даже поменьше, чем сейчас «американизмов». Более того, сегодня мы видим стремительно сужающиеся границы нашего великого языка. На той же Украине природных русских людей заставляют изъясняться на своеобразном *«мовоязе»*, который и сами-то коренные малороссы не всегда разумеют из-за его явной скородельной искусственности. Что же имеет в виду Газманов? Может, он просто радуется тому, что после переворота 91-го младореформаторы, сориентированные целиком на Америку, милостиво разрешили туземному населению продолжать говорить по-русски? Сомнительно. Или же автор вообще подразумевает другое значение слова «язык», а именно — «народ». Опять неувязка, ибо именно под сенью орлов в России началась резкая убыль населения — миллион в год. В этом случае надо бы петь: «...сокращается русский язык...» Невольно на ум приходит популярная ныне в народе фраза: «Сам-то понял, что сказал?» Наверное, я бы не стал останавливаться на этом столь подробно. Но именно куплет про русский язык, продолжающийся благодаря двуглавым орлам, я услышал из репродукторов недавно поутру, сойдя с «Красной стрелы» на Московскую землю. Обидно начинать трудовой день с нелепицы, к тому же получившей почти государственный статус.

Я уверен: популярный композитор и подвижный певец Олег Газманов ни о чем таком даже не помышлял. Придумывая слова к заводной мелодии, он просто рифмовал: «орлов — куполов», «лик — язык», «икон — времен»... Но главное отличие настоящего или по крайней мере профессионального поэта от любителя заключается именно в том, что в его строках не может быть нечаянных смыслов. Это, кстати, самое трудное. Тайные смыслы могут быть и даже необходимы, а вот дурацкие — нет. Увы, современные масштабы тиражирования песен делают смысловой «ляп», непростительный даже для рифмующего тинейджера, вынужденным достоянием ни в чем не повинных миллионов людей.

Синдром да Винчи

Так в чем же дело? К сожалению, многие нынешние эстрадники, испорченные легкой телевизионной славой, страдают «синдромом да Винчи». Не путать с кодом да Винчи! Поясню свою мысль: великий Леонардо брался за все, и у него все получалось. Наши телеэстрадники тоже берутся за все, но у них чаще ничего не выходит. У Олега Газманова многое получается, но стихи, увы, не его конек. Зачем же он упорно сочиняет тексты к своей музыке? Считает себя поэтом? Так ведь и я могу счесть себя певцом лишь на том основании, что после нескольких рюмок мной часто овладевает неодолимое желание затянуть что-нибудь душевное. «Щас спою!» Однако я ограничиваю себя домашним застольем и не рвусь на сцену Большого театра, чтобы повокалить! А может быть, эстрадной звезде денег не хватает? Не поверю! Нынче самый занюханный «фанероид» зарабатывает много больше, чем хирург-кардиолог, спасший тысячи жизней, или боевой офицер, который «свою грудь подставляет за Россию свою». Замечу попутно, что стихотворную книжку с названием «Они подставляли грудь за Родину» лично я читать бы не стал...

Нет, «синдром да Винчи» идет прежде всего от состояния нашего общества, от вседозволенности 90-х, когда заведующего отделом журнала «Коммунист» назначали главным реформатором страны, когда мелкие жулики объявлялись предпринимателями, а крупные — олигархами, когда страдающие «фефектами фикции» малограмотные граждане становились телеведущими, а прохиндеи — политической элитой... Торжество дилетантизма, изгнание профессионалов из всех сфер чуть не погубило Россию. Достаточно вспомнить новогодний штурм Грозного, позор козыревской дипломатии или наше пятнадцатилетнее нефтяное донорство, за которое нам платили презрением. Почему же на эстраде должно быть иначе?..

Однако времена меняются. Выздоравливающее общество снова начинает ценить профессионалов и задумываться, в частности, о том, зачем нам безграмотные песенки, исполняемые смешными фанерными звездами. А ведь не надо забывать: вся эта самодеятельная невнятица обрушилась на головы слушателей, воспитанных на качественной песенной поэзии А. Дементьева, Д. Сухарева, В. Кострова, А. Шаганова, С. Каргашина, Л. Завальнюка, Р. Казаковой, Ю. Ряшенцева, А. Поперечного, Н. Зиновьева, М. Андреева, В. Пеленягрэ и многих других. Они, кстати, все живы, многие творчески активны, а вот востребованы далеко не все. Почему? А потому, что только при отсутствии профессионалов становится возможна труднообъяснимая, но фантастически оплачиваемая любительщина. По той же причине, между прочим, не допускаются в эфир новые, по-настоящему сильные и свежие голоса.

Вот один эпизод. Меня пригласили на юбилейный вечер очень серьезной государственной организации. Пели звезды, каждая — по единственной песне, и лишь одна, совершенно мне неизвестная певица с необыкновенно красивым голосом была все-таки вызвана на бис, несмотря на жесткий концертный цейтнот. Когда же я увидел телевизионную версию концерта, то обнаружил: именно той самой исполнительницы, которая больше всего понравилась слушателям, в эфире-то и не оказалось. Отрезали. Оно понятно: на безголосье и Буйнов — певец.

Но допустим, кому-то из эстрадников все-таки очень хочется слыть «давинченным», «полноприводным» автором исполняемых песен. Ну не хочется ему сотрудничать и делить славу с профессиональными поэтами-песенниками. Как, например, бессмертная Алла Пугачева — с неиссякаемым Ильей Резником. Ладно, хозяин — барин. Тогда хоть не позорьтесь — пригласите себе редактора! Ведь не жалеете же вы денег на специалистов-аранжировщиков! Или вам все равно, какие слова петь? Зато нам не все равно, что слушать. За весьма скромную плату, а может, и бескорыстно, из любви к искусству, такой поэт-редактор облагородит ваш дилетантский текст. И никто об этом никогда не узнает, зато слушателям не придется ломать голову, почему это вдруг у Газманова «по золоту икон проходит летопись времен»? Ведь если летопись времен где-то и проходит (хотя трудно себе представить прохаживающуюся летопись), то уж в самую последнюю очередь «по золоту икон», ибо святой образ предполагает консервативность, максимальное следование древнему канону вопреки бегу времени, наперекор изменчивой живописной моде. Это знает любой мало-мальски образованный человек.

Кстати, у меня был забавный случай. Мой знакомый режиссер собрался снимать клип на основе песни знаменитого барда и предложил мне написать сценарий. На каком-то торжестве он подвел меня к этому барду, и тот, будучи без гитары, просто полунапел мне текст. Речь шла опять-таки о нашем парне, погибшем теперь уже в Чечне. Павший, как водится, отправлялся прямо на небо, и «Господь прижимал его десницами к груди».

— Ну как? — спросил бард, закончив.

— Изумительно, — сообщил я. — Можно только одно маленькое редакторское замечание?

— Пожалуйста! — кивнул он, насупливаясь.

— Все-таки наш православный Бог не Шива и вряд ли у него несколько правых рук. А если вас уж так тянет на старославянизмы, то поменяйте «десницы» на «длани». Остальное нормально.

— Спасибо! — вымолвил бард, побуревший, как свекла, и я понял, что никакого сценария от меня больше не требуется. Никогда.

Обиделся. А что, собственно, случилось? Я, с вашего позволения, профессиональный поэт, автор нескольких книг стихов и лауреат премий именно за стихотворчество. Да, я давно не сочиняю, но из поэтического цеха, так же как из спецслужб, уходят только в запас. К тому же мной защищена диссертация именно о поэзии — фронтовой. То есть, как сейчас принято выражаться, я эксперт. И вот эксперт дает бесплатный редакторский совет барду, имеющему, скажем мягко, несколько меньший филологический опыт и допустившему в своем тексте довольно смешной ляп. Спасибо надо говорить и проставляться, а не надуваться как индюк. Но, увы, повторюсь, частое пребывание в телеэфире обладает каким-то мало еще изученным, но чрезвычайно мощным оглупляющим воздействием, которое в конечном счете приводит к полной утрате чувства реальности...

Долой текстовщину!

В заключение выскажу некоторые конкретные предложения. Мне кажется, без возвращения в песенную индустрию профессиональных поэтов, без восстановления профильных художественных советов на телевидении и при Министерстве культуры, без создания, скажем, на базе Литинститута специального песенного семинара, где будут преподавать классики жанра, дело не сдвинется. Мы и дальше будем вынуждены слушать доносящуюся отовсюду изобретательно аранжированную полуграмотную текстовщину, унижающую здравый смысл и наши национальные песенные традиции. А все это ведет в итоге к усугублению того социального и нравственного неблагополучия нашего общества, которое сегодня признано всеми, независимо от политической и прочих ориентаций. И последнее. Вы давно слышали новую хорошую патриотическую песню? Лично я — давно. Не пишут-с. Даже к 60-летию Победы не сподобились! А вот про «дитя порока» и про то, что рай, оказывается, начинается в ресторане, где гитары и цыгане, слышу постоянно...

Умный народ глупых песен не поет. Он либо отторгает навязываемую ему нелепицу, либо сам непоправимо глупеет, а затем исчезает из Истории...

«Литературная газета», 2006 г.

Три века и пять лет

В мае 2001 года, заступив на пост главного редактора «ЛГ», я обратился к читателям со статьей, которая называлась «Слово не птеродактиль. Вместо манифеста». Увы, нынешние журналисты и литераторы иной раз страдают своеобразной комфортной амнезией: не помнят то, что писали или говорили совсем недавно. И такая забывчивость стала сегодня чуть ли не признаком профессионализма. Очень, кстати, удобно: если забыл сказанное, то вроде уже и за свои слова можно не отвечать. Мели, Емеля, твоя неделя... Читатели же, по моим наблюдениям, гораздо памятливее писателей. Тем не менее я хотел бы процитировать некоторые программные строки того манифеста:

«Ренар говорил: скопище людей превращают в нацию две вещи — общее великое прошлое и общие великие планы на будущее... Можно сколько угодно иронизировать по поводу долгожданной общенациональной идеи и снова уносить “зажженные светы” на интеллектуальные московские кухни, но не лучше ли сообща, забыв взаимные обиды, принять участие в формировании и формулировании наших общих великих планов на будущее? Ведь иначе нам придется жить по чужим формулам».

Или вот еще:

«...хватит, пожалуй, груды умственного мусора, наваленного за перестроечные и постперестроечные годы, всерьез выдавать за баррикаду, навеки разделившую российское общество, и в особенности нашу интеллигенцию. У самого отвязанного либерала и самого укорененного почвенника при всех непримиримых различиях есть хотя бы одно общее. Но какое! Это общее — Россия, страна великих слов и великих дел».

Прошло пять лет. Изменилась страна, изменилась «Литературная газета». Однако, полагаю, «ЛГ» изменилась значительнее и принципиальнее. То, что было заявлено и обещано, мы постарались выполнить. Прежде всего «ЛГ» отказалась от моноидеологического, истошно либерального принципа, беспощадно отсекавшего от нее всех, кто думает по-другому. Теперь это газета не для единомышленников, а для мыслящих людей. Усилиями творческого коллектива «Литературка» преображена в полифоническое издание, которое открыто всем направлениям мысли, художественной, политической, экономической, всем, как говорится, «дискурсам» и «трендам» современности. Нам удалось снова вовлечь отечественную творческую и научную интеллигенцию, независимо от политической и эстетической ориентации, в режим диалога, преодолеть баррикаду идейного антагонизма.

Это было непросто, ибо сложился своего рода фундаментализм, как либеральный, так и патриотический, исключающий конструктивную полемику с «неверными», признающий только навешивание ярлыков и выдавливание врага в информационное небытие. «Литературка» вернула в медиапространство полноценные, многоголосые дискуссии о нравственном состоянии общества, об исторических итогах XX века, о патриотизме, который все 90-е годы был для общечеловеческого уха нецензурным словом. Вместо расхожего, наскоро слепленного антисоветского мифа читатели нашли на наших страницах основательные публикации, призванные всерьез проанализировать сложнейшее историческое наследство, доставшееся нам от советской эпохи. Радует, что нашему примеру последовали некоторые литературные и общественно-политические издания. Что-то отдаленно напоминающее терпимость к иному мнению стало появляться даже на телевидении...

На страницах «ЛГ» в спорах о современном литературном процессе — прозе, поэзии, критике, фантастике, детской беллетристике — сошлись писатели, еще недавно не желавшие ничего даже слышать друг о друге... Это серьезный шаг к той духовной, интеллектуальной консолидации, без которой невозможен достойный ответ на вызовы лукаво-глобального времени. Особое место в газете традиционно занимают публикации, посвященные социально-этическим проблемам. Десоветизация, обернувшаяся «десовестизацией», реформаторство, превратившееся в «реформачество», привели нас всех к очевидному моральному дефолту. За эти пять лет литгазетовцы немало потрудились над «совестизацией» нашего общества. Заметьте, с недавних пор почти забытые слова «совесть», «нравственность» стали проникать даже в лексикон власти. Конечно, вернуть в алфавит букву «Ё» легче, чем мораль — в политику и бизнес, но лиха беда начало...

Умный читатель сразу оценил нашу открытость, наш полифонический принцип формирования газеты. За пять лет «Литературка» почти в три раза увеличила свой тираж. Так наша идеология стала нашей экономикой. Мы вышли на самоокупаемость, преодолев финансовые трудности, порожденные в свое время распространенным среди пишущей братии прискорбным обычаем, который я назвал бы неблагодарным иждивенчеством. Увы, у нас в Отечестве стало даже признаком «интеллигентноети» гнобить собственное государство за казенные деньги. «Литературная газета» способствует возрождению духовной и материальной мощи Державы исключительно за свой счет.

Сегодня «ЛГ» очевидно лидирует среди российских культурологических изданий по тиражам, цитированию, охвату не только отечественного, но и зарубежного читателя. Более того, по данным агентства «Комкон-Медиа», мы держим третье место среди всех еженедельников России, а ведь иные из них борются за читателя, обнажая не смысл вещей, а гениталии. Поэтому, наверное, все эти годы «Литературка» не давала покоя бдительным доброхотам. То дотретьяковские «Московские новости» обвиняли нас в возмутительном патриотизме, то газета «Завтра» навешивала ярлык тайных космополитов. Да вот буквально несколько дней назад в прессе появились «достоверные слухи» о том, что нас вроде бы продают, а вроде бы и закрывают. Шквал вопросительных звонков и тревожных телеграмм, обрушившийся на редакцию, лишний раз подтвердил, что судьба старейшей российской газеты, основанной Пушкиным и возобновленной Горьким, волнует очень многих. А это гораздо важнее и значительнее для нас, нежели очередная утка, пущенная теми, кто не умеет иными способами привлечь внимание к своим желтушным изданиям.

Акционеры и коллектив газеты уполномочили меня, как говорится, заявить: не волнуйтесь, дорогие читатели! «ЛГ» — такая же неотъемлемая часть нашей культуры, как Третьяковка, как Московский университет, как Пушкинский Дом, как Художественный театр. Наше издание вступило в третий век своего существования и будет с вами всегда, по крайней мере до тех пор, пока жива Российская Цивилизация.

«Литературная газета», 2006 г.

Ничего личного, но молчать не могу!

Ничто не предвещало скандала. Телеведущая Татьяна Малкина записывала очередной выпуск ток-шоу «Ничего личного». В студию поспорить на тему «Может ли искусство портить нравы?» были приглашены писатель, доктор филологических наук Алексей Варламов, заведующий кафедрой журналистики МГИМО, главный редактор журнала «Фома» Владимир Легойда и автор этих строк. Мы отстаивали позицию: да, может, и еще как! Нашими оппонентами были художник Дмитрий Цветков, главный редактор журнала «Артхроника» Николай Молок и Даниил Дондурей. Остается только гадать, почему в эту компанию попал главный редактор журнала «Искусство кино», по роду деятельности отлично знающий, как убедительно синематограф повлиял и влияет на нравственность. Впрочем, Даниил Борисович по своему обыкновению рассматривал предмет дискуссии с таких теоретических высот, откуда предмет почти уже и не виден. Экспертом выступила заведующая отделом современной живописи Государственной Третьяковской галереи Наталья Александрова.

Поначалу все шло штатно. Собранные в студии зрители нажатием кнопок определили свое отношение в теме. И как почти всегда бывает в передаче «Ничего личного», экран продемонстрировал явное преобладание традиционного подхода к вопросу: на нашей стороне оказалось более 60 процентов человечков. Тем, кто запамятовал, напомню: в этой передаче общественное мнение изображается с помощью крошечных фигурок, перебегающих из одной половины экрана в другой. Татьяна Малкина уверенно вела дискуссию. В свое время «Литературная газета» на заре этого проекта ТВЦ довольно строго покритиковала Малкину за неумелость. С тех пор она, должен признаться, сильно набрала в профессиональном смысле, правда сохранив и даже развив свою манеру решительно поддерживать одну из спорящих сторон. И почему-то всегда это те, кто стоит на нетрадиционных (в хорошем смысле) позициях. Правда, надо признать, после монтажа, в эфире, эта односторонняя активность ведущей не так заметна, как во время записи. В нашем случае Татьяна Малкина сразу встала в строй тех, которые хотят безбрежно самовыражаться, получая при этом гарантированную материальную поддержку государства, ничего не желают знать об ответственности художника перед обществом, но почему-то на всякий случай сохраняют за собой право бороться, например, против религии. Я таких называю «самовыраженииями». Ничего личного — просто диагноз. Впрочем, стоит ли корить Татьяну Малкину за это ее «влеченье, род недуга», если тон задает сам президент телеакадемии Владимир Познер, овевающий ласковым эфиром либеральных единомышленников и буквально темнеющий челом, заслышав нечто государственно-патриотическое.

Судя по реакции зала, аплодисментам, наша «охранительная» точка зрения, которую в целом поддержала и эксперт Наталья Александрова, пользовалась симпатией аудитории, хотя должен сознаться, и у «самовыраженцев» сторонников тоже хватало. Ведь аудитория в таких «трёп-шоу» формируется по принципу «кто кого приведет» и, конечно, не является корректной выборкой. Я, например, никого не привел, Варламов и Легойда тоже. Кстати, в передачах, где подведение итогов осуществляется по интерактивному принципу, ситуация иная, в большей мере отражающая реальные умонастроения людей. К примеру, у Владимира Соловьева в проекте «К барьеру», идущем в прямом эфире только на Дальний Восток, а далее транслирующемся по часовым поясам в записи, иногда в разных регионах побеждают разные дуэлянты. Например, недавно в Москве победил Виктор Ерофеев, а в Сибири Никита Михалков. Есть о чем задуматься государственным мужам, пекущимся о целостности «единой и неделимой».

Первые сомнения в корректности происходящего у меня появились, когда провели промежуточное голосование. Мы со своей озабоченностью нравственной миссией искусства все еще лидировали, но значительная часть наших человечков перебежала к «самовыраженцам». Возникло даже некоторое ощущение дежавю. Год назад я был уже в передаче «Ничего личного». Спорили о том, можно ли перелицовывать классику, например, в театральных постановках, и менять, допустим, в опере сексуальную ориентацию Онегина и Ленского. Как догадался читатель, я был против этого категорически. Тогда все шло так же: мы с Анастасией Волочковой и замечательным переводчиком Григорием Кружковым настаивали на том, что классику интерпретировать надо очень деликатно. И зал нас тоже поддерживал. А в результате мы проиграли. Правда, в тот раз против нас сильно выступил художник Павел Каплевич, да и ведущая... Но об этом я уже говорил. В общем, в тот раз я самокритично решил, что наша сторона просто оказалась недостаточно убедительной. Потом, время от времени, натыкаясь на передачу «Ничего личного» в эфире, я стал замечать: почти всегда она протекает по одному сценарию: традиционная точка зрения торжествует в начале, а потом, несмотря на усилия «заботников», в конце концов оказывается посрамлена «неформалами». Зрителю, как правило, придерживающемуся традиционных взглядов, остается чесать затылок и подозревать, что у него там, между лобной и затылочной костями, не все в порядке...

Надо ли объяснять, что и на этот раз последнее, решающее, электронное голосование показало дальнейшее бегство человечков с нашей половины экрана — и мы проиграли со счетом 47:53. Татьяна Малкина, как и год назад, начала (явно не экспромтом) произносить заключительный свой монолог о чуде посрамления «традиционалистов», произошедшем под ударами неопровержимых аргументов «самовыраженцев» прямо на глазах изумленных телезрителей. Варламов и Легойда, видимо впервые попавшие в такой переплет, смотрели на меня глазами обманутых вкладчиков. Некоторое недоуменное смятение наблюдалось и в рядах зрителей. Тогда я решился.

«А ну-ка поднимите руки те, кто голосовал за нас!» — призвал я. Таковых оказалось много. Тут уж я вспомнил свой незабываемый опыт комсорга московских писателей и потребовал, отметая растерянные протесты нашей милой ведущей, провести открытое голосование. Считать поручили эксперту Наталье Александровой. И что вы думаете? Да, да, при открытом голосовании победили мы: 23:21. Кто-то из зала сообщил, что у него не работает кнопка на пульте. Николай Молок возмутился, мол, горлом берут поборники нравственности в искусстве! А чем же еще, если хулители нравственности берут электроникой? В уголочке возле компьютера засуетились члены телебригады — и человечки, как ненормальные, забегали на экране туда-сюда. Наконец, высветился новый результат: за нас — 49 процентов, против — 51. Наверное, просто не успели перепрограммировать систему... А может, и вправду виртуальная реальность совсем оторвалась от реальной действительности и живет уже по своим законам? Не знаю.

Итак, победив в открытом голосовании, мы снова проиграли при электронном подведении итогов. Татьяна Малкина, позабыв о чудесном посрамлении «традиционалистов», великодушно предложила боевую ничью. Мы переглянулись и, нехотя, согласились. Ну, во-первых, не отказывать же даме! А во-вторых, это когда президента выбирают, должен быть один-единственный победитель, а в нашем случае возможен и этот... как его... консенсус. Ситуация в самом деле патовая: поднятые руки — за нас, а компьютер — за них.

Но знаете, о чем я подумал в этот момент? Я подумал: жаль, президентов нельзя выбирать открытым голосованием. А то бы и народу спокойней, и главе государства, так сказать, подпористей...

P.S. Эту передачу телезритель увидит месяца через полтора. Интересно, что там останется после монтажа?

«Литературная газета», 2008 г.

ЧТОБЫ ВЕРИЛИ

Юрий ПОЛЯКОВ, 33-й редактор «ЛГ»

«Литературка», отмечающая сегодня 80-летие своей советской «версии», была, без сомнения, самой свободомыслящей, самой интеллектуально дерзкой, самой «расконвоированной» газетой эпохи социализма. До сих пор у старших поколений в памяти ее будоражащие дискуссии, статьи и очерки, написанные по принципу «Не могу молчать!». А знаменитая рубрика «Если бы директором был я...»! Со всей страны шли тысячи писем — проекты, идеи: как усовершенствовать электросчетчик в доме или как реформировать социализм до основанья, а затем... Да, конечно, то была дозволенная властью отвага и согласованная в ЦК оппозиционность. Но ведь дозволенностью надо было еще уметь воспользоваться и конвертировать ее в хорошую журналистику. Надо было вовлечь в свою орбиту самых лучших и самых разных писателей эпохи. И, надо сказать, коллектив газеты пользовался своей «расконвоированностью» талантливо, с выдумкой, с непременной затейливой фигой в кармане. Впрочем, пожив при капитализме с демократией, вырвавшись за железный занавес и посмотрев мир, мы убедились в том, что «свободу слова» от «всевластья цензуры» нередко отличает просто «длина поводка»... Да и сама свобода — порой всего лишь приемлемая степень принуждения.

За свои 80 лет возобновленная Горьким «Литературка» пережила и многоликий сталинизм, и Великую войну, и дареную «оттепель», и стабильный застой, и обольщения перестройки, и либеральное помрачение 90-х, и соблазны суверенной демократии... Были взлеты. Были ошибки. Были миллионные тиражи. Было и заслуженное охлаждение читателей. Сегодня газета, постоянно расширяя свою аудиторию, ведёт серьезный диалог о нашем нынешнем, очень непростом времени, когда несправедливость стала нормой, а здравый смысл — экзотикой. Мы недавно попытались возродить рубрику «Если бы президентом был я...». И никто, почти никто не отозвался... Скверный симптом. Неверие в то, что разумное может стать действительным, — самое опасное неверие, это тяжелая болезнь общества. Нынешнее поколение литгазетовцев работает ради того, чтобы все-таки верили...

«Литературная газета», 2009 г.

«Надо вернуть моду на чтение»

Треть населения России, судя по статистике, сегодня не читает книг. Для нас это обидные цифры, но такова общемировая ситуация. Главная беда в том, что ушла мода на чтение. В советский период была государственная программа, которая с 20-х годов буквально навязывала обществу чтение как стиль жизни. Потом это превратилось в необходимость, в признак хорошего тона, в моду, наконец. В 90-е годы новая власть в основном «шестерила» перед Западом и «распиливала» между своими то, что осталось от советской эпохи. Какая уж тут системная пропаганда чтения! С центральных каналов телевидения совсем исчезли программы, связанные с чтением и писательской деятельностью. Кстати, на встрече с Путиным литераторы поднимали этот вопрос. Премьер обещал поддержать нас, поспособствовать возвращению литературы на ТВ. Однако пока ничего не происходит. Впрочем, это дело нескорое. Быстро только Александр Цекало «печет» свои шоу да «Машина времени» скрипит ржавыми рычагами на госторжествах, как прежде это делал хор имени Пятницкого. Прежде, во времена моей молодости, прочитанная интересная книга, например, в студенческой среде была предметом хвастовства, признаком превосходства над товарищами, как сейчас, скажем, модель навороченного телефона. Увы, эта мода ушла.

Точнее, ее ушли. Ведь чтение — это определенное интеллектуальное усилие. И человека следует убедить в том, что усилие надо совершить, что такое усилие ему необходимо. К здоровому образу жизни, к посещению тренажерных залов нас всячески побуждают? Как это ты не ходишь в тренажерный зал? Лох, что ли? А то, что человек ничего не читает, кроме того, что необходимо по работе, это вроде никого не удивляет. А раньше было наоборот. Не ходишь в секцию легкой атлетики? Ну и ладно. А вот то, что ты не читаешь, — это черт знает что такое! Стыдно людям показаться.

Школа не виновата

Раньше часто сетовали, что именно школьная программа по литературе отбивает у школьника вкус к серьезному чтению. Доля правды в этом была. Но сегодня количество часов, отведенных на изучение литературы, настолько ничтожно, что упрекать школу в чем-либо язык не поворачивается. Об этом писатели хором жаловались Путину во время известной встречи — и тоже получили поддержку. Я, как бывший учитель русского языка и литературы, слежу за тем, что происходит со школьной программой, да и «Литературная газета» часто пишет об этом. Если у большевиков талантливым, крупным считался тот литератор, кто боролся с царизмом, то с 90-х годов талантливыми стали объявлять всех, кто конфликтовал с советской властью, от нее пострадал или эмигрировал. Но разве, скажем, Довлатов, умерший в Америке, значительнее Катаева, скончавшегося в СССР и оказавшего огромное влияние на современную прозу? Однако первый везде, а второй уже почти нигде. Нынче Бродского насаждают в школе, как картошку при Екатерине Великой, объявляют его ровней Пушкину. Это смешно! Да, он крупный поэт, ровня Рейну, Мориц, Сосноре, Кушнеру, но, конечно же, не Пушкину. Нобелевская премия, скажете? Но почему-то Шолохова та же Нобелевская премия не спасает от параноидальных обвинений в плагиате, которые не прекратились даже после обнаружения рукописи «Тихого Дона» и проникли уже в школьный курс. Есть и отрадные явления: в программу вошли писатели, прежде туда не допускавшиеся по идеологическим соображениям: Набоков, Цветаева, Булгаков, Платонов... Но «советские классики» — остались классиками. Так, революцию и гражданскую войну, по-моему, лучше по-прежнему изучать по Маяковскому и «Разгрому» Фадеева, а не по «Лейтенанту Шмидту» и «Доктору Живаго» Пастернака: слишком много бахромы. И вкус к чтению, безусловно, должна прививать школа. Возможностей для этого теперь у учителей больше, а вот часов гораздо меньше...

Донцова или Акунин?

Во всем мире распространено «развлекательное чтиво». И с этим ничего не поделаешь. Не боремся же мы с теми, кто коротает время разгадыванием кроссвордов. Чем Акунин хуже кроссворда? Ничем. Но «чтиво», чтобы не уродовать «отдыхающего» читателя, должно быть написано нормальным русским языком, с соблюдением жанровых и композиционных законов. А для этого надо возрождать профессию литературного редактора, почти ликвидированную жадными издателями ради экономии. На самих сочинителей «развлекухи» надежд мало, у них страницы — деньги. Что же касается распространенного мнения о тотальном преобладания «чтива» над литературой серьезной, то это — миф. Не буду далеко ходить за примером: все мои книги, выходившие в последнее десятилетие — «Замыслил я побег», «Грибной царь», «Гипсовый трубач», — неизменно и надолго занимали первые места в рейтингах продаж, а значит и чтения. То же самое происходило, кстати, с книгами Пелевина, Улицкой и прочих отнюдь не «развлекательных» писателей.

Проблема в другом. Пропаганда серьезной литературы сегодня осуществляется через систему литературных премий — «Букер», «Национальный бестселлер», «Большая книга», «Триумф» и т.д. Не только лауреаты, но и номинанты настойчиво рекомендуются посетителям книжных магазинов. Одна беда: за редким исключением это все неудобочитаемые, плохо написанные или совершенно «проходные» книги с претензией на большую литературу. Читать их — мука. Читательский интерес, не успев вспыхнуть, гаснет. Например, книга недавнего лауреата премии «Национальный бестселлер» была продана за месяц в Московском Доме книги (а это более 40 магазинов) в количестве нескольких экземпляров. Вот вам и «бестселлер».

Премии у нас, как правило, присуждаются в основном не за художественность, а за верность определенному литературно-политическому направлению, точнее — тусовке. Причем касается это как писателей-либералов, так и писателей-патриотов. Хрен редьки не слаще. Кстати, чем слабее писатель, тем больше у него шансов сделаться лауреатом. Сильный писатель, оснастившись премиями, может стать неуправляемым и покинуть команду. Опасно! И пока идут все эти окололитературные игры, читатель под видом премиальных сочинений получает такое, что говорит: «Да ну ее на фиг эту «качественную» литературу, я лучше еще одну Донцову прочту!».

Конечно, есть хорошая, даже отличная художественная литература, но ее отсекают от читателя любыми способами. Я в этом году сопредседательствовал в жюри «Большой книги» и был вынужден прочитать все 13 книг, попавших в «шорт-лист». Некоторые — откровенная графомания: например, Борис Евсеев или Вадим Ермолинец. Другие так себе или не доведены до ума. Например, «Каменный мост» Александра Терехова. Есть замах, есть вербальная мощь. Но это, грубо говоря, черновик, над которым еще работать и работать, а потом надо бы отдать в руки хорошему редактору. Были в этом списке и хорошие книги, но они, как ни странно, не получили ничего. Например, биографическая проза Аллы Марченко «Ахматова: жизнь». Главный приз получил Юзефович за бесцветный, как пещерный таракан, роман «Журавли и карлики». Когда я по долгу сопредседателя вручал ему диплом, мне было стыдно.

Настоящий писатель всегда старается рассказать о том, что его волнует, а потом выясняется: то же самое волнует и все общество. Сейчас у нас возникла парадоксальная ситуация: сформировалась целая когорта увешанных премиями и грантами писателей, которые пишут о том, что обществу неинтересно. Это какая-то мутная литература для своих, замешанная на явном или подспудном неприятии традиционной России, ее прошлого и настоящего. После таких книг не только в «этой стране», вообще жить не хочется. Ну, а без обязательной чернухи про то, как при советской власти коммунисты беспартийных младенцев ели, теперь в очередь за литературной премией и вставать-то неловко...

АиФ, 2010 г.

Третий век с читателями

«Литературная газета» за 180 лет своего существования повидала всякое, поведала читателям о многом и активно поучаствовала в сложной, противоречивой, драматической истории нашей страны. Задуманная Пушкиным как рупор «свободного консерватизма», она служила потом разным партиям, идеологиям, но прежде всего, конечно, — Отечеству и литературе. Первый главный редактор барон Дельвиг умер, не пережив нагоняя графа Бенкендорфа, в сердцах пообещавшего за неправильную публикацию сослать автора «Соловья» в Сибирь. Жизнь многих последующих редакторов оказалась не слаще и протекала в непрерывной борьбе с царской цензурой за право сказать читателю то, чего нельзя. Собственно, в этом передовая часть пишущего сословия империи и видела свою коренную задачу.

Десятилетия спустя Сергей Динамов, возглавив возобновленную по настоянию Горького «Литературную газету», стремился сделать ее восприемницей лучших дореволюционных традиций, объединяющим центром литературного процесса, раздираемого враждой группировок, жаждавших потесней прижаться к власти. В известной степени литературовед Динамов пытался в советских условиях по возможности вернуться к принципам «свободного консерватизма». Закончил он, как и большинство литераторов, оказавшихся волей партии на руководящих постах, в ГУЛАГе. Это понятно: Ежов — не Бенкендорф.

А вот Александр Чаковский, руководивший газетой 26 лет, умудрился превратить ее (конечно, не без поддержки Политбюро) в ледокол допустимого либерализма, пристань адаптированного почвенничества, светоч советской журналистики, мировой, как говорится, бренд. «ЛГ» стала первым советским иллюстрированным еженедельником с миллионными тиражами, ее до сих пор знают и помнят во всем просвещенном мире. О сложнейших, гроссмейстерских партиях, которые Чак, попыхивая сигарой, вел с Главлитом, чтобы опубликовать то, чего нельзя, впору сочинять исторические детективы.

Кто же мог предположить, что в 90-е, объявив либерализм, столь желанный в советские годы, «единственно правильной линией», литгазетчики оттолкнут от себя множество, если не большинство читателей? Впрочем, и это понятно: всякая моноидеология — не важно, либеральная, коммунистическая, националистическая, — одинаково губительна для свободы слова и нравственно-интеллектуального развития социума. Лишь возвращение к пушкинской идее «свободного консерватизма» помогло нам вернуть многих утраченных читателей и завоевать новых. Однако сегодня наша газета в частности и вся российская журналистика в целом очутились в новой, небывалой для отечественной традиции ситуации. Я бы назвал ее «кухонной глобализацией».

Поколения пишущих людей России всегда воспитывались на вере в то, что правдивое слово, прорвав препоны цензуры, оказывает прямое и могучее воздействие на общество и власть, во многом определяя ее действия. Так было при царях и при генсеках. Сегодня же наше информационное пространство, скорее, напоминает увеличенную до грандиозных размеров (седьмая часть суши!) позднесоветскую кухню, где можно говорить о чем угодно, обличать, доказывать, призывать — результат минимальный. Читатель стал недоверчив, насмотревшись, как в 90-е журналисты корыстно обслуживали «прихватизаторов» и «реформаторов», которым лучше бы работать взрывотехниками. А власть? Она-то как раз оказалась теперь в очень удобном положении: благодаря недоверию общества к слову власть из сотен «гласов вопиющих» может на свое усмотрение реагировать лишь на тот «глас», который нужен именно ей, именно сегодня по соображениям текущей политики, а не исторической ответственности. Это, на мой взгляд, опасно и для журналистики как профессии, и для общества, и — в перспективе — для самой власти, теряющей в лице прессы чуткий сейсмограф подспудных социальных движений. Как быть? Что делать?

Пушкин бы подсказал...

«Литературная газета», январь 2010 г.

«Не может вечным быть небытие...»

Умер **Вадим Витальевич Сикорский**. На 91-м году жизни. Один из могикан некогда многочисленного и могучего племени советских поэтов, точнее поэтов советской эпохи. Он дебютировал с книгой «Лирика» в 1958 году уже зрелым человеком, а по меркам нынешних скороспелых дебютов — и вовсе «стариком». Его стихи были лаконичны, афористичны, сдержанны, почти лишены примет неизбежной тогда политической лояльности, что выгодно отличало их от многословия эстрадной поэзии, изнывавшей от этой самой лояльности.

В предисловии к «Избранному» в 1983 году он писал: «Главным в поэте я всегда считал уникальную способность оказаться наедине с миром, со вселенной, со звездами, с самим собой. Умение взлететь ввысь сквозь любые учрежденческие потолки, сквозь стены и этажи увеселительных заведений, сквозь тяжелые железобетонные стены любых подвалов». Сикорский был всегда сосредоточен на странностях любви, на вечных и проклятых вопросах:

Ничто не вечно — ни звезды свечение,
ни пенье птиц, ни блеск луча
в ручье, —
ничто не вечно. Смерть
не исключение:
Не может вечным быть небытие.

В годы войны сын известной переводчицы, он оказался в эвакуации в Елабуге, дружил с Муром, сыном Цветаевой, и ему досталось — вынимать великую Марину из петли. Об этом он иногда, под настроение, хмуро рассказывал нам, молодым стихослагателям, посещавшим его семинар в Литературной студии при МГК ВЛКСМ и Московской писательской организации. Педагогом Вадим Витальевич был блестящим: одним изумленным взглядом, одним ироническим цитированием мог навсегда вылечить начинающего от пристрастия к рифмам типа «была-ушла». Много лет работая в отделе поэзии «Нового мира» под началом своего друга Евгения Винокурова, он помог с публикациями в этом сакральном журнале советской эпохи многим дебютантам, в том числе и мне.

После 91-го, когда в поэзии воцарился концептуальный цирк, Сикорский ушел в тень, его публикации стали редкостью, он сел за большой роман, главу из которого «ЛГ» напечатала несколько лет назад. До последнего времени он оставался бодр, в его крепком стариковстве явно угадывался некогда полный страстей, красивый, сильный мужчина, овладевший не одной женской привязанностью, чувствовавший себя без любви, «как скульптор без глины». Сам он с присущей ему самоиронией как-то назвал себя в стихах «атлетическим повесой». И мне хочется, вопреки строгому жанру эпитафии, процитировать мое самое любимое стихотворение ушедшего поэта «Встреча», по-моему, замечательное:

Опасность была не уменьшена
Ни светом, ни тем, что — народ...
Почти нереальная женщина
Навстречу спокойно идет.
Из облака солнцем точенная?
На лбу — неземного печать?
Нет, мысль, на слова обреченная,
Об этом должна промолчать.
Решусь объясниться лишь косвенно:
Всю мудрость налаженных дней,

Как нечто никчемное, косное,
Забыв, я пошел бы за ней.
Устроенность жизни, направленность
Всех помыслов, все, чем я жив,
Я сжег, если б ей не понравилось,
К ногам ее пепел сложив.
Такая мне богом обещана.
Потупясь — себя отстраня,
Смертельно опасная женщина,
Прошла, не коснувшись меня.

Прощайте, Вадим Витальевич! В судьбе человека, посвятившего себя стихам, много горечи, но есть и одна привилегия: его ждет не только вечная жизнь за гробом, но и неведомая судьба в параллельных мирах высказанного поэтического слова.

«Литературная газета», апрель 2009 г.

Дневник на асфальте

Дневники люди писали всегда. Не удивлюсь, если среди берестяных грамот есть и такая, нацарапанная неведомым Добромыслом: «Вечор бысть пир силён, а ныне стражду...» Не ручаюсь за реконструкцию древнерусского языка, но за то, что людям всегда хотелось сберечь письменно то, что с ними случилось наяву, ручаюсь. В прежние времена обыкновенно поденные записи публиковали душеприказчики, часто вопреки воле знаменитого усопшего. Впрочем, был и «Дневник писателя» Достоевского... А сколько интимных хроник, оставленных невыдающимися людьми, наследники сдали в макулатуру? Подумать страшно! Но всеобщая мода печатать дневники при жизни появилась у писателей сравнительно недавно. Почему? Наверное, из-за того, что нынче мнение былых властителей дум о времени и о себе настолько никого не интересует, что приходится эти мнения буквально навязывать, в том числе и в виде прижизненной публикации личных хроник.

Однако если человек ведет дневник, намереваясь издать его при жизни, в записях невольно появляются заданность, осторожность, оглядка — все то, что девальвирует текст, ценный именно своей непубличностью, спонтанностью, безоглядностью. Такие тщательно подготовленные к печати «тайные записи» напоминают мне, уж извините, выбритые и надушенные дамские подмышки, старательно вывернутые на всеобщее обозрение. Впрочем, это сущие пустяки по сравнению с Живым Журналом, где люди практически в режиме онлайн повествуют человечеству о своей текущей жизни, начиная с мелких бытовых заморочек и заканчивая чуть ли не физиологическими отправлениями. Когда Гришковец извещает город и мир о том, что стоит в пробке на пути в аэропорт или не выспался — что тут скажешь? М-да, Интернет, словно лупа, увеличивает человеческую глупость до невероятных размеров. Как тут не вспомнить лимерик, начинающийся строчками:

Как один англичанин на Мальте
Вел интимный дневник на асфальте...

А про Твиттер и говорить не стану, ибо искренне лоялен к нынешней власти.

В общем, «Петербургские хроники. 1983–2010» Дмитрия Каралиса я взял в руки с некоторым предубеждением. Питерский писатель, которого я считаю одним из лучших современных прозаиков, тоже, выходит, не избежал соблазна напечатать «ума холодные наблюдения и сердца горестные заметы», будучи в расцвете жизненных и литературных сил. Однако по мере чтения эта преждевременность меня почему-то не огорчала, а, напротив, все более увлекала. Почему же? На то несколько причин. Во-первых, хроники Каралиса на удивление искренние, они не «эпилированы», и сразу видно, писались для себя, а не для скорейшего обнародования. Во-вторых, те двадцать семь лет, которые охватывают дневники, — это как раз то время, за которое гаражный труженик Дмитрий Каралис превратился в серьезного известного писателя. Случай не рядовой. Читая, просто видишь, как день за днем происходило это превращение, как наращивался культурный багаж, как прочитывались и осмысливались хорошие и разные книги, как обострялось социальное зрение и трезвели политические взгляды, как постепенно восторженно-романтические представления о литературной кумирне сменялись печальным узнаванием уродливого устройства мира изящной словесности. Обычно литераторы старательно творят о себе мифы: один рассказывает, как Пастернак, услышав его юношеские стихи, пал в обморок, другой сообщает, что уже в колыбели лепетал ямбом; третий, оказывается, еще в детстве установил астральный контакт с Прустом... Каралис же не скрывает своей наивной мечты пробиться в писатели и подробно, с «некамильфотной» прямотой (первая часть книги так и называется: «Монологи простодушного») рассказывает, как он шел к этой цели — школил себя, боролся со словом, одолевал бытовые трудности, искал литературные знакомства и покровительства, стучался в дубовые двери издательств... И еще видишь, как от записи к записи зарождается, осознается, оттачивается стиль писателя. Это не столько хроника жизни, сколько удивительная, уникальная летопись «волитературивания». Да простится мне этот неуклюжий неологизм. Но обратимся к тексту. Вот наугад несколько записей:

17 мая 1983 г. Дежурю в ОТХ

Написал сегодня рассказик «Зеркало» и новеллу «Двое». Первый дался тяжеловато, с перерывами, а новелла — в один присест. Пока это, естественно, заготовки. Час ночи. Тепло. Сижу у открытого окна. Вокруг нашего гаража набирает силу рощица... Прогрохотала над Гатчиной весенняя гроза. В землю зло били короткие оранжевые молнии, лупил крупный дождь. Теперь чисто, свежо, птицы делятся впечатлениями... Залпом прочитал В. Токареву — «Талисман» в «Юности». Перед этим читал ее же рассказ «Ничего особенного» в «Новом мире». Удивительная манера письма! Очень просто и интересно. Делаю вывод: не умею находить оптимальное соотношение между повествовательным и изобразительным. У нее все в элегантной пропорции.

23 апреля — 9 мая 1987 г. Зеленогорск

По телевизору показывают телемосты СССР–США, СССР–Япония... В газетах — о неформальных объединениях молодежи. Говорят даже о сексе. О ужас, если смотреть по-старому. И ничего нет плохого, если смотреть нормальными глазами... Прошел пленум Союза писателей. В «Литературке» речи выступавших. Писатели ругаются и грызутся по всем вопросам, кроме истинно литературных: национальные распри, упреки, обиды, колкости. Читать противно. Как дерьма наелся. Но узнаешь много скандально-нового про писателей. Звонил в Москву редактору. Книгу мы должны сдать в производство 30 мая.

15 октября 1989 г. Ленинград

Вчера в кафе Дома писателей обмыли со Столяровым выход моего рассказа. Мыслей было много, и одна гениальней другой. Сейчас все куда-то разбежались. Выхаживаюсь. Противно во рту, противно в душе, и Ольга спит на другом диване. Сижу в кабинете, слушаю «Радио Свобода» — говорят про нашего бывшего тяжелоатлета, чемпиона мира Юрия Власова. Теперь он политик и писатель. А я кто? Конь в пальто! Дурак и пьяница.

7 октября 1993 г. Ленинград

Несколько дней назад из танков расстреляли парламент — Верховный Совет. Били по-настоящему. Белый дом местами выгорел — стоит черный... Жуть! И это наш президент, за которого мы с Ольгой голосовали и радовались?.. Апофеоз нашей демократии. По народным избранникам «Огонь!». И гаденыши в телевизоре уверяют, что все правильно. Не верю больше ни единому слову реформаторов! Ельцин — просто враг народа и моральный урод! И Запад молчит, не тревожит нас экстренным заседанием ООН, громкими заявлениями, ультиматумами, бойкотами. Они, суки, похоже, и заправляют всем бардаком.

14 октября 1998 г. Ленинград

Ходил по приглашению Гранина во дворец Белосельских-Белозерских на общественные слушания «Россия во мгле: уныние или оптимизм?»... Бывший ректор Историко-архивного института Юрий Афанасьев, холеный и самодовольный, говорил непонятно о чем. Зато куда понятнее выразился некий Даниил — мальчик с длинными завитыми волосами в стиле певца Леонтьева: «Чем быстрее перестанет существовать эта страна, тем лучше будет для всех». Он имел в виду Россию. Ольга С. с «Радио России», которой я сказал, что надо бы пойти — дать ему в ухо, схватила меня за рукав и не пустила: «...Ему только этого и хочется. Синяки пройдут, а гранты повысятся».

20 октября 2004 г. Зеленогорск

Звонила Таня Конецкая. Торопила со статьей для сборника воспоминаний о Викторе Викторовиче. Конецкому я обязан многим. Если смотреть, прищурившись, из нынешнего времени в те далекие семидесятые, то Конецкий развернул меня, глупого, безвольного, пьющего, к правильной жизни, его путевые заметки спасли от уныния, показали, как надо писать. Он был прав: «Истинная проза есть открытие для людей реальной возможности более достойной жизни».

9 декабря 2009 г. Санкт-Петербург

Работы достаточно, только успевай поворачиваться. И это называется — писатель, человек свободной профессии. Помимо журналистики и преподавания на курсах «Литератор» надо быть мужем, отцом, дедом. Надо писать в конце концов книги. Второе издание «Чикагского блюза» пошло по магазинам — «Дом книги», «Лавка писателей» и прочие лавочки. Попасть в сетевой магазин стало невозможно: они сами диктуют читателю, что покупать и читать. А я продолжаю бороться с капитализмом. Интересно, кто кого победит?

Закончив чтение «Хроник», я понял: как раз этот дневник нельзя было держать под спудом для «задумчивых внуков». И вот почему. Сегодня, увы, с помощью «Букера», «Нацбестселлера», «Большой книги» и других лукавых проектов налажен массовый вывод литературных мальков, не владеющих даже элементарным ремеслом и, что еще хуже, не способных к росту — профессиональному, нравственному, гражданскому. Возможно, дневники Каралиса помогут понять кому-то из начинающих, что литература — это не горнолыжный курорт, а тяжкое пешее восхождение, что «напрямую» самовыразиться невозможно, а только — через мастерство, которое даже очень способному автору дается долгими трудами, а не короткими списками. Я бы рекомендовал эту книгу студентам Литературного института.

Но не только в этом актуальность «Петербургских хроник» Каралиса. Обществу сегодня настойчиво навязывается положительный пример интеллектуального мажора, содрогнувшегося от солженицынской версии тоталитаризма, презревшего «совок», воспрянувшего вместе со свежими общечеловеческими ветрами, затомившегося в «новом застое», восставшего против «полицейского государства» и вот теперь вышедшего с белыми ленточками на «болото» — за вашу и нашу свободу. Дотошные дневники писателя дают нам совсем иную картину, рассказывают о судьбе честных отечественных интеллигентов, радостно обманувшихся и с горечью понявших, что их могучую тягу к справедливости использовали, как тротил, для взрыва страны и установления режима еще большей несправедливости, когда запросто раздавались отчие земли, а миллиардные состояния делались в приемной пьющего президента. У нормальных людей на то, чтобы выжить, приспособиться к «новому прекрасному миру», ушло полжизни. А многие, возможно, самые совестливые, просто сгорели от отчаяния.

Происходящее сегодня удивительно напоминает конец 80-х. Об этом постоянно думаешь, читая дневники Дмитрия Каралиса. Снова нахрапистое благополучное меньшинство, состоящее из мальчиков Даниилов, девочек Ксюш и обмылков младореформаторов, пытается поднять обиженное большинство на всесокрушающую борьбу за справедливость, и снова власть, будто растерянный родитель, то шлёпает, то ласкает расшалившихся любимых плохишей. В какие исторические и моральные бездны мы можем рухнуть на этот раз, остается лишь догадываться. Скажу аллегорически, но искренне: возможно, хроники, подобные каралисовской, и нужно писать на асфальте, чтобы люди, глядя под ноги, понимали, куда их ведут...

27 декабря 1991 г. Санкт-Петербург

Горбачев подал в отставку — Союза больше нет. Выступил по телевидению. Накануне долго торговался с Ельциным по поводу своего пенсионного благополучия: просил 200 человек охраны — дали 20, дали две машины, дачу, медобслуживание...

Очень своевременная книга!

«Литературная газета», 2012 г.

Захар Прилепин и вопросы сталинизма

«В лучшем случае писатель, возглавляющий литгазету или журнал, может натравить подручного критика на другого сочинителя: как приятно сводить счеты, оставаясь за кадром».

З. Прилепин «Книгочет. Пособие по новейшей литературе»

Сначала анекдот. Берлин 45-го. Бомбежка. В бункере сидят Штирлиц и Мюллер, пекут картошку, выпивают, вспоминают, как вместе учились в разведшколе имени Коминтерна, поют вполголоса «Если завтра война...».

— Эх, не могу себе простить, — говорит Штирлиц, — что мы Гитлера не завербовали...

— А что его вербовать? Он же наш Адька Хитров из секретной группы...

Соратники задумчиво смотрят друг на друга. Авиация бомбит рейхсканцелярию. Танки штурмуют Берлин.

К чему я вспомнил этот бородатый анекдот? А к тому, что он напомнил нынешнюю ситуацию в стране. И в частности, недавнее письмо товарищу Сталину, которое от имени либеральной общественности составил писатель, лауреат «Букера», «Нацбеста», «Ясной Поляны» и проч. Захар Прилепин. Собственно, инвектива, по ходу дела превращающаяся в панегирик, прием не новый. Но от постмодернистов новизны давно никто и не ждет. По жанру это что-то среднее между «письмом ученому соседу» и дайджестом, слепленным без ссылок, конечно, из всего того, что писали о сталинской эпохе в «ЛГ» настоящие знатоки проблемы еще в 90-е: Кожинов, Бушин, Семанов, Костырченко, Проханов, Рыбас, Юрий Жуков и многие другие. После 2001 года, когда за кадром возник новый главный редактор, появилась рубрика «Настоящее прошлое», где часто обращались к разоблачению истероидных антисталинских мифов. По некоторым приметам эту рубрику Захар Прилепин активно почитывал. Собственно, ничего плохого в послании молодого писателя усопшему вождю нет: ну захотелось автору поглумиться над антисталинскими фобиями нынешней либеральной элиты, уходящими корнями в семейные обиды. А то, что литературное поколение нулевых на предшественников ссылаться не приучено, это всем давно известно: если ты из пробирки, то и благодарить, кроме пробирки, некого...

Есть, правда, некоторые недоумения... Далеко не все либеральные обиды на вождя всех времен столь глупы, корыстны и нелепы, как кажется автору пацанских рассказов. Нельзя забывать, что все они — и сталинисты, и троцкисты — были отравлены одним ядом революционной вседозволенности, которой заболели еще в пору бессудных расстрелов 20-х — по классовому признаку. А если можно по классовому, то, наверно, можно и по идеологическому. Ельцин ведь тоже по парламенту из танков не из пьяного озорства стрелял. Далее, есть в письме некое верхоглядство, не подобающее серьезному писателю с горьковских берегов. Ну, не будет образованный патриот, даже ерничая вроде как от имени либералов, писать о Сталине: «ты положил в семь слоев русских людей, чтобы спасти жизнь нашему семени...» Во-первых, что это за «либеральное семя» такое? Неужели открыт ген либерализма? Во-вторых, любой, мало-мальски знакомый с современной статистикой потерь Второй мировой войны, знает, что немцы не досчитались военнослужащих около семи миллионов, мы — около восьми. При всей чудовищности утрат никто гатей бойцами не мостил. А дикие потери среди нашего мирного населения — это на совести западноевропейского гуманизма. Надо бы знать и то, что заградотряды у немцев появились раньше, чем у нас. Да и Тухачевского — Блюхера не корректно сравнивать с Ворошиловым и Буденным, может, они не великие полководцы, но в отличие от первых двух заговоров не плели и с зарубежными разведками не сносились. Настораживает и такой пассаж: «если бы не ты (Сталин), наших дедов и прадедов передушили бы в газовых камерах, аккуратно расставленных от Бреста до Владивостока, и наш вопрос был бы окончательно решен». Что-то я не припомню, чтобы Гитлер собирался окончательно решить либеральный вопрос. Воля ваша, но тут, как из коротких брючек, высовываются несвежие кальсоны неполиткорректной темы. Вероятно, автор поначалу и хотел обратиться к Сталину от имени евреев, а потом засмущался. Или, что вероятнее, отсоветовали. Догадливым либералам и так все понятно, а нервных лучше не бередить. Потом никаких государственных наград не хватит, чтобы успокоить...

Но суть в другом. Зачем наш обличитель, достаточно поверхностно знакомый с проблемой, решил вдруг высказаться по вопросам сталинизма? Конечно, хорошую книгу написать труднее, чем побузить на политической делянке. И все же! С чего бы вдруг такое выкинул баловень всех либеральных премиальных фондов, любимый выдвиженец и посланец главного распорядителя Большой Литературной Пробирки Владимира Григорьева, откровенно, кстати, не жалующего почвенников? С чего бы это Захар Прилепин разразился ерническим гимном Сталину, а вся либеральная рать, включая клинических борцов с «черной сотней» Шендеровича и Иртеньева, взвилась так, точно никто, нигде и никогда до Прилепина не восхвалял государственные и полководческие заслуги вождя? Словно бы в телеспорах о роли генералиссимуса Кургинян не громил Сванидзе со счётом 10:1. Будто и не было исторического бестселлера Ю. Жукова «Иной Сталин». Что за визг в эфире и благой мат в блогах?

Конечно, все-то они знают, читали, слышали, но пока наш либеральный междусобойчик, куда вольно или невольно влип и Прилепин, полагал, что власть будет вести переговоры о грядущем устройстве России исключительно с ней, государствообразующей тусовкой, господа не беспокоились. Ну притащились на Болотную какие-то националисты: брр. Ну коммунисты присоседились: фуй... И вдруг стало понятно: теперь власть будет вести диалог не только с белоленточниками, но и с консервативным большинством, с русскими и другими национальными силами, которые уже не затолкаешь обратно в медную лампу советского интернационализма. А значит, даже на минное поле сталинизма пускать чужих уже нельзя — только своих. Вот оно откуда, письмо Сталину. И это только начало. Погодите, Быков еще объявится русским националистом, а Ганапольский вступит в казачью сотню. И тогда с кем бы власть ни сунулась договариваться — везде будут либералы, временно исполняющие неприятные, но необходимые обязанности. Вот только не пришлось бы потом сидеть в бункере под бомбежкой и удивляться: надо же, вроде везде свои были, а поди ж ты...

В конце забавный эпизод. На недавней книжной ярмарке Захар Прилепин подошел ко мне и с доброжелательной угрозой, какую умеют напускать на себя полицейские возле метро, предложил, чтобы в «Литературной газете» никогда больше не упоминалось его предпсевдонимное имя Евгений Лавлинский. Я удивился — имя как имя. Интеллигентное. Чего стесняться? Но если человеку обидно... Ладно! И лишь прочитав «Письмо товарищу Сталину», я понял щепетильность автора «Ботинок, полных теплой водки». В самом деле под таким крутым письмищем могло стоять только настоящее, нутряное имя — Захар Прилепин, будто сошедшее из бессмертного романа «Тени исчезают в полдень» или великого фильма «Калина красная». Иначе нельзя. Сталинисты могут не понять, да и свои скажут: недотянул...

Но Егор Прокудин, по-моему, было бы круче...

«Литературная газета», 2012 г.

Назначенные классики

Сама идея введения в программу современных авторов разумна. Но, добавляя новые имена, должно учитывать три важных условия. Первое: в школе надо изучать классику. В отличие от Рубцова или Астафьева Маканин и Гладилин с большой натяжкой могут назваться классиками! Не говоря уже про Эппеля, которого даже в Доме литераторов мало кто знает.

Второе: проблематика книг должна соответствовать возрасту учащихся. Не думаю, что тема расширения сознания с помощью мухоморов, волнующая Виктора Пелевина, актуальна для старшеклассников. Лучше расширить их кругозор с помощью «Лада» Василия Белова.

Третье: не все произведения, даже талантливо написанные, обладают воспитательными качествами. Есть, например, хорошая книга об алкоголике — «Москва — Петушки» Венедикта Ерофеева. Или поэма Баркова про Луку М., которая серьезно повлияла на нашу новую поэзию. Но это не повод изучать их в школе. Однако тексты Пелевина, насыщенные матерщиной, приказано «проходить»! Зачем? Как? Классом, что ли, матюги скандировать?

В нынешних новациях я вижу две «засады». Большинство современных классиков, вбитых в программу, лет через десять, думаю, читать не будут из-за бедного языка, профессиональной неряшливости и лютого антисоветизма, уже сейчас неактуального. Далее: вопросы, которые их волнуют, не соответствует школьному возрасту. Готовы ли старшеклассники разделить озабоченность Улицкой проблемой абортов, ее иудео-христианские метания? Я сам люблю Юрия Домбровского. Но постичь трагический фатализм сталинской эпохи не под силу даже таким гигантам мысли, как Николай Сванидзе. Что же говорить о подростках! «Программные» авторы через одного больны проблемой эмиграции, иные, там побывав, так и остались людьми с несколькими паспортами. Мы кого будем воспитывать на уроках литературы — граждан России или чемоданных страдальцев, соображающих куда выгоднее отвалить из Отечества? Так и хочется спросить, господин Ливанов, вы это специально или нарочно?

А тот факт, что часы для «назначенных классиков» освобождают за счет Лескова, Куприна, Алексея Толстого, — это, по-моему, самое настоящее гуманитарное преступление. Скажу как бывший учитель: по «Гранатовому браслету» Куприна я могу провести урок о жертвенной любви, по «Левше» Лескова — о русском национальном характере. «Хождение по мукам» — лучшая книга о революции и гражданской войне для юношества. А какой урок можно дать по Улицкой, Аксенову, Гладилину? О том, как документы для выезда на ПМЖ оформлять? Конечно, я утрирую, но урок литературы в 10-м классе это не семинар на филфаке, и подростки не сильны в понимании мук авторской самоидентификации.

Между тем писатели, выброшенные из программы, — как раз яркие носители русского духа, патриотической темы. Наша словесность, как вся страна, многонациональна, но русская литература остается русской. Лесков, Куприн, Толстой — образцы этой русскости. Не по крови, конечно, а по духу: тот же Куприн, как и Карамзин, из обрусевших татар. Именно через такую литературу в сознание подростка приходит уважение к традициям. Очень хорошо, что будут изучать Искандера, Рытхеу, Бондарева — хранителей национальных ценностей. Но зачем-то литераторы эмигрантской «сплотки» (словцо Солженицына) явно преобладают. Тема России как духовной родины, увы, не слишком заботит Улицкую, Аксенова, Пелевина, Эппеля, Рыбакова, Гладилина. Такое впечатление, что комиссары общечеловеческих ценностей из Минобра поставили перед собой цель перекодировать сознание молодых людей с помощью книг писателей, равнодушных к самой идее патриотизма и суверенитета России. В этом я вижу отражение давней политической, точнее цивилизационной, борьбы в нашей стране. Такое уже было в 20-е годы XX века. Тогда коммунисты-интернационалисты хотели «заточить» традиционного человека на Мировую революцию. Из школьной программы повылетали Толстой, Достоевский, Пушкин... На их место ставили в лучшем случае Демьяна Бедного, а то и попросту каких-то пролеткультовских графоманов. Помните булгаковского Ивана Бездомного? Это еще — цветочек! Тогда, к счастью, вовремя одумались, а то ведь бойцы, не знающие Пушкина и Толстого, вряд ли выиграли бы Сталинградскую битву. Сейчас наших детей и внуков снова хотят переформатировать — теперь в граждан мира, чтобы, видимо, не так было обидно, когда цивилизованные, но проголодавшиеся нации придут за нашими сырьевыми и территориальными ресурсами. Однако у себя дома они поступают совершенно иначе: во Франции, Германии, Британии и особенно в Америке даже легкая амбивалентность в отношении национальных ценностей не допускается. И особенно в школе!

АИФ, февраль 2013 г.

«Россия, встань и возвышайся!»

Слово о Пушкине, произнесенное в Музее А.С. Пушкина на Пречистенке 10 февраля в час гибели поэта

Читаешь Пушкина и словно уходишь в толщу культурного слоя, переполненного сокровищами всесильного слова. Думаешь о Пушкине и понимаешь, что твои мысли — лишь эхо, отзвук давно уже вымышленного, сказанного и написанного о национальном гении России. Пушкин — космос, почти загромождённый чуткими научными аппаратами, иные из которых и запускать бы не следовало. Но это нормально, правильно: у «светского евангелия» и должно быть столько разночтений, толкований, комментариев, что своим объемом они стократ уже превосходят сам боговдохновенный первоисточник. Ведь у каждого человека, каждого времени, каждого прозрения и каждого заблуждения свой Пушкин.

Некогда в нем черпали энергию тайной свободы и просвещенческой дерзости, от него заражались восторгом освобождения от запретов и канонов, а позже, напротив, искали опоры, чтобы противостоять мятежной дисгармонии и «детской резвости» всеобщего переустройства. Не льстец, Пушкин дарил самооправдание тем, кто слагал свободную или невольную хвалу властям предержащим. В нем искали смысл той русской всемирности, которая для большинства (гении не в счет) — лишь бегство от недугов своего народа к язвам вселенского масштаба.

В годы «буйной слепоты» поводырей и «презренного бешенства народа» великий поэт наряду с другими нашими титанами стал хранителем гонимой и классово чуждой культуры. Его дерзость и бунтарский дух, свойственный всякой талантливой молодости, был приписан к первому этапу освободительного движения и стал, по иронии Истории, охранной грамотой для бесценного груза имперского наследия, уже приготовленного к выбросу с парохода современности. Для мыслящих людей той трудной, но неизбежной эпохи символом окончания безжалостной борьбы с прошлым стал, в частности, выход в 1929 году первого номера возобновленной «Литературной газеты», прочно связанной с Пушкиным и его плеядой. Хочу обратить внимание на еще одно символичное обстоятельство: воссоединению русских церквей, московской и зарубежной, предшествовало воссоединение двух пушкиниан: той, что развивалась в рамках советской цивилизации, и той, что творилась нашими эмигрантами в убывающем мире изгнания.

В советские годы те, кому было скучно строить социализм и тяжко мыслить обязательными категориями диалектического материализма, эмигрировали не только за границу, но и в Пушкина — ведь по одним его аллитерациям или аллюзиям можно скитаться всю жизнь, как по атолловому архипелагу, затерянному в лазурном океане. А толкуя «донжуановский список», можно было спрятаться от директивного целомудрия. «О, как мучительно тобою счастлив я!» — восхищались мы, поэты 70-х, эротизмом самого пушкинского словосочленения. Впрочем, со временем оказалось: опостылевшее директивное целомудрие все же лучше добросовестного статусного разврата, а потребительский материализм даст сто очков вперед диалектическому...

В наследии нашего гения, словно в тайном хранилище, скрыты прообразы будущих литературных веяний, направлений, течений и даже трендов с дискурсами. В строке «мой дядя самых честных правил», отсылавшей современников к басне Крылова про крестьянина и осла, который тоже был «самых честных правил», возможно, предсказана вся простодушная механика нынешнего центонного пересмешничества, самопровозгласившего себя новой поэзией. Но то, что у автора «Евгения Онегина» было оттенком, одной из красок на богатейшей палитре, у суетливых поборников обедняющей новизны стало моноприемом, превратившим таинственную цевницу в штатив с дребезжащими пробирками. Впрочем, самопровозглашенность в искусстве заканчивается обычно тем же, чем и в геополитике: смущенным возвратом под державную длань традиции.

Пушкин остро чувствовал, что сама природа творчества тянет художника к самоупоению: «Ты царь: живи один. Дорогою свободной иди, куда влечет тебя свободный ум...» Но тем талант и отличается от литературного планктона, раздутого критиками до размеров фуршетного осетра, — что истинный художник знает меру вещам. Да, он может не дорожить «любовию народной» и для «звуков жизни не щадить», но он при этом готов пожертвовать собой во имя высшей идеи, своего народа, отчей земли. И Пушкин, записной бретер журнальных полемик, потрясенный кровавыми жертвами холерных бунтов, восклицает: «Когда в глазах такие трагедии, некогда думать о собачьей комедии нашей литературы!»

Помню, какое сильное впечатление у читающей публики вызвала общедоступная вроде бы цитата, использованная мной в статье в начале 90-х годов. Все, конечно, слышали в школе про «...русский бунт — бессмысленный и беспощадный», зато сказанное классиком дальше традиционно опускалось: «Те, которые замышляют у нас невозможные перевороты, или молоды и не знают нашего народа, или уж люди жестокосердые, коим чужая головушка полушка, да и своя шейка копейка...» Ведь так оно и случилось... А нынче разве часто мы слышим это вещее предостережение гения? То-то и оно!

Именно в творчестве Пушкина целые поколения черпали энергию истинного патриотизма даже в те годы, когда любовь к «отеческим гробам» считалась сначала контрреволюционной, а позже просто неинтеллигентной, достойной лишь снисходительной иронии. В середине 70-х на большом литературном вечере молодая поэтесса вместо своих стихов прочла вдруг «Клеветникам России», и зал, огорчив «легкоязычных витий» эстрады, встал, взорвавшись аплодисментами. Потом большое начальство долго разбиралось: а что она, собственно, имела в виду? Лучше бы они задумались, почему в едином порыве поднялся зал. Возможно, мы жили бы сегодня в иной стране!

В Пушкине отыщем и решение русского вопроса, снова волнующего народ и пугающего власть, хотя человека с русским вопросом ей надо бояться менее всего! Во всяком случае, меньше телеобозревателя с двойным гражданством. Для нашего великого поэта русским являлся тот, кто сердцем привержен к судьбе России, ее взлетам и падениям, озарениям и помрачениям. Неслучайно о своей любимой героине он сказал: «Татьяна, русская душою...» Душою! У гениев не бывает случайных слов, и если бы автор хотел отметить чистоту ее родовых корней, он бы так и сделал. Глянем на историю его собственной семьи, на его верных соратников и муз-вдохновительниц. В их крови смешался весь тогдашний аристократический интернационал. Но все они русские душою! Напротив: в стае гонителей и губителей Пушкина рядом с чужеземцами, заброшенными к нам «на ловлю счастья и чинов» и откровенно презиравшими Россию, мы найдём высокородных аборигенов, продавших свою русскую душу дьяволу алчности, зависти и властолюбия. И как же это темное сплочение против светлого гения напоминает нынешнее сплочение против возрождения нашего Отечества!

Почти банальностью стали слова о том, что художника следует судить по законам, им же установленным. С этим не спорят ни архаисты, ни новаторы. Но ведь и свой народ, его государственное обличие, художник тоже обязан судить по тем законам, которые определены ходом и роком истории. Можно ли, как это делают ныне многие, оценивать историю нашей страны, в частности, невиданные перемены и мятежи прошлого века, сумрачных героев той эпохи, не понимая глубокого замечания Пушкина: «Мы живем не веками, а десятилетиями». Можно ли сначала поднимать Россию на дыбы, а потом браниться, что у нашего Отечества дурная историческая иноходь?

В наши времена, когда окончательно пали всяческие догмы и Пушкин открыт любым пытливым ветрам, коим вздумается подуть, появилась возможность понять и оценить государственно-политическую деятельность «умнейшего мужа России» в связи с устремлениями свободного русского консерватизма. Именно «либеральным консерватором» считал своего друга Вяземский, кстати поначалу не принимавший пушкинской «патриотической щекотливости» и «географической фонфоронады». Мы продолжаем, писал князь, «лежать врастяжку, и у нас от мысли до мысли 5000 верст». Впрочем, предсказанное автором «Клеветников России» вероломство священных союзников и крымская катастрофа заставили Вяземского иначе взглянуть на «озлобленных сынов» просвещенной Европы и понять провидческую ярость собрата.

Ныне, вспоминая строки поэта, полные горячечной гордости за широко разбежавшуюся Империю, сознаешь, сбылись-таки в сердцах брошенные нашими парадоксолистами пожелания: увы, Россию сузили да еще и подморозили. Нас теперь все меньше на земле пращуров, и если встанем, то уже не «от хладных финских скал до пламенной Колхиды» и Тавриды. Но разве ж мы сделались счастливы, убывая и отступая? Нет, не счастливы... Однако и сейчас продвинутая наша поэзия буквально набита тоскливыми сарказмами по поводу неповоротливой и бессмысленно огромной России. Урок, как говорится, не впрок. А ведь утраты родного пепелища, перекройка границ начинаются с того, что поэтам в тягость нести пусть даже словесную ответственность за обширную многоплеменную державу. Куда легче считать своим отечеством русское слово, которое легко перелетает с континента на континент, собирая мышеловочные гранты и лукавые поощрения. Однако русское слово без русской почвы долго не проживет, развеется. Поговорят, поговорят на языке Пушкина из уважения к былым заслугам, да и позабудут вкупе с поэтами, гордившимися своим интертекстуальным озорством, как декабристы — подвигами на поле брани.

В минувшее двадцатилетие Пушкина упорно старались превратить в «достоянье доцента», своего рода вербальный пазл, который можно складывать и так и эдак, не заботясь об изначальных смыслах. Почему? Причин много. Но одна очевидна: в противном случае надо признаться, что творческое развитие привело нашего национального гения к убеждению, что поэт, конечно, не должен «гнуть ни помыслов, ни шеи», но и в то же время он не имеет права быть вечным супостатом государства, язвить, клеймить, толкать под руку и отдавать «возвышенные затеи оценке хитрых торгашей». Поэт совсем не обязан быть непримиримым врагом власти, если «не жесток в ней дух державный». Он не должен осмеивать «животворящие святыни» и народных героев, чей пример рождает в потомках волю к жизни, подвигу и созидательному реваншу. Ибо если поэт не воскликнет: «Россия, встань и возвышайся!» (встань с веком наравне, возвысься в могучем миролюбии!) — она никогда не встанет и не возвысится. Так и дотянет свой исторический век «больным, расслабленным колоссом», какие бы там указы, законы и призывы ни громоздили цари, генсеки или президенты.

«Литературная газета», февраль 2013 г.

СОДЕРЖАНИЕ

Литературно-художественное издание

16+

Поляков Юрий Михайлович

Лезгинка на Лобном месте

Редакционно-издательская группа «Жанры»

Зав. группой *М.С. Сергеева*
Руководитель направления *Л.А. Захарова*
Технический редактор *Н.И. Духанина*
Ответственный корректор *И.Н. Мокина*
Компьютерная верстка *Ю.Б. Анищенко*

Общероссийский классификатор продукции
ОК-005-93, том 2; 953000 – книги брошюры

Подписано в печать 08.11.2013.
Формат 84x108/32. Усл. печ. л. 31,92
Тираж 5000 экз. Заказ № 5692/13.

ООО «Издательство АСТ»
129085, г. Москва, Звездный бульвар, д. 21, строение 3, комната 5.

Отпечатано в соответствии с предоставленными
материалами в ООО «ИПК Парето-Принт»,
г. Тверь, www.pareto-print.ru